青銅器銘文檢索

第一冊

總編　周　何
主編　季旭昇　汪中文
編輯　周聰俊　陳　韻
　　　方炫琛　盧心懋
協編　陳美蘭

文史哲出版社
印行

國立中央圖書館出版品預行編目資料

青銅器銘文檢索 / 周何總編 ; 季旭昇,汪中文主
編. -- 初版. -- 臺北市 : 文史哲, 民84
面 ; 公分
含索引
ISBN 957-547-955-6(一套 : 精裝)

1. 吉金 - 索引

793.1 84004908

青銅器銘文檢索

（全六冊）

總編者：周 何
主編者：季旭昇・汪中文
出版者：文史哲出版社
登記證字號：行政院新聞局局版臺業字五三三七號
發行人：彭正雄
發行所：文史哲出版社
印刷者：文史哲出版社
臺北市羅斯福路一段七十二巷四號
郵撥〇五一二八八一二 彭正雄帳戶
電話：(〇二)三五一一〇二八

實價新台幣七二〇〇元

中華民國八十四年五月初版

ISBN 957-547-955-6

序

中華民族歷史悠久，文化燦爛，號稱世界四大古文明國之一。夏代以上，孔子早有文獻不足之歎，近世雖考古發掘，文物稍稍出土，然以之考信著史，仍嫌不足。商周二代，文化郁郁，自古文獻流傳，已足令人低回，然以年代夐遠，資料保存匪易，兼之嬴秦焚籍，典冊孑餘有限，身處二千餘年之下，欲考商周二代之典章制度，窮中華文化之本末原委，文獻不足之歎，當倍蓰於孔子之時！

抑有幸者，商周爲中國歷史上之青銅器時代，當時帝王公侯，重臣巨室，每遇功績賞賜，輒鑄造青銅器，將其榮耀鏤之金錫、琢之盤盂，上以將享先祖，下以傳之子孫。平時祭享宗廟，死後隨葬入殮，遇有重大事故，甚且藏於地窖，珍惜寶愛，可謂備至。漢以後青銅器之製作已趨衰微，然先秦重器，每出於山陬水湄，張敞能讀其文字，許愼用補苴説文，是其價值，漢人已知之矣！宋以後士大夫頗諳金石之學，歐陽修以之充六一之數，趙明誠以之考古史之闕。清代樸學大興，超邁前朝，金石古文字之學自不例外，名家輩出，著作如林，吳大澂、方濬益、孫詒讓等學者藉以考史解字，成就極爲驚人。民國以後，考古之學昌明，地不愛寶，青銅器出土益夥，兼之經濟日漸發達、人才蜂集輩出，研探方法日新月異，時至今日，出土銅器以萬數、相關著作以千傳、大師名家以百計，青銅器之價值可謂無人不知矣！

惟銅器愈多，學者愈爲其所苦，蓋資料散見，蒐尋匪易；既得銘文，通讀匪易；稍通其讀，檢索又極其困難，欲使銅器資料爲人運用，實爲艱辛。是以數量如此龐大之商周文獻，竟不能發揮其應具之功用，豈不可惜。

余於師大國文研究所教授古文字學多年，深知青銅器之於學術研究助益匪淺，又深惜學者於此等資料不能自由運用之苦，因發願從事於茲，並召集門人季旭昇、汪中文、周聰俊、陳韻、盧心懋諸君共役，先分組整理資料，釋讀排比，其後由汪中文君率工讀生輸入電腦，完成建檔，最後由季旭昇君一一審定銅器銘文，考釋單字字頭，並以電腦輸出，排版成書。全書費時數年，投入之人力財力，不計其數，其中艱辛，有不足爲外人道者。今此書能由文史哲出版社出版，衷心喜悅，實難以言喻。

本書之價值在提供學者十萬零四千三百筆商周時代最詳實之文獻資料，凡文史工作者，無論從事何種專題研究，其與商周二代有關者，皆可藉由本書獲得最豐富之第一手資料，以此龐大資料從事任何與商周相關之探討，所得助益，自然匪淺。而本書在編篡期間，參考多家著作，利用最新學術成果，是以本書於推動學術發展，當有一定之貢獻。

本書之完成，季、汪二君出力最多，辛勞備至，師大國文系畢業同學陳美蘭君從事茲役三年，勤敏可嘉。此外，師大國文系同學許幸惠、王慧如、廖玉枝、鄭憲仁、黃嫰惟、師大國文研究所同學蕭世瓊、中央大學中文研究所碩士游國慶等，熱心協助，均甚可感。

中華民國八十三年一月一日　　周何　謹識

凡　　例

一、本書所收器銘以藝文印書館出版之《金文總集》及五南圖書出版公司之《商周金文集成》爲據，另加上《金文總集》所未及收或漏收者。器名、器號大體沿仍《總集》，新增器銘見於《金文編》者則加"J"，見於馬承源《商周青銅器銘文選》者則加"M"，見於《殷周金文集成》者則加"D"。新增補諸器均依銘文字數附在《金文總集》同字數諸器之後，其編號則依前一器之編號而另加附點小數以資區別。《金文編》所收有尚未發表之拓本（照片），則加注拓本（照片）未見。

二、器名大體依《金文總集》，少部份略有調整。

三、全書共分正編十四卷、附錄二卷，體例與四訂《金文編》同，每卷之下先列正文字頭，字頭下所附編號一依《金文編》，附錄上之字頭編號前加a、附錄下之字頭編號前加b以資區別。其在《金文編》以外之新增字頭，則從《說文解字》所屬部首分列各該部之末，編號則沿前一字頭而加附點小數以資區別。

四、《金文編》各字頭下以爲一字而其偏旁結構實不同者，本書以儘量分列爲原則；實爲一字，而其次序又前後相連者，則予合併。然均兼用互見之法以方便讀者。

五、附錄所收諸字多有學者已釋出而爲學界所公認者，本編皆予採納，其字頭若與正編所收諸字重覆者，本編概不重覆列入，僅在該字下注明「參某某號條下」。

六、附錄上下學者尚未考出之諸字頭，若所屬例句較多，則本編爲之依形造字，如a001[illegible]、a011[illegible]之類、或依原形照摹，如a047[illegible]、a060[illegible]之類；若其所屬例句僅有一、二條，無法爲之造字者，則以代碼表示，每一代碼代表何種字形，請查筆劃索引末未隸定字部份。

七、每一字頭下列出銅器銘文中含此一字頭之銘文，以一句爲一單位，每句之首先列銅器編號、次列銅器器名，最後爲單句文例。各句之間依銅器編號由小至大排列。編號上附有"J"、"M"、"d"者排在最後。

八、銘文之隸定儘量與字頭配合，間亦視需要注出其通同字、後起字。拓本不可辨識者標__、完全不可辨識者則標口。氏族徽號外加[　]、合文外加{　}以資辨識。重文不加重文符號，直接補上其所省略之本字。

九、銅器銘文難免有鏽蝕殘泐、摹拓不精者，各家隸定容或不同，拓本無法辨識，則兩存之，以利使用者。

十、篇末附《金文單字引得》采用彝器目錄，大體依《金文總集》順序排列，每器爲一列，每列先列《金文總集》器號（A欄）、次列《商周金文集成》器號（B欄）、後列銅器名稱。其《金文總集》所收而爲《商周金文集成》所未收者，則B欄以0000標識，其《商周金文集成》所收而爲《金文總集》所未收者，則A欄依前一器器號加附點小數以資標識。若二書俱未收而從其它書籍引錄者，則A欄依前一器器號加附點小數以資標識，B欄標注來源器號（請參凡例一）。

十一、篇末索引分二種，其一依本書頁碼排列（即依説文順序），其一依筆劃順序，未隸定字列在最後，一字頭包含二字以上者（含合文），其第二字以下諸字亦依筆劃列入索引中。

十二、本編於《金文單字引得》之外，另有《殷周金文釋文》之作，可供者參考。因其篇幅龐大，無法附在《金文單字引得》之後，必須另册出版，敬祈宥諒。

青 銅 器 銘 文 檢 索

目 錄

頁 次

青銅器銘文檢索卷一

0001

0721	鑄胅鼎	鑄胅一斗料
0835	咸陽鼎	咸陽一斗三升、厶官
1112	十一年庫嗇夫尚不玆鼎	十一年
1152	私官鼎	一斗半正十三斤八兩十四朱
1169	平安邦鼎	一益十新料新四分新{之重}
1190	內史鼎	易金一勻
1205	公朱左自鼎	公朱左自十一年十一月
1205	公朱左自鼎	容一斛
1215	麥鼎	隹十又一月
1222	寂鼎一	隹十又一月
1223	寂鼎二	隹十又一月
1234	旅鼎	才十又一月庚申
1260	我方鼎	隹十月又一月丁亥
1261	我方鼎二	隹十月又一月丁亥
1271	史獸鼎	十又一月癸未
1271	史獸鼎	易豕鼎一、爵一
1308	白晨鼎	易女讐鬯一卣、玄袞衣、幽夫(黼)
1310	鬲攸從鼎	隹卅又一年三月初吉壬辰
1315	善鼎	唯十又一月初吉辰才丁亥
1322	九年裘衛鼎	朏帛、金一反
1323	師訊鼎	黹辟前王吏余一人
1323	師訊鼎	白亦克綠古先且蠱孫子一嗣皇辟懿德
1326	多友鼎	孚戎車百乘一十又七乘
1326	多友鼎	易女圭瓚一湯
1326	多友鼎	鐘一造
1328	盂鼎	女勿毖余乃辟一人
1328	盂鼎	夙夕召我一人蒸四方
1328	盂鼎	易女鬯一卣、冋衣、市、舄、車馬
1329	小字盂鼎	孚人萬三千八十一人
1329	小字盂鼎	執嘼一人
1329	小字盂鼎	征王令賞盂□□□□□□弓一、矢百、畫虢一、
1330	曶鼎	用五田、用眔一夫日嗌
1332	毛公鼎	死(尸)母(毋)童(動)余一人在立(位)
1332	毛公鼎	惠我一人
1332	毛公鼎	命女亟一方
1332	毛公鼎	易女鬱鬯一卣、鄭(祼)圭瓚(瓚?)寶
1631.	六六一六六一甗	[六六一六六一]
2250	八五一／堇白乍旅毁	堇白乍旅尊彝[八五一]
2595	奠虢仲毁一	隹十又一月既生霸庚戌
2596	奠虢仲毁二	隹十又一月既生霸庚戌
2597	奠虢仲毁三	隹十又一月既生霸庚戌
2644	命毁	隹十又一月初吉甲申
2666	鑄弔皮父毁	隹一月初吉
2676	旅肄乍父乙毁	才十月一、隹王廿祀劦日
2676	旅肄乍父乙毁	遘于{ 匕戊 }武乙爽、豕一[旅]
2677	居_敔毁	城賢余一斧

2677	居_㲃段	才餳賫余一斧
2677	居_㲃段	p2賫余一斧_舍余一斧
2677.	居_㲃段二	城賫余一斧
2677.	居_㲃段二	才餳賫余一斧
2677.	居_㲃段二	p2賫余一斧_舍余一斧
2693	𩰫段	公易𩰫宗彝一㯻(肆)
2721	䎽段	自黃賓䎽章(璋)一、馬兩
2725.	綮星段	隹一月既望丁亥
2737	段段	唯王十又四祀十又一月丁卯
2760	小臣謎段一	唯十又一月
2761	小臣謎段二	唯十又一月
2766	三兒段	余□□□豕□□亡一人匄三邑□□□望□□皇
2801	五年召白虎段	女則宕(宕)其一
2802	六年召白虎段	今余既一名典獻
2815	師䣄段	一磬
2816	彔白𢦚段	余易女𩰪鬯一卣
2828	宜侯夨段	易𩰪鬯一、商瓚一肆
2828	宜侯夨段	彤弓一、彤矢百、旅弓十、旅矢千
2830	三年師兌段	易女𩰪鬯一卣
2833	秦公段	西，元器一斗七升
2837	敔段一	隹王十又一月
2838	師嫠段一	隹十又一年九月初吉丁亥
2838	師嫠段一	隹十又一年九月初吉丁亥
2839	師嫠段二	隹十又一年九月初吉丁亥
2839	師嫠段二	隹十又一年九月初吉丁亥
2842	卯段	隹王十又一月既生霸丁亥
2842	卯段	易女瓚章、瑴、宗彝一造、寶
2842	卯段	易于乍一田
2842	卯段	易于nn一田
2842	卯段	易于隊一田
2842	卯段	易于𢦏一田
2852	不𡢁段一	易女弓一、矢束
2853	不𡢁段二	易女弓一、矢束
2856	師𩛥段	易女𩰪鬯一卣、圭瓚
2857	牧段	易女𩰪鬯一卣、金車、桒較、畫輯
3088	師克旅盨一(蓋)	易𩰪鬯一卣、赤市五黃、赤舃
3089	師克旅盨二	易𩰪鬯一卣、赤市五黃、赤舃
3090	𦣻盨(器)	迺乍余一人𡚬
3090	𦣻盨(器)	用辟我一人
3090	𦣻盨(器)	易女𩰪_鬯一卣
3972	父癸一爵	父癸[一]
4062	弓衛且己爵	[弓衛]且一己
4445	長陵盉	銅要銅錄乍𡗝緒父盉欒_一升
4445	長陵盉	長陵斗一升
4449	裘衛盉	麀桒兩賁韐一
4977	師遽方彝	王乎宰利易師遽琿圭一、環章四
4978	吳方彝	易秬(鬱)鬯一卣
5090	一一六八一六召卣	[一一六八一六召]
5455	㲃乍丁師卣	子易㲃璽玗一
5460	戠御乍父己卣	戠、辛巳、王易馭(御)八貝一具

5460	戠御乍父己卣	戠、辛巳、王易馭(御)八貝一具
5473	同乍父戊卣	隹十又一月
5504	庚嬴卣一	又丹一析
5505	庚嬴卣二	又丹一析
5570	___罍	廿一
5576	重金方罍	百卌八重金___一周鑄
5779	安邑下官鍾	十三斗一升
5779	安邑下官鍾	府嗇夫_冶事左_止大斛斗一益少半益
5798	曶壺	易女鬯一卣玄袞衣
5801	洹子孟姜壺一	于上天子用璧玉備一嗣(笥)
5801	洹子孟姜壺一	鼓鐘一肆
5802	洹子孟姜壺二	于上天子用璧玉備一嗣
5802	洹子孟姜壺二	鼓(鼓)鐘一肆
5803	胤嗣好盗壺	工qL重一石三百卅九刀之冢(重)
6673	八一六盤	[八一六]
6732	陶子盤	陶子武易___金一鈞
6783	函皇父盤	鼎、毀一具
6783	函皇父盤	自豕鼎降十又一
6786	_弔多父盤	日厦又父一母
6793	矢人盤	一封
6793	矢人盤	道以東、一封
6793	矢人盤	還、以西一封
7038	應侯見工鐘一	易彤一、彤百、馬
7184	叔夷編鐘三	左右余一人
7214	叔夷鎛	左右余一人
7540	卅一年相邦冉戈	卅一年相邦冉雝工帀、雝壞德
7562	廿一年奠令戈	廿一年奠命韓族司寇裕左庫工帀吉□冶□
7563	卅一年奠令戈	卅一年奠命椰司寇肖它里庫工帀冶猒啟
7869	廿五年銅量器	一斗八升
7889	_縱熊節	_縱一乘
7890	王命傳賃節一	賃一擔
7895	王命傳節一	王命傳賃一擔飤之
7896	王命傳節二	王命傳賃一擔飤之
7897	王命傳節三	王命傳賃一擔飤之
7898	王命傳節四	王命傳賃一擔飤之
7899	鄂君啟車節	屯十台堂一車
7899	鄂君啟車節	廿擔台堂一車
7900	鄂君啟舟節	屯三舟為一舿、五十舿
7921	廿一年寺工獻車軎	廿一年寺工獻工上造但
7933	大府鎬	立府為王一僧晉鎬集脰
7975	中山王墓兆域圖	丌一從
7975	中山王墓兆域圖	丌一藏府
M191	繁卣	雩旬又一日辛亥
M191	繁卣	易宗彝一嘼(套)
M798	廿八年平安君鼎	一益七釿料釿四分釿之冢(蓋一)

小計：共 141 筆

元 0002 兀元同字，1432號兀字重見

	1094	魯大左司徒元善鼎	魯大左司徒元乍善鼎
	1119	曆方鼎	曆肇對元德考友隹井乍寶尊彝
	1326	多友鼎	命武公遣乃元士羞追于京自
元	1330	曶鼎	隹王元年六月既望乙亥
	2698	陳昉毁	隹王五月元日丁亥
	2726	曶毁	隹元年三月丙寅
	2793	元年師旋毁一	隹王元年四月既生霸
	2794	元年師旋毁二	隹王元年四月既生霸
	2795	元年師旋毁三	隹王元年四月既生霸
	2803	師酉毁一	隹王元年正月
	2804	師酉毁二	隹王元年正月
	2805	師酉毁三	隹王元年正月
	2806	師酉毁四	隹王元年正月
	2806.	師酉毁五	隹王元年正月
	2815	師嫠毁	隹王元年正月初吉丁亥
	2817	師顆毁	隹王元年九月既望丁亥
	2829	師虎毁	隹王元年六月既望甲戌
	2831	元年師兌毁一	隹元年五月初吉甲寅
	2832	元年師兌毁二	隹元年五月初吉甲寅
	2833	秦公毁	西，元器一斗七升
	2840	番生毁	番生不敢弗帥井皇且考不杯元德
	2854	蔡毁	隹元年既望丁亥
	2856	師訇毁	隹元年二月既望庚寅
	2985	陳逆簠一	台(以)乍氒元配季姜之祥器
	2985.	陳逆簠二	台(以)乍氒元配季姜之祥器
	2985.	陳逆簠三	台(以)乍氒元配季姜之祥器
	2985.	陳逆簠四	台(以)乍氒元配季姜之祥器
	2985.	陳逆簠五	台(以)乍氒元配季姜之祥器
	2985.	陳逆簠六	台(以)乍氒元配季姜之祥器
	2985.	陳逆簠七	台(以)乍氒元配季姜之祥器
	2985.	陳逆簠八	台(以)乍氒元配季姜之祥器
	2985.	陳逆簠九	台(以)乍氒元配季姜之祥器
	2985.	陳逆簠十	台(以)乍氒元配季姜之祥器
	2986	曾白霥旅簠一	曾白霥哲聖元元武武孔黹
	2987	曾白霥旅簠二	曾白霥哲聖元元武武孔黹
	3077	弔尃父乍鄭季盨一	隹王元年
	3078	弔尃父乍鄭季盨二	隹王元年
	3079	弔尃父乍鄭季盨三	隹王元年
	3080	弔尃父乍鄭季盨四	隹王元年
	3110.	元祀豆	___元祀乍豆
	3118	魯大嗣徒厚氏元善簠一	魯大嗣徒厚氏元乍善簠
	3119	魯大嗣徒厚氏元善簠二	魯大嗣徒厚氏元乍善簠
	3120	魯大嗣徒厚氏元善簠三	魯大嗣徒厚氏元乍善簠
	3508.	元乙爵	[元]乙
	4344	嘉仲父斝	隹元年正月初吉丁亥
	4887	蔡侯𧊒尊	元年正月初吉辛亥
	5778	番匊生鑄賸壺	用賸氒元子孟改𦭝
	5804	齊侯壺	台元伐𡿪__丘
	5825	欒書缶	正月季春元日己丑
	6766	黃韋俞父盤	隹元月初吉庚申

6788	蔡侯𦤃盤	元年正月初吉辛亥
6860	陳白元匜	陳白vm之子白元乍西孟嬀婤母媵匜
6868	大師子大孟姜匜	子子孫孫用為元寶
6903	魯大嗣徒元歛盂	魯大嗣徒元乍歛盂
6925	晉邦盦	否乍元女
6969	天尹乍元弄鐘	天尹乍元弄
7076	者汈鐘八	元__乃悳
7079	者汈鐘十一	元__乃德
7080	者汈鐘十二	隹王命元__乃德
7117	郐𢽾兒鐘一	余炫佫之元子
7118	郐𢽾兒鐘二	余炫佫之元子
7121	郐王子旃鐘	隹正月初吉元日癸亥
7121	郐王子旃鐘	元鳴孔皇
7124	沇兒鐘	元鳴孔皇
7124	沇兒鐘	孔嘉元成
7125	蔡侯𦤃𢦏甬鐘一	元鳴無期
7126	蔡侯𦤃𢦏甬鐘二	元鳴無期
7131	蔡侯𦤃𢦏甬鐘七	元鳴無期
7132	蔡侯𦤃𢦏甬鐘八	元鳴無期
7133	蔡侯𦤃𢦏甬鐘九	元鳴無期
7134	蔡侯𦤃甬鐘	元鳴無期
7135	逆鐘	仕王元年三月既生霸庚申
7150	虢叔旅鐘一	穆穆秉元明德
7151	虢叔旅鐘二	穆穆秉元明德
7152	虢叔旅鐘三	穆穆秉元明德
7153	虢叔旅鐘四	穆穆秉元明德
7154	虢叔旅鐘五	穆穆秉元明德
7157	邾公華鐘一	元器其舊
7175	王孫遺者鐘	元鳴孔皇
7187	叔夷編鐘六	其乍福元孫
7205	蔡侯𦤃𢦏編鎛一	元鳴無期
7206	蔡侯𦤃𢦏編鎛二	元鳴無期
7207	蔡侯𦤃𢦏編鎛三	元鳴無期
7208	蔡侯𦤃𢦏編鎛四	元鳴無期
7214	叔夷鎛	其乍福元孫
7291	元戈	[元]
7457	虢大子元徒戈一	虢太子元徒戈
7458	虢大子元徒戈二	虢太子元徒戈
7459	宮氏白子戈一	宮氏白子元戈__
7460	宮氏白子戈二	宮氏白子元相
7476	周王叚戈	周王叚之元用戈
7499	邛季之孫戈	邛季之孫□方或之元
7500	邗王是埜戈	邗王是野乍為元用
7506	郐王之子戈	郐王之子__之元用__
7537	汈白戈	梁白乍宮行元用
7545	秦子戈	秦子乍造公族元用左右市御用逸宜__
7548	元年__令戈	元年
7557	楚屈弔沱戈	楚王之元右王鐘
7592	元阿左造徒戟	元阿左造徒戟
7596	元矛	元

元
天

7651	秦子矛	秦子乍□公族元用
7659	元年春平侯矛	元年相邦□平侯
7664	元年奠命槍□矛	元年奠命槍□司寇芋慶
7715	攻敔王夫差劍一	攻敔王夫差自乍其元用
7716	攻敔王夫差劍二	攻敔王夫差自乍其元用
7717	吳季子之子劍	吳季子之子逞之元用劍
7718	脽公劍	脽公圃自乍元鐱
7723	__公劍	其以作為用元劍
7725	元年劍	元年坐相邦王褱
7735	少虡劍一	乍為元用
7736	少虡劍二	乍為元用玄鏐鈇呂
7743	越王兀北古劍	唯越王丌北自乍元之用之劍
7744	工敾太子劍	自乍元用
M561	越王大子□嚴矛	乍元用矛
M612	鄦子鐘	元鳴且煌
M816	魯大左司徒元鼎	魯大左司徒元乍善鼎
		小計：共 116 筆

天 0003

0001	天鼎一	[天]
0002	天鼎二	[天]
0003	天鼎	[天]
0168	亞天鼎	[亞天]
0253	天黿鼎	[天黽]
0383	天䵼父丁鼎	[天䵼]父丁
0556	天黿父乙鼎一	[天黽]父乙
0557	天黿父乙鼎二	[天黽]父乙
0558	天黿父乙鼎三	[天黽]父乙
0559	天黿父乙鼎四	[天黽]父乙
0574	衡天父乙鼎一	[衡天]父乙
0575	衡天父乙鼎二	[衡天]父乙
0576	衡天父乙鼎三	[衡天]父乙
0577	衡天父丁鼎	[衡天]父乙
0585	天黿父癸鼎一	[天黽]父癸
0586	天黿父癸鼎二	[天黽]父癸
0645	天黿婦于未鼎一	[天黽]婦于未
0646	天黿婦于未鼎二	[天黽]婦于未
0647	天黿帚__鼎	[天黽]帚o5
0759	天黿乍父戊方鼎	[天黽]乍父戊彝
0857	天黿婦姑鼎一	[天黽]乍婦姑䵼彝
0858	天黿婦姑鼎二	[天黽]乍婦姑䵼彝
0936	天黿敕𣪕乍丁侯鼎	敕𣪕乍丁侯尊彝[天黽]
1124	玏乍父庚鼎一	用乍父庚彝[天黽]
1125	玏乍父庚鼎二	用乍父庚彝[天黽]
1135	獻侯乍丁侯鼎	用乍丁侯尊彝[天黽]
1136	獻侯乍丁侯鼎二	用乍丁侯尊彝[天黽]
1172	征人乍父丁鼎	丙午天君鄉Gz酉才斤
1172	征人乍父丁鼎	天君賞氒征人斤貝

1172	征人乍父丁鼎	用乍父丁尊彝[天黽]
1190	內史鼎	內史恭朕天君
1255	作冊大鼎一	大揚皇天尹大保宔
1256	作冊大鼎二	大揚皇天尹大保宔
1257	作冊大鼎三	大揚皇天尹大保宔
1258	作冊大鼎四	大揚皇天尹大保宔
1268	梁其鼎一	允臣天
1269	梁其鼎二	允臣天
1272	剌鼎	天子萬年
1277	七年趞曹鼎	敢對揚天子休
1278	十五年趞曹鼎	敢對揚天子休
1280	康鼎	敢對揚天子不顯休
1281	史頌鼎一	日遲天子覭令
1282	史頌鼎二	日遲天子覭令
1284	尹姞鼎	休天君弗望穆公聖粦明
1284	尹姞鼎	拜稽首、對揚天君休
1286	大夫始鼎	大夫始敢對揚天子休
1290	利鼎	對揚天子不顯皇休
1299	䣄侯鼎一	敢____天子不顯休釐
1300	南宮柳鼎	對揚天子休
1301	大鼎一	對揚王天子不顯休
1302	大鼎二	對揚王天子不顯休
1303	大鼎三	對揚王天子不顯休
1305	師奎父鼎	對揚天子不杯魯休
1306	無叀鼎	無叀敢對揚天子不顯魯休
1307	師望鼎	望敢對揚天子不顯魯休
1309	寰鼎	敢對揚天子不顯叚休令
1311	師晨鼎	敢對揚天子不顯休令
1312	此鼎一	此敢對揚天子不顯休令
1312	此鼎一	畯(允)臣天子霝冬
1313	此鼎二	此敢對揚天子不顯休令
1313	此鼎二	畯(允)臣天子霝冬
1314	此鼎三	此敢對揚天子不顯休令
1314	此鼎三	畯(允)臣天子霝冬
1315	善鼎	對揚皇天子不杯休
1316	㦰方鼎	氒復享于天子
1316	㦰方鼎	唯氒事乃子㦰萬年辟事天子
1317	善夫山鼎	山敢對揚天子休令
1319	頌鼎一	頌敢對揚天子不顯魯休
1319	頌鼎一	畯(允)臣天子、霝冬
1320	頌鼎二	頌敢對揚天子不顯魯休
1320	頌鼎二	畯(允)臣天子、霝冬
1321	頌鼎三	頌敢對揚天子不顯魯休
1321	頌鼎三	畯(允)臣天子、霝冬
1323	師訊鼎	天子亦弗諲公上父㝬德
1323	師訊鼎	訊敢𢿅王卑天子萬年whwi
1323	師訊鼎	白大師武臣保天子
1324	禹鼎	用天降大喪于下或
1327	克鼎	肆克□于皇天
1327	克鼎	永念于氒孫辟天子

天

1327	克鼎	天子明哲
1327	克鼎	不顯天子
1327	克鼎	天子其萬年無疆
1327	克鼎	敢對揚天子不顯魯休
1328	盂鼎	受天有大令
1328	盂鼎	古天異臨子
1328	盂鼎	敏朝夕入諫（諫）、享奔走、畏天畏
1331	中山王嚳鼎	閈烏（於）天下之勿（物）矣
1331	中山王嚳鼎	為天下戮
1331	中山王嚳鼎	天降休命于朕邦
1331	中山王嚳鼎	敬順天惪（德）
1331	中山王嚳鼎	知天若否
1331	中山王嚳鼎	天其有型
1332	毛公鼎	皇天引厭乎德
1332	毛公鼎	唯天畄（將）集乎命
1332	毛公鼎	肆皇天亡斁
1332	毛公鼎	旼（旻）天疾畏
1332	毛公鼎	用印（仰）卲皇天
1332	毛公鼎	毛公厝對揚天子皇休
1528	公姞鬲鼎	天君蔑公姞曆
1528	公姞鬲鼎	拜稽首、對揚天君休
1533	尹姞賓鬲一	休天君弗望穆公聖粦明妣吏（事）先王
1533	尹姞賓鬲一	拜稽首、對揚天君休
1534	尹姞賓鬲二	休天君弗望穆公聖粦明妣吏（事）先王
1534	尹姞賓鬲二	拜稽首、對揚天君休
1635	天黿乍婦姑甗	［天黿］乍毓姑嘗彝
1767	天毀	［天］
1817	天黿毀	［天黿］
1864	天父乙毀	［天］父乙
1920	父戊天毀	父戊［天］
1988	天黿父乙毀一	［天黿］父乙
1989	天黿父乙毀二	［天黿］父乙
1990	天黿父乙毀三	［天黿］父乙
1996	天黿父丁毀	［天黿］父丁
2007	衛天父癸毀	［衛天］父癸
2057	天黿亞虫毀一	［亞虫天黿］
2058	天黿亞虫毀二	［亞虫天黿］
2164	畾父己毀	［天工鼺］父己
2241	天禾乍父乙毀	天禾乍父乙尊彝
2567.	戊寅毀	王商易天子休
2570	榮毀	對揚天子休
2655	小臣靜毀	揚天子休
2699	公臣毀一	敢揚天尹不顯休
2700	公臣毀二	敢揚天尹不顯休
2701	公臣毀三	敢揚天尹不顯休
2702	公臣毀四	敢揚天尹不顯休
2707	小臣守毀一	守敢對揚天子休令
2708	小臣守毀二	守敢對揚天子休令
2709	小臣守毀三	守敢對揚天子休令
2711.	乍冊般毀	對揚天子不顯王休命

天

2721	茍𣪘	茍對揚天子休
2728	恆𣪘一	敢對揚天子休
2729	恆𣪘二	敢對揚天子休
2730	獻𣪘	朕辟天子
2730	獻𣪘	受天子休
2733	何𣪘	對揚天子魯命
2736	師遽𣪘	敢對揚天子不杯休
2738	衛𣪘	衛敢對揚天子不顯休
2739	無㠱𣪘一	曰敢對揚天子魯休令
2740	無㠱𣪘二	曰敢對揚天子魯休令
2741	無㠱𣪘三	曰敢對揚天子魯休令
2742	無㠱𣪘四	曰敢對揚天子魯休令
2742.	無㠱𣪘五	敢對揚天子魯休令
2742.	無㠱𣪘五	敢對揚天子魯休令
2746	追𣪘一	天子多易追休
2746	追𣪘一	追敢對天子覭揚
2746	追𣪘一	畯（允）臣天子霝冬
2747	追𣪘二	天子多易追休
2747	追𣪘二	追敢對天子覭揚
2747	追𣪘二	畯（允）臣天子霝冬
2748	追𣪘三	天子多易追休
2748	追𣪘三	追敢對天子覭揚
2748	追𣪘三	畯（允）臣天子霝冬
2749	追𣪘四	天子多易追休
2749	追𣪘四	追敢對天子覭揚
2749	追𣪘四	畯（允）臣天子霝冬
2750	追𣪘五	天子多易追休
2750	追𣪘五	追敢對天子覭揚
2750	追𣪘五	畯（允）臣天子霝冬
2751	追𣪘六	天子多易追休
2751	追𣪘六	追敢對天子覭揚
2751	追𣪘六	畯（允）臣天子霝冬
2752	史頌𣪘一	日遟天子覭令
2753	史頌𣪘二	日遟天子覭令
2754	史頌𣪘三	日遟天子覭令
2755	史頌𣪘四	日遟天子覭令
2756	史頌𣪘五	日遟天子覭令
2757	史頌𣪘六	日遟天子覭令
2758	史頌𣪘七	日遟天子覭令
2759	史頌𣪘八	日遟天子覭令
2759	史頌𣪘九	日遟天子覭令
2764	艾𣪘	拜䭫首、魯天子逌氒瀕福
2764	艾𣪘	朕臣天子
2765	殺𣪘	敢對揚天子休
2767	虘𣪘一	虘拜䭫首敢對揚天子不顯休
2768	楚𣪘	楚揚天子不顯休
2771	弭弔師求𣪘一	敢對揚天子休
2772	弭弔師求𣪘二	敢對揚天子休
2773	即𣪘	即敢對揚天子不顯休
2774.	南宮弔𣪘	天子𤔲（司）睗（賜）女䜌旂、用狩

天

2774.	南宮乎𣪕	揚天子休
2775	裘衛𣪕	衛拜䭫首敢對揚天子不顯休
2777	天亡𣪕	王祀于天室、降
2777	天亡𣪕	天亡又王衣祀于王不顯考文王
2784	申𣪕	申敢對揚天子休令
2785	王臣𣪕	不敢顯天子對揚休
2787	望𣪕	對揚天子不顯休
2787	望𣪕	敢對揚天子不顯休
2788	靜𣪕	對揚天子不顯休
2789	同𣪕一	對揚天子厥休
2790	同𣪕二	對揚天子厥休
2791	豆閉𣪕	敢對揚天子不顯休命
2791.	史密𣪕	對揚天子休
2792	師俞𣪕	天子其萬年釁壽黃耇
2792	師俞𣪕	俞敢揚天子不顯休
2792	師俞𣪕	臣天子
2793	元年師旋𣪕一	敢對揚天子不顯魯休命
2794	元年師旋𣪕二	敢對揚天子不顯魯休命
2795	元年師旋𣪕三	敢對揚天子不顯魯休命
2796	諫𣪕	敢對揚天子不顯休
2796	諫𣪕	敢對揚天子不顯休
2798	師瘨𣪕一	敢對揚天子不顯休
2799	師瘨𣪕二	敢對揚天子不顯休
2800	伊𣪕	對昜天子休
2803	師酉𣪕一	對揚天子不顯休命
2804	師酉𣪕二	對揚天子不顯休命
2804	師酉𣪕二	對揚天子不顯休命
2805	師酉𣪕三	對揚天子不顯休命
2806	師酉𣪕四	對揚天子不顯休命
2806.	師酉𣪕五	對揚天子不顯休命
2810	揚𣪕一	敢對揚天子不顯休
2811	揚𣪕二	敢對揚天子不顯休
2812	大𣪕一	睽令豕曰天子
2812	大𣪕一	敢對揚天子
2813	大𣪕二	睽令豕曰天子
2813	大𣪕二	敢對揚天子
2816	彔白㦰𣪕	叀圅（宏）天令
2816	彔白㦰𣪕	對揚天子不顯休
2817	師頯𣪕	頯拜䭫首敢對揚天子不顯休
2818	此𣪕一	此敢對揚天子不顯休令
2818	此𣪕一	畯臣天子霝冬
2819	此𣪕二	此敢對揚天子不顯休令
2819	此𣪕二	畯臣天子霝冬
2820	此𣪕三	此敢對揚天子不顯休令
2820	此𣪕三	畯臣天子霝冬
2821	此𣪕四	此敢對揚天子不顯休令
2821	此𣪕四	畯臣天子霝冬
2822	此𣪕五	此敢對揚天子不顯休令
2822	此𣪕五	畯臣天子霝冬
2823	此𣪕六	此敢對揚天子不顯休令

天

2823	此段六	畯臣天子霝冬
2824	此段七	此敢對揚天子不顯休令
2824	此段七	畯臣天子霝冬
2825	此段八	此敢對揚天子不顯休令
2825	此段八	畯臣天子霝冬
2829	師虎段	對揚天子不杯魯休
2830	三年師兌段	敢對揚天子不顯魯休
2831	元年師兌段一	敢對揚天子不顯魯休
2832	元年師兌段二	敢對揚天子不顯魯休
2833	秦公段	秦公曰：不顯朕皇且受天命
2833	秦公段	嚴恭夤天命
2833	秦公段	畯疐才天
2834	㝬段	用配皇天
2835	訇段	訇𩒨首對揚天子休令
2837	敔段一	敔敢對揚天子休
2838	師嫠段一	敢對揚天子休
2839	師嫠段二	敢對揚天子休
2840	番生段	番生敢對天子休
2841	芾白段	芾白拜手𩒨首天子休
2844	頌段一	頌敢對揚天子不顯魯休
2844	頌段一	畯臣天子霝冬
2845	頌段二	頌敢對揚天子不顯魯休
2845	頌段二	畯臣天子霝冬
2845	頌段二	頌敢對揚天子不顯魯休
2845	頌段二	畯臣天子霝冬
2846	頌段三	頌敢對揚天子不顯魯休
2846	頌段三	畯臣天子霝冬
2847	頌段四	頌敢對揚天子不顯魯休
2847	頌段四	畯臣天子霝冬
2848	頌段五	頌敢對揚天子不顯魯休
2848	頌段五	畯臣天子霝冬
2849	頌段六	頌敢對揚天子不顯魯休
2849	頌段六	畯臣天子霝冬
2850	頌段七	頌敢對揚天子不顯魯休
2850	頌段七	畯臣天子霝冬
2851	頌段八	頌敢對揚天子不顯魯休
2851	頌段八	畯臣天子霝冬
2853.	__甲段	揚天子休
2854	蔡段	敢對揚天子不顯魯休
2855	班段一	眈天畏、否畀屯陟
2855	班段一	彝杰天令、故亡
2855.	班段二	亡不成斁天畏
2855.	班段二	彝杰（ 昧 ）天令
2856	師訇段	不顯文武、雁（ 膺 ）受天令
2856	師訇段	今日天疾畏降喪
2856	師訇段	訇𩒨首、敢對揚天子休
2986	曾白霥旅匿一	天賜之福
2987	曾白霥旅匿二	天賜之福
3075	白汈其旅盨一	畯臣天子、萬年唯極
3076	白汈其旅盨二	畯臣天子、萬年唯極

天

3083	瘐毁(盨)一	敢對揚天子休
3084	瘐毁(盨)二	敢對揚天子休
3086	善夫克旅盨	敢對天子不顯魯休揚
3086	善夫克旅盨	畯臣天子
3088	師克旅盨一(蓋)	克敢對揚天子不顯魯休
3089	師克旅盨二	克敢對揚天子不顯魯休
3090	㽙盨(器)	則隹輔天降喪不□唯死
3090	㽙盨(器)	對揚天子不顯魯休
3137	天爵	[天]
3139	天爵	[天]
3346	天爵	[天]
3573	戈天爵	[戈天]
3576	尒天爵	[尒天]
3577	竹天爵	[竹天]
3581	天黽爵	[天黽]
3582	天王爵	[天王]
3658	敎天爵	[敎天]
3723	亞橐天爵	[亞橐天]
3935	天父癸爵一	[天]父癸
3936	天父癸爵二	[天]父癸
4089.	亞天父辛爵	父辛[亞天]
4091	天黽父癸爵	[天黽]父戊
4092	天棘父癸爵	[天曹]父癸
4104	天黽母庚爵	母庚[天黽]
4183	貝隹易爵一	貝隹易、[天黽]父乙
4184	貝隹易爵二	貝隹易、[天黽]父乙
4191.	父丁爵	乍父丁寶尊彝[天ab]
4229	天黽父乙角一	[天黽]父乙
4230	天黽父乙角二	[天黽]父乙
4239	天黽宰乍父癸角	用乍父癸尊彝[天黽]
4326	天黽父乙斝	[天黽]父乙
4355	天黽盉	[天黽]
4397	天黽父戊盉	[天黽]父戊
4448	長由盉	敢對揚天子不顯休
4493	天尊	[天]
4589	天父戊尊一	[天]父戊
4623	天乍从尊	[天]乍从
4640.	天畐卭尊	天畐卭
4647	亞天父癸尊	[亞天]父癸
4655	天黽父乙尊	[天黽]父乙
4662	天黽父辛尊	[天黽]父辛
4666	天黽父癸尊	[天黽]父癸
4671	天黽父□尊	[天黽]父□
4696	天黽乍從彝尊	[天黽]乍從彝
4857	乍文考日己尊	其子子孫孫萬年永寶用[天]
4882	匽乍文考日丁尊	對揚天子不顯休
4887	蔡侯𨟭尊	肇佐天子
4888	盠駒尊一	盠曰、余其敢對揚天子之休
4890	盠方尊	盠曰：天子不假不其
4891	何尊	復再珷王豐福自天

4891	何尊	則廷告于天曰
4891	何尊	有Jr于天
4891	何尊	叀王龏德谷(裕)天
4892	麥尊	唯歸、遅天子休、告亡尤
4892	麥尊	唯天子休于麥辟侯之年
4927	乍文考日己觥	其子子孫孫萬年永寶用[天]
4973	乍文考日工夫方彝	其子子孫孫萬年永寶用[天]
4977	師遽方彝	對揚天子不顯休
4979	盠方彝一	盠曰：天子不假不其
4980	盠方彝二	盠曰：天子不假不其
4982	立卣	[天]
5048	天卣	[天]
5071	天黿卣一	[天黽]
5072	天黿卣二	[天黽]
5119	天父乙卣	[天]父乙
5168	天父辛卣	[天]父辛
5213	天父乙卣(器)	[天]父乙
5227	天黿父乙卣一	[天黽]父乙
5228	天黿父乙卣二	[天黽]父乙
5229	天黿父乙卣三	[天黽]父乙
5241	天黿父戊卣	[天黽]父戊
5247	天黿父癸卣	[天黽]父癸
5278	天黿父辛卣	[天黽]父辛
5375	天乍父乙卣	乍父乙寶尊彝[天]
5448	天黿𩁹乍父癸卣	子易𩁹用乍父癸尊彝[天黽]
5450	天黿𥁕乍父辛卣	用乍父辛尊彝[天黽]
5795	白克壺	白克敢對揚天君王白休
5796	三年癲壺一	拜稽首敢對揚天子休
5797	三年癲壺二	拜稽首敢對揚天子休
5798	曶壺	敢對揚天子不顯魯休令
5799	頌壺一	頌敢對揚天子不顯魯休
5800	頌壺二	頌敢對揚天子不顯魯休
5801	洹子孟姜壺一	聽命于天子
5801	洹子孟姜壺一	于上天子用璧玉備一嗣(笥)
5801	洹子孟姜壺一	用御天子之事
5802	洹子孟姜壺二	齊侯命大子乘dw來句宗白聽命于天子
5802	洹子孟姜壺二	于上天子用璧玉備一嗣
5802	洹子孟姜壺二	用御天子之事
5804	齊侯壺	□曰不可多天□□□□□受女
5805	中山王嚳方壺	天不臭(斁)其有愿
5805	中山王嚳方壺	外之則將使上勤於天子之廟
5805	中山王嚳方壺	則上逆於天
5805	中山王嚳方壺	天子不忘其有勛
5828	天觚	[天]
5975	大觚	[天]
6037	天黿觚	[天黽]
6219	天黿父乙觚一	[天黽]父乙
6220	天黿父乙觚二	[天黽]父乙
6235	天黿父辛觚	[天黽]父辛
6239	天黿父癸觚	[天黽]父癸

天

天

6250	天黿且丁觚	[天黽獸]且丁
6277	貝隹乍父乙觚	貝鳥易用乍父乙尊彝[天黽]
6281	天□逐攸宁觚	天□逐攸宁用乍父辛寶尊彝
6426	天父乙觶	[天]父乙
6525	天尊彝觶	[天]尊彝
6552	天黿父乙觶一	[天黽]父乙
6553	天黿父乙觶二	[天黽]父乙
6554	畾天父乙觶	[畾天]父乙
6634	郤王義楚祭耑	用享于皇天
6690	天黿父乙盤	[天黽]父乙
6787	走馬休盤	敢對揚天子不顯休令
6788	蔡侯𦅫盤	肇佐天子
6789	寰盤	敢對揚天子不顯叚休令
6792	史墻盤	緟寍天子
6792	史墻盤	天子圀饡文武長剌
6792	史墻盤	天子釁無匄
6792	史墻盤	上帝司vu尢保受天子綰令厚福豐年
6792	史墻盤	對揚天子不顯休令
6801	天黿父乙匜	[天黽]父乙
6802	天黿父癸匜	[天黽]父癸
6909	遣盂	天君事遣事o8
6910	師永盂	益公內即命于天子
6910	師永盂	對揚天子休命
6969	天尹乍元弄鐘	天尹乍元弄
6976	倗鐘	倗友𫊸其萬年臣天
7039	應侯見工鐘二	見工敢對揚天子休
7043	克鐘四	專奠王令克敢對揚天子休
7044	克鐘五	專奠王令克敢對揚天子休
7046	□□自乍鐘二	敬事天王
7083	鮮鐘	敢對揚天子休
7092	𨱇羌鐘一	昭于天子
7093	𨱇羌鐘二	昭于天子
7094	𨱇羌鐘三	昭于天子
7095	𨱇羌鐘四	昭于天子
7096	𨱇羌鐘五	昭于天子
7116	南宮乎鐘	天子其萬年釁壽
7116	南宮乎鐘	畯永保四方、配皇天
7116	南宮乎鐘	敢對揚天子不顯魯休
7122	梁其鐘一	虔夙夕、辟天子
7122	梁其鐘一	天子肩事
7122	梁其鐘一	用天子寵、蔑汈其
7122	梁其鐘一	汈其敢對天子不顯休揚
7123	梁其鐘二	虔夙夕、辟天子
7123	梁其鐘二	天子肩事
7123	梁其鐘二	用天子寵、蔑汈其
7123	梁其鐘二	汈其敢對天子不顯休揚
7125	蔡侯𦅫紐鐘一	天命是遥
7126	蔡侯𦅫紐鐘二	天命是遥
7132	蔡侯𦅫紐鐘八	天命是遥
7133	蔡侯𦅫紐鐘九	天命是遥

7134	蔡侯𨭫甬鐘	天命是遥
7150	虢叔旅鐘一	寵御于天子
7150	虢叔旅鐘一	迺天子多易旅休
7150	虢叔旅鐘一	旅對天子魯休揚
7151	虢叔旅鐘二	寵御于天子
7151	虢叔旅鐘二	迺天子多易旅休
7151	虢叔旅鐘二	旅對天子魯休揚
7152	虢叔旅鐘三	寵御于天子
7152	虢叔旅鐘三	迺天子多易旅休
7152	虢叔旅鐘三	旅對天子魯休揚
7153	虢叔旅鐘四	寵御于天子
7153	虢叔旅鐘四	迺天子多易旅休
7153	虢叔旅鐘四	旅對天子魯休揚
7155	虢叔旅鐘六	寵御于天子
7155	虢叔旅鐘六	迺天子多易旅休
7155	虢叔旅鐘六	旅對天子魯休揚
7167	瘐鐘十	義天神無彊覭福
7174	秦公鐘	秦公曰：我先且受天令
7174	秦公鐘	邵合皇天
7176	㝬鐘	我隹司配皇天
7177	秦公及王姬編鐘一	秦公曰：我先且受天令
7177	秦公及王姬編鐘一	邵合皇天
7179	秦公及王姬編鐘四	秦公曰：我先且受天令
7180	秦公及王姬編鐘五	秦公曰：我先且受天令
7185	叔夷編鐘四	尃受天
7204	克鎛	克敢對揚天子休
7205	蔡侯𨭫編鎛一	天命是遥
7206	蔡侯𨭫編鎛二	天命是遥
7207	蔡侯𨭫編鎛三	天命是遥
7208	蔡侯𨭫編鎛四	天命是遥
7209	秦公及王姬鎛	秦公曰：我先且受天令
7209	秦公及王姬鎛	邵合皇天
7210	秦公及王姬鎛二	秦公曰：我先且受天令
7210	秦公及王姬鎛二	邵合皇天
7211	秦公及王姬鎛三	秦公曰：我先且受天令
7211	秦公及王姬鎛三	邵合皇天
7212	秦公鎛	秦公曰：不顯朕皇且受天命
7212	秦公鎛	嚴龏夤天命
7214	叔夷鎛	尃受天命
7266	天戈	[天]
7319	天黽戈	[天黽]
7868	商鞅方升	皇帝盡并兼天下諸侯
7908	天馬鑾	[天]
M171	小臣靜卣	揚天子休
M423.	趞鼎	敢對揚天子不顯魯休
M792	宋公欒簠	有殷天乙唐孫宋公欒
M883	中山侯鉞	天子建邦

小計：共 476 筆

丕	0004	不字重見	
	1112	十一年庫嗇夫肖不兹鼎	庫嗇夫肖丕兹賙人夫＿所為空二斗
	7686	賸之丕劍	賸之丕忛古于
			小計：共　2 筆
万	0004+		
	2294	倗万乍義妣毁	倗万乍義妣寶尊彝
			小計：共　1 筆
吏	0005	事字重見　與事使為一字	
	0791	事戎鼎	吏戎乍寶尊鼎
	1005	楚王酓肯鼎	楚王酓朏吏鑄鼎
	1022	白宓父旅鼎	用鄉王逆造吏人
	1073	白鼎	吏農才井
	1225	簷大史申鼎	郜安（申）之孫簷（筥）大吏申
	1227	衛鼎	乃用鄉出入吏人
	1254	□鼎	＿吏
	1274	哀成弔鼎	台吏康公
	1279	中方鼎	王令大吏兄褱土
	1300	南宮柳鼎	嗣羲夷陽、佃吏
	1322	九年裘衛鼎	眉敖者膚（膚）卓吏見于王
	1323	師訊鼎	黹辟前王吏余一人
	1326	多友鼎	余肇吏女休
	1326	多友鼎	不逆又成吏
	1330	曶鼎	□吏孚小子𪫑目限訟于井弔
	1330	曶鼎	吏守以告厎
	1528	公姞鬲鼎	吏易公姞魚三百
	1533	尹姞寶鬲一	休天君弗望穆公聖粦明𣪘吏（事）先王
	1534	尹姞寶鬲二	休天君弗望穆公聖粦明𣪘吏（事）先王
	1666	遹乍旅甗	遹從師雝父肩吏
	2100	事父乍隣彝毁	吏父乍尊彝
	2137	事父乍隣彝毁	吏父乍尊彝
	2373	始休毁	始休易（賜）孚𣴎吏貝
	2377	晉人吏寓乍寶毁	晉人吏寓乍寶毁
	2409	姒父丁毁	辛未吏□易姒貝十朋
	2421	舟宍𠘑乍父乙毁	公吏𠘑吏又宗
	2520	大自事良父毁	大自吏良父乍寶毁
	2559	白中父毁	白中父夙夜吏走考
	2627	伊毁	伊＿祉于辛吏
	2627	伊毁	伊＿賞辛吏秦金
	2635	賢毁一	公命吏晦
	2636	賢毁二	公命吏晦
	2637	賢毁三	公命吏晦
	2638	賢毁四	公命吏晦
	2643	史族毁	吏族乍寶毁

2643	史族𣪘	吏族乍寶𣪘	
2655	小臣靜𣪘	小臣靜即吏(事)	
2669	＿妊小𣪘	白芀父吏＿＿尹人于齊𠂤	吏
2670	檇侯𣪘	方吏姜氏、乍寶𣪘	
2671	利𣪘	易又吏利金	
2672	伯芀父𣪘	白芀父吏＿＿尹人于齊𠂤	
2690.	相侯𣪘	吏文考	
2699	公臣𣪘一	鐘五、金、用吏	
2700	公臣𣪘二	鐘五、金、用吏	
2701	公臣𣪘三	鐘五、金、用吏	
2702	公臣𣪘四	鐘五、金、用吏	
2707	小臣守𣪘一	王吏小臣守吏于㚔	
2708	小臣守𣪘二	王吏小臣守吏于㚔	
2709	小臣守𣪘三	王吏小臣守吏于㚔	
2710	肄自乍寶器一	王吏榮蔑曆令桂邦	
2711	肄自乍寶器二	王吏榮蔑曆令桂邦	
2726	曶𣪘	曰：用嗣乃且考吏	
2728	恆𣪘一	易女䜌旂、用吏	
2729	恆𣪘二	易女䜌旂、用吏	
2731	小臣宅𣪘	令宅吏白懋父	
2735	屖敖𣪘	其右子歆、吏孟	
2735	屖敖𣪘	屖敖簟用□弔于吏孟	
2752	史頌𣪘一	休又成吏	
2753	史頌𣪘二	休又成吏	
2754	史頌𣪘三	休又成吏	
2755	史頌𣪘四	休又成吏	
2756	史頌𣪘五	休又成吏	
2757	史頌𣪘六	休又成吏	
2758	史頌𣪘七	休又成吏	
2759	史頌𣪘八	休又成吏	
2759	史頌𣪘九	休又成吏	
2762	免𣪘	易女赤θ市、用吏	
2764	艾𣪘	隹三月、王令榮眔內吏曰	
2769	師𣪕𣪘	攸勒、䜌旂五日、用吏	
2770	𢦏𣪘	楚徒馬、取遺五寽、用吏	
2773	即𣪘	曰：嗣琱宮人虢旛、用吏	
2774.	南宮弔𣪘	吏辭安辟士	
2775.	害𣪘一	吏官嗣(司)人僕	
2775.	害𣪘二	吏官＿嗣人僕、小射	
2776	走𣪘	易女赤θ市、䜌旂、用吏	
2777	天亡𣪘	吏喜上帝	
2787	望𣪘	易女赤θ市、䜌、用吏	
2787	望𣪘	用吏	
2791	豆閉𣪘	用侯乃且考吏	
2793	元年師旋𣪘一	敬夙夕用吏(事)	
2794	元年師旋𣪘二	敬夙夕用吏(事)	
2795	元年師旋𣪘三	敬夙夕用吏(事)	
2797	輔師𠭰𣪘	𠭰其萬年子子孫孫永寶用吏	
2801	五年召白虎𣪘	琱生又吏	
2801	五年召白虎𣪘	召來合吏	

	2807	𩛥𣪘一	易女赤市同黃、䜌旂、用吏
	2808	𩛥𣪘二	易女赤市同黃、䜌旂、用吏
	2809	𩛥𣪘三	易女赤市同黃、䜌旂、用吏
吏	2815	師䚄𣪘	敬乃夙夜用吏
	2826	師𡩜𣪘一	反工吏
	2826	師𡩜𣪘一	反氒工吏
	2827	師𡩜𣪘二	反氒工吏
	2829	師虎𣪘	載先王既令乃祖考吏啻官
	2829	師虎𣪘	易女赤舄、用吏
	2833	秦公𣪘	虩吏䜌(蠻)夏
	2835	𠣬𣪘	䜌旂攸勒、用吏
	2837	敔𣪘一	吏尹氏受𠭯敔圭鬲
	2838	師嫠𣪘一	女敏可吏
	2838	師嫠𣪘一	易女弔市金黃、赤舄攸勒、用吏
	2838	師嫠𣪘一	女敏可吏
	2838	師嫠𣪘一	易女弔市金黃、赤舄攸勒、用吏
	2839	師嫠𣪘二	女敏可吏
	2839	師嫠𣪘二	易女弔市金黃、赤舄攸勒、用吏
	2839	師嫠𣪘二	女敏可吏
	2839	師嫠𣪘二	易女弔市金黃、赤舄攸勒、用吏
	2840	番生𣪘	王令𤔲𤔲(司)公族卿吏、大史寮
	2844	頌𣪘一	䜌旂鋚勒、用吏
	2845	頌𣪘二	䜌旂鋚勒、用吏
	2845	頌𣪘二	䜌旂鋚勒、用吏
	2846	頌𣪘三	䜌旂鋚勒、用吏
	2847	頌𣪘四	䜌旂鋚勒、用吏
	2848	頌𣪘五	䜌旂鋚勒、用吏
	2849	頌𣪘六	䜌旂鋚勒、用吏
	2850	頌𣪘七	䜌旂鋚勒、用吏
	2851	頌𣪘八	䜌旂鋚勒、用吏
	2854	𣎼𣪘	勿吏敢又疾、止從獄
	2855	班𣪘一	公告氒吏于上
	2855.	班𣪘二	公告氒吏于上
	2856	師𠣬𣪘	㝵立余小子𤔲乃吏
	2857	牧𣪘	令女辟百寮有同吏
	2857	牧𣪘	乃㪔政吏
	2984	伯公父盤	我用召卿吏辟王
	2984	伯公父盤	我用召卿吏辟王
	2985	陳逆𠤳一	余寅吏齊侯
	2985.	陳逆𠤳二	余寅吏齊侯
	2985.	陳逆𠤳三	余寅吏齊侯
	2985.	陳逆𠤳四	余寅吏齊侯
	2985.	陳逆𠤳五	余寅吏齊侯
	2985.	陳逆𠤳六	余寅吏齊侯
	2985.	陳逆𠤳七	余寅吏齊侯
	2985.	陳逆𠤳八	余寅吏齊侯
	2985.	陳逆𠤳九	余寅吏齊侯
	2985.	陳逆𠤳十	余寅吏齊侯
	4441	卅五年_盉	吏乍盉盤
	4444.	卅五年盉	康命周_民吏

4444.	卅五年盉	吏(使)乍盉般
4446	麥盉	井侯光氒吏麥鬲干麥宮
4446	麥盉	用從邢侯征吏
4446	麥盉	用奔走夙夕、鬲御吏
4715	事白尊	吏白乍旅彝
4721	吏乍小旅彝尊	吏乍小旅彝
4831	倗乍氒考尊	倗乍氒考寶尊彝用萬年吏
4836	_叚乍父乙尊	叚叚吏□用乍父乙旅尊彝[冊ap]
4975	麥方彝	才八月乙亥、辟井侯光氒正吏
6657	但吏勺一	但吏秦苛䏌為之
6658	但吏勺二	但吏秦苛䏌為之
6662	但盤勺	但吏秦
6786	_弔多父盤	其吏_多父釁壽丂
6786	_弔多父盤	吏利于辟王卿事師尹倗友
6791	兮甲盤	兮白吏父乍般
6792	史墻盤	龕吏氒辟
6877	僩乍旅盉	白揚父迺或吏牧牛誓曰
6877	僩乍旅盉	乃以告吏𠭯吏曶于會
6909	遡盂	命遡吏于述土
6991	眉壽鐘一	龕吏朕辟皇王釁壽永寶
6992	眉壽鐘二	龕吏朕辟皇王釁壽永寶
7184	叔夷編鐘三	䊷命于外內之吏
7191	叔夷編鐘十	執而政吏
7212	秦公鎛	虩吏𢇍夏
7214	叔夷鎛	䊷命于外內之吏
7546	王三年奠令韓熙戈	王三年奠命韓熙右庫工師吏史□冶□
7564	五年相邦呂不韋戈	詔吏圖丞_工寅
7887	杜虎符	燔隊之吏
		小計：共 163 筆

0006

5805	中山王譽方壺	曾亡𨑥夫之救
		小計：共 1 筆

0007

0747	梁上官鼎	梁上官賡參分
0748	上樂床三分鼎	上樂床賡參分
0749	上支床四分鼎	上支床賡四分
0867	_公鼎	公上之_保登
0867	_公鼎	_公上_𪇴保登
1090	十三年梁上官鼎	十三年、梁陰命率上官_子疾冶乘鑄
1169	平安邦鼎	卅三年單父上官{冢子}喜所受坪安君者也(蓋)
1169	平安邦鼎	卅三年單父上官{冢子}喜所受坪安君者也(器)
1226	師𢒇鼎	王女上侯
1235	不𣌭方鼎一	王才上侯㡯
1236	不𣌭方鼎甲二	王才上侯㡯

上

1253	平安君鼎	單父上官宰喜所受坪安君者也
1253	平安君鼎	上官
1323	師訊鼎	天子亦弗譯公上父猷德
1323	師訊鼎	乍公上父尊于朕考虢季易父wu宗
1327	克鼎	頊于上下
1332	毛公鼎	虩許(赫戲)上下若否
1459	白上父乍姜氏鬲	白上父乍姜氏尊鬲
2706	鄀公敄人𣪘	上鄀公敄人乍尊𣪘
2763	弔向父禹𣪘	其嚴才上
2764	㝬𣪘	克奔走{上下帝}
2777	天亡𣪘	吏喜上帝
2777	天亡𣪘	文王口在上
2837	敔𣪘一	王令敔追禦于上洛烬谷
2840	番生𣪘	嚴才上
2855	班𣪘一	公告氒吏于上
2855.	班𣪘二	公告氒吏于上
2974	上鄀府匿	上鄀府羼其吉金
4186	攸乍上父爵	攸乍上父寶尊彝
4447	臣辰冊冊夕乍冊父癸盉	王令士上眔史寅殷于成周
4859	戉箙啟尊	1G山谷才過水上
4887	蔡侯𨯋尊	上下陟配
5489	戉箙啟卣	𡧊1f山谷至于上侯竟川上
5491	亞𠑹二祀𠨘其卣	既𢦏于上帝
5501	臣辰冊冊夕卣一	王令士上眔史黃殷于成周
5502	臣辰冊冊夕卣二	王令士上眔史黃殷于成周
5642	羽壺	上白、羽、
5713	孟上父尊壺	孟上父乍尊壺
5801	洹子孟姜壺一	于上天子用璧玉備一嗣(笥)
5802	洹子孟姜壺二	于上天子用璧玉備一嗣
5803	𡢁嗣𡢁盗壺	逢郾亡道易上
5805	中山王譽方壺	以鄉上帝
5805	中山王譽方壺	外之則將使上勤於天子之廟
5805	中山王譽方壺	則上逆於天
5805	中山王譽方壺	上下之體
6788	蔡侯𨯋盤	上下陟配
6792	史墻盤	上帝降懿德大甹
6792	史墻盤	匍有上下
6792	史墻盤	nw祁上下
6792	史墻盤	上帝司vu尢保受天子綰令厚福豐年
6874	鄭大內史弔上匜	奠大內史弔上乍弔嬶媵匜
6877	𠎱乍旅盨	王才葊上宮
6877	𠎱乍旅盨	女上𠨘先誓
6925	晉邦盦	虩虩才上
7049	井人鐘三	前文人其嚴才上
7050	井人鐘四	前文人其嚴才上
7088	士父鐘一	其厰(嚴)才上
7089	士父鐘二	其厰(嚴)才上
7090	士父鐘三	其厰(嚴)才上
7091	士父鐘四	其厰(嚴)才上
7112	者減鐘一	其登于上下

7113	者減鐘二	其登于上下
7150	虢叔旅鐘一	皇考嚴才上、異才下
7151	虢叔旅鐘二	皇考嚴才上、異才下
7152	虢叔旅鐘三	皇考嚴才上、異才下
7153	虢叔旅鐘四	皇考嚴才上、異才下
7156	虢叔旅鐘七	皇考嚴才上、異才下
7159	瘭鐘二	嚴才上
7163	瘭鐘六	上帝降懿德大粤
7174	秦公鐘	不豢于上
7176	㝬鐘	佳皇上帝百神
7176	㝬鐘	其嚴才上
7177	秦公及王姬編鐘一	不豢于上
7209	秦公及王姬鎛	不豢于上
7210	秦公及王姬鎛二	不豢于上
7211	秦公及王姬鎛三	不豢于上
7379	甘丹上戈	甘丹上
7517	六年上郡守戈	王六年上郡守疾之造戟禮、□□
7530	三年上郡守戈	三年上郡守□造
7543	四年相邦樛游戈	櫟陽工上造閒、吾
7548	元年_令戈	_命夜會上庫工币冶門旅其都
7653	十年邦司寇富無矛	上庫工币戎閒冶尹
7654	十二年邦司寇野矛	上庫工币司馬丘玆冶賢
7823	距末二	廿年尚上長斗乘四其我_攻書
7886	新郪虎符	用兵五十人以上
7887	杜虎符	用兵五十八以上
7900	鄂君啟舟節	自鄂市、逾油、上漢
7900	鄂君啟舟節	適爰陵、上江、內湘
7900	鄂君啟舟節	上江、適木關、適郢
7921	廿一年寺工獻車軎	廿一年寺工獻工上造但
7996.	上官登	富子之上官隻之畫sp□鉄十
M282	師艅尊	王如上侯
M798	廿八年平安君鼎	六益料新之冢（器一）卅三年單父上官宰喜所受
M799	卅二年平安君鼎	上官（蓋二）
M799	卅二年平安君鼎	卅三年單父上官宰喜所受平安君石它（器二）
		小計：共　95 筆

0008

1207	眉_鼎	其用享于厥帝考
1245	仲師父鼎一	其用亯用考于皇且帝考
1246	仲師父鼎二	其用亯用考于皇且帝考
2645	周客段	其用亯于厥帝考
2764	㪤段	克奔走{上下帝}
2777	天亡段	吏喜上帝
2833	秦公段	才帝之坏
2834	㝬段	其瀕才帝廷陟降
2834	㝬段	𤕌（緟）圝皇帝大魯令
2856	師訇段	肆皇帝亡旲
2982.	甲午匜	帝戒天休

2982.	甲午匠	臣京考帝顯令誌于匠
4870	𡚸商尊	帝后賞商庚姬貝卅朋
5468	子寡子卣	烏虖、誒帝家以寡子作永寶
5468	子寡子卣	烏虖、誒帝家以寡子乍永寶
5479	𡚸商乍文辟日丁卣	帝司賞庚姬貝卅朋
5491	亞獏二祀卬其卣	既刓于上帝
5492	亞獏四祀卬其卣	尊文武帝乙宜
5805	中山王嚳方壺	以鄉上帝
6792	史墻盤	上帝降懿德大甹
6792	史墻盤	上帝司vu尢保受天子綰令厚福豐年
7006	戰狄鐘	先王其嚴才帝左右
7163	瘋鐘六	上帝降懿德大甹
7176	㝬鐘	隹皇上帝百神
7185	叔夷編鐘四	又敢才帝所
7214	叔夷鎛	又敢才帝所
7649	帝降矛	帝降棘余子之貳金
7868	商鞅方升	皇帝盡并兼天下諸侯
7868	商鞅方升	立號為皇帝
		小計：共 29 筆

旁 0009

0674	旁__父乙鼎	[旁bi]父乙
0717	旁攸乍尊諆鼎	旁攸乍尊諆
1331	中山王嚳鼎	栽(仇)人才彷(旁)
2467	姒__母乍南旁毀	姒sG母乍南旁寶毀
3110.	孟__旁豆	孟uG旁乍父旅克豆
4813	周__旁乍父丁尊	[周uG]旁乍父丁宗寶彝
5509	𤔲卣	王初𡩁旁
5532	亞旁罍	[亞旁]
7112	者減鐘一	聞于四旁
7113	者減鐘二	聞于四旁
7537	沕白戈	印鬼方蠻攻旁
M900	梁十九年鼎	徂省朔旁(方)
		小計：共 12 筆

下 0010

1114	廿七年大梁司寇肖無智鼎二	腐半斗盛、下官
1170	信安君鼎	下官容料(器)誯(信)安君{ ム官 }、容料
1170	信安君鼎	下官容料(器)
1250	曾子斿鼎	下保臧r6□□
1259	郜公𩛩鼎	下郜𩛩公諴乍尊鼎
1274	哀成弔鼎	死于下土
1322	九年裘衛鼎	顏下皮二
1324	禹鼎	用天降大喪于下或
1327	克鼎	頊于上下
1331	中山王嚳鼎	閈烏(於)天下之勿(物)矣

下

1331	中山王嚳鼎	為天下戮
1332	毛公鼎	虩許(赫戲)上下若否
2764	艾𣪘	克奔走{ 上下帝 }
2834	㝬𣪘	畯才立、乍疐才下
2840	番生𣪘	廣啟氒孫子于下
3128	魚鼎匕	下民無智
4434	師子旅盨	師子下湛乍旅盨
4448	長由盉	穆王才下淢㡯
4887	蔡侯𤕌尊	上下陟配
4888	盠駒尊一	盠曰、王倗下不其
5779	安邑下官鍾	安邑下官重
5805	中山王嚳方壺	下不順於人施
5805	中山王嚳方壺	上下之體
6788	蔡侯𤕌盤	上下陟配
6792	史墻盤	匍有上下
6792	史墻盤	nw祁上下
7112	者減鐘一	其登于上下
7113	者減鐘二	其登于上下
7150	虢叔旅鐘一	皇考嚴才上、異才下
7151	虢叔旅鐘二	皇考嚴才上、異才下
7152	虢叔旅鐘三	皇考嚴才上、異才下
7153	虢叔旅鐘四	皇考嚴才上、異才下
7156	虢叔旅鐘七	皇考嚴才上、異才下
7212	秦公鎛	竈又下國
7212	秦公鎛	十又二公不家才下
7535	三年㳘陶令戈	下庫工币王喜冶□
7868	商鞅方升	皇帝盡并兼天下諸侯
7878	安邑下闢鍾	安邑下闢□重□□□嗇夫嘉句□....
7884	五年司馬權	與下庫工币孟
7899	鄂君啟車節	適高丘、適下蔡、適居鄛(鄛巢)、適郢
7902	下宮車軎	下宮
M705	曾侯乙編鐘下一・一	濁割肄之下角
M706	曾侯乙編鐘下一・二	為妥賓之徵顧下角
M707	曾侯乙編鐘下一・三	為獸鐘徵顧下角
M707	曾侯乙編鐘下一・三	為穆音之羽顧下角
M708	曾侯乙編鐘下二・一	為無睪之羽顧下角
M708	曾侯乙編鐘下二・一	為獸鐘之徵顧下角
M710	曾侯乙編鐘下二・三	韋音之下角
M711	曾侯乙編鐘下二・四	為妥賓之徵顧下角
M712	曾侯乙編鐘下二・五	為穆音之羽顧下角
M713	曾侯乙編鐘下二・七	為大族之徵顧下角
M713	曾侯乙編鐘下二・七	為獸鐘之羽顧下角
M714	曾侯乙編鐘下二・八	為獸鐘徵顧下角
M716	曾侯乙編鐘下二・十	濁坪皇之下角
M721	曾侯乙編鐘中一・五	曾侯乙乍寺(時)，下角，徵反，
M721	曾侯乙編鐘中一・五	割肄之下角
M722	曾侯乙編鐘中一・六	穆鐘之下角
M723	曾侯乙編鐘中一・七	獸鐘之下角
M724	曾侯乙編鐘中一・八	濁新鐘之下角
M725	曾侯乙編鐘中一・九	濁獸鐘之下角

M726	曾侯乙編鐘中一・十	文王之下角
M727	曾侯乙編鐘中一・十一	濁坪皇之下角
M732	曾侯乙編鐘中二・五	曾侯乙乍時，下角，徵反，
M732	曾侯乙編鐘中二・五	割肄之下角
M733	曾侯乙編鐘中二・六	穆鐘之下角
M734	曾侯乙編鐘中二・七	獸鐘之下角
M735	曾侯乙編鐘中二・八	濁新鐘之下角
M736	曾侯乙編鐘中二・九	濁哭鐘之下角
M737	曾侯乙編鐘中二・十	文王下角
M739	曾侯乙編鐘中二・十二	濁坪皇之下角
M745	曾侯乙編鐘中三・六	為坪皇之羽顧下角
M746	曾侯乙編鐘中三・七	為妥賓之徵顧下角
M747	曾侯乙編鐘中三・八	為穆音之羽顧下角
M748	曾侯乙編鐘中三・九	為獸鐘之羽顧下角
M748	曾侯乙編鐘中三・九	為夫族之徵顧下角
M749	曾侯乙編鐘中三・十	為獸鐘之徵顧下角
		小計：共 76 筆

祜 0011

2894	曾子原行器一	則永祜福
2895	曾子原行器二	則永祜福
2896	曾子原行器三	則永祜福
2897	白彊行器	永祜福
2953	白其父慶旅祜	唯白其父慶乍遊祜
7159	瘐鐘二	嚴祐嬰妥厚多福
7160	瘐鐘三	嚴祐嬰妥厚多福
7161	瘐鐘四	嚴祐嬰妥厚多福
7162	瘐鐘五	嚴祐嬰妥厚多福
M685	曾子伯_鼎	爾永祜福
		小計：共 10 筆

禮 0012 0766豊字重見

5805	中山王譽方壺	不用禮宜
5805	中山王譽方壺	故辞禮敬則賢人至
7517	六年上郡守戈	王六年上郡守疾之造戟禮、□□
		小計：共 3 筆

祿 0013 1156彔字重見

6786	_弔多父盤	用易屯祿、受害福
7158	瘐鐘一	受余屯魯通祿永令
7159	瘐鐘二	麟綰猶（祓）祿屯魯
7160	瘐鐘三	受余屯魯通祿永令
7161	瘐鐘四	受余屯魯通祿永令
7162	瘐鐘五	受余屯魯通祿永令

		小計：共 6 筆
0014	0615羊，1862羕字重見	
2985	陳逆𠤳一	台(以)乍氒元配季姜之祥器
2985.	陳逆𠤳二	台(以)乍氒元配季姜之祥器
2985.	陳逆𠤳三	台(以)乍氒元配季姜之祥器
2985.	陳逆𠤳四	台(以)乍氒元配季姜之祥器
2985.	陳逆𠤳五	台(以)乍氒元配季姜之祥器
2985.	陳逆𠤳六	台(以)乍氒元配季姜之祥器
2985.	陳逆𠤳七	台(以)乍氒元配季姜之祥器
2985.	陳逆𠤳八	台(以)乍氒元配季姜之祥器
2985.	陳逆𠤳九	台(以)乍氒元配季姜之祥器
2985.	陳逆𠤳十	台(以)乍氒元配季姜之祥器
5805	中山王嚳方壺	不祥莫大焉
		小計：共 11 筆
0015	0886畐字重見	
0860	__鼎	ne乍尊彝、用匄永福
1138	白陶乍父考宮弔鼎	用匄永福
1227	衛鼎	用眉壽、匄永福
1268	梁其鼎一	用旂多福
1269	梁其鼎二	用旂多福
1304	王子午鼎	永受其福
1315	善鼎	唯用妥福唬前文人
1316	㦰方鼎	用穆穆夙夜尊享孝妥福
1332	毛公鼎	女母(毋)敢家在乃福
2566	寧𣪘一	用妥多福
2567	寧𣪘二	用妥多福
2614	宗婦鄁嬰𣪘一	以降大福
2615	宗婦鄁嬰𣪘二	以降大福
2616	宗婦鄁嬰𣪘三	以降大福
2617	宗婦鄁嬰𣪘四	以降大福
2618	宗婦鄁嬰𣪘五	以降大福
2619	宗婦鄁嬰𣪘六	以降大福
2620	宗婦鄁嬰𣪘七	以降大福
2711.	乍冊般𣪘	子子孫孫萬年福
2712	虢姜𣪘	受福無疆
2713	𤼈𣪘一	大神妥多福
2714	𤼈𣪘二	大神妥多福
2715	𤼈𣪘三	大神妥多福
2716	𤼈𣪘四	大神妥多福
2717	𤼈𣪘五	大神妥多福
2718	𤼈𣪘六	大神妥多福
2719	𤼈𣪘七	大神妥多福
2720	𤼈𣪘八	大神妥多福
2727	蔡姞乍尹弔𣪘	尹弔用妥多福于皇考德尹惠姬
2763	弔向父禹𣪘	降余多福緐釐

福

2764	艾段	拜韻首、魯天子逬氒瀕福
2764	艾段	卲朕福盥(盟)
2834	𫚕段	陁陁降余多福
2836	彧段	對揚文母福剌
2843	沈子它段	乃沈子其顯褱多公能福
2843	沈子它段	其孔哀乃沈子它唯福
2852	不嬰段一	用匃多福
2853	不嬰段二	用匃多福
2853.	__弔段	__弔__福于大廟
2894	曾子孱行器一	則永祜福
2895	曾子孱行器二	則永祜福
2896	曾子孱行器三	則永祜福
2897	白彊行器	永祜福
2983	弭仲寶匠	弭中受無彊福
2984	伯公父盤	多福無彊
2984	伯公父盤	多福無彊
2986	曾白乘旅匠一	天賜之福
2987	曾白乘旅匠二	天賜之福
3075	白沕其旅盨一	用匃釁壽多福
3076	白沕其旅盨二	用匃釁壽多福
3086	善夫克旅盨	降克多福
3111	大師虘豆	用祈多福
4865	氒方尊	其用匃永福萬年子孫
4891	何尊	復爯珷王豐福自天
5472	乍毓且丁卣	歸福于我多高处山易𤇈
5472	乍毓且丁卣	歸福于我多高oe山易𤇈
5483	周乎卣	用匃永福
5483	周乎卣	用匃永福
5489	戉箙啟卣	用匃魯福
5490	戉稃卣	其子子孫永福[戉]
5490	戉稃卣	其子子孫永福[戉]
5770	宗婦鄁嫛壺一	以降大福
5771	宗婦鄁嫛壺二	以降大福
5776	異公壺	也熙受福無期
5783	曾白陭壺	子子孫孫用受大福無彊
5784	𪥐氏壺	𪥐氏福__
5787	沕其壺一	用旛多福釁壽
5788	沕其壺二	用旛多福釁壽
5798	曶壺	永令多福
5805	中山王譽方壺	佳順生福
5826	國差𦉜	侯氏受福釁壽
6765	齊弔姬盤	子子孫孫永受大福用
6771	宗婦鄁嫛盤	以降大福
6786	__弔多父盤	用易屯祿、受害福
6792	史墻盤	上帝司vu尢保受天子綰令厚福豐年
6792	史墻盤	受牆爾𪏚福懷
6989	__鐘	福無彊猷
6993	弔旅魚父鐘	豐豐纍纍、降多福無
7019	邾太宰鐘	用口釁壽多福
7037	遲父鐘	乃用旛匃多福

7049	井人鐘三	降余厚多福無疆
7050	井人鐘四	降余後多福無疆
7060	旲生鐘一	用祈多福
7088	士父鐘一	降余魯多福亡疆
7089	士父鐘二	降余魯多福亡疆
7090	士父鐘三	降余魯多福亡疆
7091	士父鐘四	降余魯多福亡疆
7150	虢叔旅鐘一	降旅多福
7151	虢叔旅鐘二	降旅多福
7152	虢叔旅鐘三	降旅多福
7153	虢叔旅鐘四	降旅多福
7156	虢叔旅鐘七	降旅多福
7158	瘐鐘一	嚴祐㝬妥厚多福
7159	瘐鐘二	𩐁妥厚多福
7159	瘐鐘二	褱受余爾龖福
7159	瘐鐘二	義文神無疆覭福
7160	瘐鐘三	嚴祐㝬妥厚多福
7161	瘐鐘四	嚴祐㝬妥厚多福
7162	瘐鐘五	嚴祐㝬妥厚多福
7165	瘐鐘八	𩐁妥厚多福
7166	瘐鐘九	褱受余爾龖福霝冬
7167	瘐鐘十	義天神無疆覭福
7174	秦公鐘	以受多福
7174	秦公鐘	以受大福
7176	㝬鐘	降余多福
7176	㝬鐘	福余順孫
7177	秦公及王姬編鐘一	以受多福
7178	秦公及王姬編鐘二	以受大福
7187	叔夷編鐘六	其乍福元孫
7187	叔夷編鐘六	其萬福屯魯
7209	秦公及王姬鎛	以受多福
7209	秦公及王姬鎛	以受大福
7210	秦公及王姬鎛二	以受多福
7210	秦公及王姬鎛二	以受大福
7211	秦公及王姬鎛三	以受多福
7211	秦公及王姬鎛三	以受大福
7212	秦公鎛	以受多福
7214	叔夷鎛	其乍福元孫
7214	叔夷鎛	其萬福屯魯
M340	魯伯悆盨	用祈多福
M685	曾子伯＿鼎	爾永祐福

小計：共 121 筆

福
祗

0016 字作㡿，與魏三體石經祗字古文同形

1331	中山王譻鼎	㝵業才祗
2659	郾侯庫𣪘	祗敬禱祀
2802	六年召白虎𣪘	又祗又成
4887	蔡侯𦙶尊	祗盟嘗啻

	5803	𪔊嗣好蚉壺	寅祗承祀
	5805	中山王譽方壺	祗祗翼翼
	6788	蔡侯𩡨盤	祗盟嘗啻
祗	6792	史墻盤	祗䙠穆王
神	7069	者沪鐘一	以r1(祗)光朕立
	7074	者沪鐘六	以r1(祗)光朕立
	7077	者沪鐘九	以r1(祗)光朕立
	7125	蔡侯𩡨紐鐘一	為命祗祗
	7126	蔡侯𩡨紐鐘二	為命祗祗
	7131	蔡侯𩡨紐鐘七	為命祗祗
	7132	蔡侯𩡨紐鐘八	為命祗祗
	7133	蔡侯𩡨紐鐘九	為命祗祗
	7134	蔡侯𩡨甬鐘	為命祗祗
	7205	蔡侯𩡨編鎛一	為命祗祗
	7206	蔡侯𩡨編鎛二	為命祗祗
	7207	蔡侯𩡨編鎛三	為命祗祗
	7208	蔡侯𩡨編鎛四	為命祗祗
	7552	__生戈	鄦侯庫乍戎__蚳生不祗□無□□□自洹來
			小計：共 22 筆
神	0017	申字重見	
	1312	此鼎一	用享孝于文申(神)用
	1313	此鼎二	用享孝于文申(神)
	1314	此鼎三	用享孝于文申(神)、用丐釁壽
	2566	寧𣪕一	其用各百神
	2567	寧𣪕二	其用各百神
	2658	白㦰𣪕	隹用妥神褱唬前文人
	2698	陳貯𣪕	龏寅鬼神
	2713	瘐𣪕一	其𩰫祀大神
	2713	瘐𣪕一	大神妥多福
	2714	瘐𣪕二	其𩰫祀大神
	2714	瘐𣪕二	大神妥多福
	2715	瘐𣪕三	其𩰫祀大神
	2715	瘐𣪕三	大神妥多福
	2716	瘐𣪕四	其𩰫祀大神
	2716	瘐𣪕四	大神妥多福
	2717	瘐𣪕五	其𩰫祀大神
	2717	瘐𣪕五	大神妥多福
	2718	瘐𣪕六	其𩰫祀大神
	2718	瘐𣪕六	大神妥多福
	2719	瘐𣪕七	其𩰫祀大神
	2719	瘐𣪕七	大神妥多福
	2720	瘐𣪕八	其𩰫祀大神
	2720	瘐𣪕八	大神妥多福
	7158	瘐鐘一	卲各樂大神
	7158	瘐鐘一	大神其陟降
	7159	瘐鐘二	義文神無彊䙠福
	7160	瘐鐘三	卲各樂大神

7160	𤼈鐘三	大神其陟降
7161	𤼈鐘四	卲各樂大神
7161	𤼈鐘四	大神其陟降
7162	𤼈鐘五	卲各樂大神
7162	𤼈鐘五	大神其陟降
7167	𤼈鐘十	義天神無疆覭福
7176	㝬鐘	隹皇上帝百神
		小計：共 34 筆

0018

6788	蔡侯𤕌盤	齋嘉整諭（肅）
		小計：共 1 筆

0019

1274	哀成弔鼎	永用禋祀
4887	蔡侯𤕌尊	禋亯是台
6788	蔡侯𤕌盤	禋享是台
6792	史墻盤	義其禋祀
		小計：共 4 筆

0020 或與祐字形近，參下條祐字

1007	史喜鼎	史喜乍朕文考翟祭
1185	𢐗白乍井姬鼎一	又孝祀孝祭
1186	𢐗白乍井姬鼎二	又孝祀孝祭
2681	鄦侯𣪘	媾乍皇妣qJ君中改祭器八𣪘
2682	陳侯午𣪘	陳侯午台群者侯□鑄乍皇妣□大妃祭器
3097	陳侯午錞錞一	乍皇妣孝大妃祭器sk錞台登台嘗
3098	陳侯午錞錞二	乍皇妣孝大妃祭器sk錞台登台嘗
3100	陳侯因𪒠錞	用乍孝武趄公祭器錞
5805	中山王譽方壺	乏其先王之祭祀
5825	𢿢書缶	以祭我皇祖
6602	義楚之祭耑	義楚之祭耑
6634	郐王義楚祭耑	自酢（乍）祭耑
7157	邾公華鐘一	台卹其祭祀盟祀
7280	祭鳥篆戈	[祭鳴]
		小計：共 14 筆

0020+

4887	蔡侯𤕌尊	祐受母已
5510	乍冊嗌卣	遺祐石宗不剌
6788	蔡侯𤕌盤	祐受母已
		小計：共 3 筆

祀	0021	或作異，讀為祀	
	1132	郣白祀乍善鼎	郣白祀乍善鼎
	1150	小臣缶方鼎	缶用乍享大子乙家祀尊
	1185	漁白乍井姬鼎一	又孝祀孝祭
	1186	漁白乍井姬鼎二	又孝祀孝祭
	1274	哀成弔鼎	永用禋祀
	1304	王子午鼎	敬氒盟祀
	1323	師𩰫鼎	唯王八祀正月辰才丁卯
	1325	五祀衛鼎	佳王五祀
	1328	盂鼎	有髭柴蒸祀
	1328	盂鼎	佳王廿又三祀
	1329	小字盂鼎	佳王卅又五祀
	1330	曶鼎	㠯（曶）其萬□用祀
	1978	吳方彝	佳王二祀
	2659	郾侯庫𣪘	祗敬禘祀
	2676	旅肄乍父乙𣪘	才十月一、佳王廿祀劦日
	2713	𤼈𣪘一	其𩰫祀大神
	2714	𤼈𣪘二	其𩰫祀大神
	2715	𤼈𣪘三	其𩰫祀大神
	2716	𤼈𣪘四	其𩰫祀大神
	2717	𤼈𣪘五	其𩰫祀大神
	2718	𤼈𣪘六	其𩰫祀大神
	2719	𤼈𣪘七	其𩰫祀大神
	2720	𤼈𣪘八	其𩰫祀大神
	2736	師遽𣪘	佳王三祀四月既生霸辛酉
	2737	段𣪘	唯王十又四祀十又一月丁卯
	2737	段𣪘	孫孫子子萬年用亯祀
	2777	天亡𣪘	王祀于天室、降
	2777	天亡𣪘	天亡又王衣祀于王不顯考文王
	2777	天亡𣪘	不克气衣王祀
	2833	秦公𣪘	虔敬朕祀
	2834	𢦚𣪘	佳王十又二祀
	2835	𠬝𣪘	唯王十又七祀
	2982.	甲午匜	祀于劦室
	3095	拍乍祀彝（蓋）	拍乍朕配平姬亯宮祀彝
	3095	拍乍祀彝（蓋）	用祀永枼毋出
	3110.	元祀豆	——元祀乍豆
	3110.	元祀豆	佳旅其典祀
	3112	𨛭陵君王子申豆一	以祀皇祖
	3113	𨛭陵君王子申豆二	以祀皇祖
	4242	𢍰冊宰椃乍父丁角	才六月佳王廿祀昱又五
	4343	亞吳小臣邑斝	佳王六祀彡日、才四月［亞吳］
	4866	小臣艅尊	佳王十祀又五彡日
	4875	𣂚折尊	佳王十又九祀
	4876	保尊	遘于四方迨王大祀祓于周
	4886	趩尊	佳王二祀
	4891	何尊	佳王五祀
	4892	麥尊	王客葊京彰祀
	4928	折觥	佳王十又九祀

祀
祖

4976	折方彝	隹王十又九祀
4978	吳方彝	隹王二祀
5456	冀子乍婦姛卣	女子母庚宑祀尊彝[冀]
5475	六祀卬其卣	才六月隹王六祀昱日[亞貘]
5491	亞貘二祀卬其卣	隹王二祀
5492	亞貘四祀卬其卣	才四月隹王四祀昱日
5495	保卣	遘于四方、迨王大祀
5495	保卣	遘于四方、迨王大祀
5674	王七祀王鑄壺蓋	王七祀王鑄
5803	㪤嗣䖵畓壺	鄉祀先王
5803	㪤嗣䖵畓壺	寅祗承祀
5805	中山王譻方壺	以祀先王
5805	中山王譻方壺	乏其先王之祭祀
6784	三十四祀盤(祼盤)	隹王卅又四祀唯五月既望戊午
6792	史墻盤	義其禋祀
6887	郪陵君王子申鑑	以祀皇祖
6925	晉邦盦	虔韡盟祀
7017	楚王酓章鐘一	隹王五十又六祀
7027	粎公䵼鐘	用敬卹盟祀
7092	𩑦羌鐘一	唯廿又再祀
7093	𩑦羌鐘二	唯廿又再祀
7094	𩑦羌鐘三	唯廿又再祀
7095	𩑦羌鐘四	唯廿又再祀
7096	𩑦羌鐘五	唯廿又再祀
7121	郘王子旃鐘	以𩠹盟祀
7124	沇兒鐘	惠于明祀
7157	粎公䡅鐘一	台卹其祭祀盟祀
7158	瘐鐘一	用追孝𣪘祀
7160	瘐鐘三	用追孝𣪘祀
7161	瘐鐘四	用追孝𣪘祀
7162	瘐鐘五	用追孝𣪘祀
7174	秦公鐘	余夙夕虔敬朕祀
7177	秦公及王姬編鐘一	余夙夕虔敬朕祀
7201	楚王酓章乍曾侯乙鎛	隹王五十又六祀
7209	秦公及王姬鎛	余夙夕虔敬朕祀
7210	秦公及王姬鎛二	余夙夕虔敬朕祀
7211	秦公及王姬鎛三	余夙夕虔敬朕祀
7212	秦公鎛	虔敬朕祀
M191	繁卣	公酌祀
M191	繁卣	公啻(禘)酌辛公祀
		小計：共　88 筆
0022	2272且字重見	
1331	中山王譻鼎	昔者、㪺(吾)先祖桓王
2632	陳逆𣪘	乍為皇且(祖)大宗𣪘
2829	師虎𣪘	載先王既令乃祖考吏啻官
2829	師虎𣪘	令女更乃祖考啻官
2966	蛒公諴旅匜	用追孝于皇祖皇考

祖
𥘬
祠

2985	陳逆𠤷一	于大宗皇祖皇𥘬
2985.	陳逆𠤷二	于大宗皇祖皇𥘬
2985.	陳逆𠤷三	于大宗皇祖皇𥘬
2985.	陳逆𠤷四	于大宗皇祖皇𥘬
2985.	陳逆𠤷五	于大宗皇祖皇𥘬
2985.	陳逆𠤷六	于大宗皇祖皇𥘬
2985.	陳逆𠤷七	于大宗皇祖皇𥘬
2985.	陳逆𠤷八	于大宗皇祖皇𥘬
2985.	陳逆𠤷九	于大宗皇祖皇𥘬
2985.	陳逆𠤷十	于大宗皇祖皇𥘬
3112	𨙸陵君王子申豆一	以祀皇祖
3113	𨙸陵君王子申豆二	以祀皇祖
4890	盠方尊	用乍朕文祖益公寶尊彝
4979	盠方彝一	用乍朕文祖益公寶尊彝
4980	盠方彝二	用乍朕文祖益公寶尊彝
5805	中山王嚳方壺	佳朕皇祖文武
5805	中山王嚳方壺	趄祖成考
5825	䜌書缶	以祭我皇祖
6887	𨙸陵君王子申鑑	以祀皇祖
7185	叔夷編鐘四	尸雝典其先舊及其高祖
7187	叔夷編鐘六	用享于其皇祖皇妣皇母皇考
7187	叔夷編鐘六	不顯皇祖
7194	叔夷編鐘十三	外內其皇祖皇妣皇母皇
7213	𦅫鎛	用享用孝于皇祖聖弔
7213	𦅫鎛	于皇祖又成惠弔
7214	叔夷鎛	尸雝典其先舊及其高祖
7214	叔夷鎛	用享于其皇祖皇妣皇母皇考
7214	叔夷鎛	不顯皇祖

小計：共　33 筆

𥘬　0023

2985	陳逆𠤷一	于大宗皇祖皇𥘬
2985.	陳逆𠤷二	于大宗皇祖皇𥘬
2985.	陳逆𠤷三	于大宗皇祖皇𥘬
2985.	陳逆𠤷四	于大宗皇祖皇𥘬
2985.	陳逆𠤷五	于大宗皇祖皇𥘬
2985.	陳逆𠤷六	于大宗皇祖皇𥘬
2985.	陳逆𠤷七	于大宗皇祖皇𥘬
2985.	陳逆𠤷八	于大宗皇祖皇𥘬
2985.	陳逆𠤷九	于大宗皇祖皇𥘬
2985.	陳逆𠤷十	于大宗皇祖皇𥘬
7213	𦅫鎛	皇𥘬(妣)聖姜
7213	𦅫鎛	皇𥘬(妣)又成惠姜

小計：共　12 筆

祠　0024

5759	趙孟壺	台(目)為祠器
5803	胤嗣𧊒蛮壺	雨(雩)祠先王
		小計：共　2 筆
0025		
1260	我方鼎一	征礿褮二女、咸
1261	我方鼎二	征礿褮二女、咸
		小計：共　2 筆
0026	0143啻字重見	
1272	剌鼎	啻(禘)卲王
M191	繁卣	公啻(禘)耏辛公祀
		小計：共　2 筆
0027		
0602	大祝禽方鼎一	大祝禽鼎
0603	大祝禽方鼎二	大祝禽鼎
1157	禽鼎	周公某禽祝
1157	禽鼎	禽又攼祝
1329	小字盂鼎	王各廟、祝
2585	禽𣪕	周公某禽祝
2585	禽𣪕	禽又kk祝
2784	申𣪕	足大祝
2784	申𣪕	官嗣豐人眔九戲祝
2807	𨛜𣪕一	右祝鄙
2807	𨛜𣪕一	𤔲五邑祝
2808	𨛜𣪕二	右祝鄙
2808	𨛜𣪕二	𤔲五邑祝
2809	𨛜𣪕三	右祝鄙
2809	𨛜𣪕三	𤔲五邑祝
4448	長由盉	即井白大祝射
7075	者沏鐘七	齊休祝成
7078	者沏鐘十	齊休祝成
M553	越王者旨於賜鐘	自祝禾□□
		小計：共　19 筆
0028	1117號𣃘字參見	
0901	白六辝方鼎	白六辝乍祈寶尊齍
1061	交君子＿鼎	祈釁壽、萬年永寶用
1304	王子午鼎	用祈釁壽
1529	仲枏父鬲一	用祈釁壽萬年
1530	仲枏父鬲二	用祈釁壽萬年
1531	仲枏父鬲三	用祈釁壽萬年

	1532	仲枏父鬲四	用祈釁壽萬年
	2487	白簪乍文考幽仲毁	白簪(祈)父乍文考幽中尊毁
	2685	仲枏父毁一	用祈釁壽
	2695	毈兌毁	用祈釁壽萬年無彊多寶
	2948	番君召餴匿一	用祈釁壽
	2949	番君召餴匿二	用祈釁壽
	2950	番君召餴匿三	用祈釁壽
	2951	番君召餴匿四	用祈釁壽
	2952	番君召餴匿五	用祈釁壽
	3111	大師虘豆	用祈多福
	5780	公孫竊壺	用祈釁壽萬年
	5801	洹子孟姜壺一	用祈釁壽
	5802	洹子孟姜壺二	用祈釁壽
	5816.	伯亞臣鐳	用祈釁壽萬年無彊
	5825	欒書缶	虞以祈釁壽
	6779	齊侯盤	用祈釁壽萬年無彊
	6868	大師子大孟姜匜	用祈釁壽
	6873	齊侯乍孟姜盥匜	用祈釁壽萬年無彊
	6905	要君餴盂	用祈釁壽無彊
	7060	昊生鐘一	用祈多福
	7112	者減鐘一	用祈釁壽毎繡
	7113	者減鐘二	用祈釁壽毎繡
	7136	郘鐘一	以祈釁壽
	7137	郘鐘二	以祈釁壽
	7138	郘鐘三	以祈釁壽
	7139	郘鐘四	以祈釁壽
	7140	郘鐘五	以祈釁壽
	7141	郘鐘六	以祈釁壽
	7142	郘鐘七	以祈釁壽
	7143	郘鐘八	以祈釁壽
	7144	郘鐘九	以祈釁壽
	7145	郘鐘十	以祈釁壽
	7146	郘鐘十一	以祈釁壽
	7147	郘鐘十二	以祈釁壽
	7148	郘鐘十三	以祈釁壽
	7149	郘鐘十四	以祈釁壽
	7213	𬘫鎛	用祈壽老毋死
	M340	魯伯愈盨	用祈多福
	M581	陳公子中慶簠蓋	用祈顅壽萬年無彊子子孫孫永壽用之
	M582	陳公孫𦣻父𤓰	用祈釁壽萬年無彊
	M602	蔡𠑇匜	用祈釁壽
			小計：共 47 筆
禦	0029		
	1260	我方鼎	我乍禦Gx且乙、匕乙、且己、匕癸
	1261	我方鼎二	我乍禦Gx且乙、匕乙、且己、匕癸
	1316	或方鼎	王用肇事乃子或率虎臣禦淮戎
	2834	㝬毁	㝬其萬年毈實朕多禦

2837	敔毁一	王令敔追禦于上洛煜谷
5510	乍冊嗌卣	用乍大禦于氒且考父母多申
6606	____乍禦父辛觶	[usut]乍禦父辛
7061	能原鐘	郋(越)禦曰
7203	能原鎛	郋(越)禦曰
		小計：共 9 筆

0030

1331	中山王嚳鼎	使智(知)社稷之任
1331	中山王嚳鼎	社稷其庶虖(乎)
1331	中山王嚳鼎	身勤社稷
1331	中山王嚳鼎	恐隕社稷之光
2828	宜侯夨毁	王立于宜、入土(社)南鄉
		小計：共 5 筆

0031

5805	中山王嚳方壺	隹逆生禍
		小計：共 1 筆

0032

4876	保尊	遘于四方迨王大祀祓于周
5495	保卣	祓于周
5495	保卣	祓于周
		小計：共 3 筆

0033

0659	集脰社鼎	集脰社貞
		小計：共 1 筆

0034

6990	𨙸篙鐘	隹𨙸篙屈栾
		小計：共 1 筆

0035

4887	蔡侯𦉢尊	上下陟祏(否)
		小計：共 1 筆

禦社禍祓社栾祏禍

三

禱 0036

2659	鄧侯庫𣪕	祗敬禱祀
		小計：共 1 筆

三 0037

0722	右脒鼎	右脒三料斗
0727	三斗鼎	＿里三斗料鼎
0835	咸陽鼎	咸陽一斗三升、厶官
0969	從鼎	白姜易從貝｛三十朋｝
0986	中乍且癸鼎	侯易中貝三朋
1011	矞乍父丁鼎	丁卯、尹商矞貝三朋
1058	復鼎	侯賞復貝三朋
1090	十三年梁上官鼎	十三年、梁陰命率上官＿子疾冶乘鑄、瘄（容）
1152	私官鼎	一斗半正十三斤八兩十四朱
1169	平安邦鼎	卅三年單父上官｛冢子｝喜所受坪安君者也(蓋)
1169	平安邦鼎	卅三年單父上官｛冢子｝喜所受坪安君者也(器)
1184	德方鼎	隹三月王才成周
1206	旟鼎	王姜易旟田三于待劏
1231	楚王酓忏鼎一	三楚
1232	楚王酓忏鼎二	三楚
1244	㾓鼎	隹三年四月庚午
1253	平安君鼎	卅三年
1263	呂方鼎	王易呂鬯三卣、貝卅朋
1264	䃌鼎	隹三月初吉
1279	中方鼎	隹十又三月庚寅
1280	康鼎	唯三月初吉甲戌
1281	史頌鼎一	隹三年五月丁子（巳）
1282	史頌鼎二	隹三年五月丁子（巳）
1283	𢼸䜌鼎	隹王廿又三年九月
1286	大夫始鼎	隹三月初吉甲寅、王才龢宮
1291	善夫克鼎一	隹王廿又三年九月
1292	善夫克鼎二	隹王廿又三年九月
1293	善夫克鼎三	隹王廿又三年九月
1294	善夫克鼎四	隹王廿又三年九月
1295	善夫克鼎五	隹王廿又三年九月
1296	善夫克鼎六	隹王廿又三年九月
1297	善夫克鼎七	隹王廿又三年九月
1298	師旂鼎	唯三月丁卯
1298	師旂鼎	白懋父迺罰得㚔古三百寽
1301	大鼎一	隹十又五年三月既霸丁亥
1302	大鼎二	隹十又五年三月既霸丁亥
1303	大鼎三	隹十又五年三月既霸丁亥
1310	鬲攸從鼎	隹卅又一年三月初吉壬辰
1311	師晨鼎	隹三年三月初吉甲戌
1318	晉姜鼎	三壽是利
1319	頌鼎一	隹三年五月既死霸甲戌
1320	頌鼎二	隹三年五月既死霸甲戌

	2759	史頌段九	隹三年五月丁巳
	2764	艾段	隹三月、王令榮眔內吏曰
	2764	艾段	易臣三品：州人、重人、䧹人
三	2766	三兒段	余□□□豖□□亡一人匄三邑□□□朢□□皇
	2773	即段	隹王三月初吉庚申
	2774.	南宮乎段	隹三月初吉□卯
	2775	裘衛段	隹廿又七年三月既生霸戊戌
	2776	走段	隹王十又二年三月既望庚寅
	2777	天亡段	王凡三方
	2785	王臣段	隹二年三月初吉庚寅
	2787	望段	隹王十又三年六月初吉戊戌
	2787	望段	隹王十又三年六月初吉戊戌
	2792	師俞段	唯三年三月初吉甲戌
	2796	諫段	隹五年三月初吉庚寅
	2796	諫段	隹五年三月初吉庚寅
	2812	大段一	隹十又二年三月既生霸丁亥
	2813	大段二	隹十又二年三月既生霸丁亥
	2828	宜侯夨段	易土、厥川三百□
	2830	三年師兌段	隹三年二月初吉丁亥
	2844	頌段一	隹三年五月既死霸甲戌
	2845	頌段二	隹三年五月既死霸甲戌
	2845	頌段二	隹三年五月既死霸甲戌
	2846	頌段三	隹三年五月既死霸甲戌
	2847	頌段四	隹三年五月既死霸甲戌
	2848	頌段五	隹三年五月既死霸甲戌
	2849	頌段六	隹三年五月既死霸甲戌
	2850	頌段七	隹三年五月既死霸甲戌
	2851	頌段八	隹三年五月既死霸甲戌
	2853.	_乎段	隹王三月初吉辛卯
	2855	班段一	三年靜東或、亡不成
	2855.	班段二	三年
	2856	師訇段	尸_三百人
	2857	牧段	隹王七年又三月既生霸甲寅
	3068	白寬父盨一	隹卅又三年八月既死辛卯
	3069	白寬父盨二	隹卅又三年八月既死辛卯
	3087	鬲从盨	甲三邑
	3087	鬲从盨	凡復友復友鬲比田十又三邑
	4444	邵宮盉	官四斗少半斗廿三斤十
	4444	邵宮盉	五十兩廿三斤十兩十五和工工感邵官和
	4448	長由盉	隹三月初吉丁亥
	4449	裘衛盉	隹三年三月既生霸壬寅
	4449	裘衛盉	其舍田三田
	4860	魯侯尊	隹王令明公遣三族伐東或、才vq
	4868	趞乍姞尊	隹十又三月辛卯、王才庰
	4884	臤尊	隹十又三月既生霸丁卯
	4886	趩尊	隹三月初吉乙卯
	4888	盠駒尊一	隹王十又三月、辰才甲申
	4893	夨令尊	王令周公子明保尹三事四方
	4893	夨令尊	徣令、舍三事令
	4981	𠂤冊令方彝	王令周公子明保尹三事四方

4981	𤔲冊令方彝	舍三事令
5476	趞乍姞寶卣	隹十又三月辛卯
5485	貉子卣一	歸貉子鹿三
5486	貉子卣二	歸貉子鹿三
5497	農卣	農三拜䭫首
5733	曩中乍倗生歙壺	匄三壽懿德萬年
5754	__氏扁壺	__氏、三斗少半
5754	__氏扁壺	今三斗二升少半升
5762	吕行壺	唯三月、白懋父北征
5779	安邑下官鍾	十三斗一升
5791	十三年瘐壺一	隹十又三年九月初吉戊寅
5792	十三年瘐壺一	隹十又三年
5796	三年瘐壺一	隹三年九月丁子
5797	三年瘐壺二	隹三年九月丁子
5799	頌壺一	隹三年五月既死霸甲戌
5800	頌壺二	隹三年五月既死霸甲戌
5803	胤嗣好蚉壺	十三枼、左史車
5803	胤嗣好蚉壺	工qL重一石三百卌九刀之冢（重）
5804	齊侯壺	齊三軍圍釐
6784	三十四祀盤（裸盤）	鮮蔑鄙、王飘鄙玉三品、貝廿朋
6785	守宮盤	馬匹、毳布三、専__三、鋈朋
6791	兮甲盤	隹五年三月既死霸庚寅
6793	夨人盤	陟剛、三封
6877	儹乍旅盉	隹三月既死霸甲申
6877	儹乍旅盉	罰女三百寽
6887	𨜷陵君王子申鑑	__襄、冢三朱二圣朱四□（盤外底）
7062	柞鐘	隹王三年四月初吉甲寅
7063	柞鐘二	隹王三年四月初吉甲寅
7064	柞鐘三	隹王三年四月初吉甲寅
7065	柞鐘四	隹王三年四月初吉甲寅
7066	柞鐘五	隹王三年四月初吉甲寅
7135	逆鐘	仕王元年三月既生霸庚申
7176	㝬鐘	畯保三國（編案：依文例當作四國）
7182	叔夷編鐘一	余命女政于朕三軍
7182	叔夷編鐘一	戮龢三
7183	叔夷編鐘二	其縣三百
7185	叔夷編鐘四	釐僕三百又五十家
7214	叔夷鎛	余命女政于朕三軍
7214	叔夷鎛	戮龢三軍徒旃
7214	叔夷鎛	其縣三百
7214	叔夷鎛	釐僕三百又五十家
7473	__戈	__侃作__戈三百
7504	廿三年□陽令戈	廿三年
7522	卅三年大梁左庫戈	卅三年大梁左庫工帀丑冶刅
7524	三年脩余令戈	三年逌余命韓__工帀____、冶__
7530	三年上郡守戈	三年上郡守□造
7533	卅二年帶令戈	卅三年帶命初左庫工帀臣冶山
7535	三年汪陶令戈	三年汪陶令富守
7546	王三年奠令韓熙戈	王三年奠命韓熙右庫工師吏史□冶□
7566	十三年相邦義戈	十三年相邦義之造

三

三王

7655	中央勇矛	中央勇□生安空三年之後日毋
7661	三年建躬君矛	三年相邦建躬君
7665	三年奠令槍□矛	三年奠命槍□司寇□慶
7739	卅三年奠令□□劍	卅三年奠命□□司寇趙它
7742	十三年劍	十三年右守相□□□□□□
7879	麗山鍾	麗山園容十二斗三升
7879	麗山鍾	重二鈞十三斤八兩
7883	三侯權	三侯朕＿中余吉
7900	鄂君啟舟節	屯三舟為一舿、五十舿
7953	三年錯銀鳩杖首	三年才鄭
7975	中山王墓兆域圖	丌樬continued長三乇
7975	中山王墓兆域圖	丌樬continued長三乇
M171	小臣靜卣	隹十又三月
M252	免簠	隹三月既生霸乙卯
M798	廿八年平安君鼎	六益料新之冢（器一）卅三年單父上官宰喜所受
M799	卅二年平安君鼎	卅三年單父上官宰喜所受平安君石它（器二）
M898	魏公鈚	魏公鈚、三斗二升取
		小計：共 209 筆

王 0038

0288	王甗鼎	王甗
0456	成王方鼎	成王尊
0658	巨葬十二鼎	巨葬王
0728	王后鼎	王后左室□□□、王后左□室
0771	矢王方鼎蓋	矢王乍寶尊鼎
0817	王子臺鼎	王子臺自酢（乍）飤貞（鼎）
0819	王乍仲姜鼎	王乍中姜寶尊
0820	王乍仲姬方鼎	王乍中姬寶彝
0850	王乍垂姬鼎	王乍＿姬寶尊鼎
0865	卲王之諻鎛鼎	卲王之諻之鎛貞（鼎）
0882	王乍康季鬲	王乍康季寶尊鬲
0946	鑄客為王后七府鼎	鑄客為王句（后）七府為之
0961	乙未鼎	乙未王賞貝始□□□在寢
0981	德鼎	王易德貝｛廿朋｝
0988	白矩鼎	用言王出內事人
0991	交鼎	王易貝、用乍寶彝
0997	＿父鼎一	休王易L3父貝
0998	＿父鼎二	休王易L3父貝
0999	＿父鼎三	休王易L3父貝
1003	楚王酓肯釶鼎	楚王酓肯（朏）鑄釶（匜）鼎
1005	楚王酓肯喬鼎	楚王酓朏吏鑄喬鼎
1022	白宓父旅鼎	用鄉王逆造吏人
1029	罴乍且乙鼎	己亥、王易罴貝
1047	鼄白鼎	王令鼄白啚于㞢為宮
1056	曾白從寵鼎	隹王十月既吉
1070	鄲孝子鼎	王四月、鄲孝子台（以）庚寅之日
1076	王伯姜鼎	王白姜乍季姬寶尊鼎
1089	女孌方鼎	女孌堇于王

1101	亞受乍父丁方鼎	戊寅王Jbsx馬彡、易貝
1115	楚王酓肯鬲鼎	楚王酓朏乍鑄鬲鼎
1117	豐乍父丁鼎	乙未、王商宗庚豐貝二朋
1121	唯弔從王南征鼎	唯弔從王南征、唯歸
1121	唯弔從王南征鼎	唯弔從王南征、唯歸
1127	嗣鼎	王初□恆于成周
1135	獻侯乍丁侯鼎	唯成王大桒、才宗周
1136	獻侯乍丁侯鼎二	唯成王大桒、才宗周
1137	匽侯旨鼎一	王賞旨貝廿朋
1139	寓鼎	王才葊京鼎(真)__
1139	寓鼎	戊寅、王蔑寓曆事𢀛大人
1139	寓鼎	易乍冊寓□__寓拜韻首、對王休
1150	小臣缶方鼎	王易小臣缶湡賣五年
1157	禽鼎	王伐楚侯
1157	禽鼎	王易金百寽
1158	小子__鼎	王商貝、才䣄師次
1170	信安君鼎	眂(視)事司馬欽、冶王石
1178	宗婦鄁嬰鼎一	王子剌公之宗婦鄁嬰為宗彝䵼彝
1179	宗婦鄁嬰鼎二	王子剌公之宗婦鄁嬰為宗彝䵼彝
1180	宗婦鄁嬰鼎三	王子剌公之宗婦鄁嬰為宗彝䵼彝
1181	宗婦鄁嬰鼎四	王子剌公之宗婦鄁嬰為宗彝䵼彝
1182	宗婦鄁嬰鼎五	王子剌公之宗婦鄁嬰為宗彝䵼彝
1183	宗婦鄁嬰鼎六	王子剌公之宗婦鄁嬰為宗彝䵼彝
1184	德方鼎	隹三月王才成周
1184	德方鼎	王易德貝廿朋
1187	員乍父甲鼎	王獸于眂ko
1187	員乍父甲鼎	王令員執犬、休善
1192	亞□伐__乍父乙鼎	丁卯、王令宜子迨西方
1192	亞□伐__乍父乙鼎	王賞戍kx貝二朋
1193	新邑鼎	癸卯王來鄭新邑
1193	新邑鼎	王易貝十朋
1194	郐王糧鼎	郐王糧用其良金
1200	散白車父鼎一	隹王四年八月初吉丁亥
1201	楸白車父鼎二	唯王四月八月初吉丁亥
1202	楸白車父鼎三	唯王四年八月初吉丁亥
1203	楸白車父鼎四	唯王四年八月初吉丁亥
1206	旟鼎	王姜易旟田三于待劃
1206	旟鼎	用對王休
1207	眉__鼎	o0㡀師眉vw王為周nr
1208	乙亥乍父丁方鼎	乙亥、王□才𥂴餗
1208	乙亥乍父丁方鼎	王饗彡、尹pa邇
1208	乙亥乍父丁方鼎	唯王正井方[𢀛]
1210	甯__鼎	庚午王命甯__省北田四品
1211	庚兒鼎一	郐王之子庚兒自乍飤緐
1212	庚兒鼎二	郐王之子庚兒自乍飤緐
1219	戍嗣子鼎	丙午、王賞戍嗣貝廿朋
1219	戍嗣子鼎	隹王竇嗣大室、才九月
1220	鄁公鼎	隹王八月既望
1221	井鼎	隹七月、王才葊京
1221	井鼎	辛卯、王漁于nqui

王

1221	井鼎	對揚王休
1224	王子吳鼎	王子吳羼其吉金
1226	師𩛥鼎	王女上侯
1226	師𩛥鼎	王夜功
1229	厚趠方鼎	隹王來各于成周年
1231	楚王酓忓鼎一	楚王酓忓戰隻銅
1232	楚王酓忓鼎二	楚王酓忓戰隻銅
1233	__鼎	王令h0捷東反尸
1235	不栺方鼎一	王才上侯応
1235	不栺方鼎一	敢揚王休
1236	不栺方鼎甲二	王才上侯応
1236	不栺方鼎甲二	敢揚王休
1239	__鼎一	隹王伐東尸
1240	__鼎二	隹王伐東尸
1243	仲__父鼎	唯王五月初吉丁亥
1244	瘨鼎	王才豐
1244	瘨鼎	王乎虢弔召瘨
1248	庚贏鼎	王格□宮衣事
1248	庚贏鼎	丁子、王蔑庚贏曆
1248	庚贏鼎	對王休
1251	中先鼎一	隹王令南宮伐反虎方之年
1251	中先鼎一	王令中先省南或(國)
1251	中先鼎一	王応在□□□山
1251	中先鼎一	中乎歸生鳳于王
1252	中先鼎二	隹王令南宮伐反虎方之年
1252	中先鼎二	王令中先省南或(國)
1252	中先鼎二	王応在□□□山
1252	中先鼎二	中乎歸生鳳于王
1254	□鼎	___□□王___
1255	作冊大鼎一	公束鑄武王成王異鼎
1256	作冊大鼎二	公束鑄武王成王異鼎
1257	作冊大鼎三	公束鑄武王成王異鼎
1258	作冊大鼎四	公束鑄武王成王異鼎
1262	窂鼎	隹王九月既望乙巳
1263	呂方鼎	王竇□大室
1263	呂方鼎	王易呂鬯三卣、貝卅朋
1263	呂方鼎	對揚 王休
1265	㝬弔鼎	隹王正月初吉乙丑
1270	小臣夌鼎	正月、王才成周
1270	小臣夌鼎	王迖于楚麓
1270	小臣夌鼎	王至于迖应、無遣
1270	小臣夌鼎	對揚王休
1272	剌鼎	唯五月、王才□
1272	剌鼎	王啻、用牡于大室
1272	剌鼎	啻卲王、剌御
1272	剌鼎	王易剌貝卅朋
1272	剌鼎	剌對揚王休
1273	師湯父鼎	王才周新宮
1273	師湯父鼎	王呼宰雁易□弓
1275	師同鼎	判用1z王羞于黽

1276	__季鼎	王易赤θ市、玄衣黹屯、䜌旂
1276	__季鼎	對揚王休
1277	七年趞曹鼎	王才周般宮
1277	七年趞曹鼎	旦、王各大室
1278	十五年趞曹鼎	龏王才周新宮
1278	十五年趞曹鼎	王射于射盧
1279	中方鼎	王才寒餗
1279	中方鼎	王令大吏兄褱土
1279	中方鼎	王曰：中、丝褱人入史
1279	中方鼎	易于珷王乍臣
1279	中方鼎	中對王休令
1280	康鼎	王才康宮
1280	康鼎	王命死𤔲王家
1281	史頌鼎一	王才宗周
1282	史頌鼎二	王才宗周
1283	微䜌鼎	隹王廿又三年九月
1283	微䜌鼎	王才宗周
1283	微䜌鼎	王令㣙䜌䟒𤔲九陂
1284	尹姞鼎	彌ve先王
1285	或方鼎一	王𡖊姜事內史友員易或玄衣、朱襮裣
1285	或方鼎一	對揚王𡖊姜休
1286	大夫始鼎	隹三月初吉甲寅、王才龢宮
1286	大夫始鼎	王才華宮□
1286	大夫始鼎	王才邦宮
1286	大夫始鼎	王才邦
1288	令鼎一	王大耤農于諆田
1288	令鼎一	餳、王射
1288	令鼎一	王歸自諆田
1288	令鼎一	王馭溓中僕
1288	令鼎一	王曰：令眔奮乃克至
1288	令鼎一	王至于溓宮、攸
1288	令鼎一	令對揚王休
1289	令鼎二	王大耤農于諆田、餳
1289	令鼎二	王射、有𤔲眔師氏小子𨚕射
1289	令鼎二	王歸自諆田
1289	令鼎二	王馭溓中僕
1289	令鼎二	王曰：令眔奮乃克至
1289	令鼎二	王至于溓宮、攸
1289	令鼎二	令對揚王休
1290	利鼎	唯王九月丁亥
1290	利鼎	王客于般宮
1290	利鼎	王乎乍命內史冊令利曰
1291	善夫克鼎一	隹王廿又三年九月
1291	善夫克鼎一	王才宗周
1291	善夫克鼎一	王命善夫克舍令于成周遹正八𠂤之年
1292	善夫克鼎二	隹王廿又三年九月
1292	善夫克鼎二	王才宗周
1292	善夫克鼎二	王命善夫克舍令于成周遹正八𠂤之年
1293	善夫克鼎三	隹王廿又三年九月
1293	善夫克鼎三	王才宗周

王

1293	善夫克鼎三	王命善夫克舍令于成周遹正八自之年
1294	善夫克鼎四	隹王廿又三年九月
1294	善夫克鼎四	王才宗周
1294	善夫克鼎四	王命善夫克舍令于成周遹正八自之年
1295	善夫克鼎五	隹王廿又三年九月
1295	善夫克鼎五	王才宗周
1295	善夫克鼎五	王命善夫克舍令于成周遹正八自之年
1296	善夫克鼎六	隹王廿又三年九月
1296	善夫克鼎六	王才宗周
1296	善夫克鼎六	王命善夫克舍令于成周遹正八自之年
1297	善夫克鼎七	隹王廿又三年九月
1297	善夫克鼎七	王才宗周
1297	善夫克鼎七	王命善夫克舍令于成周遹正八自之年
1298	師旂鼎	師旂眾僕不從王征于方
1299	鄂侯鼎一	王南征伐角、ph
1299	鄂侯鼎一	鄂侯馭方內豐于于王
1299	鄂侯鼎一	馭方友王
1299	鄂侯鼎一	王休宴、乃射
1299	鄂侯鼎一	馭方卿王射
1299	鄂侯鼎一	王宴、畬酉
1299	鄂侯鼎一	王親易馭____五瑴、馬四匹、矢五_
1300	南宮柳鼎	隹王五月初吉甲寅
1300	南宮柳鼎	王才康廟
1300	南宮柳鼎	王乎乍冊尹冊令柳嗣六自牧、陽、大□
1301	大鼎一	王才糧侲宮
1301	大鼎一	王卿（饗）醴
1301	大鼎一	王乎善夫騣召大目氒友入攼
1301	大鼎一	王召走馬雁令取k3騳卅二匹易大
1301	大鼎一	對揚王天子不顯休
1302	大鼎二	王才糧侲宮
1302	大鼎二	王卿（饗）醴
1302	大鼎二	王乎善夫騣召大目氒友入攼
1302	大鼎二	王召走馬雁令取k3騳卅二匹易大
1302	大鼎二	對揚王天子不顯休
1303	大鼎三	王才糧侲宮
1303	大鼎三	王卿（饗）醴
1303	大鼎三	王乎善夫騣召大目氒友入攼
1303	大鼎三	王召走馬雁令取k3騳卅二匹易大
1303	大鼎三	對揚王天子不顯休
1304	王子午鼎	王子午羼其吉金
1305	師奎父鼎	王各于大室
1305	師奎父鼎	王乎內史駒冊命師奎父
1306	無叀鼎	王各于周廟
1306	無叀鼎	王乎史翏冊令無叀曰：官嗣lk王1J側虎臣
1307	師望鼎	用辟于先王
1307	師望鼎	虔夙夜出內王命
1307	師望鼎	王用弗諲聖人之後
1308	白晨鼎	隹王八月辰才丙午
1308	白晨鼎	王命䡅侯伯晨曰
1308	白晨鼎	敢對揚王休

1309	寰鼎	王才周康穆宮
1309	寰鼎	旦、王各大室、即立
1309	寰鼎	史淵受王令書
1309	寰鼎	王呼史減冊
1310	鬲攸從鼎	王才周康宮、徲大室
1310	鬲攸從鼎	鬲从目攸衛牧告于王
1310	鬲攸從鼎	王令眚史南目即虢旅
1311	師晨鼎	王才周師彔宮
1311	師晨鼎	旦、王各大室、即立
1311	師晨鼎	王乎乍冊尹冊令師晨足師俗嗣邑人
1312	此鼎一	王才周康宮徲宮
1312	此鼎一	旦、王各大室、即立
1312	此鼎一	王乎史翏冊令此曰
1313	此鼎二	王才周康宮徲宮
1313	此鼎二	旦、王各大室、即立
1313	此鼎二	王呼史翏冊令此曰
1314	此鼎三	王才周康宮徲宮
1314	此鼎三	旦、王各大室、即立
1314	此鼎三	王呼史翏冊令此曰
1315	善鼎	王才宗周
1315	善鼎	王各大師宮
1315	善鼎	王曰：善、昔先王既令女左足纘侯
1315	善鼎	今余唯肇纘先王令
1316	彧方鼎	彧曰：烏虖、王唯念彧辟剌考甲公
1316	彧方鼎	王用肇事乃子彧率虎臣禦淮戎
1316	彧方鼎	對揚王令
1317	善夫山鼎	王才周、各圖室
1317	善夫山鼎	王乎史桒冊令山
1317	善夫山鼎	王曰：山、令女官嗣歓獻人于冕
1318	晉姜鼎	隹王九月乙亥
1319	頌鼎一	王才周康卲宮
1319	頌鼎一	旦、王各大室、即立
1319	頌鼎一	尹氏受王令書
1319	頌鼎一	王呼史虢生冊令頌
1319	頌鼎一	王曰：頌、令女官嗣成周賈廿家、監嗣新寤
1320	頌鼎二	王才周康卲宮
1320	頌鼎二	旦、王各大室、即立
1320	頌鼎二	尹氏受王令書
1320	頌鼎二	王呼史虢生冊令頌
1320	頌鼎二	王曰：頌、令女官嗣成周賈廿家、監嗣新寤
1321	頌鼎三	王才周康卲宮
1321	頌鼎三	旦、王各大室、即立
1321	頌鼎三	尹氏受王令書
1321	頌鼎三	王呼史虢生冊令頌
1321	頌鼎三	王曰：頌、令女官嗣成周、賈廿家、監嗣新寤
1322	九年裘衛鼎	王才周駒宮
1322	九年裘衛鼎	眉敖者膚(䖍)卓吏見于王
1322	九年裘衛鼎	王大黹
1323	師訊鼎	唯王八祀正月辰才丁卯
1323	師訊鼎	王曰：師訊、女克盡(贇)乃身

王

1323	師訊鼎	臣朕皇考穆王
1323	師訊鼎	叀余小子肇盄先王德
1323	師訊鼎	紷辟前王吏余一人
1323	師訊鼎	用保王身
1323	師訊鼎	訊敢𠭰王卑天子萬年whwi
1323	師訊鼎	訊敢對王休
1324	禹鼎	克夾召先王、奠四方
1324	禹鼎	王迺命西六自、殷八自曰
1325	五祀衛鼎	隹王五祀
1326	多友鼎	告追于王
1326	多友鼎	武公乃獻于王
1327	克鼎	肆克龏保𠂤辟龏王
1327	克鼎	諫辥王家
1327	克鼎	觔克王服
1327	克鼎	出內王令
1327	克鼎	王才宗周
1327	克鼎	王各穆廟、即立
1327	克鼎	王呼尹氏冊令善夫克
1327	克鼎	王若曰：克、昔余既令女出內朕令
1328	盂鼎	隹九月、王才宗周、令盂
1328	盂鼎	王若曰：盂不顯玟王
1328	盂鼎	在珷王嗣玟乍邦
1328	盂鼎	𡢁保先王
1328	盂鼎	今我隹即井禀于玟王正德
1328	盂鼎	若玟王令二、三正
1328	盂鼎	王曰
1328	盂鼎	王曰：盂、迺召夾死嗣戎
1328	盂鼎	雩我其遹省先王受民受疆土
1328	盂鼎	易夷嗣王臣十又三白
1328	盂鼎	人鬲千又五十夫𢓊nx𨑩自𠂤土、王曰
1328	盂鼎	盂用對王休
1328	盂鼎	隹王廿又三祀
1329	小字盂鼎	明、王各周廟
1329	小字盂鼎	告曰、王□□目□□伐鬼方
1329	小字盂鼎	王□曰□
1329	小字盂鼎	王令榮□䛐
1329	小字盂鼎	王乎𧶠（賓）□于目□□□迮賓□□
1329	小字盂鼎	王各廟、祝
1329	小字盂鼎	禘周王、□王、成王、□□□□王䢅述
1329	小字盂鼎	王乎□□□盂目區入
1329	小字盂鼎	王各廟、贊王邦賓
1329	小字盂鼎	征王令賞盂□□□□□□弓一、矢百、畫虢一、
1329	小字盂鼎	隹王卅又五祀
1330	曶鼎	隹王元年六月既望乙亥
1330	曶鼎	王才周穆王大□
1330	曶鼎	王才1m㡯
1330	曶鼎	𦣻（曶）受休□王
1330	曶鼎	隹王四月既生霸、辰才丁酉
1330	曶鼎	𢿢曰于王參門
1330	曶鼎	王人迺賣（贖）用□

1331	中山王嚳鼎	隹十四年中山王嚳詐（乍、作）鼎、于銘曰
1331	中山王嚳鼎	昔者、𪓛（吾）先考成王
1331	中山王嚳鼎	昔者、𪓛（吾）先祖趄王
1331	中山王嚳鼎	卲（昭）考成王
1332	毛公鼎	王若曰、父厝、不顯文武
1332	毛公鼎	不巩先王配命
1332	毛公鼎	永巩先王
1332	毛公鼎	王曰：父厝、□余唯肇巠先王命
1332	毛公鼎	告余先王若德
1332	毛公鼎	俗（欲）我弗乍先王憂
1332	毛公鼎	王曰：父厝、雩之庶出入事
1332	毛公鼎	引其唯王智
1332	毛公鼎	王曰：父厝、今余唯𤕌先王命
1332	毛公鼎	敬念王畏不易
1332	毛公鼎	女毋（毋）弗帥用先王乍明井（型）
1332	毛公鼎	王曰：父厝、巳曰及茲卿事寮
1332	毛公鼎	以乃族干（扞）吾王身
1433	召白毛尊鬲	召白毛乍王母尊鬲
1434	王乍親王姬__鬲一	王乍親王姬__䵼彝
1435	王乍親王姬__鬲二	王乍親王姬__䵼彝
1436	王白姜尊鬲一	王白姜乍尊鬲永寶用
1437	王白姜尊鬲二	王白姜乍尊鬲永寶用
1438	王白姜尊鬲三	王白姜乍尊鬲永寶用
1439	王白姜尊鬲四	王白姜乍尊鬲其萬年永寶用
1442	王乍贊母鬲	王乍s5䵼贊母寶䵼彝
1463	呂王尊鬲	呂王乍尊鬲
1464	王乍姬□母女尊鬲	王乍姬□母尊鬲
1503	御鬲	王pa商御貝
1533	尹姞寶鬲一	休天君弗望穆公聖粦明𣪕吏（事）先王
1534	尹姞寶鬲二	休天君弗望穆公聖粦明𣪕吏（事）先王
1657	圉甗	王桒于成周
1657	圉甗	王易圉貝
1661	乍冊般甗	王宜人方
1661	乍冊般甗	王賞乍冊般貝
1662	寶甗	王人vy輔歸雚鑄其寶
1665	王孫壽飤甗	王孫壽睪其吉金
1668	中甗	王令中先省南或貫行
1668	中甗	史兒至、以王令曰
1668	中甗	日傳□王□休
1978	吳方彝	隹王二祀
2095	王乍母癸障㲃	王乍母癸尊
2096	王乍又䵼彝㲃	王乍父䵼彝
2230	王乍姜氏障㲃	王乍姜氏尊㲃
2267	卲王之諻𪔰㲃一	卲王之諻之𪔰（薦）㲃（㲃）
2268	卲王之諻𪔰㲃二	卲王之諻之𪔰（薦）㲃（㲃）
2337	𢆶乍寶㲃	𢆶乍寶㲃用鄉王逆遄事
2345	穌公乍王妃羞㲃	穌公乍王改羞（羞）盂㲃永寶用
2346	__乍𩞁㲃	nb從王伐荊、孚
2348	仲爯㲃	中爯乍又寶彝用鄉王逆遄
2364	德㲃	王易德貝廿朋

王

王

2366	白者父𣪘	用鄉王逆造
2401	陳侯乍王嬀朕𣪘	陳(陳)侯乍王嬀媵𣪘
2404	效父𣪘一	休王易效父■三
2405	效父𣪘二	休王易效父■三
2406	五八六效父𣪘三	休王易效父■三
2410	遣小子䢅𣪘	遣小子䢅目其友乍𩲺男王姬䵼彝
2446	亞古乍父己𣪘	己亥王易貝、才闌
2451	過白𣪘	過白從王伐反荊、孚金
2452	女𤔲𣪘	母𤔲蓋干王、癸日
2453	亞𢽾乍且丁𣪘	乙亥王易□□工𢽾玉十玉瑴
2469	姦乍王母媿氏𩐋𣪘一	姦乍王母媿氏𩐋𣪘
2470	姦乍王母媿氏𩐋𣪘二	姦乍王母媿氏𩐋𣪘
2471	姦乍王母媿氏𩐋𣪘三	姦乍王母媿氏𩐋𣪘
2472	姦乍王母媿氏𩐋𣪘四	姦乍王母媿氏𩐋𣪘
2484.	夨王𣪘	夨王乍奠姜尊𣪘
2497	䣄侯乍王姞𣪘一	䣄侯乍王姞媵𣪘
2497	䣄侯乍王姞𣪘一	王姞其萬年子子孫孫永寶
2498	䣄侯乍王姞𣪘二	䣄侯乍王姞媵𣪘
2498	䣄侯乍王姞𣪘二	王姞其萬年子子孫孫永寶
2499	䣄侯乍王姞𣪘三	䣄侯乍王姞媵𣪘
2499	䣄侯乍王姞𣪘三	王姞其萬年子子孫孫永寶
2500	䣄侯乍王姞𣪘四	䣄侯乍王姞媵𣪘
2500	䣄侯乍王姞𣪘四	王姞其萬年子子孫孫永寶
2511	夨王𣪘	夨王乍奠姜尊𣪘
2525	寓𢼸𣪘	辛亥、王才＿
2526	弔德𣪘	王易弔德臣嬗十人
2543	𤞷馭𣪘	𤞷御從王南征
2544	亞𨙶乍父乙𣪘	王pa商𨙶祉貝
2546	聖𣪘	辛巳、王畬(歙)多亞聖亯京
2548	仲惠父𩐋𣪘一	隹王正月 中叀父乍𩐋𣪘
2549	仲惠父𩐋𣪘二	隹王正月中叀父乍𩐋𣪘
2567.	戊寅𣪘	隹王八月、才貝、戊寅
2567.	戊寅𣪘	王商易天子休
2570	榮𣪘	王休易氒臣父榮𧶜
2570	榮𣪘	王爵貝百朋
2584	卸正衛𣪘	懋父賁卸(御)正衛馬匹自王
2585	禽𣪘	王伐禁侯
2585	禽𣪘	王易金百守
2586	史䀄𣪘一	乙亥王𢍰(誥)畢公
2587	史䀄𣪘二	乙亥王𢍰(誥)畢公
2598	燮乍宮仲念器	王令燮uk市旂
2598	燮乍宮仲念器	對揚王休
2599	宰甫𣪘	王來獸自豆彔
2599	宰甫𣪘	王鄉酉
2601	向𩾔乍旅𣪘一	隹王五月甲寅
2602	向𩾔乍旅𣪘二	隹王五月甲寅
2608	官差父𣪘	隹王正月既死霸乙卯
2611	𤰇渣𤔲土㚖𣪘	王束伐商邑
2612	不壽𣪘	王才大宮
2612	不壽𣪘	王姜易不壽裘

2612	不壽段	對揚王休、用乍寶
2614	宗婦䣄嫛段一	王子剌公之宗婦䣄嫛為宗彝䵼彝
2615	宗婦䣄嫛段二	王子剌公之宗婦䣄嫛為宗彝䵼彝
2616	宗婦䣄嫛段三	王子剌公之宗婦䣄嫛為宗彝䵼彝
2617	宗婦䣄嫛段四	王子剌公之宗婦䣄嫛為宗彝䵼彝
2618	宗婦䣄嫛段五	王子剌公之宗婦䣄嫛為宗彝䵼彝
2619	宗婦䣄嫛段六	王子剌公之宗婦䣄嫛為宗彝䵼彝
2620	宗婦䣄嫛段七	王子剌公之宗婦䣄嫛為宗彝䵼彝
2644	命段	王才華、王易命鹿
2645	周客段	克乎師眉鷹王為周客
2655	小臣靜段	王寶葊京
2655	小臣靜段	王易貝五十朋
2665	__弔段	隹王三月初吉癸卯
2668	散季段	隹王四年八月初吉丁亥
2668	散季段	㪔季肇乍朕王母弔姜寶段
2671	利段	王才闌自
2675	大保段	王伐彔子耶(聽)、慮乎反
2675	大保段	王降征令于大保
2675	大保段	王永(逆)大保
2676	旅䵼乍父乙段	才十月一、隹王廿祀劦日
2687	敔段	王才周、各于大室
2687	敔段	王蔑敔曆、易玄衣赤市
2687	敔段	敔對揚王休
2688	大段	王才奠、蔑大曆
2688	大段	對揚王休
2689	白康段一	用饎王父王母
2690	白康段二	用饎王父王母
2698	陳肪段	隹王五月元日丁亥
2703	免乍旅段	王才周
2703	免乍旅段	對揚王休
2704	穆公段	隹王初女__
2704	穆公段	王乎宰□易穆公貝廿朋
2704	穆公段	穆公對王休
2705	君夫段	王才康宮大室
2705	君夫段	王命君夫曰
2705	君夫段	君夫敢每揚王休
2707	小臣守段一	王吏小臣守吏于集
2708	小臣守段二	王吏小臣守吏于集
2709	小臣守段三	王吏小臣守吏于集
2710	䵼自乍寶器一	王吏榮蔑曆令桂邦
2710	䵼自乍寶器一	䵼對揚王休
2711	䵼自乍寶器二	王吏榮蔑曆令桂邦
2711	䵼自乍寶器二	䵼對揚王休
2711.	乍冊般段	王宜人方無敄
2711.	乍冊般段	成王商乍冊__貝十朋
2711.	乍冊般段	對揚天子不顯王休命
2713	瘐段一	用辟先王
2713	瘐段一	王對瘐楙、易佩
2714	瘐段二	用辟先王
2714	瘐段二	王對瘐楙、易佩

王

2715	癲𣪘三	用辟先王
2715	癲𣪘三	王對癲楙、易佩
2716	癲𣪘四	用辟先王
2716	癲𣪘四	王對癲楙、易佩
2717	癲𣪘五	用辟先王
2717	癲𣪘五	王對癲楙、易佩
2718	癲𣪘六	用辟先王
2718	癲𣪘六	王對癲楙、易佩
2719	癲𣪘七	用辟先王
2719	癲𣪘七	王對癲楙、易佩
2720	癲𣪘八	用辟先王
2720	癲𣪘八	王對癲楙、易佩
2721	䓪𣪘	王命䓪眔弔𥃝父歸吳姬飴器
2722	窒弔乍豐姞旅𣪘	唯王五月辰才丙戌
2723	沓𣪘	王蔑友曆、易牛三
2723	沓𣪘	友對揚王休
2724	𩫖白馭𣪘	隹王伐逨魚
2724	𩫖白馭𣪘	敢對揚王休
2725	師毛父𣪘	旦、王各于大室
2725	師毛父𣪘	對揚王休
2726	㫚𣪘	王各于大室
2726	㫚𣪘	㫚敢對揚王休
2728	恆𣪘一	王曰：恆
2729	恆𣪘二	王曰：恆
2730	獻𣪘	楷白于遘王
2731	小臣宅𣪘	其萬年用鄉王出入
2733	何𣪘	王才華宮
2733	何𣪘	王乎虢中入右何
2733	何𣪘	王易何赤市、朱亢、䜌旂
2734	遹𣪘	穆王才𦎫京
2734	遹𣪘	王鄉酉、遹御亡遣
2734	遹𣪘	穆王親易遹䧹
2734	遹𣪘	敢對揚穆王休
2736	師遽𣪘	隹王三祀四月既生霸辛酉
2736	師遽𣪘	王才周、客新宮
2736	師遽𣪘	王延正師氏
2736	師遽𣪘	王乎師朕易師遽貝十朋
2737	段𣪘	唯王十又四祀十又一月丁卯
2737	段𣪘	王鼒（才）畢登
2737	段𣪘	王蔑段曆
2737	段𣪘	敢對揚王休、用乍𣪘
2738	衛𣪘	王客于康宮
2738	衛𣪘	王曾令衛
2739	無㠱𣪘一	王征南尸（夷）
2739	無㠱𣪘一	王易無㠱馬四匹
2740	無㠱𣪘二	王征南尸（夷）
2740	無㠱𣪘二	王易無㠱馬四匹
2741	無㠱𣪘三	王征南尸（夷）
2741	無㠱𣪘三	王易無㠱馬四匹
2742	無㠱𣪘四	王征南尸（夷）

2742	無㠱段四	王易無㠱馬四匹
2742.	無㠱段五	王征南夷
2742.	無㠱段五	王易無㠱馬四匹
2742.	無㠱段五	王征南夷
2742.	無㠱段五	王易無㠱馬四匹
2743	䖒段	唯王正月辰才甲午
2743	䖒段	王曰：䖒
2743	䖒段	對揚王休命
2744	五年師旋段一	隹王五年九月既生霸壬午
2744	五年師旋段一	王曰：師旋
2744	五年師旋段一	旋敢易王休
2745	五年師旋段二	隹王五年九月既生霸壬午
2745	五年師旋段二	王曰：師旋
2745	五年師旋段二	旋敢易王休
2752	史頌段一	王才宗周
2753	史頌段二	王才宗周
2754	史頌段三	王才宗周
2755	史頌段四	王才宗周
2756	史頌段五	王才宗周
2757	史頌段六	王才宗周
2758	史頌段七	王才宗周
2759	史頌段八	王才宗周
2759	史頌段九	王才宗周
2760	小臣謎段一	白懋父承王令易自達征自五齵貝
2761	小臣謎段二	白懋父承王令易自達征自五齵貝
2762	免段	王才周、昧爽
2762	免段	王各于大廟
2762	免段	王受乍冊尹者（書）
2762	免段	免對揚王休
2764	艾段	隹三月、王令榮眔內吏曰
2764	艾段	用典王令
2765	殺段	王才師嗣（司辭）馬宮大室即立
2766	三兒段	隹王二年□月初吉丁巳
2767	虘段一	王才周師量宮
2767	虘段一	旦、王各大室、即立
2767	虘段一	王乎師晨召大師虘入門、立中廷
2767	虘段一	王乎宰曶易大師虘虎裘
2768	楚段	王各于康宮
2769	師䄷段	王各于大室
2769	師䄷段	王乎內史尹氏冊命師䄷
2770	截段	王各于大室
2770	截段	王曰：截、令女乍嗣土
2770	截段	對揚王休
2771	弭弔師求段一	王才葊、各于大室
2771	弭弔師求段一	王乎尹氏冊命師求
2772	弭弔師求段二	王才葊、各于大室
2772	弭弔師求段二	王乎尹氏冊命師求
2773	即段	隹王三月初吉庚申
2773	即段	王才康宮、各大室
2773	即段	王乎命女赤市朱黃

王

王

2774	臣諫段	從王□□
2774.	南宮乎段	王才周
2775	裘衛段	王才周、各大室、即立
2775	裘衛段	王乎內史易衛載市、朱黃、鑾
2775.	害段一	王才屖宮
2775.	害段一	王冊命宰曰
2775.	害段一	對揚王休
2775.	害段二	王才屖宮
2775.	害段二	王冊命宰曰
2775.	害段二	對揚王休
2776	走段	隹王十又二年三月既望庚寅
2776	走段	王才周、各大室、即立
2776	走段	王乎乍冊尹冊令□
2776	走段	徒敢拜䭫首對揚王休
2777	天亡段	乙亥、王又大豐
2777	天亡段	王凡三方
2777	天亡段	王祀于天室、降
2777	天亡段	天亡又王衣祀于王不顯考文王
2777	天亡段	文王□在上
2777	天亡段	不顯王乍省
2777	天亡段	不貉王乍庚
2777	天亡段	不克气衣王祀
2777	天亡段	丁丑、王鄉大宜、王降
2777	天亡段	每揚王休于尊段
2778	格白段一	王才成周
2778	格白段一	王才成周
2779	格白段二	王才成周
2780	格白段三	王才成周
2781	格白段四	王才成周
2782	格白段五	王才成周
2782.	格白段六	王才成周
2783	趞段	唯二月、王才宗周、戊寅
2783	趞段	王各于大朝
2783	趞段	王若曰：趞
2783	趞段	趞拜䭫首對揚王休
2784	申段	王在周康宮
2784	申段	王命尹冊命申更乃且考
2785	王臣段	王各于大室
2785	王臣段	益公入、右王臣即立中廷北鄉
2785	王臣段	乎內史先冊命王臣
2785	王臣段	王臣手䭫首
2785	王臣段	王臣其永寶用
2787	望段	隹王十又三年六月初吉戊戌
2787	望段	王才周康宮新宮
2787	望段	旦、王各大室即立
2787	望段	王乎史年冊令望
2787	望段	死嗣畢王家
2787	望段	隹王十又三年六月初吉戊戌
2787	望段	王才周康宮新宮
2787	望段	旦、王十大室即立

2787	望𣪕	王呼史年冊令望
2787	望𣪕	死司畢王家
2788	靜𣪕	王才䈞京
2788	靜𣪕	丁卯、王令靜司射學宮
2788	靜𣪕	王目吳桒、呂剛
2788	靜𣪕	王易靜鞞剢
2789	同𣪕一	王才宗周
2789	同𣪕一	王命周左右吳大父嗣易林吳牧
2790	同𣪕二	王才宗周
2790	同𣪕二	王命周左右吳大父嗣易林吳牧
2791	豆閉𣪕	唯王二月既眚霸
2791	豆閉𣪕	王各于師戲大室
2791	豆閉𣪕	王乎內史冊命豆閉
2791	豆閉𣪕	王曰：閉、易女戠衣、㫄市、䜌旂
2791.	史密𣪕	王令師俗、史密曰：東征
2792	師俞𣪕	旦、王各大室即立
2792	師俞𣪕	王乎乍冊內史冊令師俞
2793	元年師旋𣪕一	隹王元年四月既生霸
2793	元年師旋𣪕一	王才淢居
2793	元年師旋𣪕一	甲寅、王各廟即立
2793	元年師旋𣪕一	王乎乍冊尹冊命師旋曰
2794	元年師旋𣪕二	隹王元年四月既生霸
2794	元年師旋𣪕二	王才淢居
2794	元年師旋𣪕二	甲寅、王各廟即立
2794	元年師旋𣪕二	王乎乍冊尹冊命師旋曰
2795	元年師旋𣪕三	隹王元年四月既生霸
2795	元年師旋𣪕三	王才淢居
2795	元年師旋𣪕三	甲寅、王各廟即立
2795	元年師旋𣪕三	王乎乍冊尹冊命師旋曰
2796	諫𣪕	王才周師彔宮
2796	諫𣪕	旦、王各大室即立
2796	諫𣪕	王乎內史q4冊命諫曰
2796	諫𣪕	先王既命女𤔲王宥
2796	諫𣪕	王才周師彔宮
2796	諫𣪕	旦、王各大室即立
2796	諫𣪕	王乎內史先冊命諫曰
2796	諫𣪕	先王既命女𤔲王宥
2797	輔師𠭰𣪕	隹王九月既生霸甲寅
2797	輔師𠭰𣪕	王才周康宮
2797	輔師𠭰𣪕	王乎乍冊尹冊令𠭰曰
2797	輔師𠭰𣪕	𠭰拜䭫首敢對揚王休令
2798	師㾓𣪕一	王才周師司馬宮
2798	師㾓𣪕一	王乎內史吳冊令師㾓曰
2798	師㾓𣪕一	先王既令女
2798	師㾓𣪕一	今余唯䌛（ 緟 ）先王令女官司邑人師氏
2799	師㾓𣪕二	王才周師司馬宮
2799	師㾓𣪕二	王乎內史吳冊令師㾓曰
2799	師㾓𣪕二	先王既令女
2799	師㾓𣪕二	今余唯䌛（ 緟 ）先王令女官司邑人師氏
2800	伊𣪕	隹王廿又七年正月既望丁亥

王

王

2800	伊設	王才周康宮
2800	伊設	旦、王各穆大室即立
2800	伊設	王乎命尹封冊命伊
2800	伊設	䊷官司康宮王臣妾、百工
2802	六年召白虎設	王才葊
2803	師酉設一	隹王元年正月
2803	師酉設一	王才吳
2803	師酉設一	王乎史牆冊命師酉
2804	師酉設二	隹王元年正月
2804	師酉設二	王才吳
2804	師酉設二	王乎史牆冊命師酉
2804	師酉設二	王才吳
2804	師酉設二	王乎史牆冊命師酉
2805	師酉設三	隹王元年正月
2805	師酉設三	王才吳
2805	師酉設三	王乎史牆冊命師酉
2806	師酉設四	隹王元年正月
2806	師酉設四	王才吳
2806	師酉設四	王乎史牆冊命師酉
2806.	師酉設五	隹王元年正月
2806.	師酉設五	王才吳
2806.	師酉設五	王乎史牆冊命師酉
2807	鄸𨸏設一	王才周邵宮
2807	鄸𨸏設一	丁亥、王各于宣榭
2807	鄸𨸏設一	王乎內史冊命鄸
2807	鄸𨸏設一	王曰：鄸、昔先王既命女乍邑
2808	鄸𨸏設二	王才周邵宮
2808	鄸𨸏設二	丁亥、王各于宣榭
2808	鄸𨸏設二	王乎內史冊命鄸
2808	鄸𨸏設二	王曰：鄸、昔先王既命女乍邑
2809	鄸𨸏設三	王才周邵宮
2809	鄸𨸏設三	丁亥、王各于宣榭
2809	鄸𨸏設三	王乎內史冊命鄸
2809	鄸𨸏設三	王曰：鄸、昔先王既命女乍邑
2810	揚設一	隹王九月既眚霸庚寅
2810	揚設一	王才周康宮
2810	揚設一	王乎內史史q4冊令揚
2810	揚設一	王若曰：揚、乍司工
2811	揚設二	隹王九月既眚霸庚寅
2811	揚設二	王才周康宮
2811	揚設二	王乎內史史q4冊令揚
2811	揚設二	王若曰：揚、乍司工
2812	大設一	王才糧侲宮
2812	大設一	王呼吳師召大
2812	大設一	王令善夫豖曰趞睽曰
2813	大設二	王才糧侲宮
2813	大設二	王呼吳師召大
2813	大設二	王令善夫豖曰趞睽曰
2814	烏冊夨令設一	隹王于伐楚白、才炎
2814	烏冊夨令設一	乍冊夨令尊俎于王姜

王

2814	烏冊夨令𣪘一	令敢揚皇王宣、丁公文報
2814	烏冊夨令𣪘一	令用弇㞋于皇王
2814	烏冊夨令𣪘一	令敢㞋皇王宣
2814	烏冊夨令𣪘一	用鄉王逆造
2814.	夨令𣪘二	隹王于伐楚白、才炎
2814.	夨令𣪘二	乍冊夨令尊俎于王姜
2814.	夨令𣪘二	令敢揚皇王宣、丁公文報
2814.	夨令𣪘二	令用弇㞋于皇王
2814.	夨令𣪘二	令敢㞋皇王宣
2814.	夨令𣪘二	用鄉王逆造
2815	師𣪘𣪘	隹王元年正月初吉丁亥
2816	彔白𢦚𣪘	隹王正月辰才庚寅
2816	彔白𢦚𣪘	王若曰：彔白𢦚
2816	彔白𢦚𣪘	用乍朕皇考釐王寶尊𣪘
2817	師𩔳𣪘	隹王元年九月既望丁亥
2817	師𩔳𣪘	王才周康宮
2817	師𩔳𣪘	旦、王各大室
2817	師𩔳𣪘	王乎内史遺冊令師𩔳
2817	師𩔳𣪘	王若曰：師𩔳
2817	師𩔳𣪘	才先王既令女乍𤔲土
2818	此𣪘一	王才周康宮徲宮
2818	此𣪘一	旦、王各大室既立
2818	此𣪘一	王呼史翏冊令此曰
2819	此𣪘二	王才周康宮徲宮
2819	此𣪘二	旦、王各大室既立
2819	此𣪘二	王呼史翏冊令此曰
2820	此𣪘三	王才周康宮徲宮
2820	此𣪘三	旦、王各大室既立
2820	此𣪘三	王呼史翏冊令此曰
2821	此𣪘四	王才周康宮徲宮
2821	此𣪘四	旦、王各大室既立
2821	此𣪘四	王呼史翏冊令此曰
2822	此𣪘五	王才周康宮徲宮
2822	此𣪘五	旦、王各大室既立
2822	此𣪘五	王呼史翏冊令此曰
2823	此𣪘六	王才周康宮徲宮
2823	此𣪘六	旦、王各大室既立
2823	此𣪘六	王呼史翏冊令此曰
2824	此𣪘七	王才周康宮徲宮
2824	此𣪘七	旦、王各大室既立
2824	此𣪘七	王呼史翏冊令此曰
2825	此𣪘八	王才周康宮徲宮
2825	此𣪘八	旦、王各大室既立
2825	此𣪘八	王呼史翏冊令此曰
2826	師寰𣪘一	王若曰：師寰rt
2827	師寰𣪘二	王若曰：師寰rt__
2828	宜侯夨𣪘	王省珷（ 武 ）王、成王伐商圖
2828	宜侯夨𣪘	王立于宜、入土（ 社 ）南鄉
2828	宜侯夨𣪘	王令虞侯夨曰
2828	宜侯夨𣪘	易才宜王人□又七生

王

2828	宜侯夨毁	宜侯夨揚王休
2829	師虎毁	王才杜㕲
2829	師虎毁	王乎内史吳曰册令虎
2829	師虎毁	王若曰：虎
2829	師虎毁	載先王既令乃祖考吏啻官
2830	三年師兌毁	王才周
2830	三年師兌毁	王乎内史尹册令師兌
2831	元年師兌毁一	王才周、各康廟即立
2831	元年師兌毁一	王乎内史尹册令師兌
2832	元年師兌毁二	王才周、各康廟即立
2832	元年師兌毁二	王乎内史尹册令師兌
2834	㝬毁	王曰：有余隹{ 小子 }
2834	㝬毁	巠雝先王
2834	㝬毁	再盩先王宗室
2834	㝬毁	隹王十又二祀
2835	訇毁	王若曰：訇
2835	訇毁	唯王十又七祀
2835	訇毁	王才射日宮
2835	訇毁	旦、王各
2837	敔毁一	隹王十月、王才成周
2837	敔毁一	王令敔追禦于上洛煜谷
2837	敔毁一	隹王十又一月
2837	敔毁一	王各于成周大廟
2837	敔毁一	王蔑敔曆
2838	師嫠毁一	王才周、各于大室、即立
2838	師嫠毁一	王乎尹氏册令師嫠
2838	師嫠毁一	王曰：師嫠
2838	師嫠毁一	才先王小學女
2838	師嫠毁一	盭叔市巩（ 恐 ）告于王
2838	師嫠毁一	王才周
2838	師嫠毁一	王乎尹氏册令師嫠
2838	師嫠毁一	王若曰：師嫠
2838	師嫠毁一	才昔先王小學女
2839	師嫠毁二	王才周、各于大室、即立
2839	師嫠毁二	王乎尹氏册令師嫠
2839	師嫠毁二	王曰：師嫠
2839	師嫠毁二	才先王小學女
2839	師嫠毁二	盭叔市巩（ 恐 ）告于王
2839	師嫠毁二	王才周
2839	師嫠毁二	王乎尹氏册令師嫠
2839	師嫠毁二	王若曰：師嫠
2839	師嫠毁二	才昔先王小學女
2840	番生毁	甹王立
2840	番生毁	王令䌛嗣（ 司 ）公族卿吏、大史寮
2841	𣒚白毁	隹王九年九月甲寅
2841	𣒚白毁	王命益公征眉敖益公至、告
2841	𣒚白毁	己未、王命中到歸𣒚白or裘
2841	𣒚白毁	王若曰：𣒚白
2841	𣒚白毁	乃且克桒先王
2841	𣒚白毁	用乍朕皇考武𣒚幾王尊毁

2842	卯𣪘	隹王十又一月既生霸丁亥
2843	沈子它𣪘	烏虖隹考取丑念自先王先公
2844	頌𣪘一	王才周康卲宮
2844	頌𣪘一	旦、王各大室即立
2844	頌𣪘一	尹氏受王令書
2844	頌𣪘一	王乎史虢生冊令頌
2844	頌𣪘一	王曰：頌
2845	頌𣪘二	王才周康卲宮
2845	頌𣪘二	旦、王各大室即立
2845	頌𣪘二	尹氏受王令書
2845	頌𣪘二	王乎史虢生冊令頌
2845	頌𣪘二	王曰：頌
2845	頌𣪘二	王才周康卲宮
2845	頌𣪘二	旦、王各大室即立
2845	頌𣪘二	尹氏受王令書
2845	頌𣪘二	王乎史虢生冊令頌
2845	頌𣪘二	王曰：頌
2846	頌𣪘三	王才周康卲宮
2846	頌𣪘三	旦、王各大室即立
2846	頌𣪘三	尹氏受王令書
2846	頌𣪘三	王乎史虢生冊令頌
2846	頌𣪘三	王曰：頌
2847	頌𣪘四	王才周康卲宮
2847	頌𣪘四	旦、王各大室即立
2847	頌𣪘四	尹氏受王令書
2847	頌𣪘四	王乎史虢生冊令頌
2847	頌𣪘四	王曰：頌
2848	頌𣪘五	王才周康卲宮
2848	頌𣪘五	旦、王各大室即立
2848	頌𣪘五	尹氏受王令書
2848	頌𣪘五	王乎史虢生冊令頌
2848	頌𣪘五	王曰：頌
2849	頌𣪘六	王才周康卲宮
2849	頌𣪘六	旦、王各大室即立
2849	頌𣪘六	尹氏受王令書
2849	頌𣪘六	王乎史虢生冊令頌
2849	頌𣪘六	王曰：頌
2850	頌𣪘七	王才周康卲宮
2850	頌𣪘七	旦、王各大室即立
2850	頌𣪘七	尹氏受王令書
2850	頌𣪘七	王乎史虢生冊令頌
2850	頌𣪘七	王曰：頌
2851	頌𣪘八	王才周康卲宮
2851	頌𣪘八	旦、王各大室即立
2851	頌𣪘八	尹氏受王令書
2851	頌𣪘八	王乎史虢生冊令頌
2851	頌𣪘八	王曰：頌
2852	不嬰𣪘一	王令我羞追于西
2853	不嬰𣪘二	王令我羞追于西
2853.	__弔𣪘	隹王三月初吉辛卯

王

2853.	尹毁	王初饔□□□□周
2854	蔡毁	王才𩁹㡯
2854	蔡毁	旦、王各廟、即立
2854	蔡毁	王乎史尤冊令蔡
2854	蔡毁	王若曰：蔡
2854	蔡毁	昔先王既令女乍宰、嗣王家
2854	蔡毁	死嗣王家外內
2855	班毁一	王令毛白更虢城公服
2855	班毁一	甹王立、乍四方亟
2855	班毁一	王令毛公以邦冢君、土（徒）馭、戜人
2855	班毁一	王令吳白曰
2855	班毁一	王令呂白曰
2855	班毁一	毓文王、王姒（始）聖孫
2855	班毁一	文王孫亡弗褱井
2855.	班毁二	王令毛白更虢城公服
2855.	班毁二	甹王立
2855.	班毁二	王令毛公以邦冢君土
2855.	班毁二	王令吳白曰
2855.	班毁二	王令呂白曰
2855.	班毁二	毓文王
2855.	班毁二	王姒（始）聖孫
2855.	班毁二	文王孫亡弗褱井
2856	師訇毁	王若曰：師訇
2856	師訇毁	亦則於女乃聖且考克左右先王
2856	師訇毁	王曰：師訇、哀才
2856	師訇毁	古亡丞于先王
2856	師訇毁	隹王身厚賴
2856	師訇毁	率以乃友干吾王身
2856	師訇毁	王各于大室
2857	牧毁	隹王七年又三月既生霸甲寅
2857	牧毁	王才周、才師游父宮
2857	牧毁	王乎內史吳冊令牧
2857	牧毁	王若曰
2857	牧毁	牧、昔先王既令女乍嗣土
2857	牧毁	不用先王乍井
2857	牧毁	王曰：牧、女母敢弗帥用先王乍明井
2857	牧毁	牧拜諳首敢對揚王不顯休
2880	鑄客匿一	鑄客為王后六室為之
2881	鑄客匿二	鑄客為王后六室為之
2882	鑄客匿三	鑄客為王后六室為之
2883	鑄客匿四	鑄客為王后六室為之
2884	鑄客匿五	鑄客為王后六室為之
2885	鑄客匿六	鑄客為王后六室為之
2886	鑄客匿七	鑄客為王后六室為之、八
2899	尹氏弔𦀚旅匡	吳王御士尹氏弔𦀚乍旅匡
2907	王子申匿	王子申乍嘉嬭
2908	楚王酓肯匿一	楚王酓肯（朏）乍鑄金匿
2909	楚王酓肯匿二	楚王酓肯（朏）乍鑄金匿
2910	楚王酓肯匿三	楚王酓肯（朏）乍鑄金匿
2954	史免旅匿	從王征行

2961	敶侯乍媵匿一	陳侯乍王中嬀[illegible]媵匿
2962	敶侯乍媵匿二	陳侯乍王中嬀[illegible]媵匿
2963	陳侯匿	陳侯乍王中嬀[illegible]媵匿
2964.	弔邦父匿	用莚君王
2976	𦃃公匿	隹王正月初吉丁亥
2983	弭仲寶匿	言王賓
2984	伯公父盤	我用召卿吏辟王
2984	伯公父盤	我用召卿吏辟王
2985	陳逆匿一	隹王正月初吉丁亥
2985.	陳逆匿二	隹王正月初吉丁亥
2985.	陳逆匿三	隹王正月初吉丁亥
2985.	陳逆匿四	隹王正月初吉丁亥
2985.	陳逆匿五	隹王正月初吉丁亥
2985.	陳逆匿六	隹王正月初吉丁亥
2985.	陳逆匿七	隹王正月初吉丁亥
2985.	陳逆匿八	隹王正月初吉丁亥
2985.	陳逆匿九	隹王正月初吉丁亥
2985.	陳逆匿十	隹王正月初吉丁亥
2986	曾白霥旅匿一	隹王九月初吉庚午
2987	曾白霥旅匿二	隹王九月初吉庚午
3043	遣弔吉父旅須一	遣弔吉父乍虢王姞旅盨（須）
3044	遣弔吉父旅須二	遣弔吉父乍虢王姞旅盨（須）
3045	遣弔吉父旅須三	遣弔吉父乍虢王姞旅盨（須）
3055	虢仲旅盨	虢中以王南征
3056	師趛乍[illegible]姬旅盨	隹王正月既望
3056	師趛乍[illegible]姬旅盨	隹王正月既望
3068	白寬父盨一	王才成周
3069	白寬父盨二	王才成周
3077	弔尃父乍奠季盨一	隹王元年
3077	弔尃父乍奠季盨一	王才成周
3078	弔尃父乍奠季盨二	隹王元年
3078	弔尃父乍奠季盨二	王才成周
3079	弔尃父乍奠季盨三	隹王元年
3079	弔尃父乍奠季盨三	王才成周
3080	弔尃父乍奠季盨四	隹王元年
3080	弔尃父乍奠季盨四	王才成周
3081	翏生旅盨一	王征南淮夷
3082	翏生旅盨二	王征南淮夷
3082	翏生旅盨二	萬年釁壽永寶王征南淮夷
3083	瘨殷（盨）一	王才周師彔宮
3083	瘨殷（盨）一	王乎史年冊
3084	瘨殷（盨）二	王才周師彔宮
3084	瘨殷（盨）二	王乎史年冊
3085	駒父旅盨（蓋）	唯王十又八年正月
3085	駒父旅盨（蓋）	豖不敢不敬畏王命逆見我
3085	駒父旅盨（蓋）	我乃至于淮｛小大｝邦亡敢不__具逆王命
3086	善夫克旅盨	王才周康穆宮
3086	善夫克旅盨	王令尹氏友、史趛典善夫克田人
3087	鬲从盨	隹王廿又五年七月既□□□
3088	師克旅盨一（蓋）	王若曰

王

3088	師克旅盨一(蓋)	千害王身、乍爪牙。王曰
3088	師克旅盨一(蓋)	克黔臣先王
3089	師克旅盨二	王若曰
3089	師克旅盨二	千害王身、乍爪牙。王曰
3089	師克旅盨二	克黔臣先王
3090	塱盨(器)	王曰
3105	鑄客豆一	鑄客為王后六室為之
3106	鑄客豆二	鑄客為王后六室為之
3107	鑄客豆三	鑄客為王后六室為之
3108	鑄客豆四	鑄客為王后六室為之
3112	郰陵君王子申豆一	郰陵君王子申
3113	郰陵君王子申豆二	郰陵君王子申
3121	王子嬰次盧	王子嬰次之炒盧
3121.	大宰歸父鑪	隹王八月丁亥
3128	魚鼎匕	述王魚頂曰
3582	天王爵	[天王]
4202.	___爵	乙未王賫(賞貝合文)婀母申才寢
4204	盂爵	隹王初桒于成周
4204	盂爵	王令盂寧鄧白、賓貝
4236	王乍母癸角	王乍母癸尊
4241	箙亞_乍父癸角	丙申王易箙亞jb奚貝、才竇
4242	膚冊宰椃乍父丁角	庚申、王才闌
4242	膚冊宰椃乍父丁角	王各、宰椃从
4242	膚冊宰椃乍父丁角	才六月隹王廿祀昱又五
4343	亞吳小臣邑斝	癸己王易小臣邑貝十朋
4343	亞吳小臣邑斝	隹王六祀肜日、才四月[亞吳]
4417	鐵王盉	鐵(燓)王乍姬rf盉
4432.	𤔲盉	𤔲對揚王休
4432.	𤔲盉	用乍王尹__盉
4437	王乍豐妊盉	王乍豐妊單寶般盉
4443	王仲皇父盉	王中皇父乍ou娟般盉
4447	臣辰冊冊多乍冊父癸盉	隹王大龠于宗周
4447	臣辰冊冊多乍冊父癸盉	王令士上眔史寅殷于成周
4448	長甶盉	穆王才下淢应
4448	長甶盉	穆王鄉豐
4448	長甶盉	穆王蔑長甶以逨即井白氏
4449	裘衛盉	王爯旂于豐
4708	夨王尊	夨王乍寶彝
4807	王子啟疆尊	王子啟疆自乍酉彝
4828	_姦乍父丁尊一	王占攸田敠乍父丁尊[qw]
4829	_姦乍父丁尊二	王占攸田敠乍父丁尊[qw]
4829	_姦乍父丁尊二	王占攸田敠乍父丁尊[qw]
4837	鬲乍父甲尊	鬲易貝于王、用乍父甲寶尊彝
4840	𠂤鼀方尊	𠂤鼀易貝于王始用乍寶尊彝
4841	守宮乍父辛雞形尊	守宮揚王休
4846	絭尊	王在魯
4846	絭尊	對揚王休
4850	㺇劫尊	王征禁
4854	_車㚤乍公日辛尊	㚤從王女南
4859	戉箙啟尊	啟從王南征

4860	魯侯尊	隹王令明公遣三族伐東或、才vq
4861	噉士卿尊	丁巳、王才新邑初wa
4861	噉士卿尊	王易噉士卿貝朋
4866	小臣艅尊	丁巳、王省夒且
4866	小臣艅尊	王易小臣艅夒貝
4866	小臣艅尊	隹王來正尸（夷）方
4866	小臣艅尊	隹王十祀又五肜日
4868	趞乍姞尊	隹十又三月辛卯、王才庌
4868	趞乍姞尊	趞對王休
4871	䨲𡍷豐尊	王才成周
4873	臣辰冊㝉冊乍父癸尊	隹王大龠于宗周徣饔葊京年
4873	臣辰冊㝉冊乍父癸尊	王令士□□寅殷于□
4875	㫃折尊	隹五月王才庌、戊子
4875	㫃折尊	揚王休
4875	㫃折尊	隹王十又九祀
4876	保尊	乙卯、王令保及殷東或（國）五侯
4876	保尊	遘于四方逾王大祀祐于周
4877	小子生尊	隹王南征才□
4877	小子生尊	王令生辨事公宗
4877	小子生尊	用對揚王休
4879	彔戜尊	王令戜曰
4880	免尊	王才奠、丁亥
4880	免尊	王各大室
4880	免尊	王蔑免曆
4880	免尊	對揚王休
4882	匡乍文考日丁尊	懿王才射廬
4882	匡乍文考日丁尊	王曰休
4885	效尊	王雚于嘗
4885	效尊	公東宮內鄉于王
4885	效尊	王易公貝五十朋
4885	效尊	公易厥涉子效王休貝廿朋
4886	趩尊	王才周
4886	趩尊	王乎內史冊令趩更氒且考服
4886	趩尊	趩拜稽首、揚王休對
4886	趩尊	隹王二祀
4887	蔡侯𤔲尊	撫文王母
4887	蔡侯𤔲尊	敬配吳王
4888	盠駒尊一	隹王十又三月、辰才甲申
4888	盠駒尊一	王初執駒于㢑
4888	盠駒尊一	王乎師豦召盠
4888	盠駒尊一	王親旨盠駒、易兩
4888	盠駒尊一	王弗望氒舊宗小子
4888	盠駒尊	盠曰、王倗下不其
4888	盠駒尊一	王拘駒㢑、易盠駒
4889	盠駒尊二	王拘駒䣄、易盠駒
4890	盠方尊	王各于周廟
4890	盠方尊	王冊令尹
4890	盠方尊	王行參有嗣
4890	盠方尊	王令盠曰
4890	盠方尊	敢對揚王休

王

4891	何尊	隹王初郻宅于成周
4891	何尊	復爯珷王豊福自天
4891	何尊	王誥宗小子于京室曰
4891	何尊	克逨(弼)玟王
4891	何尊	肄玟王受茲大令
4891	何尊	隹珷王既克大邑商
4891	何尊	叀王龏德谷(裕)天
4891	何尊	王咸誥
4891	何尊	隹王五祀
4892	麥尊	王令辟井侯
4892	麥尊	王客莽京酌祀
4892	麥尊	王乘于舟、為大豊
4892	麥尊	王射大龏、禽
4892	麥尊	之日、王目侯內于寢
4892	麥尊	于王才斿
4892	麥尊	劑用王乘車馬
4893	夨令尊	王令周公子明保尹三事四方
4893	夨令尊	咸既、用牲于王
4893	夨令尊	明公歸自王
4912.	王生女觥	王生女J8
4922	亞它耴觥	[亞它]耴乍鬱逆王望器[冊]
4928	折觥	隹五月王才序、戊子
4928	折觥	揚王休
4928	折觥	隹王十又九祀
4967	弔龜方彝	弔龜易貝于王始
4971	_乍父癸方彝(蓋)	癸亥王才圃鶴京
4971	_乍父癸方彝(蓋)	王賞hy貝
4976	折方彝	隹五月王才序、戊子
4976	折方彝	易金、易貝、揚王休
4976	折方彝	隹王十又九祀
4977	師遽方彝	王才周康宮、鄉醴
4977	師遽方彝	王乎宰利易師遽瑀圭一、環章四
4978	吳方彝	王才周成大室
4978	吳方彝	旦、王各廟
4978	吳方彝	王乎史戊冊令吳
4978	吳方彝	吳拜稽首、敢對揚王休
4979	盠方彝一	王各于周廟
4979	盠方彝一	王冊令尹
4979	盠方彝一	王行參有嗣
4979	盠方彝一	王令盠曰
4979	盠方彝一	敢對揚王休
4980	盠方彝二	王各于周廟
4980	盠方彝二	王冊令尹
4980	盠方彝二	王行參有嗣
4980	盠方彝二	王令盠曰
4980	盠方彝二	敢對揚王休
4981	夨冊令方彝	王令周公子明保尹三事四方
4981	夨冊令方彝	咸既、用牲于王
4981	夨冊令方彝	明公歸自王
5276	王乍娘弄卣	王乍q9弄

5350	買王眾尊彝卣	買王眾尊彝
5419	__高卣	王易__高〓、用乍彝
5447	王占卣	王占攸田㲋
5453	__卣	丙寅王易__貝朋
5457	小臣系乍且乙卣一	王易{ 小臣 }系
5458	小臣系乍且乙卣二	王易{ 小臣 }系
5460	戱御乍父己卣	戱、辛巳、王易馭(御)八貝一具
5460	戱御乍父己卣	戱、辛巳、王易馭(御)八貝一具
5461	寓乍幽尹卣	寓對揚王休
5462	㝩白乍父乙卣一	隹王八月、㝩白易貝于姜
5463	㝩白乍父乙卣二	隹王八月、㝩白易貝于姜
5472	乍毓且丁卣	辛亥、王才廙
5472	乍毓且丁卣	辛亥、王才廙
5473	同乍父戊卣	矢王易同金車弓矢
5473	同乍父戊卣	同對揚王休
5475	六祀邲其卣	才六月隹王六祀翌日[亞獏]
5476	趞乍姞寶卣	王才序
5476	趞乍姞寶卣	趞對王休
5480	冊䇂冊豐卣	王才成周
5480	冊䇂冊豐卣	王才成周
5481	叔卣一	隹王桒于宗周
5481	叔卣一	王姜史叔事于大保
5482	叔卣二	隹王桒于宗周
5482	叔卣二	王姜史叔事于大保
5484	乍冊睘卣	隹十又九年王才序
5484	乍冊睘卣	王姜令乍冊睘安尸白
5484	乍冊睘卣	揚王姜休
5484	乍冊睘卣	隹十又九年王才序
5484	乍冊睘卣	王姜令乍冊睘安尸白
5484	乍冊睘卣	揚王姜休
5485	貉子卣一	王各于呂𢿱
5485	貉子卣一	王牢于pJ、hG宜
5485	貉子卣一	王令士道
5485	貉子卣一	貉子對揚王休
5486	貉子卣二	王各于呂𢿱
5486	貉子卣二	王牢于pJ、咸宜
5486	貉子卣二	王令士道
5486	貉子卣二	貉子對揚王休
5487	靜卣	王才蒡京
5487	靜卣	王易靜弓
5487	靜卣	敢對揚王休
5488	靜卣二	王才蒡京
5488	靜卣二	王易靜弓
5488	靜卣二	敢對揚王休
5489	戉𦞃啟卣	王出獸南山
5491	亞獏二祀邲其卣	丙辰、王令邲其兄wG于夆田
5491	亞獏二祀邲其卣	隹王二祀
5492	亞獏四祀邲其卣	乙巳、王曰
5492	亞獏四祀邲其卣	己酉、王才梌
5492	亞獏四祀邲其卣	才四月隹王四祀翌日

王

5493	召乍＿宮旅卣	休王自穀穀事
5493	召乍＿宮旅卣	召弗敢諲王休異
5495	保卣	乙卯、王令保及殷東或五侯
5495	保卣	遘于四方、追王大祀
5495	保卣	乙卯、王令保及殷東或五侯
5495	保卣	遘于四方、追王大祀
5497	農卣	隹正月甲午、王才s2㕓
5497	農卣	王親令白啚曰
5497	農卣	敢對揚王休、從乍寶彝
5498	彔𢦚卣	王令𢦚曰
5499	彔𢦚卣二	王令𢦚曰
5500	免卣	隹六月初吉、王才鄭、丁亥
5500	免卣	王各大室
5500	免卣	王蔑免曆
5500	免卣	對揚王休
5501	臣辰冊冊夕卣一	隹王大龠于宗周
5501	臣辰冊冊夕卣一	王令士上眔史黃殷于成周
5502	臣辰冊冊夕卣二	隹王大龠于宗周
5502	臣辰冊冊夕卣二	王令士上眔史黃殷于成周
5504	庚贏卣一	隹王十月既望辰才己丑
5504	庚贏卣一	王格于庚贏宮
5504	庚贏卣一	王蔑庚贏曆
5504	庚贏卣一	庚贏對揚王休
5505	庚贏卣二	隹王十月既望辰才己丑
5505	庚贏卣二	王格于庚贏宮
5505	庚贏卣二	王蔑庚贏曆
5505	庚贏卣二	庚贏對揚王休
5506	小臣傳卣	王□□京
5507	乍冊䰧卣	公大史成見服于辟王
5507	乍冊䰧卣	王遣公大史
5509	𤔲卣	王初饔旁
5509	𤔲卣	王歙西宮、烝、咸
5511	效卣一	王雚于嘗
5511	效卣一	公東宮內鄉于王
5511	效卣一	王易公貝五十朋
5511	效卣一	公易氒涉子效王休貝廿朋
5571	鑄客罍一	鑄客為王后六室為之
5572	鑄客罍二	鑄客為王后六室為之
5577	＿𡚬乍父丁罍	王占攸田𡚬乍父丁尊[qw]
5674	王七祀王鑄壺蓋	王七祀王鑄
5723	王白姜壺一	王白姜乍尊壺
5724	王白姜壺二	王白姜乍尊壺
5725	呂王＿乍內姬壺	呂王np乍內姬尊壺
5730	保𠈄母壺	王始易保𠈄母貝
5759	趙孟壺	禺邗王于黃池
5759	趙孟壺	邗王之惖金
5770	宗婦鄁製壺一	王子剌公之宗婦鄁製為宗彝𩰫彝
5771	宗婦鄁製壺二	王子剌公之宗婦鄁製為宗彝𩰫彝
5772	陳璋方壺	隹王五年奠陳旻再立事歲
5777	孫弔師父行具	隹王正月初吉甲戌

5781	曾姬無卹壺一	隹王廿又六年
5781	曾姬無卹壺一	職在王室
5782	曾姬無卹壺二	隹王廿又六年
5782	曾姬無卹壺二	職在王室
5785	史懋壺	王才葊京濕宮
5785	史懋壺	王乎伊白易懋貝
5785	史懋壺	懋拜䭫首對王休
5791	十三年㾓壺一	王才成周嗣土虒宮
5791	十三年㾓壺一	王乎乍冊尹冊易㾓畫靳
5791	十三年㾓壺一	㾓拜䭫首對揚王休
5792	十三年㾓壺一	王才成周嗣土虒宮
5792	十三年㾓壺一	王乎乍冊尹冊易㾓畫靳
5792	十三年㾓壺一	㾓拜䭫首對揚王休
5795	白克壺	白克敢對揚天君王白休
5796	三年㾓壺一	王才鄭、鄉禮
5796	三年㾓壺一	己丑、王才句陵
5797	三年㾓壺二	王才鄭、鄉禮
5797	三年㾓壺二	己丑、王才句陵
5798	曶壺	王各于成宮
5798	曶壺	王乎尹氏冊令曶曰
5799	頌壺一	王才周康卲宮
5799	頌壺一	旦、王各大室即立
5799	頌壺一	尹氏受王令書
5799	頌壺一	王乎史虢生冊令頌
5799	頌壺一	王曰：頌
5800	頌壺二	王才周康卲宮
5800	頌壺二	旦、王各大室即立
5800	頌壺二	尹氏受王令書
5800	頌壺二	王乎史虢生冊令頌
5800	頌壺二	王曰：頌
5803	胤嗣𡥜蚉壺	昔者先王㢜愛百每
5803	胤嗣𡥜蚉壺	隹朕先王
5803	胤嗣𡥜蚉壺	鄉祀先王
5803	胤嗣𡥜蚉壺	s3俛(逸)先王
5803	胤嗣𡥜蚉壺	於呼、先王之悳
5803	胤嗣𡥜蚉壺	雨(雩)祠先王
5803	胤嗣𡥜蚉壺	以追庸先王之工剌(烈)
5804	齊侯壺	隹王正月初吉丁亥
5804	齊侯壺	__王之孫右帀之子武弔曰庚羼其吉金
5804	齊侯壺	__伐陸寅其王驅執方__滕相
5804	齊侯壺	釗不□其王乘馹
5805	中山王譽方壺	中山王譽命相邦貯羼郾吉金
5805	中山王譽方壺	以祀先王
5805	中山王譽方壺	以警嗣王
5805	中山王譽方壺	乏其先王之祭祀
5805	中山王譽方壺	夫古之聖王務才得賢
5805	中山王譽方壺	以戒嗣王
6251	医王罘尊彝觚一	医王罘尊彝
6252	医王罘尊彝觚二	医王罘尊彝
6267	王子耶乍父丁觚	王子耶乍父丁彝

王

6630	邾王__義之耑	邾王ㄊ2父之耑
6631	小臣單觶一	王後J6克商、才成自
6633	斮乍文考觶	王工从斮各中
6634	邾王義楚祭耑	仔邾王義楚罤余吉金
6635	中觶	王大省公族于庚農旅
6635	中觶	王易中馬自__侯四__、南宮兄
6635	中觶	王曰用先
6635	中觶	中埶王休
6723	楚王酓肯盤	楚王酓肯乍為鑄盤
6725	邾王義楚盤	徐王義楚罤其吉金自乍朕盤
6743	黿盤	黿乍王母媿氏顈盤
6760	中子化盤	中子化用保楚王
6768	齊大宰歸父盤一	隹王八月丁亥
6769	齊大宰歸父盤二	隹王八月丁亥
6771	宗婦鄁嬰盤	王子剌公之宗婦鄁嬰為宗彝將彝
6776	楚王酓忎盤	楚王酓忎戰隻兵銅
6777	邛仲之孫白戋盤	隹王月初吉丁亥
6778	免盤	王才周
6778	免盤	免蔑、靜女王休
6780	黃大子白克盤	隹王正月初吉丁亥
6781	夆弔盤	隹王正月初吉丁亥
6782	者尚余卑盤	隹王正月初吉丁亥
6784	三十四祀盤（ 祼盤 ）	隹王卅又四祀唯五月既望戊午
6784	三十四祀盤（ 祼盤 ）	王才葊京
6784	三十四祀盤（ 祼盤 ）	啻于卲王
6784	三十四祀盤（ 祼盤 ）	鮮蔑曆、王釈鄁玉三品、貝廿朋
6784	三十四祀盤（ 祼盤 ）	對王休、用乍子孫其永寶
6785	守宮盤	王才周
6786	__弔多父盤	吏利于辟王卿事師尹倗友
6787	走馬休盤	王才周康宮
6787	走馬休盤	旦、王各大室即立
6787	走馬休盤	王乎乍冊尹冊易休玄衣黹屯
6788	蔡侯驪盤	撫文王母
6788	蔡侯驪盤	敬配吳王
6789	寰盤	王才周康穆宮
6789	寰盤	旦、王各大室即立
6789	寰盤	史帶受王令書
6789	寰盤	王乎史qr冊易寰玄衣黹屯
6790	虢季子白盤	獻馘于王
6790	虢季子白盤	王孔嘉子白義
6790	虢季子白盤	王各周廟宣廟、爰鄉
6790	虢季子白盤	王曰：白父
6790	虢季子白盤	王賜乘馬
6790	虢季子白盤	是用左王
6791	兮甲盤	王初各伐厰狁于䍐盧
6791	兮甲盤	兮甲從王折首執訊
6791	兮甲盤	王易兮甲馬四匹、駒車
6791	兮甲盤	王令甲征辭成周四方責
6792	史墻盤	曰古文王
6792	史墻盤	黹圉武王

6792	史墻盤	憲聖成王
6792	史墻盤	淵悊康王
6792	史墻盤	宖(宏)魯卲王
6792	史墻盤	祇覭穆王
6792	史墻盤	雩武王既𢦏殷
6792	史墻盤	敚史剌且迺來見武王
6792	史墻盤	武王則令周公舍團于周卑處
6793	矢人盤	唯王九月辰才乙卯
6793	矢人盤	矢王于豆新宮東廷
6806	王子__之遣盥匜	王子le之遣盤
6842	王婦員孟姜旅匜	王婦員孟姜乍旅它
6848	蠹乍王母媿氏匜	蠹乍王母媿氏顮盉
6855	貯子匜	隹王二月
6861	員甫人匜	員甫人余余王__叡孫兹乍寶匜
6865	楚羸匜	隹王正月初吉庚午
6869	浮公之孫公父宅匜	唯王正月初吉庚午
6876	夆弔乍季妃盥盤(匜)	隹王正月初吉丁亥
6877	僙乍旅盉	王才葊上宮
6884	鑄客鑑	鑄客為王句(后)六室為之
6885	吳王夫差御鑑一	攻吳王大差羼𤔲吉金
6886	吳王夫差御鑑二	吳王夫差羼𤔲吉金
6887	挪陵君王子申鑑	挪陵君王子申
6888	吳王光鑑一	隹王五月既字白期吉日初庚
6888	吳王光鑑一	吳王光羼其吉金
6889	吳王光鑑二	隹王五月既字白期吉日初庚
6889	吳王光鑑二	吳王光羼其吉金
6906	王子申盞盂	王子申乍嘉嬭盞盂
6908	郐宜同歙盂	郐王季糧之孫宜桐乍鑄歙盂
6925	晉邦盦	隹王正月初吉丁亥
6925	晉邦盦	左右武王
6925	晉邦盦	莫不來王
6925	晉邦盦	王命唐公
6925	晉邦盦	敢帥井先王
6925	晉邦盦	保薛王國
6990.	秦王鐘	秦王卑命、竟sd王之定救秦戎
6991	眉壽鐘一	龢吏朕辟皇王釁壽永寶
6992	眉壽鐘二	龢吏朕辟皇王釁壽永寶
6999	昆疕王鐘	昆疕王用貝乍龢鐘
7004	楚王領鐘	隹王正月初吉丁亥
7004	楚王領鐘	楚王領自乍鈴鐘
7006	戰狄鐘	侃先王
7006	戰狄鐘	先王其嚴才帝左右
7007	梁其鐘	龢臣皇王釁壽永寶
7016	楚王鐘	楚王賸邛中嬭南龢鐘
7017	楚王酓章鐘一	隹王五十又六祀
7017	楚王酓章鐘一	楚王酓章乍曾侯乙宗彝
7020	單伯鐘	來匹先王
7026	邾弔鐘	隹王六初吉壬午
7028	臧孫鐘	隹王正月初吉丁亥
7029	臧孫鐘二	隹王正月初吉丁亥

王

7030	臧孫鐘三	隹王正月初吉丁亥
7031	臧孫鐘四	隹王正月初吉丁亥
7032	臧孫鐘五	隹王正月初吉丁亥
7033	臧孫鐘六	隹王正月初吉丁亥
7034	臧孫鐘七	隹王正月初吉丁亥
7035	臧孫鐘八	隹王正月初吉丁亥
7036	臧孫鐘九	隹王正月初吉丁亥
7038	應侯見工鐘一	王歸自成周
7038	應侯見工鐘一	雁侯見工遺王于周
7038	應侯見工鐘一	辛未王各于康
7040	克鐘一	王才周康剌宮
7040	克鐘一	王乎士曶召克
7040	克鐘一	王親令克遹涇東至于京自
7041	克鐘二	王才周康剌宮
7041	克鐘二	王乎士曶召克
7041	克鐘二	王親令克遹涇東至于京自
7042	克鐘三	王才周康剌宮
7042	克鐘三	王乎士曶召克
7042	克鐘三	王親令克遹涇東至于京
7043	克鐘四	尃奠王令克敢對揚天子休
7044	克鐘五	尃奠王令克敢對揚天子休
7045	□□自乍鐘一	隹王正月初吉庚申
7046	□□自乍鐘二	敬事天王
7046	□□自乍鐘二	至王父䫬(兄)
7058	邾公孫班鐘	隹王正月
7060	吴生鐘一	吉甲戌王命周
7060	吴生鐘一	王若曰：戳生
7060	吴生鐘一	拜手韻手敢對楊王休
7062	柞鐘	隹王三年四月初吉甲寅
7063	柞鐘二	隹王三年四月初吉甲寅
7064	柞鐘三	隹王三年四月初吉甲寅
7065	柞鐘四	隹王三年四月初吉甲寅
7066	柞鐘五	隹王三年四月初吉甲寅
7069	者汈鐘一	王曰：者汈
7069	者汈鐘一	哉彌王__
7070	者汈鐘二	王曰、者汈
7071	者汈鐘三	王曰：者汈
7072	者汈鐘四	隹戉十有九年、王曰
7073	者汈鐘五	王曰：者沪
7074	者汈鐘六	哉彌王__宝__庶__
7076	者汈鐘八	隹王命
7077	者汈鐘九	哉彌王__宝__庶__
7079	者汈鐘十一	隹王命
7080	者汈鐘十二	隹王命元__乃德
7083	鮮鐘	王才成周𤔲□淲宮
7083	鮮鐘	王易鮮□□鮮楚遺卣
7084	邾公牼鐘一	隹王正月初吉
7085	邾公牼鐘二	隹王正月初吉
7086	邾公牼鐘三	隹王正月初吉
7087	邾公牼鐘四	隹王正月初吉

7112	者減鐘一	工𪊨王皮然之子者減睪其吉金
7113	者減鐘二	工𪊨王皮然之子者減睪其吉金
7114	者減鐘三	工𪊨王皮然之子者減自作__鐘
7115	者減鐘四	工𪊨王皮然之子者減自作__鐘
7121	郐王子旃鐘	郐王子旃擇其吉金
7122	梁其鐘一	農臣先王
7123	梁其鐘二	農臣先王
7124	沇兒鐘	徐王庚之子沇兒
7125	蔡侯𤕧紐鐘一	佐右楚王
7126	蔡侯𤕧紐鐘二	佐右楚王
7132	蔡侯𤕧紐鐘八	佐右楚王
7133	蔡侯𤕧紐鐘九	佐右楚王
7134	蔡侯𤕧甬鐘	佐右楚王
7135	逆鐘	仕王元年三月既生霸庚申
7136	郘鐘一	余不敢為喬佳王正月初吉丁亥
7137	郘鐘二	佳王正月初吉丁亥
7138	郘鐘三	佳王正月初吉丁亥
7139	郘鐘四	佳王正月初吉丁亥
7140	郘鐘五	佳王正月初吉丁亥
7141	郘鐘六	佳王正月初吉丁亥
7142	郘鐘七	佳王正月初吉丁亥
7143	郘鐘八	佳王正月初吉丁亥
7144	郘鐘九	佳王正月初吉丁亥
7145	郘鐘十	佳王正月初吉丁亥
7146	郘鐘十一	佳王正月初吉丁亥
7147	郘鐘十二	佳王正月初吉丁亥
7148	郘鐘十三	佳王正月初吉丁亥
7149	郘鐘十四	佳王正月初吉丁亥
7157	邾公華鐘一	佳王正月初吉乙亥
7158	𤼈鐘一	用辟先王
7158	𤼈鐘一	皇王對𤼈身楙、易佩
7160	𤼈鐘三	用辟先王
7160	𤼈鐘三	皇王對𤼈身楙、易佩
7161	𤼈鐘四	用辟先王
7161	𤼈鐘四	皇王對𤼈身楙、易佩
7162	𤼈鐘五	用辟先王
7162	𤼈鐘五	皇王對𤼈身楙、易佩
7163	𤼈鐘六	日古文王
7163	𤼈鐘六	雩武王既𢦏殷
7164	𤼈鐘七	且來見武王
7164	𤼈鐘七	武王則令周公舍寓以五十頌處
7174	秦公鐘	公及王姬曰：余小子
7175	工𫝾遺者鐘	工𫝾遺者擇其吉金
7176	㝬鐘	王肇遹省文武堇疆土
7176	㝬鐘	王辜伐其至
7176	㝬鐘	𠬝子迺遣間來逆卲王
7176	㝬鐘	王對作宗周寶鐘
7176	㝬鐘	用卲各不顯且考先王
7177	秦公及王姬編鐘一	公及王姬曰：余小子
7182	叔夷編鐘一	佳王五月辰才戊寅

王

7201	楚王酓章乍曾侯乙鎛	隹王五十又六祀
7201	楚王酓章乍曾侯乙鎛	楚王酓章乍曾侯乙宗彝
7204	克鎛	王才周康剌宮
7204	克鎛	王乎士曶召克
7204	克鎛	王親令克遹涇東
7204	克鎛	專奠王令
7205	蔡侯[illegible]鎛一	佐右楚王
7206	蔡侯[illegible]鎛二	佐右楚王
7207	蔡侯[illegible]鎛三	佐右楚王
7208	蔡侯[illegible]鎛四	佐右楚王
7209	秦公及王姬鎛	公及王姬曰：余小子
7210	秦公及王姬鎛二	公及王姬曰：余小子
7211	秦公及王姬鎛三	公及王姬曰：余小子
7213	黏鎛	隹王五月初吉丁亥
7214	叔夷鎛	隹王五月辰才戊寅
7217	姑馮勾鑃	隹王正月初吉丁亥
7226	王成周鈴一	王成周令
7353	王其戈	王其
7392	王卒威之戈	王卒威之戈
7436	敓作戈	敓乍mv王戈
7437	童□戈	越王之____
7438	雝王戈	雝王其所馬
7440	郾王職乍王萃戈一	郾王職乍王萃
7441	郾王職乍王萃戈二	郾王職乍王萃
7442	郾王職乍王萃戈三	郾王職乍王萃
7443	攻敔王光戈一	攻敔王光自、戈q5
7462	楚王孫漁戈	楚王孫漁之用
7469	王子□戈	王子□之共戈
7476	周王叚戈	周王叚之元用戈
7477	王子狄戈	王子狄之用戈、q5
7478	郾王職乍御司馬	郾王職乍御司馬
7479	郾王職乍__萃鋸一	郾王職乍__萃鋸
7480	郾王職乍__萃鋸二	郾王職乍__御萃鋸
7481	郾王職乍乇攵鋸	郾王職作乇攵鋸
7482	郾王職乍巨__鋸	郾王職乍巨乇攵鋸
7483	王職乍萃鋸	王職乍□萃鋸
7485	郾王詈乍巨__鋸一	郾王詈乍巨乇攵鋸
7486	郾王詈乍五__鋸二	郾王職乍巨乇攵鋸
7487	郾王詈乍巨__鋸三	郾王職作巨乇攵鋸
7488	郾王詈乍五__鋸四	郾王職乍巨乇攵鋸
7489	郾王喜乍五__鋸一	郾王喜乍巨乇攵鋸
7490	郾王喜乍五__鋸二	郾王喜乍巨乇攵鋸
7498	郾王詈戈	郾王詈乍行議鏉
7500	邗王是埜戈	邗王是野乍為元用
7506	郐王之子戈	郐王之子__之元用__
7510	□公戈	王賞戴公嗌之造、轉
7516	攻敔王夫差戈	攻敔王夫差自乍其用戈
7517	六年上郡守戈	王六年上郡守疾之造戟禮、□□
7519	越王者旨於賜戈一	戉王者旨於賜、□t7t8□t9ua
7520	越王者旨於賜戈二	戉王者旨烏於賜、□t7t8□t9ua

7528	王二年奠令戈	王二年奠命韓□右庫工币_慶
7535	三年汪陶令戈	下庫工币王喜冶□
7536	郾王詈戈一	郾王詈作行議鍨
7546	王三年奠令韓熙戈	王三年奠命韓熙右庫工師吏史□冶□ 王
7554	楚王酓璋戈	楚王酓璋嚴龔寅乍su戈
7557	楚屈弔沱戈	楚王之元右王鐘
7557	楚屈弔沱戈	王工币__王__
7558	十四年奠令戈	十四年奠命趙距司寇王造武庫
7624	越王矛	越王矛
7630	郾王戎人矛	郾王戎人
7634	越王者旨於賜矛	越王者旨於賜
7635	郾王喜矛	郾王喜□□攸矛
7636	郾王戎人矛一	郾王戎人乍百巨率矛
7637	郾王戎人矛二	郾王戎人乍巨攸矛
7638	郾王職矛一	郾王職□□□□□□□□
7639	郾王職矛二	郾王職巨攸矛
7640	郾王職矛三	郾王職乍攸矛
7641	郾王職矛四	郾王職乍□矛
7642	郾王詈矛一	郾王詈乍巨攸矛
7643	郾王詈矛二	郾王詈□□萃矛
7644	郾王喜矛	郾王喜乍□□□□
7645	郾王職矛一	郾王職□□□
7646	郾王職矛二	郾王職乍攸矛
7647	郾王職矛三	郾王職□□□
7648	郾王職矛四	郾王□□□□
7650	越王州勾矛	越王州句自乍用矛
7690.	郙王__劍	郙王__自攸(乍)鋥
7692	郾王喜劍一	郾王喜乍畢旅鈦
7693	郾王喜劍二	郾王喜乍畢旅鈦
7694	郾王喜劍三	郾王喜乍畢旅鈦
7695	郾王喜劍四	郾王喜乍畢旅鈦
7697	越王勾踐劍	越王句(欿)踐(淺)自乍用劍
7698	越王勾踐之子劍一	越王越王、勾踐之子
7699	越王者旨於賜劍一	越王者旨於賜王越
7700	越王者旨於賜劍二	越王者旨於賜王越
7701	越王者旨於賜劍三	越王者旨於賜王越
7702	越王州勾劍一	越王州句自乍用鐱
7703	越王州勾劍二	越王州句自乍用鐱
7704	越王州勾劍三	越王州句自乍用鐱
7705	越王州勾劍四	越王州句自乍用鐱
7706	越王州勾劍五	越王州句自乍用鐱
7707	越王州勾劍六	越王州句自乍用鐱
7708	越王劍	越王王越
7708	越王劍	越王王越
7709	攻敔王光劍	攻敔王光自乍用鐱
7710	郾王職劍	郾王職乍武畢旅劍
7711	楚王酓章劍	楚王酓章為從士鑄
7713	郾王職劍	郾王職乍武畢so劍、右攻
7714	攻敔王劍	攻敔王光自乍用劍
7715	攻敔王夫差劍一	攻敔王夫差自乍其元用

	7716	攻敔王夫差劍二	攻敔王夫差自乍其元用
	7722	吳王光劍	攻敔王光自乍用劍
	7725	元年劍	元年圭相邦王褁
王	7731	王立事劍一	王立事歳
	7732	王立事劍二	王立事歳
	7733	王立事劍三	王立事歳
	7743	越王丌北古劍	唯越王丌北自乍元之用之劍
	7743	越王丌北古劍	越王丌北古
	7743	越王丌北古劍	越王丌北古
	7744	工獻太子劍	王獻大子姑發__反
	7749	__斧	豐王
	7751	王斧	王
	7867.	龍__	口客臧(臧)嘉聞王於玆(歳)之歳
	7874	蔡太史鉌	隹王正月初吉壬午
	7886	新郪虎符	右才王
	7886	新郪虎符	必會王符
	7890	王命傳賃節一	王命命傳
	7895	王命傳節一	王命傳賃一擔飤之
	7896	王命傳節二	王命傳賃一擔飤之
	7897	王命傳節三	王命傳賃一擔飤之
	7898	王命傳節四	王命傳賃一擔飤之
	7899	鄂君啟車節	王居於茂郢之遊宮
	7899	鄂君啟車節	大攻尹脽台王命命集尹悤(悼)nf
	7900	鄂君啟舟節	王居於茂郢之遊宮
	7900	鄂君啟舟節	大攻尹脽台王命命集尹悤nf
	7933	大府鎬	秦客王子齊之歳
	7933	大府鎬	立府為王一僧晉鎬集脰
	7934	豐王鋪一	豐王
	7935	豐王門鋪二	豐王
	7936	豐王門鋪三	豐王
	7948	鑄客銅器二	鑄客為王后六室為之
	7949	鑄客銅器三	鑄客為王后六室為之
	7960	寶小器一	牙八王遣
	7961	寶小器一	牙八王遣
	7962	寶小器二	牙八王遣
	7963	寶小器四	牙八王遣
	7964	寶小器五	牙八王遣
	7966	寶小器六	牙八王遣
	7967	寶小器七	牙八王遣
	7968	寶小器八	牙八王遣
	7969	寶小器九	牙八王遣
	7970	寶小器十	牙八王遣
	7971	寶小器十一	牙八王遣
	7973	寶小器十二	牙八王遣
	7974	王乍姬弄器蓋	王乍姬弄
	7975	中山王墓兆域圖	王命賈為逃(兆)乏(窆)
	7975	中山王墓兆域圖	不行王命者
	7975	中山王墓兆域圖	王后堂方二百乇
	7975	中山王墓兆域圖	王堂方二百乇
	7976	之利殘片	之利寺王之奴旨____弘____萬

王

7985	郾王殘器	郾王□□□□
M030	剛劫卣	王征禁
M121	𢉩鼎	王初□亙于成周
M126	圉卣	王𡘋于成周
M126	圉卣	王易圉貝
M148	夨王壺	夨王乍寶彝
M160	□貯𣪘	隹巢來钕王令東宮追𠂤六𠂤之年
M171	小臣靜卣	王饔莽京
M171	小臣靜卣	王易貝五朋
M252	免簠	王在周
M252	免簠	對揚王休
M282	師艅尊	王如上侯
M282	師艅尊	師艅从王□功
M423.	趞鼎	王在周康卲宮
M423.	趞鼎	史留受王令書
M423.	趞鼎	王乎內史19冊易趞幺衣滯屯
M508	虞侯政壺	隹王二月初吉壬戌
M541	大王光戈	大王光逌自乍用戈
M545	配兒勾鑃	吳王□□□□□□子配兒曰
M548	吳王孫無壬鼎	吳王孫無壬之脰鼎
M553	越王者旨於睗鐘	隹正月王春吉日丁亥
M553	越王者旨於睗鐘	戉王者旨於睗羼𠂤吉金
M555	越王者旨於睗劍	越王者旨於睗王越
M561	越王大子□𨿅矛	於戉□王弋医之大子□𨿅
M705	曾侯乙編鐘下一・一	濁文王之宮
M705	曾侯乙編鐘下一・一	濁文王之渻宮
M706	曾侯乙編鐘下一・二	文王之變商
M710	曾侯乙編鐘下二・三	韋音之才楚號為文王
M711	曾侯乙編鐘下二・四	文王之變商
M713	曾侯乙編鐘下二・七	為文王羽
M714	曾侯乙編鐘下二・八	文王之
M715	曾侯乙編鐘下二・九	文王之宮
M715	曾侯乙編鐘下二・九	文王之渻鎘
M716	曾侯乙編鐘下二・十	濁文王之商
M721	曾侯乙編鐘中一・五	濁文王之䮑
M722	曾侯乙編鐘中一・六	濁文王之少商
M723	曾侯乙編鐘中一・七	濁文王之宮
M723	曾侯乙編鐘中一・七	濁文王之巽
M724	曾侯乙編鐘中一・八	文王之羽
M725	曾侯乙編鐘中一・九	文王之冬
M726	曾侯乙編鐘中一・十	文王之宮
M726	曾侯乙編鐘中一・十	文王之下角
M727	曾侯乙編鐘中一・十一	濁文王之商
M731	曾侯乙編鐘中二・四	濁文王之喜
M732	曾侯乙編鐘中二・五	濁文王之䮑
M733	曾侯乙編鐘中二・六	濁文王之少商
M734	曾侯乙編鐘中二・七	濁文王之宮
M734	曾侯乙編鐘中二・七	濁文王之巽
M735	曾侯乙編鐘中二・八	文王之羽
M736	曾侯乙編鐘中二・九	文王之冬

王
皇

M737	曾侯乙編鐘中二・十	文王之宮
M737	曾侯乙編鐘中二・十	文王下角
M739	曾侯乙編鐘中二・十二	濁文王之商
M742	曾侯乙編鐘中三・三	其才楚為文王
M745	曾侯乙編鐘中三・六	韋音之才楚號為文王
M746	曾侯乙編鐘中三・七	文王之變商
M748	曾侯乙編鐘中三・九	為文王羽
M749	曾侯乙編鐘中三・十	文王徵
M875	郾王職戟一	郾王戠乍御萃鋸
M876	郾王職戟二	郾王戠乍釱鋸
M877	郾王戎人戟	郾王戎人乍釱鋸

小計：共　1689 筆

皇　0039

0707	猷乍寶鼎	猷乍寶鼎[皇]
1091	小臣趞鼎	揚中皇、乍寶
1095	函皇父鼎	圅(函)皇父乍瑚妘尊ps鼎
1104	辛中姬皇母鼎	辛中姬皇母乍尊鼎
1153	白頵父鼎	白頵父乍朕皇考屖白吳姬寶鼎
1163	齊陳＿鼎蓋	乍皇考獻甲肆鼎
1189	諆鼎	諆肇乍其皇考皇母者比君鬻鼎
1199	毓宣公子白鼎	用孝亯于皇且考
1244	癲鼎	用乍皇且文考盂鼎
1245	仲師父鼎一	其用亯用考于皇且帝考
1246	仲師父鼎二	其用亯用考于皇且帝考
1247	圅皇父鼎	圅皇父乍瑚娟般、盉尊器、鼎、𣪕具
1255	作冊大鼎一	大揚皇天尹大保宣
1256	作冊大鼎二	大揚皇天尹大保宣
1257	作冊大鼎三	大揚皇天尹大保宣
1258	作冊大鼎四	大揚皇天尹大保宣
1259	都公䜌鼎	用追亯丂于皇且考
1264	㝨鼎	休朕皇君弗忘氒寶臣
1266	都公平侯鼎一	用追孝于氒皇且晨公
1266	都公平侯鼎一	于氒皇考屖＿公
1267	都公平侯鼎二	用追孝于氒皇且晨公
1267	都公平侯鼎二	于氒皇考屖＿公
1268	梁其鼎一	用亯孝于皇且考
1269	梁其鼎二	用亯孝于皇且考
1271	史獸鼎	對揚皇尹不顯休
1283	微䜌鼎	䜌乍朕皇考鬻彝尊鼎
1283	微䜌鼎	䜌用享孝于朕皇考
1290	利鼎	對揚天子不顯皇休
1291	善夫克鼎一	克乍朕皇且釐季寶宗彝
1292	善夫克鼎二	克乍朕皇且釐季寶宗彝
1293	善夫克鼎三	克乍朕皇且釐季寶宗彝
1294	善夫克鼎四	克乍朕皇且釐季寶宗彝
1295	善夫克鼎五	克乍朕皇且釐季寶宗彝
1296	善夫克鼎六	克乍朕皇且釐季寶宗彝

1297	善夫克鼎七	克乍朕皇且釐季寶宗彝
1304	王子午鼎	用享以考于我皇且文考
1307	師望鼎	不顯皇考宄公
1307	師望鼎	望肈帥井皇考
1307	師望鼎	用乍朕皇考宄公尊鼎
1309	寰鼎	用乍朕皇考鄭白姬尊鼎
1310	鬲攸從鼎	从乍朕皇且丁公皇考叀公尊鼎
1312	此鼎一	用乍朕皇考癸公尊鼎
1313	此鼎二	用乍朕朕皇考癸公尊鼎
1314	此鼎三	用乍朕朕皇考癸公尊鼎
1315	善鼎	對揚皇天子不㚸休
1317	善夫山鼎	用乍朕皇考叔碩父尊鼎
1319	頌鼎一	用乍朕皇考韡弔
1319	頌鼎一	皇母韡始（ 始 ）寶尊鼎
1320	頌鼎二	用乍朕皇考韡弔
1320	頌鼎二	皇母韡始（ 始 ）寶尊鼎
1321	頌鼎三	用乍朕皇考韡弔
1323	師訊鼎	臣朕皇考穆王
1323	師訊鼎	訊臣皇辟
1323	師訊鼎	用臣皇辟
1323	師訊鼎	白亦克㪊古先且壘孫子一䎽皇辟懿德
1324	禹鼎	禹曰：不顯趄趄皇且穆公
1327	克鼎	肆克□于皇天
1331	中山王礐鼎	而皇（況 ）才烏（ 於 ）{ 小子 }（ 少 ）君虘
1332	毛公鼎	皇天引厭氒德
1332	毛公鼎	肆皇天亡斁
1332	毛公鼎	用印（ 仰 ）卲皇天
1332	毛公鼎	毛公厝對揚天子皇休
1335	皇鬲	[皇]
1426	叔皇父鬲	弔皇父乍中姜尊鬲
1529	仲柟父鬲一	用敢卿（ 饗 ）孝于皇且丂
1530	仲柟父鬲二	用敢卿（ 饗 ）孝于皇且丂
1531	仲柟父鬲三	用敢卿（ 饗 ）孝于皇且丂
1532	仲柟父鬲四	用敢卿（ 饗 ）孝于皇且丂
2111	農乍寶䵼彝設	農乍寶尊彝[皇]
2397	＿乍父辛設	G3乍父辛皇母匕乙寶尊彝
2412	滕虎乍氒皇考設一	滕（ 膡 ）虎敢肈乍氒皇考公命中寶尊彝
2413	滕虎乍氒皇考設二	滕（ 膡滕 ）虎敢肈乍氒皇考公命中寶尊彝
2414	滕虎乍氒皇考設三	滕（ 膡 ）虎敢肈乍氒皇考公命中寶尊彝
2423	亘＿戣設	用園辟其皇且癸文考
2450	禾乍皇母孟姬設	禾肈乍皇母懿恭孟姬餗彝
2473	＿乍皇母尊設一	Je乍皇母尊設
2474	＿乍皇母尊設二	Je乍皇母尊設
2550	兌乍弔氏設	兌乍朕皇考弔氒尊設
2551	弔角父乍宕公設一	弔角父乍朕皇孝宄公尊設
2552	弔角父乍宕公設二	弔角父乍朕皇考宄公尊設
2560	吳彭父設一	吳彭父乍皇且考庚孟尊設
2561	吳彭父設二	吳彭父乍皇且考庚孟尊設
2562	吳彭父設三	吳彭父乍皇且考庚孟尊設
2574	豐兮設一	豐兮夷作朕皇考尊設

皇

2575	豐兮段二	豐兮夷作朕皇考尊段
2593	弔䨭父乍旅段一	其夙夜用亯孝于皇君
2594	弔䨭父乍旅段二	其夙夜用亯孝于皇君
2594.	弔䨭父乍旅段三	其夙夜用亯孝于皇君
2600	白𣪘父段	白𣪘父乍朕皇考屖白吳姬尊段
2613	白椃乍宄寶段	用追孝于㝁皇考
2622	琱伐父段一	用亯于皇且文考
2623	琱伐父段二	用亯于皇且文考
2623.	琱伐父段	用亯于皇且文考
2623.	琱伐父段	用亯于皇且文考
2624	琱伐父段三	用亯于皇且文考
2628	畢鮮段	畢鮮乍皇且益公尊段
2632	陳逆段	乍為皇且大宗段
2641	伯椃虘段一	伯椃虘肈乍皇考剌公尊段
2642	伯椃虘段二	伯椃虘肈乍皇考剌公尊段
2644.	伯椃虘段	白椃虘肈乍皇考剌公尊段
2646	仲辛父段	中辛父乍朕皇且日丁
2646	仲辛父段	皇考日癸尊段
2647	魯士商𫊣段	魯士商𫊣肈乍朕皇考弔𤞞父尊段
2648	仲𫊣父段一	中𫊣父乍朕皇考遟白
2649	仲𫊣父段二	中𫊣父乍朕皇考遟白
2650	仲𫊣父段三	中𫊣父乍朕皇考遟白
2651	內白多父段	用亯于皇且文考
2658.	大段	用乍朕皇考剌段
2659	𨛬侯𨟻段	休台馬＿皇民
2666	鑄弔皮父段	子子孫孫寶皇
2667	封仲段	封中乍朕皇考趞中𪅂彝尊段
2670	𣕸侯段	用永皇方身
2673	□弔買段	其用追孝于朕皇且啻考
2678	函皇父段一	函皇父乍琱娟
2679	函皇父段二	函皇父乍琱娟
2680	函皇父段三	函皇父乍琱娟
2680.	函皇父段四	函皇父乍琱娟
2681	𨞫侯段	𡟰乍皇妣qJ君中改祭器八段
2682	陳侯午段	陳侯午台群者侯□鑄乍皇妣□大妃祭器
2683	白家父段	用亯于其皇文考
2684	＿寵乎段	用亯孝皇且文考
2685	仲柟父段一	用敢鄉考于皇且丂
2686	仲柟父段二	用敢鄉考子皇且
2688	大段	用乍朕皇考大中尊段
2691	善夫梁其段一	善夫汈其乍朕皇考惠中
2691	善夫梁其段一	皇母惠𡛷尊段
2692	善找梁其段二	善夫汈其乍朕皇考惠中
2692	善找梁其段二	皇母惠𡛷尊段
2695	𪅂兒段	皇考季氏尊段
2698	陳𬀩段	用追孝□我皇𪕾(和)鎗(會)
2704	穆公段	用乍寶皇段
2706	邵公敄人段	用亯孝于㝁皇且、于㝁皇丂
2712	虢姜段	用禪追孝于皇考叀中
2713	㾓段一	㾓曰：䫂皇且考𤔲(司辭)威義

2714	㾓𣪘二	㾓曰：覭皇且考𤔲(司辭)威義
2715	㾓𣪘三	㾓曰：覭皇且考𤔲(司辭)威義
2716	㾓𣪘四	㾓曰：覭皇且考𤔲(司辭)威義
2717	㾓𣪘五	㾓曰：覭皇且考𤔲(司辭)威義
2718	㾓𣪘六	㾓曰：覭皇且考𤔲(司辭)威義
2719	㾓𣪘七	㾓曰：覭皇且考𤔲(司辭)威義
2720	㾓𣪘八	㾓曰：覭皇且考𤔲(司辭)威義
2725.	[illegible]星𣪘	其用卲亯(享)于朕皇考
2727	蔡姞乍尹弔𣪘	蔡姞乍皇兄尹弔尊𬯀彝
2727	蔡姞乍尹弔𣪘	尹弔用妥多福于皇考德尹惠姬
2732	曾仲大父蛕蛟𣪘	蛕其用追孝于其皇考
2739	無㠱𣪘一	無㠱用乍朕皇且釐季尊𣪘
2740	無㠱𣪘二	無㠱用乍朕皇且釐季尊𣪘
2741	無㠱𣪘三	無㠱用乍朕皇且釐季尊𣪘
2742	無㠱𣪘四	無㠱用乍朕皇且釐季尊𣪘
2742.	無㠱𣪘五	無㠱用乍朕皇且釐季尊𣪘
2742.	無㠱𣪘五	無㠱用乍朕皇且釐季尊𣪘
2744	五年師旋𣪘一	盾生皇畫內、戈琱胾
2745	五年師旋𣪘二	盾生皇畫內、戈琱胾
2746	追𣪘一	用乍朕皇且考尊𣪘
2747	追𣪘二	用乍朕皇且考尊𣪘
2748	追𣪘三	用乍朕皇且考尊𣪘
2749	追𣪘四	用乍朕皇且考尊𣪘
2750	追𣪘五	用乍朕皇且考尊𣪘
2751	追𣪘六	用乍朕皇且考尊𣪘
2763	弔向父禹𣪘	余小子司朕皇考
2763	弔向父禹𣪘	乍朕皇且幽大弔尊𣪘
2766	三兒𣪘	余□□□豙□□亡一人句三邑□□□望□□皇
2774	臣諫𣪘	余朕皇辟侯
2774	臣諫𣪘	令𬙊服乍朕皇文考寶尊
2774	臣諫𣪘	隹用□康令于皇辟侯
2784	申𣪘	用乍朕皇考孝孟尊𣪘
2787	望𣪘	用乍朕皇且白廿tx父寶𣪘
2787	望𣪘	用乍朕皇且白甲父寶𣪘
2800	伊𣪘	伊用乍朕不顯文且皇考徲弔寶𬯀彝
2807	𨝬𣪘一	𨝬用乍朕皇考龏白尊𣪘
2808	𨝬𣪘二	𨝬用乍朕皇考龏白尊𣪘
2809	𨝬𣪘三	𨝬用乍朕皇考龏白尊𣪘
2812	大𣪘一	用乍朕皇考剌白尊𣪘
2813	大𣪘二	用乍朕皇考剌白尊𣪘
2814	烏冊夨令𣪘一	令敢揚皇王宣、丁公文報
2814	烏冊夨令𣪘一	令用𢍰𠪚于皇王
2814	烏冊夨令𣪘一	令敢𠪚皇王宣
2814	烏冊夨令𣪘一	用尊史于皇宗
2814.	夨令𣪘二	令敢揚皇王宣、丁公文報
2814.	夨令𣪘二	令用𢍰𠪚于皇王
2814.	夨令𣪘二	令敢𠪚皇王宣
2814.	夨令𣪘二	用尊史于皇宗
2815	師𩛥𣪘	敢對揚皇君休
2816	彔白𢦚𣪘	用乍朕皇考釐王寶尊𣪘

	2818	此𣪘一	用乍朕皇考癸公尊𣪘
	2819	此𣪘二	用乍朕皇考癸公尊𣪘
	2820	此𣪘三	用乍朕皇考癸公尊𣪘
皇	2821	此𣪘四	用乍朕皇考癸公尊𣪘
	2822	此𣪘五	用乍朕皇考癸公尊𣪘
	2823	此𣪘六	用乍朕皇考癸公尊𣪘
	2824	此𣪘七	用乍朕皇考癸公尊𣪘
	2825	此𣪘八	用乍朕皇考癸公尊𣪘
	2830	三年師兌𣪘	用乍朕皇考釐公𩞁𣪘
	2831	元年師兌𣪘一	用乍皇且城公䵼𣪘
	2832	元年師兌𣪘二	用乍皇且城公䵼𣪘
	2833	秦公𣪘	秦公曰：不顯朕皇且受天命
	2833	秦公𣪘	目卲皇且
	2834	𢦚𣪘	用配皇天
	2834	𢦚𣪘	用康惠朕皇文剌且考
	2834	𢦚𣪘	𦅫(緟)圝皇帝大魯令
	2838	師浚𣪘一	用乍朕皇考輔白尊𣪘
	2838	師浚𣪘一	用乍朕皇考輔白尊𣪘
	2839	師浚𣪘二	用乍朕皇考輔白尊𣪘
	2839	師浚𣪘二	用乍朕皇考輔白尊𣪘
	2840	番生𣪘	不顯皇且考
	2840	番生𣪘	番生不敢弗帥井皇且考不杯元德
	2841	茾白𣪘	用乍朕皇考武茾幾王尊𣪘
	2844	頌𣪘一	用乍朕皇考龏弔
	2844	頌𣪘一	皇母龏姒(始)寶尊𣪘
	2845	頌𣪘二	用乍朕皇考龏弔
	2845	頌𣪘二	皇母龏姒(始)寶尊𣪘
	2845	頌𣪘二	用乍朕皇考龏弔
	2845	頌𣪘二	皇母龏姒(始)寶尊𣪘
	2846	頌𣪘三	用乍朕皇考龏弔
	2846	頌𣪘三	皇母龏姒(始)寶尊𣪘
	2847	頌𣪘四	用乍朕皇考龏弔
	2847	頌𣪘四	皇母龏姒(始)寶尊𣪘
	2848	頌𣪘五	用乍朕皇考龏弔
	2848	頌𣪘五	皇母龏姒(始)寶尊𣪘
	2849	頌𣪘六	用乍朕皇考龏弔
	2849	頌𣪘六	皇母龏姒(始)寶尊𣪘
	2850	頌𣪘七	用乍朕皇考龏弔
	2850	頌𣪘七	皇母龏姒(始)寶尊𣪘
	2851	頌𣪘八	用乍朕皇考龏弔
	2851	頌𣪘八	皇母龏姒(始)寶尊𣪘
	2852	不嬰𣪘一	用乍朕皇且公白孟姬尊𣪘
	2853	不嬰𣪘二	用作朕皇且公白孟姬尊𣪘
	2855	班𣪘一	不杯丮皇公
	2855.	班𣪘二	不杯丮皇公
	2856	師訇𣪘	肆皇帝亡旲
	2857	牧𣪘	用乍朕皇文考益白尊𣪘
	2897	白彊行器	白彊為皇氏白行器
	2955	齊陳＿匿一	乍皇考獻弔饙逸永保用匿
	2956	齊陳曼匿二	乍皇考獻弔饙般永保用匿

2966	蛣公諴旅匿	用追孝于皇祖皇考
2985	陳逆匿一	于大宗皇祖皇祉
2985	陳逆匿一	皇考皇母
2985.	陳逆匿二	于大宗皇祖皇祉
2985.	陳逆匿二	皇考皇母
2985.	陳逆匿三	于大宗皇祖皇祉
2985.	陳逆匿三	皇考皇母
2985.	陳逆匿四	于大宗皇祖皇祉
2985.	陳逆匿四	皇考皇母
2985.	陳逆匿五	于大宗皇祖皇祉
2985.	陳逆匿五	皇考皇母
2985.	陳逆匿六	于大宗皇祖皇祉
2985.	陳逆匿六	皇考皇母
2985.	陳逆匿七	于大宗皇祖皇祉
2985.	陳逆匿七	皇考皇母
2985.	陳逆匿八	于大宗皇祖皇祉
2985.	陳逆匿八	皇考皇母
2985.	陳逆匿九	于大宗皇祖皇祉
2985.	陳逆匿九	皇考皇母
2985.	陳逆匿十	于大宗皇祖皇祉
2985.	陳逆匿十	皇考皇母
2986	曾白霥旅匿一	用孝用亯于我皇文考
2987	曾白霥旅匿二	用孝用亯于我皇文考
3057	仲自父鎮(盨)	其用亯用孝于皇且文考
3062	乘父殷(盨)	乘父士杉其肇乍其皇考白明父寶殷
3070	杜白盨一	其用亯孝于皇申且考、于好倗友
3071	杜白盨二	其用亯孝于皇申且考、于好倗友
3072	杜白盨三	其用亯孝于皇申且考、于好倗友
3073	杜白盨四	其用亯孝于皇申且考、于好倗友
3074	杜白盨五	其用亯孝于皇申且考、于好倗友
3086	善夫克旅盨	克其用朝夕亯于皇且考
3086	善夫克旅盨	皇且考其數數纍纍
3087	鬲从盨	鬲比乍朕皇且丁公、 文考惠公盨
3097	陳侯午鏄錞一	乍皇妣孝大妃祭器sk錞台登台嘗
3098	陳侯午鏄錞二	乍皇妣孝大妃祭器sk錞台登台嘗
3100	陳侯因脊錞	皇考孝武趄公
3100	陳侯因脊錞	其唯因脊揚皇考
3112	拠陵君王子申豆一	以祀皇祖
3113	拠陵君王子申豆二	以祀皇祖
4443	王仲皇父盉	王中皇父乍ou娟般盉
4805	□乍氒皇考尊	__乍氒皇考寶尊彝
4888	盠駒尊一	mo皇盠身
5310	皇__乍尊彝卣 (蓋)	[皇r8]乍尊彝
5410	關卣	關乍皇陽日辛尊彝
5493	召乍__宮旅卣	奔走事皇辟君
5503	競卣	白犀父皇競各于官
5721	蔡侯壺	蔡侯□□皇□朕□□其萬年無□
5774	楸車父壺	楸車父乍皇母ro姜寶壺
5787	汈其壺一	用享考于皇且考
5788	汈其壺二	用享考于皇且考

皇

5793	翏父壺一	對揚朕皇君休
5794	翏父壺二	對揚朕皇君休
5796	三年瘐壺一	用乍皇且文考尊壺
5797	三年瘐壺二	用乍皇且文考尊壺
5799	頌壺一	用乍朕皇考龏弔
5799	頌壺一	皇母龏姒(始)寶尊壺
5800	頌壺二	用乍朕皇考龏弔
5800	頌壺二	皇母龏姒(始)寶尊壺
5805	中山王嚳方壺	卲蔡皇工
5805	中山王嚳方壺	隹朕皇祖文武
5825	繼書缶	以祭我皇祖
6634	郐王義楚祭耑	用享于皇天
6663	白公父金勺一	于朕皇考
6746	齊侯乍孟姬盤	齊侯乍皇氏孟姬寶般(盤)
6775	仲乍父丁盤	弔皇父易中貝
6783	函皇父盤	函皇父乍琱娟般盉、尊器
6786	弔多父盤	pL弔多父乍朕皇考季氏寶般
6789	寰盤	用乍朕皇考奠白奠姬寶盤
6839	函皇父乍周娟匜	函皇父乍周妘它
6887	掷陵君王子申鑑	以祀皇祖
6925	晉邦盦	晉公曰：我皇且唐公
6925	晉邦盦	以答皇卿
6991	眉壽鐘一	龢吏朕辟皇王釁壽永寶
6992	眉壽鐘二	龢吏朕辟皇王釁壽永寶
6993	弔旅魚父鐘	朕皇考弔旅魚父
7005	邵公鐘	皇且哀公、皇考晨公
7007	梁其鐘	龢臣皇王釁壽永寶
7009	兮仲鐘一	其用追孝于皇考己白
7010	兮仲鐘二	其用追孝于皇考己白
7011	兮仲鐘三	其用追孝于皇考己白
7012	兮仲鐘四	其用追孝于皇考己白
7013	兮仲鐘五	其用追孝于皇考己白
7014	兮仲鐘六	其用追孝于皇考己白
7015	兮仲鐘七	其用追孝于皇考己白
7020	單伯鐘	不顯皇且剌考
7020	單伯鐘	余小子肇帥井朕皇且考懿德
7026	邾弔鐘	以乍其乍其皇且皇考
7039	應侯見工鐘二	用乍朕皇且雁侯大醬鐘
7043	克鐘四	用乍朕皇且考白寶醬鐘
7044	克鐘五	用乍朕皇且考白寶醬鐘
7047	井人鐘	覭盄文且皇考
7047	井人鐘	妄不敢弗帥用文且皇考穆穆秉德
7048	井人鐘二	覭盄文且皇考
7048	井人鐘二	妄不敢弗帥用文且皇考穆穆秉德
7058	邾公孫班鐘	用喜于其皇且
7059	師臾鐘	朕皇考德弔大醬鐘
7082	齊鞄氏鐘	于台皇且文考
7083	鮮鐘	用乍朕皇考醬鐘
7088	士父鐘一	□□□□□乍朕皇考弔氏寶醬鐘
7088	士父鐘一	用喜侃皇考

7089	士父鐘二	□□□□□□乍朕皇考弔氏寶蘥鐘
7089	士父鐘二	用喜侃皇考
7090	士父鐘三	□□□□□□乍朕皇考弔氏寶蘥鐘
7090	士父鐘三	用喜侃皇考
7091	士父鐘四	□□□□□□乍朕皇考弔氏寶蘥鐘
7091	士父鐘四	用喜侃皇考
7112	者減鐘一	于其皇且皇考
7113	者減鐘二	于其皇且皇考
7116	南宮乎鐘	畯永保四方、配皇天
7116	南宮乎鐘	用乍朕皇且南公
7121	𨙶王子旃鐘	元鳴孔皇
7122	梁其鐘一	汈其曰：不顯皇其考
7122	梁其鐘一	汈其肈帥井皇且考秉明德
7122	梁其鐘一	用乍朕皇且考龢鐘
7123	梁其鐘二	汈其曰：不顯皇其考
7123	梁其鐘二	汈其肈帥井皇且考秉明德
7123	梁其鐘二	用乍朕皇
7124	沇兒鐘	元鳴孔皇
7124	沇兒鐘	皇皇熙熙
7150	虢叔旅鐘一	不顯皇考叀弔
7150	虢叔旅鐘一	旅敢肈帥井皇考威儀
7150	虢叔旅鐘一	用乍朕皇考叀弔大蘥龢鐘
7150	虢叔旅鐘一	皇考嚴才上、異才下
7151	虢叔旅鐘二	不顯皇考叀弔
7151	虢叔旅鐘二	旅敢肈帥井皇考威儀
7151	虢叔旅鐘二	用乍朕皇考叀弔大蘥龢鐘
7151	虢叔旅鐘二	皇考嚴才上、異才下
7152	虢叔旅鐘三	不顯皇考叀弔
7152	虢叔旅鐘三	旅敢肈帥井皇考威儀
7152	虢叔旅鐘三	用乍朕皇考叀弔大蘥龢鐘
7152	虢叔旅鐘三	皇考嚴才上、異才下
7153	虢叔旅鐘四	不顯皇考叀弔
7153	虢叔旅鐘四	旅敢肈帥井皇考威儀
7153	虢叔旅鐘四	用乍朕皇考叀弔大蘥龢鐘
7153	虢叔旅鐘四	皇考嚴才上、異才下
7154	虢叔旅鐘五	不顯皇考叀弔
7155	虢叔旅鐘六	皇考威儀
7156	虢叔旅鐘七	朕皇考叀弔大蘥龢鐘
7156	虢叔旅鐘七	皇考嚴才上、異才下
7157	邾公華鐘一	台乍其皇且考
7158	癲鐘一	皇王對癲身楙、易佩
7159	癲鐘二	皇考丁公龢蘥鐘
7159	癲鐘二	弋皇且考高對爾烈
7160	癲鐘三	皇王對癲身楙、易佩
7161	癲鐘四	皇王對癲身楙、易佩
7162	癲鐘五	皇王對癲身楙、易佩
7174	秦公鐘	卲合皇天
7174	秦公鐘	以匽皇公
7175	王孫遺者鐘	元鳴孔皇
7175	王孫遺者鐘	于我皇且文考

皇

7175	王孫遺者鐘	戱戱(皇皇)熙熙
7176	㝬鐘	隹皇上帝百神
7176	㝬鐘	我隹司配皇天
7177	秦公及王姬編鐘一	卲合皇天
7178	秦公及王姬編鐘二	以匽皇公
7183	叔夷編鐘二	弗敢不對揚朕辟皇君之
7187	叔夷編鐘六	用享于其皇祖皇妣皇母皇考
7187	叔夷編鐘六	不顯皇祖
7194	叔夷編鐘十三	外內其皇祖皇妣皇母皇
7204	克鎛	用乍朕皇且考白寶龢鐘
7209	秦公及王姬鎛	卲合皇天
7209	秦公及王姬鎛	以匽皇公
7210	秦公及王姬鎛二	卲合皇天
7210	秦公及王姬鎛二	以匽皇公
7211	秦公及王姬鎛三	卲合皇天
7211	秦公及王姬鎛三	以匽皇公
7212	秦公鎛	秦公曰：不顯朕皇且受天命
7213	𬭚鎛	用享用孝于皇祖聖弔
7213	𬭚鎛	皇祉(妣)聖姜
7213	𬭚鎛	于皇祖又成惠弔
7213	𬭚鎛	皇祉(妣)又成惠姜
7213	𬭚鎛	皇丂蹟中、皇母
7214	叔夷鎛	弗敢不對揚朕辟皇君之易休命
7214	叔夷鎛	用享于其皇祖皇妣皇母皇考
7214	叔夷鎛	不顯皇祖
7382	皇宮左戈一	皇宮左
7383	皇宮左戈二	皇宮左
7560	十六年奠令戈	工币皇脣冶＿
7561	十七年奠令戈	工币皇晏冶□
7868	商鞅方升	皇帝盡并兼天下諸侯
7868	商鞅方升	立號為皇帝
M340	魯伯悆盨	肇乍其皇孝皇母旅盨毁
M341	魯中齊鼎	魯中齊肇乍皇考𩰫鼎
M343	魯司徒中齊盨	魯司徒中齊肇乍皇考白走公餗盨毁
M345	魯司徒中齊匜	魯司徒中齊肇乍皇考白走父寶匜
M423.	趞鼎	用乍朕皇考𪫑白、奠姬寶鼎
M457	鄭虢仲悆鼎	鄭虢中悆肇用乍皇且文考寶鼎
M622	番仲戈	番中乍之造戈、白皇
M705	曾侯乙編鐘下一・一	濁坪皇之商
M705	曾侯乙編鐘下一・一	濁坪皇之渻商
M706	曾侯乙編鐘下一・二	妥賓之才楚號為坪皇
M707	曾侯乙編鐘下一・三	坪皇之羽
M707	曾侯乙編鐘下一・三	為坪皇變商
M708	曾侯乙編鐘下二・一	坪皇之羽
M710	曾侯乙編鐘下二・三	坪皇之變徵
M711	曾侯乙編鐘下二・四	妥賓之才楚號為坪皇
M712	曾侯乙編鐘下二・五	為坪皇變商
M713	曾侯乙編鐘下二・七	為坪皇徵角
M714	曾侯乙編鐘下二・八	坪皇之羽
M715	曾侯乙編鐘下二・九	坪皇之商

M715	曾侯乙編鐘下二・九	濁坪皇之徵
M716	曾侯乙編鐘下二・十	坪皇之宮
M716	曾侯乙編鐘下二・十	濁坪皇之下角
M719	曾侯乙編鐘中一・三	坪皇之巽反
M719	曾侯乙編鐘中一・三	濁坪皇之䟭
M720	曾侯乙編鐘中一・四	坪皇之冬反
M720	曾侯乙編鐘中一・四	濁坪皇之䟭
M721	曾侯乙編鐘中一・五	坪皇之少商
M722	曾侯乙編鐘中一・六	坪皇之巽
M722	曾侯乙編鐘中一・六	濁坪皇之䟭
M723	曾侯乙編鐘中一・七	濁坪皇之商
M723	曾侯乙編鐘中一・七	濁坪皇之少商
M724	曾侯乙編鐘中一・八	坪皇之冬
M724	曾侯乙編鐘中一・八	濁坪皇之宮
M724	曾侯乙編鐘中一・八	濁坪皇之巽
M725	曾侯乙編鐘中一・九	坪皇之喜
M726	曾侯乙編鐘中一・十	坪皇之商
M726	曾侯乙編鐘中一・十	濁坪皇之冬
M727	曾侯乙編鐘中一・十一	坪皇之宮
M727	曾侯乙編鐘中一・十一	濁坪皇之下角
M730	曾侯乙編鐘中二・三	曾侯乙乍時，少商，羽曾，坪皇之巽反，
M730	曾侯乙編鐘中二・三	濁坪皇之䟭
M731	曾侯乙編鐘中二・四	坪皇之冬反
M732	曾侯乙編鐘中二・五	坪皇之少商
M733	曾侯乙編鐘中二・六	坪皇之巽
M733	曾侯乙編鐘中二・六	濁坪皇之䟭
M734	曾侯乙編鐘中二・七	濁坪皇之商
M734	曾侯乙編鐘中二・七	濁坪皇之少商
M735	曾侯乙編鐘中二・八	坪皇之冬
M735	曾侯乙編鐘中二・八	濁坪皇之宮
M735	曾侯乙編鐘中二・八	濁坪皇之巽
M736	曾侯乙編鐘中二・九	坪皇之喜
M737	曾侯乙編鐘中二・十	坪皇之商
M737	曾侯乙編鐘中二・十	濁坪皇之冬
M739	曾侯乙編鐘中二・十二	坪皇之宮
M739	曾侯乙編鐘中二・十二	濁坪皇之下角
M740	曾侯乙編鐘中三・一	坪皇之冬
M743	曾侯乙編鐘中三・四	坪皇之徵曾
M745	曾侯乙編鐘中三・六	為坪皇之羽顀下角
M746	曾侯乙編鐘中三・七	妥賓之才楚號為坪皇
M747	曾侯乙編鐘中三・八	為坪皇變商
M748	曾侯乙編鐘中三・九	為坪皇徵角
M749	曾侯乙編鐘中三・十	坪皇之羽
		小計：共 477 筆
0039+	通皇	
7175	王孫遺者鐘	䟭䟭（皇皇）熙熙

皇
䟭

			小計：共 1 筆
玉	0040		
	1284	尹姞鼎	易玉五、馬四匹
	1332	毛公鼎	朱市悤黃、玉環、玉瑹
	1533	尹姞竇鬲一	易玉五品、馬四匹
	1534	尹姞竇鬲二	易玉五品、馬四匹
	2339	叡烏乍且癸段	夙易鳥玉、用乍且癸彝[叡]
	2453	亞鐵乍且丁段	乙亥王易□□工鐵玉十玉瑴
	2786	縣妃段	易女婦爵夙之弋周玉
	2840	番生段	易朱市悤黃、鞞鞢、玉睘、玉瑹
	3128	魚鼑匕	述王(玉)魚頂日
	5801	洹子孟姜壺一	于上天子用璧玉備一嗣(笥)
	5801	洹子孟姜壺一	玉二嗣(笥)
	5802	洹子孟姜壺二	于上天子用璧玉備一嗣
	5802	洹子孟姜壺二	玉二嗣
	6021	玉己觚	[玉]己
	6784	三十四祀盤(祼盤)	鮮蔑鄹、王馭鄹玉三品、貝廿朋
	7136	郘鐘一	玉鐈鼉鼓
	7137	郘鐘二	玉鐈鼉鼓
	7138	郘鐘三	玉鐈鼉鼓
	7139	郘鐘四	玉鐈鼉鼓
	7140	郘鐘五	玉鐈鼉鼓
	7141	郘鐘六	玉鐈鼉鼓
	7142	郘鐘七	玉鐈鼉鼓
	7143	郘鐘八	玉鐈鼉鼓
	7144	郘鐘九	玉鐈鼉鼓
	7145	郘鐘十	玉鐈鼉鼓
	7146	郘鐘十一	玉鐈鼉鼓
	7147	郘鐘十二	玉鐈鼉鼓
	7148	郘鐘十三	玉鐈鼉鼓
	7149	郘鐘十四	玉鐈鼉鼓
			小計：共 29 筆
瑾	0041	2189堇字重見	
	4449	裘衛盉	矩白庶人取瑾章于裘衛
	5801	洹子孟姜壺一	瑾nz無用從爾大樂
	5802	洹子孟姜壺二	瑾nz無用從爾大樂
			小計：共 3 筆
鋆	0042		
	6785	守宮盤	馬匹、毳布三、專_三、鋆朋
			小計：共 1 筆

0043

2735	𡨦敖𣪘	𡨦敖用環用璧
2802	六年召白虎𣪘	白氏則報璧琱生
4892	麥尊	于若昱日才璧雝
5801	洹子孟姜壺一	于上天子用璧玉備一嗣(笥)
5801	洹子孟姜壺一	于大無嗣折于大嗣命用璧
5801	洹子孟姜壺一	于南宮子用璧二備
5802	洹子孟姜壺二	于上天子用璧玉備一嗣
5802	洹子孟姜壺二	于大無嗣折于與大嗣命用璧
5802	洹子孟姜壺二	于南宮子用璧二備
		小計：共 9 筆

0044 0574睘字重見

1332	毛公鼎	朱市悤黃、玉環、玉瑹
2735	𡨦敖𣪘	𡨦敖用環用璧
4977	師遽方彝	王乎宰利易師遽琿圭一、環章四
		小計：共 3 筆

0045 2207黃字重見

2801	五年召白虎𣪘	報寢氏帛束、璜
		小計：共 1 筆

0046 0391章字重見

1248	庚贏鼎	易爵、璋、貝十朋
2721	𦰩𣪘	㠯黃賓𦰩章(璋)一、馬兩
5772	陳璋方壺	大壯孔陳璋內伐匽亳邦之隻
7051	子璋鐘一	群孫斨子子璋
7052	子璋鐘二	群孫斨子子璋
7053	子璋鐘三	群孫斨子子璋
7054	子璋鐘四	群孫斨子子璋
7055	子璋鐘五	群孫斨子子璋
7056	子璋鐘六	群孫斨子子璋
7057	子璋鐘八	群孫斨子子璋
7554	楚王酓璋戈	楚王酓璋嚴龔寅乍su戈
7560	十六年奠令戈	十六年奠命趙司寇彭璋生庫
7561	十十年奠令戈	十七年奠命幽距司寇彭璋武庫
		小計：共 13 筆

0047 0145周字重見

1095	函皇父鼎	圅(函)皇父乍琱妘尊ps鼎
1247	圅皇父鼎	圅皇父乍琱娟般、盉尊器、鼎、𣪘具

琱 玗 靈

	1247	函皇父鼎	琱娟其萬年子子孫孫永寶用
	1305	師至父鼎	易戠市同黃、玄衣黹屯、戈琱胾、旂
	1306	無叀鼎	易女玄衣黹屯、戈琱胾緱必彤沙、攸勒䜌旂
	1526	琱生乍宄仲尊鬲	琱生乍文考宄中尊鬻
	1526	琱生乍宄仲尊鬲	琱生其萬年子子孫孫用寶用享
	2622	琱伐父段一	琱伐父乍交尊段
	2623	琱伐父段二	琱伐父乍交尊段
	2623.	琱伐父段	琱伐父乍交尊段
	2623.	琱伐父段	琱伐父乍交尊段
	2624	琱伐父段三	琱伐父乍交尊段
	2678	函皇父段一	函皇父乍琱娟
	2678	函皇父段一	琱娟其萬年子子孫孫永寶用
	2679	函皇父段二	函皇父乍琱娟
	2679	函皇父段二	琱娟其萬年子子孫孫永寶用
	2680	函皇父段三	函皇父乍琱娟
	2680	函皇父段三	琱娟其萬年子子孫孫永寶用
	2680.	函皇父殷四	函皇父乍琱娟
	2680.	函皇父殷四	琱娟其萬年子子孫孫永寶用
	2744	五年師旋段一	盾生皇畫内、戈琱胾
	2745	五年師旋段二	盾生皇畫内、戈琱胾
	2769	師耤段	金亢、赤舄、戈琱胾、彤沙
	2773	即段	曰：嗣琱宮人虢旛、用吏
	2774.	南宮弔段	睗（賜）女乘馬戈琱、彤矢
	2775.	害段一	易戈琱
	2775.	害段二	易戈琱、＿、彤沙
	2797	輔師嫠段	赤市朱黃、戈彤沙琱胾
	2801	五年召白虎段	琱生又吏
	2801	五年召白虎段	琱生則堇圭
	2802	六年召白虎段	白氏則報璧琱生
	2835	訇段	戈琱胾、厚必彤沙
	2838	師嫠段一	宰琱生内、右師嫠
	2838	師嫠段一	宰琱生内、右師嫠
	2839	師嫠段二	宰琱生内、右師嫠
	2839	師嫠段二	宰琱生内、右師嫠
	6783	函皇父盤	函皇父乍琱娟般盉、尊器
	6783	函皇父盤	琱娟其萬年子子孫孫永寶用
	6787	走馬休盤	戈琱胾、彤沙厚必、䜌旂
	6789	寰盤	戈琱胾厚必彤沙
			小計：共　40 筆
玗	0048		
	5455	戱乍丁師卣	子易戱橐玗一
			小計：共　1 筆
靈	0049		
	5804	齊侯壺	執者獻于靈公之所

5804	齊侯壺	__靈公之身
7174	秦公鐘	靈音徵徵雝雝
7178	秦公及王姬編鐘二	靈音徵徵雝雝
7181	秦公及王姬編鐘六	靈音徵徵雝雝
7186	叔夷編鐘五	政乎靈師
7186	叔夷編鐘五	靈力若虎
7186	叔夷編鐘五	又共于趄武靈公之所
7188	叔夷編鐘七	曰武靈成
7209	秦公及王姬鎛	靈音徵徵雝雝
7210	秦公及王姬鎛二	靈音徵徵雝雝
7211	秦公及王姬鎛三	靈音徵徵雝雝
7214	叔夷鎛	政乎靈師
7214	叔夷鎛	靈力若虎
7214	叔夷鎛	曰武靈成
		小計：共　15 筆

0050

M706	曾侯乙編鐘下一・二	大族之珈鐲
M711	曾侯乙編鐘下二・四	大族之珈鐲
M714	曾侯乙編鐘下二・八	宣鐘珈徵
		小計：共　3 筆

0051

5475	六祀邲其卣	乙亥、邲其易乍冊孳C0I琔
		小計：共　1 筆

0052　或釋瑁

4977	師遽方彝	王乎宰利易師遽瑁圭一、環章四
		小計：共　1 筆

0052+

1323	師訊鼎	用乃孔德璐屯
		小計：共　1 筆

0053

2837	敔段一	至于伊、班
2855	班段一	班拜稽首曰：烏虖
2855	班段一	班非敢覓
2855.	班段二	班拜稽首曰
2855.	班段二	班非敢覓

	3061	弭弔旅盨	弭弔乍弔班旅盨
	7058	邾公孫班鐘	鼄公孫班羼其吉金
			小計：共 7 筆
气	0054		
	1259	郜公䤅鼎	用气(乞)眉壽萬年無疆
	2766	三兒段	晉孫气兒曰
	2766	三兒段	敃子□□壂中□□□母气
	2777	天亡段	不克气衣王祀
	2814	鳥冊夨令段一	戍冀、嗣气
	2814.	夨令段二	戍冀、嗣气
	5801	洹子孟姜壺一	洹子孟姜用气(乞)嘉命
	5802	洹子孟姜壺二	洹子孟姜用气(乞)嘉命
			小計：共 8 筆
士	0055		
	1326	多友鼎	命武公遣乃元士羞追于京自
	1513	睽士父乍蓼妃鬲	睽士士父乍蓼改尊鬲
	2647	魯士商㪤段	魯士商㪤肈乍朕皇考弔䵼父尊段
	2783	趞段	啻官僕、射、士、訊
	2826	師𡨦段一	歐孚士女羊牛、孚吉金
	2826	師𡨦段一	歐孚士女羊牛、孚吉金
	2827	師𡨦段二	歐孚士女羊牛、孚吉金
	2833	秦公段	咸畜胤士
	2834	㝬段	肆余目餗士獻民
	2889	魯士厚父飤匿一	魯士厚父乍飤匿、永寶用
	2890	魯士厚父飤匿三	魯士厚父乍飤匿、永寶用
	2891	魯士厚父飤匿四	魯士厚父乍飤匿、永寶用
	2892	魯士厚父飤匿二	魯士厚父乍飤匿、永寶用
	2899	尹氏弔緐旅匡	吳王御士尹氏弔緐乍旅匡
	3062	乘父段(盨)	乘父士杉其肈乍其皇考白明父寶段
	4447	臣辰冊冊夕乍冊父癸盉	王令士上眔史寅殷于成周
	4861	噉士卿尊	王易噉士卿貝朋
	4873	臣辰冊𡧊冊乍父癸尊	王令士□□寅殷于□
	5485	貉子卣一	王令士道
	5486	貉子卣二	王令士道
	5501	臣辰冊冊夕卣一	王令士上眔史黃殷于成周
	5502	臣辰冊冊夕卣二	王令士上眔史黃殷于成周
	5804	齊侯壺	□□□□□其士女□_旬四舟____丘□_于_
	5805	中山王嚳方壺	使得賢在(士)良佐
	5805	中山王嚳方壺	賈願從在(士){大夫}
	6864	番_匜	唯番hhvl用士(吉)金乍自寶匜
	6925	晉邦盦	余咸畜胤士
	7040	克鐘一	王乎士曶召克
	7041	克鐘二	王乎士曶召克
	7042	克鐘三	王乎士曶召克

班
气
士

7051	子璋鐘一	用樂父兄者諸士
7052	子璋鐘二	用樂父兄者諸士
7053	子璋鐘三	用樂父兄者諸士
7054	子璋鐘四	用樂父兄者諸士
7055	子璋鐘五	用樂父兄者諸士
7056	子璋鐘六	用樂父兄者諸士
7057	子璋鐘八	用樂父兄者諸士
7084	邾公牼鐘一	以喜者士
7085	邾公牼鐘二	以喜者士
7086	邾公牼鐘三	以喜者士
7087	邾公牼鐘四	以喜者士
7088	士父鐘一	用廣啟士父身
7089	士父鐘二	用廣啟士父身
7090	士父鐘三	用廣啟士父身
7091	士父鐘四	用廣啟士父身
7121	郐王子旃鐘	兼以父兄庶士
7124	沇兒鐘	及我父兄庶士
7157	邾公華鐘一	台宴士庶子
7174	秦公鐘	盭(戾)龢胤士
7177	秦公及王姬編鐘一	盭(戾)龢胤士
7204	克鎛	王乎士曶召克
7209	秦公及王姬鎛	盭(戾)龢胤士
7210	秦公及王姬鎛二	盭(戾)龢胤士
7211	秦公及王姬鎛三	盭(戾)龢胤士
7212	秦公鎛	咸畜百辟胤士
7218	郐諮尹征城	士余是尚
7711	楚王酓章劍	楚王酓章為從士鑄
7886	新郪虎符	凡興士被甲
7887	杜虎符	凡興士被甲

小計：共 59 筆

士
壯

0056

1331	中山王嚳鼎	今余方壯
5772	陳璋方壺	大壯孔陳璋內伐匽亳邦之隻
7541	四年咎奴戈	四年咎奴 命壯罌工帀賓疾冶問

小計：共 3 筆

中 0057

	0452	中婦鼎鼎	[中]婦鼎
中	0489	仲乍齋鼎	中乍齋
	0610	中乍寶鼎	中乍寶鼎
	0635	中乍旅鼎	中乍旅鼎
	0694	仲自父乍齋	中自父乍齋
	0695	仲乍旅寶鼎	中乍旅寶鼎
	0702	梢仲乍旅鼎	梢中乍旅彝
	0726	中私官鼎	中厶官廚料
	0778	仲義父鼎一	中義父乍尊鼎
	0779	仲義父鼎二	中義父乍尊鼎
	0780	仲義父鼎三	中義父乍尊鼎
	0819	王乍仲姜鼎	王乍中姜寶尊
	0820	王乍仲姬方鼎	王乍中姬寶彝
	0833	中攸鼎	中攸貞鼎六斗
	0852	自乍陵仲方鼎一	自乍陵中寶尊彝
	0853	自乍陵仲方鼎二	自乍陵中寶尊彝
	0854	自乍陵仲方鼎三	自乍陵中寶尊彝
	0855	自乍陵仲方鼎四	自乍陵中寶尊彝
	0934	中斿父鼎	中斿父乍寶尊彝貞(鼎)[七五八]
	0941	義仲方鼎	義中乍氒父周季尊彝
	0949	江小仲鼎	江小中母生自乍甬鬲
	0964	萬仲鼎	萬中□□乍用鼎
	0965	曾侯仲子斿父鼎	曾侯中子游父自乍鼎彝
	0986	中乍且癸鼎	侯易中貝三朋
	0987	朋仲鼎	倗中乍畢媿媵鼎
	0989	仲宦父鼎	中宦父乍寶鼎
	1034	仲殷父鼎一	中殷父乍鼎
	1035	仲殷父鼎二	中殷父乍鼎
	1041	且方鼎	鄧父中㝬□□且
	1077	曾仲子_鼎	曾中子_用其吉金自乍寶鼎
	1080	華仲義父鼎一	中義父乍新寶鼎
	1081	華仲義父鼎二	中義父乍新寶鼎
	1082	華仲義父鼎三	中義父乍新寶鼎
	1083	華仲義父鼎四	中義父乍新寶鼎
	1084	華仲義父鼎五	中義父乍新寶鼎
	1086	內子仲□鼎	內子中□肈乍弔媿尊鼎
	1091	小臣趞鼎	中易趞鼎
	1091	小臣趞鼎	揚中皇、乍寶
	1099	仲旳父鼎	中旳父乍尊鼎
	1104	辛中姬皇母鼎	辛中姬皇母乍尊鼎
	1107	番仲吳生鼎	番中吳生乍尊鼎
	1140	衛鼎	衛乍文考小中姜氏盂鼎
	1141	善夫旅白鼎	善夫旅白乍毛中姬尊鼎
	1143	曾子仲誨鼎	隹曾子中誨
	1156	亳鼎	亳敢對公中休
	1227	衛鼎	衛肈乍氒文考己中寶鼎鼎
	1228	𩰫𩰫方鼎	梢中賞氒𩰫𩰫遂毛兩
	1238	曾子仲宣鼎	曾子中宣_用其吉金

1245	仲師父鼎一	中師父乍季姒姒(始)寶尊鼎
1246	仲師父鼎二	中師父乍季姒姒(始)寶尊鼎
1251	中先鼎一	王令中先省南或(國)
1251	中先鼎一	中乎歸生鳳于王
1252	中先鼎二	王令中先省南或(國)
1252	中先鼎二	中乎歸生鳳于王
1262	窄鼎	趞中令窄親嗣鄭田
1262	窄鼎	對揚趞中休
1277	七年趞曹鼎	井白入右趞曹立中廷、北鄉
1279	中方鼎	王曰：中、兹褱人入史
1279	中方鼎	中對王休令
1279	中方鼎	隹臣尚中臣
1288	令鼎一	王馭溓中僕
1289	令鼎二	王馭溓中僕
1290	利鼎	井白內右利立中廷、北鄉
1298	師旂鼎	引以告中史書
1300	南宮柳鼎	即立中廷、北卿
1306	無叀鼎	嗣徒南中右無叀內門
1306	無叀鼎	立中廷
1309	寰鼎	立中廷、北鄉
1311	師晨鼎	嗣馬共右師晨入門、立中廷
1312	此鼎一	嗣土毛弔右此入門、立中廷
1313	此鼎二	嗣土毛弔右此入門、立中廷
1314	此鼎三	嗣土毛弔右此入門、立中廷
1317	善夫山鼎	立中廷、北鄉
1319	頌鼎一	宰引右頌入門、立中廷
1320	頌鼎二	宰引右頌入門、立中廷
1321	頌鼎三	宰引右頌入門、立中廷
1327	克鼎	醽季右善夫克入門立中廷、北卿
1329	小字盂鼎	即立中廷、北卿
1331	中山王譽鼎	隹十四年中山王譽詐(乍、作)鼎、于銘曰
1369	仲姬乍鬲	中姬乍鬲
1389	仲姞羞鬲一	中姞乍羞鬲[華]
1390	仲姞羞鬲二	中姞乍羞鬲[華]
1391	仲姞羞鬲三	中姞乍羞鬲[華]
1392	仲姞羞鬲四	中姞乍羞鬲[華]
1393	仲姞羞鬲五	中姞乍羞鬲[華]
1394	仲姞羞鬲六	中姞乍羞鬲[華]
1395	仲姞羞鬲七	中姞乍羞鬲[華]
1396	仲姞羞鬲八	中姞乍羞鬲[華]
1397	仲姞羞鬲九	中姞乍羞鬲[華]
1400	仲鈃父齋鬲	中鈃父乍齋鬲
1402	虢仲乍姞鬲一	虢中乍姞尊鬲
1403	虢仲乍姞鬲二	虢中乍姞尊鬲
1421	時白鬲一	時白乍□中□羞鬲
1422	時白鬲二	時白乍□中□羞鬲
1423	時白鬲三	時白乍□中□羞鬲
1426	叔皇父鬲	弔皇父乍中姜尊鬲
1477	右戲仲夏父豐鬲	右戲中夏父乍豐鬲
1479	召仲乍生妣奠鬲一	召中乍生妣尊鬲

	1480	召仲乍生妣奠鬲二	召中乍生妣尊鬲
	1481	咏仲無龍寶鼎一	咏中無龍乍寶鼎
	1482	咏仲無龍寶鼎二	咏中無龍乍寶鼎
中	1497	虢仲乍虢妃鬲	虢中乍虢改尊鬲
	1521	單白遼父鬲	單白遼父乍中姞尊鬲
	1526	琱生乍宄仲尊鬲	琱生乍文考宄中尊鬻
	1528	公姞鬲鼎	子中漁□池
	1529	仲枏父鬲一	師湯父有嗣中枏父乍寶鬲
	1530	仲枏父鬲二	師湯父有嗣中枏父乍寶鬲
	1531	仲枏父鬲三	師湯父有嗣中枏父乍寶鬲
	1532	仲枏父鬲四	師湯父有嗣中枏父乍寶鬲
	1602	仲乍籃彝甗	中乍旅彝
	1606	中乍旅甗	中乍旅甗
	1640	__仲雩父方甗	Jt中雩父乍旅甗
	1651	仲伐父甗	中伐父乍姬尚母旅獻(甗)其永用
	1656	尌仲甗	尌中乍獻(甗)
	1660	曾子仲訁旅甗	佳曾子中訁用其吉金
	1668	中甗	王令中先省南或貫行
	1668	中甗	中省自方
	1668	中甗	白買父以自氒人戍漢中州
	1750	中毁	[中]
	2032	椭仲乍旅毁	椭中乍旅
	2064	仲乍寶毁	中乍寶毁
	2179	仲□父乍寶毁	中□父乍寶毁
	2180	弔弔仲子日乙毁	[弔弔]中子日乙
	2204	仲自父乍旅毁	中自父乍旅毁
	2205	仲叜父乍寶毁	中叜父乍寶毁
	2211	城虢仲乍旅毁	城虢中乍旅毁
	2233	橿仲乍寶毁	橿中乍寶尊彝
	2264	婡仲乍乙白毁	婡中乍乙白寶毁
	2266	自乍隁仲寶毁	自乍隁中寶尊彝
	2269	仲義昌乍食䵼	中義昌自乍食䵼
	2341	仲乍寶毁	中乍寶尊彝其萬年永用
	2348	仲爯毁	中爯乍又寶彝用鄉王逆逬
	2351	仲自父乍好旅毁一	中自父乍好旅毁其用萬年
	2352	仲自父乍好旅毁二	中自父乍好旅毁其用萬年
	2354	仲网父毁一	中网父乍毁其萬年永寶用
	2355	仲网父毁二	中网父乍毁
	2356	仲网父毁三	中网父乍毁其萬年永寶用
	2365	中白毁	中白乍亲姬䜌彝
	2379	中友父毁一	中友父乍寶毁
	2380	中友父毁二	中友父乍寶毁
	2396	仲競毁	中競乍寶毁
	2412	賸虎乍氒皇考毁一	賸(賸)虎敢肇乍氒皇考公命中寶尊彝
	2413	賸虎乍氒皇考毁二	賸(賸賸)虎敢肇乍氒皇考公命中寶尊彝
	2414	賸虎乍氒皇考毁三	賸(賸)虎敢肇乍氒皇考公命中寶尊彝
	2425	兮仲寶毁一	兮中乍寶毁
	2426	兮仲寶毁二	兮中乍寶毁
	2427	兮仲寶毁三	兮中乍寶毁
	2428	兮仲寶毁四	兮中乍寶毁

2429	兮仲寶設五	兮中乍寶設
2485	隩仲孝設	隩中孝乍父日乙尊設
2487	白𣪘乍文考幽仲設	白𣪘(祈)父乍文考幽中尊設
2509	旅仲設	旅中乍pv寶設
2524	仲幾父設	中幾(僟)父、史幾史于諸侯諸監
2527	東仲㝛父設	東中㝛父乍𩰫設
2532	魯白大父乍仲姬俞設	魯白大父乍中姬俞媵設
2535	仲殷父設一	中殷父鑄設
2536	仲殷父設二	中殷父鑄設
2537	仲殷父設三	中殷父鑄設
2537	仲殷父設四	中殷父鑄設
2538	仲殷父設五	中殷父鑄設
2539	仲殷父設六	中殷父鑄設
2540	仲殷父設六	中殷父鑄設
2541	仲殷父設七	中殷父鑄設
2541.	仲設父設七	中設父鑄設
2541.	仲設父設八	中設父鑄設
2548	仲惠父𩰫設一	隹王正月 中叀父乍𩰫設
2549	仲惠父𩰫設二	隹王正月中叀父乍𩰫設
2559	白中父設	白中父夙夜吏走考
2568	_𢓊乍父辛設	隹八月甲申、公中才宗周
2572	毛白嘰父設	毛白嘰父乍中姚寶設
2578	兮吉父乍仲姜設	兮吉父乍中姜寶尊設
2595	奠虢仲設一	奠虢中乍寶設
2596	奠虢仲設二	奠虢中乍寶設
2597	奠虢仲設三	奠虢中乍寶設
2598	𤔲乍宮仲念器	用乍宮中念器
2646	仲辛父設	中辛父乍朕皇且日丁
2648	仲㪟父設一	中㪟父乍朕皇考遟白
2649	仲㪟父設二	中㪟父乍朕皇考遟白
2650	仲㪟父設三	中㪟父乍朕皇考遟白
2656	師害設一	麋生智父師害uL中㫚
2657	師害設二	麋生智父師害uL中㫚
2667	尌仲設	尌中乍朕皇考趞中𩰫彝尊設
2674	𢦏姒設	眔中氏萬年
2681	𩰫侯設	婦乍皇妣qJ君中改祭器八設
2685	仲枏父設一	師湯父有𤔲中枏父乍寶設
2686	仲枏父設二	師湯父有𤔲中枏父乍寶設
2688	大設	用乍朕皇考大中尊設
2691	善夫梁其設一	善夫汈其乍朕皇考惠中
2692	善找梁其設二	善夫汈其乍朕皇考惠中
2696	孟設一	孟曰：朕文考眔毛公遣中征無需
2697	孟設二	孟曰：朕文考眔毛公遣中征無需
2698	陳𧵍設	𧵍曰：余陳中裔孫
2699	公臣設一	虢中令公臣𤔲朕百工
2700	公臣設二	虢中令公臣𤔲朕百工
2701	公臣設三	虢中令公臣𤔲朕百工
2702	公臣設四	虢中令公臣𤔲朕百工
2707	小臣守設一	用乍鑄引中寶設
2708	小臣守設二	用乍鑄引中寶設

中

	2709	小臣守𣪘三	用乍鑄引中寶𣪘
	2712	虢姜𣪘	用禪追孝于皇考叀中
	2725.	縈星𣪘	縈星父乍匋中姞寶𣪘
中	2732	曾仲大父蛕𣪘	曾中大父蛕迺用吉攸𣪘鋚金
	2733	何𣪘	王乎虢中入右何
	2737	段𣪘	念畢中孫子
	2765	救𣪘	井白內、右救立中廷北鄉
	2766	三兒𣪘	𡿺子□□塱中□□□母气
	2767	虘𣪘一	王乎師晨召大師虘入門、立中廷
	2768	楚𣪘	中倗父内
	2768	楚𣪘	又楚立中廷
	2769	師稭𣪘	榮白內、右師稭即立中廷
	2770	𢧁𣪘	穆公入、右𢧁立中廷北鄉
	2771	弭弔師求𣪘一	即立中廷
	2772	弭弔師求𣪘二	即立中廷
	2775	裘衛𣪘	南白入、右裘衛入門、立中廷、北鄉
	2784	申𣪘	益公内右申中廷
	2785	王臣𣪘	益公入、右王臣即立中廷北鄉
	2785	王臣𣪘	用乍朕文考易中尊𣪘
	2787	望𣪘	立中廷、北鄉
	2789	同𣪘一	榮白右同立中廷、北鄉
	2789	同𣪘一	用乍朕文丂叀中尊寶𣪘
	2790	同𣪘二	榮白右同立中廷、北鄉
	2790	同𣪘二	用乍朕文丂叀中尊寶𣪘
	2792	師俞𣪘	𤔲馬共右師俞入門立中廷
	2793	元年師旋𣪘一	遟公入、右師旋即立中廷
	2793	元年師旋𣪘一	用乍朕文且益中尊𣪘
	2794	元年師旋𣪘二	遟公入、右師旋即立中廷
	2794	元年師旋𣪘二	用乍朕文且益中尊𣪘
	2795	元年師旋𣪘三	遟公入、右師旋即立中廷
	2795	元年師旋𣪘三	用乍朕文且益中尊𣪘
	2796	諫𣪘	𤔲馬共又右諫入門立中廷
	2796	諫𣪘	𤔲馬共又右諫入門立中廷
	2798	師瘨𣪘一	𤔲馬井白親右師瘨入門立中廷
	2799	師瘨𣪘二	𤔲馬井白親右師瘨入門立中廷
	2800	伊𣪘	𨱑(緟)季內、右伊立中廷北鄉
	2803	師酉𣪘一	右師酉立中廷
	2803	師酉𣪘一	新易女赤市朱黃中絅、攸勒
	2804	師酉𣪘二	右師酉立中廷
	2804	師酉𣪘二	新易女赤市朱黃中絅、攸勒
	2804	師酉𣪘二	右師酉立中廷
	2804	師酉𣪘二	新易女赤市朱黃中絅、攸勒
	2805	師酉𣪘三	右師酉立中廷
	2805	師酉𣪘三	新易女赤市朱黃中絅、攸勒
	2806	師酉𣪘四	右師酉立中廷
	2806	師酉𣪘四	新易女赤市朱黃中絅、攸勒
	2806.	師酉𣪘五	右師酉立中廷
	2806.	師酉𣪘五	新易女赤市朱黃中絅、攸勒
	2807	𨟭𣪘一	立中廷
	2808	𨟭𣪘二	立中廷

2809	鄬𣪘三	立中廷
2815	師𩛥𣪘	用乍朕文考乙中𩛥𣪘
2817	師𩒨𣪘	立中廷北鄉
2818	此𣪘一	司土毛弔右此入門、立中廷
2819	此𣪘二	司土毛弔右此入門、立中廷
2820	此𣪘三	司土毛弔右此入門、立中廷
2821	此𣪘四	司土毛弔右此入門、立中廷
2822	此𣪘五	司土毛弔右此入門、立中廷
2823	此𣪘六	司土毛弔右此入門、立中廷
2824	此𣪘七	司土毛弔右此入門、立中廷
2825	此𣪘八	司土毛弔右此入門、立中廷
2829	師虎𣪘	井白內、右師虎即立中廷北鄉
2830	三年師兌𣪘	𩜁白右師兌入門、立中廷
2831	元年師兌𣪘一	同中右師兌入門、立中廷
2832	元年師兌𣪘二	同中右師兌入門、立中廷
2841	𦬁白𣪘	己未、王命中到歸𦬁白or裘
2842	卯𣪘	榮季入右卯立中廷
2844	頌𣪘一	宰引右頌入門立中廷
2845	頌𣪘二	宰引右頌入門立中廷
2845	頌𣪘二	宰引右頌入門立中廷
2846	頌𣪘三	宰引右頌入門立中廷
2847	頌𣪘四	宰引右頌入門立中廷
2848	頌𣪘五	宰引右頌入門立中廷
2849	頌𣪘六	宰引右頌入門立中廷
2850	頌𣪘七	宰引右頌入門立中廷
2851	頌𣪘八	宰引右頌入門立中廷
2854	𥞤𣪘	宰𦔻入、右𥞤立中廷
2857	牧𣪘	公族組入右牧立中廷
2857	牧𣪘	不井不中
2857	牧𣪘	母敢不明不中不井
2857	牧𣪘	丂不中不井
2871	仲其父乍旅𠤱一	中其父乍旅𠤱
2872	仲其父乍旅𠤱二	中其父乍旅𠤱
2877	函交仲旅𠤳	函交中乍旅𠤳、寶用
2920	辥子仲安旅𠤳	辥子中安乍旅𠤳
2936	走馬辥仲赤𠤳	走馬辥中赤自乍其𠤳
2937	仲義昮乍𩙭妃𣪘一	中義昮乍𩙭妃𣪘
2938	仲義昮乍𩙭妃𣪘二	中義昮乍𩙭妃𣪘
2945	□仲虎𠤳	隹□中虎𢍜其吉金
2947	季宮父乍媵𠤳	季宮父乍中姊媎姬媵（ 侯 ）𠤳
2958	陳公子𠤳	陳公子中慶自乍匡𠤳
2961	陳侯乍媵𠤳一	陳侯乍王中媯𡢁媵𠤳
2962	陳侯乍媵𠤳二	陳侯乍王中媯𡢁媵𠤳
2963	陳侯𠤳	陳侯乍王中媯𡢁媵𠤳
2972	弔家父乍仲姬𠤳	弔家父乍中姬匡
2973	楚屈子𠤳	楚屈子赤角賸中嬭𠤳
2983	弭仲寶𠤳	弭中乍寶𠤳
2983	弭仲寶𠤳	弭中受無疆福
2983	弭仲寶𠤳	弭中畀壽
2993	中白乍𡢁姬旅盨一	中白乍𡢁姬旅盨用

中

2994	中白乍嫡姬旅盨二	中白乍嫡姬旅盨用
3012	仲義父旅盨一	中義父乍旅盨
3013	仲義父旅盨二	中義父乍旅盨
3015	仲彤盨一	中彡(彤)乍旅盨
3016	仲彤盨二	中彡(彤)乍旅盨
3024	仲大師旅盨	中大師子為其旅永寶用
3027	仲鑠旅盨	中鑠囗作鑄旅盨(顉)
3050	甹弔乍旅盨	甹弔乍中姬旅盨
3050	甹弔乍旅盨	甹弔其萬年永及中姬寶用
3054	賸侯穌乍旅毁	賸侯穌乍氒文考賸中旅毁
3055	虢仲旅盨	虢中以王南征
3057	仲自父鍨(盨)	中自父乍季恭囗寶尊盨
3085	駒父旅盨(蓋)	南中邦父命駒父即南者侯逹高父見南淮夷
3115	曾仲斿父甫	曾中斿父自乍寶簠
3115.	曾仲斿父甫二	曾中斿父自乍寶甫(莆)
3124	昶仲無龍匕	昹中無龍公
3127	仲枏父匕	中枏父乍匕永寶用
3314	中爵	[中]
3716	大中爵	[大中]
3778	中父乙爵	[中]父乙
3903	中父辛爵	[中]父辛
3977.	丁大中爵	丁[大中]
4017	仲乍公爵	中乍公
4172	毁中乍且辛爵	毁中乍且辛彝
4200	呂仲僕乍毓子爵	呂中僕乍毓子寶尊彝或
4344	嘉仲父斝	嘉中父斝其吉金
4416	戉中乍父丁盉	中乍彝父丁[戉]
4416	戉中乍父丁盉	中乍父丁彝
4419	仲自父乍旅盉	中自父乍旅盉
4422	亞㝬乍仲子辛盉	[亞㝬]乍中子辛彝
4443	王仲皇父盉	王中皇父乍ou娟般盉
4756	仲䜌尊	中䜌乍寶尊
4835	鄦仲尊	鄦中＿乍氒文考寶尊彝、日辛
4884	臤尊	臤蔑曆、中競父易金
4888	盠駒尊一	余用乍朕文考大中寶尊彝
4890	盠方尊	立于中廷北鄉
4891	何尊	余其宅茲中或
4925	臤仲子引觥	中子𥎦引乍文父丁尊彝[鑊]
4960	仲追父乍宗彝	中追父乍宗彝
4978	吳方彝	立中廷北鄉
4979	盠方彝一	立于中廷北鄉
4980	盠方彝二	立于中廷北鄉
5140	䢅中中父丁卣	[䢅中中]父丁
5301	仲卣(蓋)	中乍寶尊彝
5338	仲䜌卣	中䜌乍寶尊彝
5354	仲自父乍旅彝卣	中自父乍旅彝
5423	亞＿中＿乍父丁卣	va乍父丁尊彝[亞bt中]
5429	仲乍好旅卣一	中乍好旅彝
5430	仲乍好旅卣二	中乍好旅彝
5451	鄦仲奔乍文考日辛卣	鄦中奔乍氒文考寶尊彝、日辛

5483	周乎卣	用亯于文考庚中
5483	周乎卣	用亯于文考庚中
5511	效卣一	中金
5565	乍父乙罍	乍父乙寶中尊罍(罍)[ba]
5678	觴仲多醴壺	觴中多乍醴壺
5718	曾仲斿父壺	曾中斿父用吉金
5718	曾仲斿父壺	曾中斿父用吉金
5733	曩中乍倗生歙壺	曩中乍倗生歙壺
5744	仲南父壺一	中南父乍尊壺
5745	仲南父壺二	中南父乍尊壺
5749	矩弔乍仲姜壺一	矩弔乍中姜寶尊壺
5750	矩弔乍仲姜壺二	矩弔乍中姜寶尊壺
5756	中白乍朕壺一	中白乍亲姬䜌人賸壺
5757	中白乍朕壺二	中白乍亲姬䜌人賸壺
5780	公孫窹壺	公子土斧乍子中姜Lw之盤壺
5793	幾父壺一	同中宄西宮易幾父Cw桒六
5794	幾父壺二	同中宄西宮易幾父Cw桒六
5795	白克壺	用乍朕穆考後中尊壺
5799	頌壺一	宰引右頌入門立中廷
5800	頌壺二	宰引右頌入門立中廷
5805	中山王譽方壺	中山王譽命相邦賈擇郾吉金
5805	中山王譽方壺	使其老筞(策)賞中父
5805	中山王譽方壺	乍斂中則庶民附(附)
5812	仲義父𦉜一	中義父乍旅𦉜
5813	仲義父𦉜二	中義父乍旅𦉜
6045	𤰔中觚	[𤰔中]
6064	中得觚一	[中得]
6065	中得觚二	[中得]
6222	且己觚	[大中]且己
6398	作仲觶	乍中
6526	征中且觶	[征且中]
6617	中亞址乍匕己觶	乍匕己彝[中亞址]
6624	亞__遽仲乍父丁觶	遽中乍父丁寶[亞bv]
6633	斵乍文考觶	王工从斵各中
6633	斵乍文考觶	中易斵v3
6633	斵乍文考觶	斵揚中休
6635	中觶	王易中馬自__侯四__、南宮兄
6635	中觶	中埶王休
6701	宗仲乍尹姞盤	宗中乍尹姞般(盤)
6716	京隮仲__盤	[京]隮中wb乍父辛寶尊彝
6718	魯白厚父乍仲姬俞盤二	魯白厚父乍中姬俞賸盤
6721	曾中盤	曾中自乍旅盤
6730	仲礼盤	中u2臣tlu710目金
6730	仲礼盤	用乍中寶器
6739	中友父盤	中友父乍般(盤)
6749	弔高父盤	弔高父乍中妃般
6753	仲𣪊父盤	中𣪊父乍rG姬尊般(盤)
6753	仲𣪊父盤	用揚諸中氏壺
6757	干氏弔子盤	干氏弔子乍中姬客母賸般
6760	中子化盤	中子化用保楚王

中

6764	般仲__盤	隹般中__乍其盤
6775	__仲乍父丁盤	弔皇父易中貝
6775	__仲乍父丁盤	中揚弔休
6777	邛仲之孫白戔盤	邛中之孫白戔自乍顧盤
6780	黃大子白克盤	黃大子白□乍中19□賸盤
6787	走馬休盤	立中廷北卿
6789	袁盤	立中廷北鄉
6793	矢人盤	史正中農
6804	乍中姬匜	□□乍中姬□它
6810	宗仲乍尹姞匜	宗中乍尹姞匜
6829	黃仲匜	黃中自乍賸它
6844	中友父匜	中友父乍匜
6850	弔高父匜一	弔高父乍中妣它
6851	弔高父匜二	弔高父乍中妣它
6856	番仲榮匜	唯番中up自乍寶它
6872	魯大嗣徒子仲白匜	魯大嗣徒子中白其庶女厲孟姬賸它
6907	齊侯乍朕子仲姜盂	齊侯乍朕子中姜寶盂
6910	師永盂	井白、榮白、尹氏、師俗父遣中
6921	鄧子仲盆	鄧子中羼其吉金
6924	江仲之孫白戔餯盞	邛中之孫白戔自乍餯盞
6924	江仲之孫白戔餯盞	邛中之孫白戔自乍餯盞
6927	中鐃一	[中]
6928	中鐃二	[中]
6929	中鐃三	[中]
6930	中鐃四	[中]
6981	中義鐘一	中義乍龢鐘
6982	中義鐘二	中義乍龢鐘
6983	中義鐘三	中義乍龢鐘
6984	中義鐘四	中義乍龢鐘
6985	中義鐘五	中義乍龢鐘
6986	中義鐘六	中義乍龢鐘
6987	中義鐘七	中義乍龢鐘
6988	中義鐘八	中義乍龢鐘
7009	兮仲鐘一	兮中乍大醬鐘
7010	兮仲鐘二	兮中乍大醬鐘
7011	兮仲鐘三	兮中乍大醬鐘
7012	兮仲鐘四	兮中乍大醬鐘
7013	兮仲鐘五	兮中乍大醬鐘
7014	兮仲鐘六	兮中乍大醬鐘
7015	兮仲鐘七	兮中乍大醬鐘
7016	楚王鐘	楚王賸邛中嬭南龢鐘
7028	臧孫鐘	攻敔中冬戚之外孫
7029	臧孫鐘二	攻敔中冬戚之外孫
7030	臧孫鐘三	攻敔中冬戚之外孫
7031	臧孫鐘四	攻敔中冬戚之外孫
7032	臧孫鐘五	攻敔中冬戚之外孫
7033	臧孫鐘六	攻敔中冬戚之外孫
7034	臧孫鐘七	攻敔中冬戚之外孫
7035	臧孫鐘八	攻敔中冬戚之外孫
7036	臧孫鐘九	攻敔中冬戚之外孫

7062	柞鐘	中大師右柞
7062	柞鐘	柞拜手對揚中大師休
7063	柞鐘二	中大師右柞
7063	柞鐘二	柞拜手對揚中大師休
7064	柞鐘三	中大師右柞
7064	柞鐘三	柞拜手對揚中大師休
7065	柞鐘四	中大師右柞
7065	柞鐘四	柞拜手對揚中大師休
7066	柞鐘五	中大師右柞
7067	柞鐘六	柞拜手對揚中大師休
7108	簷弔之仲子平編鐘一	筥弔之中子平自乍鑄游鐘
7108	簷弔之仲子平編鐘一	中平善弘嫛考鑄其游鐘
7109	簷弔之仲子平編鐘二	筥弔之中子平自乍鑄游鐘
7109	簷弔之仲子平編鐘二	中平善弘嫛考鑄其游鐘
7110	簷弔之仲子平編鐘三	筥弔之中子平自乍鑄游鐘
7110	簷弔之仲子平編鐘三	中平善弘嫛考鑄其游鐘
7111	簷弔之仲子平編鐘四	筥弔之中子平自乍鑄游鐘
7111	簷弔之仲子平編鐘四	中平善弘嫛考鑄其游鐘
7116	南宮乎鐘	亞且宮中
7116	南宮乎鐘	亞且公中
7121	郐王子旃鐘	中翰叡易
7124	沇兒鐘	中𣪕(翰)叡揚
7125	蔡侯䌛紐鐘一	征中昏德
7126	蔡侯䌛紐鐘二	征中昏德
7132	蔡侯䌛紐鐘八	征中昏德
7133	蔡侯䌛紐鐘九	征中昏德
7134	蔡侯䌛甬鐘	征中昏德
7175	王孫遺者鐘	中𣪕(翰)叡易
7183	叔夷編鐘二	慎中卒罰
7184	叔夷編鐘三	中尃盟刑
7205	蔡侯䌛編鎛一	征中昏德
7206	蔡侯䌛編鎛二	征中昏德
7207	蔡侯䌛編鎛三	征中昏德
7208	蔡侯䌛編鎛四	征中昏德
7213	黏鎛	躋中之子黏乍子中姜寶鎛
7213	黏鎛	皇丂躋中、皇母
7214	叔夷鎛	慎中卒罰
7214	叔夷鎛	中尃盟刑
7329	中都戈	中都
7575	且日乙戈	中父日癸
7655	中央勇矛	中央勇生安空五年之後日毌
7655	中央勇矛	中央勇□生安空三年之後日毌
7827	中富戈	中富
7871	子禾子釜一	中刑__1t
7883	三侯權	三侯朕__中余吉
7899	鄂君啟車節	台毀於五十乘之中
7928	仲乍旅鑵	中乍旅鑵
7940	中信帶鉤	中信
7975	中山王墓兆域圖	丌葬棺(棺)中棺眂㤎后
7975	中山王墓兆域圖	葬棺中棺眂㤎后

7975	中山王墓兆域圖	從內宮目至中宮卅步
7975	中山王墓兆域圖	從內宮至中宮廿五步
7975	中山王墓兆域圖	從內宮至中宮廿五步
7975	中山王墓兆域圖	從內宮目至中宮卅步
7975	中山王墓兆域圖	從內宮至中宮卅六步
7975	中山王墓兆域圖	從內宮目至中宮卅六步
7975	中山王墓兆域圖	閔、中宮垣
7975	中山王墓兆域圖	中宮垣
7975	中山王墓兆域圖	中宮垣
7975	中山王墓兆域圖	中宮垣
7975	中山王墓兆域圖	中宮垣
7975	中山王墓兆域圖	中宮垣
7975	中山王墓兆域圖	中宮垣
M341	魯中齊鼎	魯中齊肇乍皇考𪔁鼎
M342	魯中齊甗	魯中齊乍旅甗
M343	魯司徒中齊盨	魯司徒中齊肇乍皇考白走公餘盨毁
M344	魯司徒中齊盤	魯司徒中齊肇乍般
M345	魯司徒中齊匜	魯司徒中齊肇乍皇考白走父寶匜
M423.	趞鼎	宰訊趞入門立中廷北向
M457	鄭虢仲念鼎	鄭虢中念肇用乍皇且文考寶鼎
M581	陳公子中慶簠蓋	陳公子中慶自乍匡固
M612	鄦子鐘	中韓瞉煬
M622	番仲戈	番中乍之造戈、白皇
M697	曾粜敵戈	曾中之孫粜敵用戈
M710	曾侯乙編鐘下二・三	曾侯乙乍時，中鎛、宮曾，
M710	曾侯乙編鐘下二・三	割肄之中鎛
M883	中山侯鉞	中山侯＿乍丝軍釛

小計：共　525 筆

串　0058

0421	串父辛鼎	[串]父辛
0434	串父癸鼎	[串]癸父
1887	串父辛毁一	[串]父辛
1888	串父辛毁二	[串]父辛
3313	串爵	[串]
3764	串父甲爵	[串]父甲
4252	串斝	[串]
5216	串鳥父丁卣(蓋)	[串鳥]父丁

小計：共　8 筆

屮　0059

2165	乍父戊旅毁	乍父戊旅彝[屮]
4401	屮乍從彝盉一	屮乍從彝
4402	屮乍從彝盉二	屮乍從彝

小計：共　3 筆

屯

0060

1018	𩣡屯乍父己鼎一	屯蔑曆于□oy(衛?)
1019	__屯乍父己鼎二	屯蔑曆于□oy(衛?)
1276	__季鼎	王易赤θ市、玄衣黹屯、鑾旂
1283	微䜌鼎	屯右𩰫壽、永令霝冬
1291	善夫克鼎一	用匄康龢屯右
1292	善夫克鼎二	用匄康龢屯右
1293	善夫克鼎三	用匄康龢屯右
1294	善夫克鼎四	用匄康龢屯右
1295	善夫克鼎五	用匄康龢屯右
1296	善夫克鼎六	用匄康龢屯右
1297	善夫克鼎七	用匄康龢屯右
1305	師奎父鼎	易載市冋黃、玄衣黹屯、戈琱㦰、旂
1306	無叀鼎	易女玄衣黹屯、戈琱㦰𢦏彤沙、攸勒䜌旂
1307	師望鼎	得屯亡敃
1309	寰鼎	易寰玄衣、黹屯、赤市、朱黃、鑾旂、攸勒、
1312	此鼎一	易女玄衣黹屯、赤市朱黃、鑾旂
1313	此鼎二	易女玄衣黹屯、赤市、朱黃、鑾旅
1314	此鼎三	易女玄衣黹屯、赤市、朱黃、鑾旅
1315	善鼎	秉德共屯
1317	善夫山鼎	易女玄衣黹屯、赤市朱黃、鑾旂
1319	頌鼎一	易女玄衣黹屯、赤市朱黃、鑾旂攸勒、用事
1319	頌鼎一	旂丐康𧹞屯右、通彔永令
1320	頌鼎二	易女玄衣黹屯、赤市朱黃、鑾旂攸勒、用事
1320	頌鼎二	旂丐康𧹞屯右、通彔永令
1321	頌鼎三	易女玄衣黹屯、赤市朱黃、鑾旂攸勒、用事
1321	頌鼎三	旂丐康𧹞屯右、通彔永令
1323	師訊鼎	用乃孔德𤔲屯
1323	師訊鼎	易女玄袞䖒屯、赤市朱黃、鑾旂、大師金雁
1327	克鼎	得屯亡敃
2592	鄧公𣪘	不故屯夫人始乍鄧公
2658	白𢦏𣪘	秉德恭屯
2689	白康𣪘一	無彊屯右
2690	白康𣪘二	無彊屯右
2712	虢姜𣪘	㫃匄康𧹞屯右
2725.	𣪘星𣪘	用㫃康匄屯右通彔魯令
2765	㲋𣪘	易㲋玄衣、黹屯、旂
2769	師𣪘𣪘	易女玄衣黹屯、叔市
2773	即𣪘	玄衣、黹屯、鑾旅(旂)
2775.	害𣪘一	黹屯
2775.	害𣪘二	幺衣黹屯、旂、攸革
2785	王臣𣪘	玄衣黹屯
2797	輔師𠭰𣪘	易女玄衣黹屯
2818	此𣪘一	易女玄衣黹屯
2819	此𣪘二	易女玄衣黹屯
2820	此𣪘三	易女玄衣黹屯
2821	此𣪘四	易女玄衣黹屯
2822	此𣪘五	易女玄衣黹屯
2823	此𣪘六	易女玄衣黹屯

	2824	此毁七	易女玄衣黹屯
	2825	此毁八	易女玄衣黹屯
	2833	秦公毁	目受屯魯多釐
屯	2835	訇毁	易女玄衣黹屯、載市冋黃
	2841	茀白毁	用旛屯彔永命魯壽子孫
	2844	頌毁一	易女玄衣黹屯
	2844	頌毁一	用追孝旛匃康𩁹屯右
	2845	頌毁二	易女玄衣黹屯
	2845	頌毁二	用追孝旛匃康𩁹屯右
	2845	頌毁二	易女玄衣黹屯
	2845	頌毁二	用追孝旛匃康𩁹屯右
	2846	頌毁三	易女玄衣黹屯
	2846	頌毁三	用追孝旛匃康𩁹屯右
	2847	頌毁四	易女玄衣黹屯
	2847	頌毁四	用追孝旛匃康𩁹屯右
	2848	頌毁五	易女玄衣黹屯
	2848	頌毁五	用追孝旛匃康𩁹屯右
	2849	頌毁六	易女玄衣黹屯
	2849	頌毁六	用追孝旛匃康𩁹屯右
	2850	頌毁七	易女玄衣黹屯
	2850	頌毁七	用追孝旛匃康𩁹屯右
	2851	頌毁八	易女玄衣黹屯
	2851	頌毁八	用追孝旛匃康𩁹屯右
	2852	不嬰毁一	永屯霝冬
	2853	不嬰毁二	永屯霝終
	2855	班毁一	眈天畏、否畀屯陟
	2855.	班毁二	否畀屯陟
	2856	師訇毁	鄉女彶屯卹周邦
	3063	𨕖乍姜淉盨	用旛釁壽屯魯
	3063	𨕖乍姜淉盨	用旛釁壽屯魯
	4791	屯乍兄辛尊	屯乍兄辛寶尊彝[䮾]
	5412	䮾屯乍兄辛卣	屯乍兄辛寶尊彝[䮾]
	5789	命瓜君厚子壺一	康受屯德
	5790	命瓜君厚子壺二	受屯德
	5799	頌壺一	易女玄衣黹屯、赤市朱黃
	5799	頌壺一	旛匃康𩁹屯右
	5800	頌壺二	易女玄衣黹屯、赤市朱黃
	5800	頌壺二	旛匃康𩁹屯右
	6786	_弔多父盤	用易屯祿、受害福
	6787	走馬休盤	王乎乍冊尹冊易休玄衣黹屯
	6789	寰盤	王乎史qr冊易寰玄衣黹屯
	6792	史墻盤	得屯無諫
	7008	通彔鐘	康虔屯右
	7043	克鐘四	用匃屯叚永令
	7044	克鐘五	用匃屯叚永令
	7047	井人鐘	得屯用魯
	7048	井人鐘二	得屯用魯
	7059	師臾鐘	用旛屯魯永令
	7060	昊生鐘一	用旛康𩁹屯魯、用受
	7088	士父鐘一	隹康右屯魯

7089	士父鐘二	隹康右屯魯
7090	士父鐘三	隹康右屯魯
7091	士父鐘四	隹康右屯魯
7122	梁其鐘一	得屯亡敃
7123	梁其鐘二	得屯亡敃
7150	虢叔旅鐘一	得屯亡敃
7151	虢叔旅鐘二	得屯亡敃
7152	虢叔旅鐘三	得屯亡敃
7153	虢叔旅鐘四	得屯亡敃
7154	虢叔旅鐘五	得屯亡敃
7158	瘐鐘一	受余屯魯通祿永令
7159	瘐鐘二	綽綰猶(祓)祿屯魯
7160	瘐鐘三	受余屯魯通祿永令
7161	瘐鐘四	受余屯魯通祿永令
7162	瘐鐘五	受余屯魯通祿永令
7174	秦公鐘	屯魯多釐
7178	秦公及王姬編鐘二	屯魯多釐
7184	叔夷編鐘三	余用登屯厚乃命
7187	叔夷編鐘六	其萬福屯魯
7204	克鎛	用匄屯叚永令
7209	秦公及王姬鎛	屯魯多釐
7210	秦公及王姬鎛二	屯魯多釐
7211	秦公及王姬鎛三	屯魯多釐
7212	秦公鎛	以受屯魯多釐
7214	叔夷鎛	余用登屯厚乃命
7214	叔夷鎛	其萬福屯魯
7526	卅四年屯丘令戈	卅四年屯丘命爽左工市㝅冶□
7899	鄂君啟車節	屯十台堂一車
7899	鄂君啟車節	女擔徒、屯廿
7900	鄂君啟舟節	屯三舟為一舿、五十舿
M423.	趞鼎	王乎內史19冊易趞玄衣黹屯

小計：共　129 筆

屯
每

0061

0977	□子每刄乍寶鼎	□子每刄乍寶鼎
1054	杞白每亡鼎一	杞白每亡乍鼄婕(曹)寶貞(鼎)
1055	杞白每亡鼎二	杞白每亡乍鼄婕(曹)寶貞(鼎)
1142	杞白每亡鼎	杞白每亡乍鼄曹寶鼎
1318	晉姜鼎	每揚氒光剌
1330	曶鼎	昌(曶)迺每于䁣□
2061	女每乍設	女每乍設
2488	杞白每亡設一	杞白每亡乍鼄婕(曹)寶設
2489	杞白每亡設二	杞白每亡乍鼄婕(曹)寶設
2490	杞白每亡設三	杞白每亡乍鼄婕(曹)寶設
2491	杞白每亡設四	杞白每亡乍鼄婕(曹)寶設
2492	杞白每亡設五	杞白每亡乍鼄婕(曹)寶設
2705	君夫設	君夫敢每揚王休
2777	天亡設	每揚王休于尊設

每熏莊荅穌嫪莒

	2786	縣妃毁	縣改每揚白屖父休
	3985	覣每爵	[覣每]
	4878	召尊	白懋父易召白馬每黃猶(髮)微
	4891	何尊	順我不每(敏)
	5496	召卣	每黃髮敚
	5765	杞白每亡壺二	杞白每亡乍鼄嫊(曹)寶壺
	5803	𠙵嗣好蜜壺	昔者先王𢆶愛百每
	6831	杞白每亡匜	杞白每亡口寶它
	6926	杞白每亡盨	杞白每亡乍鼄嫊(曹)寶盨
			小計：共 22 筆
熏	0062		
	1332	毛公鼎	金車桼較、朱鬛鞃(𩊚)靳、虎冟熏裏、右厄
	2830	三年師兌毁	虎冟熏裏
	2840	番生毁	朱鬛𩊚靳、虎冟熏裏、遺衡右戹
	2857	牧毁	朱虢、鞃靳、虎冟、熏裏
	3088	師克旅盨一(蓋)	虎冟、熏裏、畫轉、畫輯、金甬、朱旂
	3089	師克旅盨二	虎冟、熏裏、畫轉、畫輯、金甬、朱旂
	3090	㝨盨(器)	虎冟、熏裏
	4978	吳方彝	虎冟熏裏
			小計：共 8 筆
莊	0063		
	1118	宋莊公之孫趑亥鼎	宋莊公之孫趑亥自乍會鼎
	5653	莊君壺	莊君之壺
	5804	齊侯壺	執車馬獻之于莊公之所
			小計：共 3 筆
荅	0064	0853合字重見	
穌	0065	1165穌字重見	
	1218	寬兒鼎	穌公之孫寬兒羼其吉金
	5729	陳侯乍嬀穌朕壺	陳侯乍嬀穌(蘇)賸壺
			小計：共 2 筆
嫪	0066		
	1513	睽土父乍嫪妃鬲	睽士土父乍嫪改尊鬲
			小計：共 1 筆
莒	0067	0713䈞字膚字重見	

0068

0948	胖侯戚乍父乙鼎	薛侯戚乍父乙鼎彝[史]
1327	克鼎	諫薛王家
1327	克鼎	保薛周邦
1332	毛公鼎	亦唯先正ht薛辟
1332	毛公鼎	命女薛我邦我家內外
2920	胖子仲安旅固	薛子中安乍旅固
2936	走馬胖仲赤固	走馬薛中赤自乍其固
4815	白丫薛乍日癸尊	[白丫]薛乍日癸公寶尊彝
6762	薛侯盤	薛侯乍弔妊襄朕盤
6771	宗婦鄁嫛盤	保薛鄁國
6862	薛侯乍弔妊朕匜	薛侯乍弔妊襄朕匜
7302	薛戈	[薛]
		小計：共　12 筆

0069

5803	㡭嗣好盗壺	茅蒐田獵
		小計：共　1 筆

0070

1327	克鼎	易女叔市參冋、苐悤
2208	苐侯乍彝寶設	苐侯乍登寶設
4406.	苐侯盉	苐侯乍寶盉
		小計：共　3 筆

0071

5803	㡭嗣好盗壺	茅蒐田獵
		小計：共　1 筆

0071+　金文編0094釋芭，今改釋芸

7900	鄂君啟舟節	適po(鄖)，適芸(郇)陽，逾漢
		小計：共　1 筆

0072

2840	番生設	朱旂旃、金芜二鈴
		小計：共　1 筆

薛茅苐蒐芸芜

荊 0073

1325	五祀衛鼎	厲有嗣𪀶季、慶癸、燹囗、荊人敢、井人偈屖
2346	鬲乍𩰫段	nb從王伐荊、孚
2451	過白段	過白從王伐反荊、孚金
2543	𤔲馭段	伐楚荊(荊)
2829	師虎段	嗣ナ右戲緐荊(荊)
2829	師虎段	嗣ナ右戲緐荊(荊)
6792	史墻盤	廣能楚荊

小計：共 7 筆

葉 0074 0951枼字重見

7509	丞相觸戈	_年丞相觸造、咸囗工帀葉工、武

小計：共 1 筆

茲 0075 0643丝字重見

0947	龖茲乍旅鼎	龖茲乍旅鼎孫子永寶
1112	十一年庫嗇夫肖不茲鼎	庫嗇夫肖丕茲賙人夫_所為空二斗
1316	或方鼎	其子子孫孫永寶茲剌
1332	毛公鼎	王曰：父厝、巳曰及茲卿事寮
1332	毛公鼎	易女茲关(併)
3112	挪陵君王子申豆一	攸茲造鉃盍
3113	挪陵君王子申豆二	攸茲造鉃盍
4870	𢍰商尊	茲廿寽商
4874	萬諆尊	萬諆乍茲鑄
4891	何尊	肄玟王受茲大令
4891	何尊	余其宅茲中或
5781	曾姬無卹壺一	osnL茲漾陵
5782	曾姬無卹壺二	osnL茲漾陵
6877	儨乍旅盉	逆亦茲五夫
7527	_久白戈	_久白文妊為茲戈
7654	十二年邦司寇野矛	上庫工帀司馬丘茲冶賢
7870	陳純釜	各茲安陵
M900	梁十九年鼎	躬于茲从

小計：共 18 筆

芮 0076 0861内字重見

0937	内公乍鑄從鼎一	内(芮)公乍鑄從鼎永寶用
2918	内大子白匿	内(芮)大子自乍匿

小計：共 2 筆

莘 0077

7440	郾王職乍王萃戈一	郾王職乍王萃
7441	郾王職乍王萃戈二	郾王職乍王萃
7442	郾王職乍王萃戈三	郾王職乍王萃
7466	郾侯脮殘戈	□侯脮乍萃鍨鉘
7479	郾王職乍__萃鋸一	郾王職乍__萃鋸
7480	郾王職乍__萃鋸二	郾王職乍__御萃鋸
7483	王職乍萃鋸	王職乍□萃鋸
7484	郾侯職乍巾萃句	郾侯職乍巾萃鋸
7497	郾侯脮乍師巾萃鍨鉘	郾侯脮乍師巾萃鍨鉘
7643	郾王詈矛二	郾王詈□□萃矛
M875	郾王職戟一	郾王戠乍御萃鋸
		小計：共 11 筆
0078		
1231	楚王熊忓鼎一	但(剛)工帀吏秦差(佐)苛𦙫為之
6657	但吏勺一	但吏秦苛𦙫為之
6658	但吏勺二	但吏秦苛𦙫為之
		小計：共 3 筆
0079		
5805	中山王譽方壺	嚴敬不敢怠荒
		小計：共 1 筆
0080	當即杀字，與魏三體石經蔡字同形	
0737	蔡子鼎	蔡子__之貞(鼎)
0830	蔡侯𨓚飤鼎	蔡侯𨓚之飤鼎
0831	蔡侯𨓚飤鼎	蔡侯𨓚之飤鼎
0832	蔡侯𨓚飤鼎	蔡侯𨓚之飤貞(鼎)
0970	蔡侯鼎	蔡侯乍旅貞(鼎)
1025	虘鐘五	好賓虘眔蔡姬
1241	蔡大師䐓鼎	蔡大師䐓媵鄦叔姬可母飤緐
1322	九年裘衛鼎	矩取眚車較𡱩、圅虎冟、蔡幃、畫轉
1762	蔡𣪘	[蔡]
2227	蔡侯𨓚之簋𣪘	蔡侯𨓚之簋𣪘
2311	白蔡父𣪘	白蔡父乍母嫦寶𣪘
2727	蔡姞乍尹叔𣪘	蔡姞乍皇兄尹叔尊𩰫彝
2854	蔡𣪘	宰曶入、右蔡立中廷
2854	蔡𣪘	王乎史尤冊令蔡
2854	蔡𣪘	王若曰：蔡
2854	蔡𣪘	毋非先告蔡
2854	蔡𣪘	蔡拜手䭫首
2854	蔡𣪘	蔡其萬年𥎦壽
2867	蔡侯𨓚飤匜	蔡侯𨓚之飤匜
2867.	蔡侯𨓚飤匜二	蔡侯𨓚之飤匜
2867.	蔡侯𨓚飤匜三	蔡𨓚之飤匜
2878.	蔡公子義工飤匜	蔡公子義工之飤匜

萃 苛 荒 蔡

蔡

3085	駒父旅盨(蓋)	四月、還至于蔡、乍旅盨
4821	蔡侯[illegible]乍大孟姬尊	蔡侯[illegible]乍大孟姬賸尊
4846	蔡尊	蔡易貝十朋
4887	蔡侯[illegible]尊	蔡侯[illegible]虔共大命
5688	蔡侯[illegible]人壺一	蔡侯[illegible]之飤壺
5689	蔡侯[illegible]人壺二	蔡侯[illegible]之飤壺
5721	蔡侯壺	蔡侯□□皇□朕□□其萬年無□
5775	蔡公子壺	蔡公子□□乍尊壺
5805	中山王譽方壺	邵蔡皇工
5806	蔡侯[illegible]鈃	蔡侯[illegible]之鈃
5809	弘乍旅鈃	樂大嗣徒子蔡之子引乍旅鈃
5819	蔡侯朱之缶	蔡侯朱之缶
5820	蔡侯[illegible]尊缶	蔡侯[illegible]之尊缶
5821	蔡侯[illegible]尊缶	蔡侯[illegible]之尊缶
5822	蔡侯[illegible]之盥缶	蔡侯[illegible]之盥缶
5823	蔡侯[illegible]乍大孟姬盥缶	蔡侯[illegible]乍大孟姬賸盥缶
6632	白乍蔡姬觶	白乍蔡姬宗彝
6700	蔡侯[illegible]盤	蔡侯[illegible]之尊盤
6788	蔡侯[illegible]盤	蔡侯[illegible]虔共大命
6808	蔡侯[illegible]盥匜	蔡侯[illegible]之盥匜
6812	蔡侯乍姬單匜	蔡侯乍姬單賸匜
6813	蔡子□自乍會匜	蔡子□自乍會尊匜
6883	蔡侯尊鉈(方鑑)	蔡侯[illegible]之匜
7021	虘鐘一	虘眔蔡姬永寶
7022	虘鐘二	虘眔蔡姬永寶
7023	虘鐘三	虘眔蔡姬永寶
7125	蔡侯[illegible]紐鐘一	蔡侯[illegible]曰
7126	蔡侯[illegible]紐鐘二	蔡侯[illegible]曰
7127	蔡侯[illegible]紐鐘三	蔡侯[illegible]之行鐘
7128	蔡侯[illegible]紐鐘四	蔡侯[illegible]之行鐘
7129	蔡侯[illegible]紐鐘五	蔡侯[illegible]
7132	蔡侯[illegible]紐鐘八	蔡侯[illegible]曰
7133	蔡侯[illegible]紐鐘九	蔡侯[illegible]曰
7134	蔡侯[illegible]甬鐘	蔡侯[illegible]曰
7205	蔡侯[illegible]鎛一	蔡侯[illegible]曰
7206	蔡侯[illegible]鎛二	蔡侯[illegible]曰
7207	蔡侯[illegible]鎛三	蔡侯[illegible]曰
7208	蔡侯[illegible]鎛四	蔡侯[illegible]曰
7448	蔡侯[illegible]之行戈	蔡侯[illegible]之行戈
7449	蔡侯[illegible]之用戈	蔡侯[illegible]之用戈
7450	蔡公子果之用戈一	蔡公子果之用
7451	蔡公子果之用戈二	蔡公子果之用戈
7452	蔡公子果之用戈三	蔡公子果之用
7453	蔡公子加戈	蔡公子加之用
7454	蔡加子之用戈	蔡公子加之用
7687	蔡侯產劍一	蔡侯產乍t5t6
7688	蔡侯產劍二	蔡侯產乍t5t6
7689	蔡侯產劍	蔡侯產之用劍
7690	蔡公子永之用劍	蔡公子永之用
7690	蔡公子永之用劍	蔡公子永之用

7874	蔡太史鉚	蔡太史秦乍其鉚
7899	鄂君啟車節	適高丘、適下蔡、適居鄵（鄭巢）、適郢
M596	蔡侯匜	蔡侯𨬊之尊匜
M599	蔡公子義工簠	蔡公子義工之飤匿
M602	蔡胃匜	蔡弔季之孫胃賸孟臣有止媚盥盤
		小計：共 77 筆

0080+

4025	苐父丁爵	[苐]父丁
		小計：共 1 筆

0081

0959	藥鼎	藥乍寶鼎其萬年永寶用
		小計：共 1 筆

0082 0814盍字重見

1231	楚王酓忏鼎一	室鑄鐈鼎（鼎）之盍（蓋）
1232	楚王酓忏鼎二	室鑄鐈鼎（鼎）之盍（蓋）
2833	泰公毁	蓋
		小計：共 3 筆

0083 金文編0083所收若字實當釋叒，0973所收叒字則當釋若

0861	亞受丁旂若癸鼎	[亞受丁旂若癸止乙自乙]
0862	亞受丁旂若癸鼎二	[亞受丁旂若癸止乙自乙]
0927	若媯乍文嫛宗鼎	若媯乍文嫛宗尊▆彝
1194	郐王㷸鼎	世世是若
1225	膺大史申鼎	子孫是若
1327	克鼎	王若曰：克、昔余既令女出內朕令
1328	盂鼎	王若曰：盂不顯玟王
1328	盂鼎	若玟王令二、三正
1328	盂鼎	人鬲千又五十夫極nx𨓚自氒土、王曰：盂、若
1329	小字盂鼎	雩若昱乙酉
1330	曶鼎	□若曰：㫚（曶）、令女更乃且考嗣卜事
1330	曶鼎	㲎則卑復令曰：若
1331	中山王譽鼎	知天若否
1331	中山王譽鼎	及參（三）世亡不若（赦）
1331	中山王譽鼎	詒死辠之有若（赦）
1332	毛公鼎	王若曰、父厝、不顯文武
1332	毛公鼎	虩許（赫戲）上下若否
1332	毛公鼎	告余先王若德
2281	亞受丁旂若癸毁	[亞若癸自乙受丁旂乙]
2783	趞毁	王若曰：趞

若
叒

2810	揚段一	王若曰：揚、乍司工
2811	揚段二	王若曰：揚、乍司工
2815	師訇段	白龢父若曰
2816	彔白𢦚段	王若曰：彔白𢦚
2817	師類段	王若曰：師類
2826	師𩛥段一	王若曰：師𩛥rt
2827	師𩛥段二	王若曰：師𩛥rt_
2829	師虎段	王若曰：虎
2835	訇段	王若曰：訇
2838	師𤔲段一	王若曰：師𤔲
2839	師𤔲段二	王若曰：師𤔲
2841	茾白段	王若曰：茾白
2854	禁段	王若曰：禁
2856	師訇段	王若曰：師訇
2857	牧段	王若曰
3088	師克旅盨一（蓋）	王若曰
3089	師克旅盨二	王若曰
3873	若父己爵	[若]父己
3874	亞若父己爵	[亞若]父己
4789	亞受丁㫃若癸尊一	[亞受旅丁乙止若自癸乙]
4790	亞受丁㫃若癸尊二	[亞受㫃乙止若自癸乙]
4892	麥尊	于若二月
4892	麥尊	于若昱日才璧雝
4964	亞受丁㫃若癸方彝	[亞受丁㫃若癸]
5805	中山王譽方壺	烏虖、允㦸（哉）若言
5808	孟城行鈃	若公孟城乍為行鉼（鈃）
6279	亞受丁若癸觚一	亞受㫃若癸丁乙止自乙
6280	亞受丁若癸觚二	亞受㫃若癸丁乙止自乙
6573	亞若父己觶	[亞若]父己
6795	亞若匜	[亞若]
7060	昊生鐘一	王若曰：斁生
7112	者減鐘一	若召公壽
7112	者減鐘一	若參壽
7113	者減鐘二	若召公壽
7113	者減鐘二	若參壽
7135	逆鐘	弔氏若曰：逆
7186	叔夷編鐘五	𩁹力若虎
7187	叔夷編鐘六	卑若鐘鼓
7193	叔夷編鐘十二	不顯若虎
7194	叔夷編鐘十三	卑若鐘鼓
7214	叔夷鎛	𩁹力若虎
7214	叔夷鎛	卑若鐘鼓
7361	亞若癸亞㚖乙戈	[亞若癸、亞㚖乙]
7975	中山王墓兆域圖	死亡若
7987	受㫃容器	受㫃若丁乙自乙

小計：共　65 筆

叒　0083+　金文編0083若字當釋叒

1325	五祀衛鼎	內史友寺芻
6793	夨人盤	封于芻逹
6793	夨人盤	封于芻道
6793	夨人盤	內陟芻、登亍厂qq
7882	公芻權	公芻料石
		小計：共　5 筆

0084

7975	中山王墓兆域圖	丌葬棺（棺）中棺眂慫后
7975	中山王墓兆域圖	葬棺中棺眂慫后
		小計：共　2 筆

0085

1275	師同鼎	折首執訊
1326	多友鼎	多友右折首執訊
1326	多友鼎	凡目公車折首二百又□又五人
1326	多友鼎	折首卅又六人
1326	多友鼎	多友或又折首執訊
1326	多友鼎	公車折首百又十又五人
1329	小字盂鼎	折嘼于□
1331	中山王䰜鼎	烏虖、折㡭（哉）
1332	毛公鼎	母（毋）折緘
2791.	史密毁	齇不阶（折、哲）
2826	師袁毁一	折首執訊
2826	師袁毁一	折首執訊
2827	師袁毁二	折首執訊
2852	不娶毁一	女多折首執訊
2852	不娶毁一	女多禽、折首執訊
2853	不娶毁二	女多折首執訊
2853	不娶毁二	女多禽、折首執訊
3081	翏生旅盨一	執訊折首
3082	翏生旅盨二	執訊折首
3082	翏生旅盨二	執訊折首
4341	鼺牽折乍父乙斝	折乍父乙寶尊彝［鼺牽］
4875	斦折尊	令乍冊斦（折）兄塱土于樝侯
4928	折觥	令乍冊斦（折）兄望土于樝侯
4976	折方彝	令乍冊斦（折）兄望土于樝侯
5801	洹子孟姜壺一	于大無嗣折于大嗣命用璧
5802	洹子孟姜壺二	于大無嗣折于與大嗣命用璧
6700	虢季子白盤	折首｛五百｝
6791	兮甲盤	兮甲從王折首執訊
		小計：共　28 筆

0086　1663恩字重見

蒙 0087

5805	中山王嚳方壺	氏以身蒙卒(甲)冑
		小計:共 1 筆

芀莽 0088

1260	我方鼎	莽遣福二
1261	我方鼎二	莽遣福二
1298	師旂鼎	才莽
1387	姬莽母鬲	姬莽母乍䵼鬲
2424	白莽寶毀	白莽乍寶毀
2669	__妊小毀	白芀父吏____尹人于齊自
2672	伯芀父毀	白芀父吏____尹人于齊自
6793	矢人盤	小門人繇、原人虞芀、淮𤔲工虎、孝龠
		小計:共 8 筆

荼 0088+

1040	弔荼父鼎	弔荼父乍尊鼎
		小計:共 1 筆

蘇 0089

5578	戈蘇乍且乙罍	蘇乍且己尊彝
		小計:共 1 筆

萬萬 0090

1184	德方鼎	征珷福自萬、咸
5781	曾姬無卹壺一	萬間之無匹
5782	曾姬無卹壺二	萬間之無匹
		小計:共 3 筆

蕃 0091

4887	蔡侯𤔲尊	子孫蕃昌
6788	蔡侯𤔲盤	子孫蕃昌
		小計:共 2 筆

春 0092

0951	壽春鼎	壽春倉見

5825	緣書缶	正月季春元日己丑
7660	十□年相邦春平侯矛	十□年相邦春平侯
7724	二年春平侯劍	二年相邦春平侯
7734	四年春平侯劍	四年□□春升平侯□左庫工帀丘□________
7738	十七年相邦春平侯劍	十七年相邦春平侯
7740	四年春平相邦劍	四年春平相邦都及
M553	越王者旨於賜鐘	隹正月王春吉日丁亥

小計：共 9 筆

0093

7975	中山王墓兆域圖	丌一藏府
7975	中山王墓兆域圖	大藏宮方百乇

小計：共 2 筆

0094 （改釋芸，參0071+芸字條下）

0095

7867.	龍__	□客臧（臧）嘉聞王於莪（歲）之歲

小計：共 1 筆

0096

3128	魚鼎匕	稽（滑）入稽（滑）出

小計：共 1 筆

0097

4673	其乍旅彝尊	其乍旅彝
5359	夆其父卣	夆其父乍寶彝
5805	中山王譽方壺	不祥其人焉
6257	亞父乙光其觚	[亞父乙光其]
6793	矢人盤	以西至于琟其
6925	晉邦盨	其不來王
6925	晉邦盨	諗其不日卑J0
7744	工敔太子劍	其敢御余
7867.	龍__	羅其竇（敖）臧（臧）旡
M553	越王者旨於賜鐘	夙其不貣

小計：共 10 筆

0098

春藏芑莪稽稽其葬

葬
葊
𢍰
龏
冀

0657	巨葬十九鼎	巨葬十九
0658	巨葬十二鼎	巨葬十二
7737	十五年劍	十五年相邦春平侯
0658	巨葬十二鼎	巨葬王
7975	中山王墓兆域圖	丌葬眡悤后

小計：共　4 筆

葊　0099

1139	寓鼎	王才葊京鼎（真）__
1221	井鼎	隹七月、王才葊京
1413	戒乍葊宮鬲	戒乍葊官明尊彝
2626	奢乍父乙毁	公姒（始）易奢貝、才葊京
2655	小臣靜毁	王竊葊京
2734	遹毁	穆王才葊京
2768	楚毁	嗣葊啚官內師舟
2771	弭弔師求毁一	王才葊、各于大室
2772	弭弔師求毁二	王才葊、各于大室
2788	靜毁	王才葊京
2802	六年召白虎毁	王才葊
2842	卯毁	昔乃且亦既令乃父死（司）葊人
4447	臣辰冊冊夕乍冊父癸盉	出竊葊京年
4873	臣辰冊岜冊乍父癸尊	隹王大龠于宗周徃竊葊京年
4892	麥尊	王客葊京酌祀
5487	靜卣	王才葊京
5488	靜卣二	王才葊京
5501	臣辰冊冊夕卣一	徃竊葊京年
5502	臣辰冊冊夕卣二	徃竊葊京年
5785	史懋壺	王才葊京濕宮
6784	三十四祀盤（裸盤）	王才葊京
6877	儥乍旅盉	王才葊上宮
M171	小臣靜卣	王竊葊京

小計：共　23 筆

𢍰　0100

4195	𢍰乍父辛爵	𢍰大乍父辛寶尊彝
5434	亞集𢍰乍文考父丁卣	亞集𢍰乍文考父丁寶尊彝

小計：共　2 筆

龏　0101

2764	㚤毁	龏（割）井侯服

小計：共　1 筆

冀　0102

1030 鄁子蒷夷鼎 鄁子蒷夷為其行器

小計：共 1 筆

0102+

6785 守宮盤 易守宮絲束、蘆幕五、蘆冟二

小計：共 1 筆

第一卷總計：共 5158 筆

青銅器銘文檢索卷二

小 0103

小

0716	小臣鼎	小臣乍尊彝
0743	小子乍父己鼎一	小子乍父己
0744	小子乍父乙鼎二	小子乍父乙
0793	羸霝德乍小鼎	羸霝德乍小鼎
0829	尹小弔乍鑾鼎	尹小弔乍鑾鼎
0859	ㄙ卭小子句鼎	ㄙ卭小子句乍寶鼎
0906	魯內小臣床生鼎	魯內小臣床生乍鼐
0907	小臣氏樊尹鼎	小臣氏樊尹乍寶用
0949	江小仲鼎	江小中母生自乍甬鬲
1091	小臣趞鼎	小臣趞即事于西、休
1092	小臣建鼎	休于小臣Lq貝五朋
1129	寒姒好鼎	□事小子＿乍寒姒（始）好尊鼎
1140	衛鼎	衛乍文考小中姜氏盂鼎
1150	小臣缶方鼎	王易小臣缶湡責五年
1158	小子＿鼎	乙亥、子易小子Jn
1174	易乍旅鼎	宔白于成周休賜小臣金
1270	小臣夌鼎	令小臣夌先省楚居
1270	小臣夌鼎	小臣夌易鼎、兩
1288	令鼎一	有嗣眔師氏小子𨹈射
1288	令鼎一	曰：小子迺學
1289	令鼎二	王射、有嗣眔師氏小子𨹈射
1289	令鼎二	曰：小子迺學
1307	師望鼎	大師小子師望曰
1311	師晨鼎	隹小臣善夫、守□、官犬、眔奠人、善夫、官
1322	九年裘衛鼎	顏小子具叀夆
1322	九年裘衛鼎	衛小子＿逆者
1323	師訊鼎	叀余小子肇盄先王德
1323	師訊鼎	小子夙夕專古先且刺德
1325	五祀衛鼎	衛小子逆其卿䣄
1327	克鼎	易女史小臣
1328	盂鼎	余隹即朕小學
1330	曶鼎	□吏𢓊小子䝅目限訟于井弔
1331	中山王䛗鼎	而皇（況）才烏（於）{小子}（少）君虖
1331	中山王䛗鼎	旋（事）{小子}（少）女（如）長
1332	毛公鼎	司余小子弗彶
1332	毛公鼎	烏虖、懼余小子
1332	毛公鼎	悉于小大政
1332	毛公鼎	雝我邦小大猷
1332	毛公鼎	埶小大楚賦
1332	毛公鼎	雩參有嗣、小子、師氏、虎臣雩朕褻事
1658	奠大師小子甗	奠大師小子侯父乍寶獻（甗）
1668	中甗	余令女史小大邦
1668	中甗	虎小多□
2410	遣小子𩛥𣪘	遣小子𩛥目其友乍𩰫男王姬𩱛彝
2515	小子䣄乍父丁𣪘	乙未卿旋易小子䣄貝二百
2544	亞䍙乍父乙𣪘	［亞］辛已、𢆶ub倉、才小圃

2606	易__乍父丁毀一	hz弔休于小臣貝三朋、臣三家
2607	易__乍父丁毀二	hz弔休于小臣貝三朋
2609	箮小子毀一	箮小子徒家弗受
2610	箮小子毀二	箮小子徒家弗受
2654	欮乍文父丁毀	癸巳、□賚小子□貝十朋
2655	小臣靜毀	小臣靜即吏(事)
2669	__妊小毀	妊小從
2669	__妊小毀	用乍妊小寶毀
2672	伯芀父毀	妊小從
2672	伯芀父毀	用乍妊小寶毀
2707	小臣守毀一	王吏小臣守吏于集
2708	小臣守毀二	王吏小臣守吏于集
2709	小臣守毀三	王吏小臣守吏于集
2731	小臣宅毀	白易小臣宅畫干戈九
2760	小臣謎毀一	小臣謎蔑曆、眔易貝
2761	小臣謎毀二	小臣謎蔑曆、眔易貝
2763	弔向父禹毀	余小子司朕皇考
2775.	害毀一	小射
2775.	害毀二	吏官__嗣人僕、小射
2783	趞毀	小大右、鄭
2788	靜毀	小子眔服眔小臣眔氒僕學射
2815	師毄毀	女有隹小子
2833	泰公毀	余雖{小子}
2834	㝬毀	王曰:有余隹{小子}
2838	師嫠毀一	才先王小學女
2838	師嫠毀一	令女嗣(司)乃且舊官小輔鼓鐘
2838	師嫠毀一	才昔先王小學女
2838	師嫠毀一	既令女更乃且考嗣(司)小輔
2838	師嫠毀一	令女嗣乃且舊官小輔眔鼓鐘
2839	師嫠毀二	才先王小學女
2839	師嫠毀二	令女嗣(司)乃且舊官小輔鼓鐘
2839	師嫠毀二	才昔先王小學女
2839	師嫠毀二	既令女更乃且考嗣(司)小輔
2839	師嫠毀二	令女嗣乃且舊官小輔眔鼓鐘
2841	芇白毀	弗望小__邦
2852	不嬰毀一	白氏曰:不嬰、女小子
2853	不嬰毀二	白氏曰:不嬰、女小子
2856	師訇毀	妥立余小子飙乃吏
2856	師訇毀	令女叀雝我邦小大猷
2984	伯公父盤	白大師小子白公父乍盤
2984	伯公父盤	白大師小子白公父乍盤
3085	駒父旅盨(蓋)	我乃至于淮{小大}邦亡敢不__具逆王命
3087	鬲从盨	令小臣成友逆__□內史無夥
3087	鬲从盨	其邑复__言二邑。畀鬲比复氒小宮tu鬲比田
3114	穌貉簠	穌貉乍小用
4343	亞吴小臣邑斝	癸己王易小臣邑貝十朋
4449	裘衛盉	衛{小子}px逆者其鄉
4721	吏乍小旅彝尊	吏乍小旅彝
4734	小臣夕辰父辛尊	小臣[夕]辰父辛
4847	小子夫尊	媰賚小子夫貝二朋

小

小

4866	小臣艅尊	王易小臣艅夒貝
4877	小子生尊	小子生易金、鬱鬯
4888	盠駒尊一	王弗望氒舊宗小子
4891	何尊	王寡宗小子于京室日
4891	何尊	烏虖、爾有唯小子亡識
5313	小子乍母己卣一	小子乍母己
5314	小子乍母己卣二	小子乍母己
5404	小臣乍父乙卣	小臣乍父乙寶彝
5437	㚸女子小臣兒乍己卣	女子{ 小臣 }兒乍己尊彝[㚸]
5439	小臣豐乍父乙卣	商小臣者貝
5457	小臣系乍且乙卣一	王易{ 小臣 }系
5458	小臣系乍且乙卣二	王易{ 小臣 }系
5471	㚸小子省乍父己卣	甲寅子商小子省貝五朋
5471	㚸小子省乍父己卣	甲寅子商小子省貝五朋
5494	㚸𦅫乍母辛卣	乙巳、子令{ 小子 }先以人于堇
5497	農卣	迺稟氒奴、氒小子小大事
5506	小臣傳卣	師田父令小臣傳非余傳□朕考kz
5506	小臣傳卣	白𨑢父賓小臣傳□□白休
5508	弔𧽊父卣一	毋尚為小子
5508	弔𧽊父卣一	余兄為女丝小鬱彝
5508	弔𧽊父卣一	丝小彝妹吹
5753	大師小子師望壺	大師{ 小子 }師望乍寶壺
6592	咠小龔母乙觶	[咠小龔]母乙
6631	小臣單觶一	周公易小臣單貝{ 十朋 }
6793	夨人盤	小門人䜌、原人虞艿、淮嗣工虎、孝龠
6793	夨人盤	散人小子履田戎
6877	㒒乍旅盂	自今余敢vv乃小大事
6891	寢小室盂	寢(寑)小室盂
6925	晉邦盦	公日：余雖小子
6925	晉邦盦	雖今小子
7020	單伯鐘	余小子肇帥井朕皇且考懿德
7061	能原鐘	連□小
7061	能原鐘	小者乍(作)心□
7135	逆鐘	小子室家
7174	秦公鐘	公及王姬日：余小子
7176	㝬鐘	保余小子
7177	秦公及王姬編鐘一	公及王姬日：余小子
7203	能原鎛	連□小
7203	能原鎛	小者乍(作)心□
7209	秦公及王姬鎛	公及王姬日：余小子
7210	秦公及王姬鎛二	公及王姬日：余小子
7211	秦公及王姬鎛三	公及王姬日：余小子
7212	秦公鎛	日余雖小子
7606	关左矛	关左＿小＿
7975	中山王墓兆域圖	闊閔(狹)小大之□
M171	小臣靜卣	小臣靜即事
M349	己侯壺	事小臣用汲
M900	梁十九年鼎	睪吉金鑄鼒(齍)、小料

小計：共 144 筆

0104

少

1274	哀成弔鼎	少去母父
1331	中山王譽鼎	而皇(況)才烏(於){小子}(少)君虜
1331	中山王譽鼎	(事){小子}(少)女(如)長
2681	鄦侯毁	鄦(筥)侯少子析乙孝孫不巨
2985	陳逆匿一	少子陳逆日
2985.	陳逆匿二	少子陳逆日
2985.	陳逆匿三	少子陳逆日
2985.	陳逆匿四	少子陳逆日
2985.	陳逆匿五	少子陳逆日
2985.	陳逆匿六	少子陳逆日
2985.	陳逆匿七	少子陳逆日
2985.	陳逆匿八	少子陳逆日
2985.	陳逆匿九	少子陳逆日
2985.	陳逆匿十	少子陳逆日
4444	邵宮盉	官四斗少半斗廿三斤十
4444	邵宮盉	少四半斗
5754	__氏扁壺	__氏、三斗少半
5754	__氏扁壺	今三斗二升少半升
5779	安邑下官鍾	府嗇夫__冶事左__止大斛斗一益少半益
6772	魯少司寇封孫宅盤	魯少嗣寇封孫宅乍其子孟姬嬰朕般也(匜)
6776	楚王酓忎盤	鋥(室)鑄少盤
7125	蔡侯龖紐鐘一	余唯末少子
7126	蔡侯龖紐鐘二	余唯末少子
7132	蔡侯龖紐鐘八	余唯末少子
7133	蔡侯龖紐鐘九	余唯末少子
7134	蔡侯龖甬鐘	余唯末少子
7184	叔夷編鐘三	女尸毋曰余少子
7186	叔夷編鐘五	伊少臣隹輔
7205	蔡侯龖編鎛一	余唯末少子
7206	蔡侯龖編鎛二	余唯末少子
7207	蔡侯龖編鎛三	余唯末少子
7208	蔡侯龖編鎛四	余唯末少子
7214	叔夷鎛	女尸毋曰余少子
7214	叔夷鎛	伊少臣隹輔
7735	少虡劍一	胃之少虡
7736	少虡劍二	胃之少虡
7866	少府小器	少府pq二鎰
7867.	龍__	集尹陳夏、少集尹龔則、少攻(工)差(佐)孝癸
7975	中山王墓兆域圖	闖闖(狹)少(小)大之口
M719	曾侯乙編鐘中一・三	割肄之少商
M720	曾侯乙編鐘中一・四	曾侯乙乍時(時),少羽,宮反,
M721	曾侯乙編鐘中一・五	坪皇之少商
M722	曾侯乙編鐘中一・六	新鐘之少徵顀
M722	曾侯乙編鐘中一・六	濁文王之少商
M723	曾侯乙編鐘中一・七	濁坪皇之少商
M729	曾侯乙編鐘中二・二	濁新鐘之少商
M730	曾侯乙編鐘中二・三	曾侯乙乍時,少商,羽曾,坪皇之巽反,

少八	M730	曾侯乙編鐘中二・三	割肄之少商
	M731	曾侯乙編鐘中二・四	曾侯乙乍時，少羽，宮反，
	M731	曾侯乙編鐘中二・四	穆鐘之少商
	M732	曾侯乙編鐘中二・五	坪皇之少商
	M733	曾侯乙編鐘中二・六	新鐘之少徵頔
	M733	曾侯乙編鐘中二・六	濁文王之少商
	M734	曾侯乙編鐘中二・七	濁坪皇之少商
	M740	曾侯乙編鐘中三・一	割肄之少羽
	M740	曾侯乙編鐘中三・一	割肄之少宮
	M743	曾侯乙編鐘中三・四	割肄之少商
			小計：共　57 筆
八	0105		
	0934	中斿父鼎	中斿父乍寶尊彝貞（鼎）［七五八］
	1073	白鼎	隹白殷□八自寇年
	1121	唯弔從王南征鼎	隹八月才䣄居
	1121	唯弔從王南征鼎	隹八月才𨙹居
	1128	鄧白氏鼎	唯鄧八月初吉
	1152	私官鼎	一斗半正十三斤八兩十四朱
	1164	旂乍文父日乙鼎	唯八月初吉辰才乙卯
	1169	平安邦鼎	廿八年坪安邦冶客戠｛四分｝齍
	1195	戈弔朕鼎一	隹八月初吉庚申
	1196	戈弔朕鼎二	隹八月初吉庚申
	1197	戈弔朕鼎三	隹八月初吉庚申
	1200	散白車父鼎一	隹王四年八月初吉丁亥
	1201	楸白車父鼎二	唯王四月八月初吉丁亥
	1202	楸白車父鼎三	唯王四年八月初吉丁亥
	1203	楸白車父鼎四	唯王四年八月初吉丁亥
	1206	旟鼎	唯八月初吉
	1218	寡兒鼎	隹正八月初吉壬申
	1220	鄁公鼎	隹王八月既望
	1235	不栺方鼎一	隹八月既望戊辰
	1236	不栺方鼎甲二	隹八月既望戊辰
	1247	函皇父鼎	自豕鼎降十又二、毁八、兩罍、兩壺
	1266	鄀公平侯鼎一	隹鄀八月初吉癸未
	1267	鄀公平侯鼎二	隹鄀八月初吉癸未
	1279	中方鼎	［七八六六六六　八七六六六六］
	1291	善夫克鼎一	王命善夫克舍令于成周遹正八自之年
	1292	善夫克鼎二	王命善夫克舍令于成周遹正八自之年
	1293	善夫克鼎三	王命善夫克舍令于成周遹正八自之年
	1294	善夫克鼎四	王命善夫克舍令于成周遹正八自之年
	1295	善夫克鼎五	王命善夫克舍令于成周遹正八自之年
	1296	善夫克鼎六	王命善夫克舍令于成周遹正八自之年
	1297	善夫克鼎七	王命善夫克舍令于成周遹正八自之年
	1308	白晨鼎	隹王八月辰才丙午
	1309	寰鼎	隹廿又八年五月既望庚寅
	1323	師訊鼎	唯王八祀正月辰才丁卯
	1324	禹鼎	王迺命西六自、殷八自曰

1329	小字盂鼎	隹八月□□□□□味喪
1329	小字盂鼎	隻聝四千八百□二聝
1329	小字盂鼎	孚人萬三千八十一人
1329	小字盂鼎	羊廿八羊
1947	白八冊段	白八[冊]
1960	八冊父癸段	[八冊]父癸
2250	八五一／董白乍旅段	董白乍旅尊彝[八五一]
2404	效父段一	用乍氒寶尊彝[五八六]
2405	效父段二	用乍氒寶尊彝[五八六]
2406	五八六效父段三	用乍氒寶尊彝[五八六]
2522	孟弢父段	孟弢父乍幻白姬賸段八
2523	孟弢父段	孟弢父乍幻白姬賸段八
2567.	戊寅段	隹王八月、才貝、戊寅
2568	__㺸乍父辛段	隹八月甲申、公中才宗周
2598	燮乍宮仲念器	隹八月初吉庚午
2652	__段	隹八月既生霸
2653	鼭段	隹八月初吉丁亥
2668	散季段	隹王四年八月初吉丁亥
2678	函皇父段一	段八
2679	函皇父段二	段八
2680	函皇父段三	段八
2680.	函皇父殷四	段八
2681	鄦侯段	媚乍皇妣qJ君中改祭器八段
2738	衛段	隹八月初吉丁亥
2760	小臣謎段一	白懋父目段八自征東尸(夷)
2761	小臣謎段二	白懋父目段八自征東尸(夷)
2769	師耤段	隹八月初吉戊寅
2788	靜段	雩八月初吉庚寅
2855	班段一	隹八月初吉才宗周甲戌
2855.	班段二	隹八月初吉
2886	鑄客匿七	鑄客為王后六室為之、八
2942	楚子__臥匿一	隹八月初吉庚申
2943	楚子__臥匿二	隹八月初吉庚申
2944	楚子__臥匿三	隹八月初吉庚申
2982.	甲午匿	隹甲午八月丙寅
3068	白寬父盨一	隹卅又三年八月既死辛卯
3069	白寬父盨二	隹卅又三年八月既死辛卯
3085	駒父旅盨(盨)	唯王十又八年正月
3086	善夫克旅盨	隹十又八年十又二月初吉庚寅
3121.	大宰歸父鑑	隹王八月丁亥
3801	子八父丁爵	[子八]父丁
4449	裘衛盉	才八十朋
4890	盠方尊	唯八月初吉
4890	盠方尊	飘嗣六自眔八自埶
4893	矢令尊	隹八月、辰才甲申
4975	麥方彝	才八月乙亥、辟井侯光氒正吏
4979	盠方彝一	唯八月初吉
4979	盠方彝一	飘嗣六自眔八自埶
4980	盠方彝二	唯八月初吉
4980	盠方彝二	飘嗣六自眔八自埶

	4981	𦥑冊令方彝	隹八月、辰才甲申
	5090	一一六八一六召卣	[一一六八一六召]
	5460	戠御乍父己卣	戠、辛巳、王易馭(御)八貝一具
八	5460	戠御乍父己卣	戠、辛巳、王易馭(御)八貝一具
	5462	㝅白乍父乙卣一	隹王八月、㝅白易貝于姜
	5463	㝅白乍父乙卣二	隹王八月、㝅白易貝于姜
	5576	重金方罍	百卌八重金___一周鑄
	5717	𤔲成侯鍾	重十勻十八益
	5737	左_壺	左內歓廿八
	5785	史懋壺	隹八月既死霸戊寅
	5798	曶壺	更乃且考乍冢𤔲土于成周八𠂤
	5801	洹子孟姜壺一	兩壺八鼎
	5802	洹子孟姜壺二	八鼎
	6673	八一六盤	[八一六]
	6768	齊大宰歸父盤一	隹王八月丁亥
	6769	齊大宰歸父盤二	隹王八月丁亥
	6783	函皇父盤	𣪕八、兩罍、兩壺
	6789	袁盤	隹廿又八年五月既望庚寅
	6921	鄧子仲盆	隹八月初吉丁亥
	6924	江仲之孫白戔𨭛𥁰	隹八月初吉庚午
	7136	郘鐘一	郘_曰：余八聿
	7137	郘鐘二	大鐘八聿
	7138	郘鐘三	大鐘八聿
	7139	郘鐘四	大鐘八聿
	7140	郘鐘五	大鐘八聿
	7141	郘鐘六	大鐘八聿
	7142	郘鐘七	大鐘八聿
	7143	郘鐘八	大鐘八聿
	7144	郘鐘九	大鐘八聿
	7145	郘鐘十	大鐘八聿
	7146	郘鐘十一	大鐘八聿
	7147	郘鐘十二	大鐘八聿
	7148	郘鐘十三	大鐘八聿
	7149	郘鐘十四	大鐘八聿
	7202	楚公逆鎛	隹八月甲申
	7544	八年亲城大令戈	八年亲城大命韓定工帀宋費冶褚
	7565	八年相邦呂不韋戈	八年相邦呂不韋造
	7571	八年奠令戈	八年奠命_幽司寇史墜右庫工帀易高冶尹_□
	7662	八年建躳君矛	八年相邦建躳君
	7726	八年相邦建躳君劍一	八年相邦建躳君
	7727	八年相邦建躳君劍二	八年相邦建躳君
	7728	八年相邦建躳君劍三	八年相邦建躳君
	7861	八盉	[八]
	7868	商鞅方升	十八年
	7869	廿五年銅量器	一斗八升
	7879	驪山鍾	重二鈞十三斤八兩
	7887	杜虎符	用兵五十八以上
	7960	寶小器一	牙八王遣
	7961	寶小器一	牙八王遣
	7962	寶小器二	牙八王遣

7963	寶小器四	牙八王遣
7964	寶小器五	牙八王遣
7966	寶小器六	牙八王遣
7967	寶小器七	牙八王遣
7968	寶小器八	牙八王遣
7969	寶小器九	牙八王遣
7970	寶小器十	牙八王遣
7971	寶小器十一	牙八王遣
7973	寶小器十二	牙八王遣
7975	中山王墓兆域圖	兩堂間八十七乇(尺)
7975	中山王墓兆域圖	兩堂間八十乇(尺)
M361	井伯南段	隹八月初吉壬午
M798	廿八年平安君鼎	廿八年平安邦鑄客載四分齋
M798	廿八年平安君鼎	廿八年平安邦鑄客載四分齋

小計：共　149 筆

0106

0496	四分鼎	□賡□四分
0747	梁上官鼎	梁上官賡參分
0747	梁上官鼎	宜誋(信)tb宰賡參分
0748	上樂床三分鼎	上樂床賡參分
0749	上支床四分鼎	上支床賡四分
1002	二年寧鼎	二年寧_子得治_為_四分_
1043	卅年鼎	賡(容)四分
1113	梁廿七年鼎一	賡四分
1169	平安邦鼎	廿八年坪安邦台客哉{ 四分 }齋
1169	平安邦鼎	一益十釿料釿四分釿{之重}
1253	平安君鼎	容四分齋五益六釿半釿四分釿之重
1310	鬲攸從鼎	其且射、分田邑
2533	己侯貉子段	己侯貉子分己姜寶、乍段
6587	逢父甲觶	[逢]分父甲
7084	邾公牼鐘一	分器是寺
7085	邾公牼鐘二	分器是寺
7086	邾公牼鐘三	分器是寺
7087	邾公牼鐘四	分器是寺
7868	商鞅方升	爰積十六尊五分尊壹為升
7984	_鍵	□□分□
M798	廿八年平安君鼎	廿八年平安邦鑄客載四分齋
M798	廿八年平安君鼎	一益七釿料釿四分釿之冢(蓋一)
M798	廿八年平安君鼎	廿八年平安邦鑄客載四分齋
M799	卅二年平安君鼎	平安邦鑄客賡四分齋(蓋一)
M799	卅二年平安君鼎	卅二年平安邦鑄客賡四分齋
M799	卅二年平安君鼎	五益六釿料釿四分釿之冢(器一)

小計：共　26 筆

0107

1331	中山王嚳鼎	母(毋)忘尒(爾)邦
1331	中山王嚳鼎	尒(爾)母(毋)大而㣈(肆)

小計：共 2 筆

曾 0103

0883	曾侯乙鼎	曾侯乙詐(乍)時甬(用)冬(終)
0965	曾侯仲子斿父鼎	曾侯中子游父自乍䵼彝
1056	曾白從寵鼎	曾白從寵自乍寶鼎用
1077	曾仲子__鼎	曾中子__用其吉金自戶寶鼎
1085	曾者子乍鼎	曾者子鑄用乍鼎
1106	曾孫無期乍飤鼎	曾孫無箕自乍飤鐈
1143	曾子仲謱鼎	隹曾子中謱
1174	易乍旅鼎	唯十月事于曾
1238	曾子仲宣鼎	曾子中宣__用其吉金
1250	曾子斿鼎	曾子斿羼其吉金
1660	曾子仲訁旅甗	隹曾子中訁用其吉金
1668	中甗	埶应在缶(曾)
2625	曾白文毁	唯曾白文自乍寶毁
2732	曾仲大父蛕蚑毁	曾中大父蛕迺用吉攸鈘鋚金
2737	段毁	戊辰曾
2738	衛毁	王曾令衛
2797	輔師嫠毁	今余曾乃令
2864	曾子遡行匿	曾子遡之行匿
2865	曾匿二	曾子遡之行匿
2873	曾侯乙匿	曾侯乙乍寺甬冬
2894	曾子𢊁行器一	曾子𢊁自作行器
2895	曾子𢊁行器二	曾子𢊁自乍行器
2896	曾子𢊁行器三	曾子𢊁自乍行器
2934	曾子遽彝匿	曾子遽魯為孟姬鄬鑄賸匿
2946	曾子□匿	曾子□自作飤匿
2964	曾□□餗匿	曾□□□羼其吉金自乍餗匿
2965	曾侯乍弔姬賸器䵼彝	曾侯乍弔姬邛嬭賸器䵼彝
2986	曾白乘旅匿一	曾白乘哲聖元元武武孔㳄
2986	曾白乘旅匿一	曾白乘叚不黃耇萬年
2987	曾白乘旅匿二	曾白乘哲聖元元武武孔㳄
2987	曾白乘旅匿二	曾白乘叚不黃耇萬年
3115	曾仲斿父甫	曾中斿父自乍寶簠
3115.	曾仲斿父甫二	曾中斿父自乍寶甫(莆)
5718	曾仲斿父壺	曾中斿父用吉金
5718	曾仲斿父壺	曾中斿父用吉金
5781	曾姬無卹壺一	聖趄之夫人曾姬無卹
5782	曾姬無卹壺二	聖趄之夫人曾姬無卹
5783	曾白陭壺	隹曾白陭迺用吉金鐈鋚
5805	中山王嚳方壺	曾亡鴡夫之救
5811	曾白文𦉜	唯曾白父自乍𤿇pe𦉜
6721	曾中盤	曾中自乍旅盤
6824	曾子白匜	隹曾子白及父自乍尊匜
6918	曾孟嬭諫盆	曾孟嬭諫乍䵼盆

6920	曾大保旅盆	曾大保uq霝弔亟用其吉金
7017	楚王酓章鐘一	楚王酓章乍曾侯乙宗彝
7018	楚王酓章鐘二	乍曾侯宗彝
7107	曾侯乙甬鐘	曾侯乙乍時
7107	曾侯乙甬鐘	呂其反宣鐘之羽角無鐸之徵曾
7117	郘黻兒鐘一	曾孫黻兒
7118	郘黻兒鐘二	曾孫黻兒
7201	楚王酓章乍曾侯乙鎛	楚王酓章乍曾侯乙宗彝
7464	曾侯乙之用戈	曾侯乙之用戟
7465	曾侯乙寢戈	曾侯乙之寢戈
M685	曾子伯__鼎	曾子伯__鑄行器
M693	曾大工尹戈	曾大工尹
M695	曾伯宮父鬲	隹曾伯宮父穆迺用吉金
M697	曾桼戲戈	曾中之孫桼戲用戈
M705	曾侯乙編鐘下一・一	曾侯乙乍時，宮、徵曾，
M706	曾侯乙編鐘下一・二	曾侯乙乍時，商、羽曾，
M706	曾侯乙編鐘下一・二	無鐸之宮曾
M706	曾侯乙編鐘下一・二	夷則之徵曾
M706	曾侯乙編鐘下一・二	割肄之羽曾
M707	曾侯乙編鐘下一・三	曾侯乙乍時，徵顀、徵曾，
M707	曾侯乙編鐘下一・三	贏孠之羽曾
M707	曾侯乙編鐘下一・三	割肄之徵曾
M707	曾侯乙編鐘下一・三	剌音之羽曾
M708	曾侯乙編鐘下二・一	曾侯乙乍時，鄜鎛、徵角，
M708	曾侯乙編鐘下二・一	厚則之羽曾
M708	曾侯乙編鐘下二・一	為獸鐘曾
M709	曾侯乙編鐘下二・二	曾侯乙乍時，商角、商曾，
M709	曾侯乙編鐘下二・二	割肄之商曾
M709	曾侯乙編鐘下二・二	妥賓之宮曾
M710	曾侯乙編鐘下二・三	曾侯乙乍時，中鎛、宮曾，
M710	曾侯乙編鐘下二・三	割肄之宮曾
M711	曾侯乙編鐘下二・四	曾侯乙乍時，商、羽曾，
M711	曾侯乙編鐘下二・四	無睪之宮曾
M711	曾侯乙編鐘下二・四	割肄之羽曾
M711	曾侯乙編鐘下二・四	為粲鐘曾
M711	曾侯乙編鐘下二・四	厚則之徵曾
M712	曾侯乙編鐘下二・五	曾侯乙乍時，宮、徵曾，
M712	曾侯乙編鐘下二・五	妥賓之商曾
M712	曾侯乙編鐘下二・五	剌音之羽曾
M712	曾侯乙編鐘下二・五	割肄之徵曾
M713	曾侯乙編鐘下二・七	曾侯乙乍時，羽、羽角，
M713	曾侯乙編鐘下二・七	新鐘之徵曾
M713	曾侯乙編鐘下二・七	韋音之羽曾
M713	曾侯乙編鐘下二・七	為郿音羽曾
M713	曾侯乙編鐘下二・七	為粲鐘徵曾
M714	曾侯乙編鐘下二・八	曾侯乙乍時，徵、徵角，
M714	曾侯乙編鐘下二・八	妥賓之羽曾
M714	曾侯乙編鐘下二・八	韋音之曾
M714	曾侯乙編鐘下二・八	為黃鐘徵曾
M715	曾侯乙編鐘下二・九	曾侯乙乍時，鍚、宮曾，

曾

M715	曾侯乙編鐘下二・九	新鐘之商曾
M715	曾侯乙編鐘下二・九	割肄之宮曾
M716	曾侯乙編鐘下二・十	曾侯乙乍時，商、羽曾，
M716	曾侯乙編鐘下二・十	新鐘之宮曾
M716	曾侯乙編鐘下二・十	割肄之羽曾
M717	曾侯乙編鐘中一・一	曾侯乙乍寺（時），羽反，宮反，羽反，宮反
M718	曾侯乙編鐘中一・二	曾侯乙乍寺（時），角反，徵反，角反，徵反
M719	曾侯乙編鐘中一・三	曾侯乙乍寺（時），少商，羽曾，
M720	曾侯乙編鐘中一・四	曾侯乙乍時（時），少羽，宮反，
M721	曾侯乙編鐘中一・五	曾侯乙乍寺（時），下角，徵反，
M722	曾侯乙編鐘中一・六	曾侯乙乍寺（時），商、羽曾，
M723	曾侯乙編鐘中一・七	曾侯乙乍寺（時），宮、徵曾，
M724	曾侯乙編鐘中一・八	曾侯乙乍時，羽、羽角，
M724	曾侯乙編鐘中一・八	新鐘之徵曾
M725	曾侯乙編鐘中一・九	曾侯乙乍時，徵、徵角，
M725	曾侯乙編鐘中一・九	新鐘之羽曾
M726	曾侯乙編鐘中一・十	曾侯乙乍時，宮角、宮曾，
M726	曾侯乙編鐘中一・十	新鐘之商曾
M726	曾侯乙編鐘中一・十	割肄之宮曾
M727	曾侯乙編鐘中一・十一	曾侯乙乍時，商、羽曾，
M727	曾侯乙編鐘中一・十一	新鐘之宮曾
M727	曾侯乙編鐘中一・十一	割肄之羽曾
M728	曾侯乙編鐘中二・一	曾侯乙乍寺（時），羽、宮反，
M729	曾侯乙編鐘中二・二	曾侯乙乍時，角反，徵反，割肄之鴃，
M730	曾侯乙編鐘中二・三	曾侯乙乍時，少商，羽曾，坪皇之巽反，
M731	曾侯乙編鐘中二・四	曾侯乙乍時，少羽，宮反，
M732	曾侯乙編鐘中二・五	曾侯乙乍時，下角，徵反，
M733	曾侯乙編鐘中二・六	曾侯乙乍時，商、羽曾，
M734	曾侯乙編鐘中二・七	曾侯乙乍寺（時），宮、徵曾，
M735	曾侯乙編鐘中二・八	曾侯乙乍時，羽、羽角，
M735	曾侯乙編鐘中二・八	新鐘之徵曾
M736	曾侯乙編鐘中二・九	曾侯乙乍時，徵、徵角，
M736	曾侯乙編鐘中二・九	新鐘之羽曾
M737	曾侯乙編鐘中二・十	曾侯乙乍時，宮角、徵，
M737	曾侯乙編鐘中二・十	新鐘之商曾
M737	曾侯乙編鐘中二・十	割肄之宮曾
M738	曾侯乙編鐘中二・十一	曾侯乙乍寺（時），商角、商，
M739	曾侯乙編鐘中二・十二	曾侯乙乍寺（時），商、羽曾，
M739	曾侯乙編鐘中二・十二	新鐘之宮曾
M739	曾侯乙編鐘中二・十二	割肄之羽曾
M740	曾侯乙編鐘中三・一	曾侯乙乍時，羽、宮，
M742	曾侯乙編鐘中三・三	曾侯乙乍時，宮角、徵，
M742	曾侯乙編鐘中三・三	韋音之徵曾
M742	曾侯乙編鐘中三・三	屖則之羽曾
M743	曾侯乙編鐘中三・四	曾侯乙乍時，商、羽徵，
M743	曾侯乙編鐘中三・四	坪皇之徵曾
M743	曾侯乙編鐘中三・四	為遅則徵曾
M744	曾侯乙編鐘中三・五	曾侯乙乍時，羽、宮，
M744	曾侯乙編鐘中三・五	無睪之徵曾
M745	曾侯乙編鐘中三・六	曾侯乙乍時，商角、徵，

M745	曾侯乙編鐘中三・六	韋音之徵曾
M746	曾侯乙編鐘中三・七	曾侯乙乍時，商、羽徵，
M746	曾侯乙編鐘中三・七	割肄之羽曾
M746	曾侯乙編鐘中三・七	為槃鐘曾
M746	曾侯乙編鐘中三・七	遅則之徵曾
M747	曾侯乙編鐘中三・八	曾侯乙乍時，宮、徵曾，
M747	曾侯乙編鐘中三・八	割肄之徵曾
M747	曾侯乙編鐘中三・八	剌音之羽曾
M748	曾侯乙編鐘中三・九	曾侯乙乍寺（ 時 ），羽、羽角，
M748	曾侯乙編鐘中三・九	新鐘之徵曾
M748	曾侯乙編鐘中三・九	韋音之羽曾
M748	曾侯乙編鐘中三・九	為𨞪音羽曾
M748	曾侯乙編鐘中三・九	為槃鐘徵曾
M749	曾侯乙編鐘中三・十	曾侯乙乍時，徵、徵角，
M749	曾侯乙編鐘中三・十	遅則之羽曾
M749	曾侯乙編鐘中三・十	贏孠之羽曾
M749	曾侯乙編鐘中三・十	為黃鐘徵曾
M755	曾侯乙編鐘上一・六	宮曾、宮，
M756	曾侯乙編鐘上二・一	商曾、羽角，
M758	曾侯乙編鐘上二・三	商、羽曾，𨞪音之宮，
M759	曾侯乙編鐘上二・四	商曾、羽角，韋音之宮，
M761	曾侯乙編鐘上二・六	商、羽曾，黃鐘之宮，
M762	曾侯乙編鐘上三・一	商、羽曾，
M763	曾侯乙編鐘上三・二	宮曾、徵角，
M765	曾侯乙編鐘上三・四	宮、徵曾，贏孠之宮，
M766	曾侯乙編鐘上三・五	宮曾、徵角，妥賓之宮，
M768	曾侯乙編鐘上三・七	宮、徵曾，無睪之宮，

小計：共　116 筆

0109

0500	尚乍鼒鼎	尚乍鼒
100	白尚鼎	白尚肇其乍寶鼎
100	白尚鼎	尚其萬年子子孫孫永寶
279	中方鼎	隹臣尚中臣
316	䵼方鼎	弋休則尚
330	曶鼎	曰、弋尚卑處氒邑、田氒田
651	仲伐父甗	中伐父乍姬尚母旅獻（ 甗 ）其永用
667	陳公子弔邍父甗	子子孫孫是尚
026	□□為甫人行盨	用征用行萬歲用尚
100	陳侯因𬯀錞	世萬子孫、永為典尚
508	弔趞父卣一	毋尚為小子
734	尚乍旅壺	尚（ 尚 ）自乍旅壺
752	陳侯壺	子子孫孫永寶是尚
305	中山王嚳方壺	可瀍可尚
310	喪鈃	永寶是尚
316.	伯亞臣鐳	子孫永寶是尚
504	尚乍父乙觶	尚乍父乙彝［ 鳥 ］
782	者尚余卑盤	者尚余卑□永既䍐其吉金

曾
尚

6905	要君饒盂	子子孫孫寶是尚
7112	者減鐘一	子子孫孫永保是尚
7113	者減鐘二	子子孫孫永保是尚
尚 7218	斜䃤尹征城	士余是尚
冢 7365	_尚還戈	wn尚還
7823	距末二	廿年尚上長斗乘四其我_攻書
		小計：共 24 筆

冢 0110

0933	遂攸諆鼎	遂攸諆乍廟弔寶尊彝
1228	𩰫𦅫方鼎	槆中賞卒𩰫𦅫遂毛兩
1306	無叀鼎	遂于圖室
1307	師望鼎	不敢不冢不叓
1318	晉姜鼎	虔不冢
1332	毛公鼎	女母（ 毋 ）敢冢在乃福
2764	㚔𣪘	追考對、不敢冢
2816	彔白㦰𣪘	女肇不冢
2826	師嫠𣪘一	師嫠虔不冢
2826	師嫠𣪘一	師嫠虔不冢
2827	師嫠𣪘二	師嫠虔不冢
3085	駒父旅盨（ 蓋 ）	冢不敢不敬畏王命逆見我
4886	趩尊	世孫子毋敢冢、永寶
5805	中山王譽方壺	述（ 遂 ）定君臣之位
6792	史墻盤	冢尹啻彊
6792	史墻盤	史牆夙夜不冢
7043	克鐘四	克不敢冢
7044	克鐘五	乘、克不敢冢
7135	逆鐘	母冢乃政
7157	邾公華鐘一	不冢于卒身
7174	秦公鐘	不冢于上
7177	秦公及王姬編鐘一	不冢于上
7182	叔夷編鐘一	女不冢
7204	克鎛	克不敢冢
7209	秦公及王姬鎛	不冢于上
7210	秦公及王姬鎛二	不冢于上
7211	秦公及王姬鎛三	不冢于上
7212	秦公鎛	十又二公不冢才下
7214	叔夷鎛	女不冢
補3	冢父丁尊	[冢]父丁
		小計：共 30 筆

0111

0290	公無鼎	公無
0471	白公乍鼎一	白公乍
0472	白公乍鼎二	白公乍
0642	公朱右自鼎	公朱右自
0690	雁公乍籐彝鼎一	䧹公乍旅彝
0691	雁公乍籐彝鼎二	䧹公乍旅彝
0773	雁公方鼎	䧹公乍寶尊彝
0827	宋公鯀鼎	宋公鯀之餴貞(鼎)
0863	弓辜乍公尊鼎	乍公尊彝[彊]
0867	__公鼎	__公上之__保登
0867	__公鼎	__公上__辯保登
0880	弔乍單公方鼎	弔乍單公寶尊彝
0884	右官鼎	右官公__官__鎮(鼎)
0937	内公乍鑄從鼎一	内(芮)公乍鑄從鼎永寶用
0938	内公乍鑄從鼎二	内公乍鑄從鼎永寶用
0939	内公乍鑄從鼎三	内公乍鑄從鼎永寶用
0955	霍乍己公鼎	霍乍己公寶鼎其萬年用
0995	内公飤鼎	内公乍鑄飤鼎
1026	奄望鼎	用夙夕㫚公各
1046	圉方鼎	休朕公君匽侯易圉貝
1063	鄧公乘鼎	鄧公乘自乍飤鐈
1067	雁公方鼎一	䧹公乍寶尊彝
1068	雁公方鼎二	䧹公乍寶尊彝
1069	雁公方鼎三	䧹公乍寶尊彝
1092	小臣建鼎	召公建匽
1103	臣卿乍父乙鼎	公違省自東、才新邑
1118	宋莊公之孫趚亥鼎	宋莊公之孫趚亥自乍會鼎
1127	嗣鼎	溓公蔑嗣曆
1130	虢文公子㲹鼎一	虢文公子㲹乍弔改鼎
1131	虢文公子㲹鼎二	虢文公子㲹乍弔改鼎
1156	亳鼎	公侯易亳杞土、v0土、__禾、vk禾
1156	亳鼎	亳敢對公中休
1157	禽鼎	周公某禽祝
1164	旂乍文父日乙鼎	公易旂僕
1178	宗婦鄁嫛鼎一	王子剌公之宗婦鄁嫛為宗彝𪊲彝
1179	宗婦鄁嫛鼎二	王子剌公之宗婦鄁嫛為宗彝𪊲彝
1180	宗婦鄁嫛鼎三	王子剌公之宗婦鄁嫛為宗彝𪊲彝
1181	宗婦鄁嫛鼎四	王子剌公之宗婦鄁嫛為宗彝𪊲彝
1182	宗婦鄁嫛鼎五	王子剌公之宗婦鄁嫛為宗彝𪊲彝
1183	宗婦鄁嫛鼎六	王子剌公之宗婦鄁嫛為宗彝𪊲彝
1185	漁白乍井姬鼎一	井姬婦亦偁祖考弔公宗室
1186	漁白乍井姬鼎二	井姬婦亦偁祖考弔公宗室
1199	虢宣公子白鼎	虢宣公子白乍尊鼎
1205	公朱左自鼎	公朱左自十一年十一月
1213	師趛鼎一	師趛乍文考聖公
1214	師趛鼎二	師趛乍文考聖公
1216	貿鼎	公貿用揚休鱻
1217	毛公籐方鼎	毛公旅鼎亦隹毁

公

公

1218	寽兒鼎	蘇公之孫寽兒羼其吉金
1220	鄁公鼎	鄁公湯用其吉金
1228	皻厰方鼎	用乍己公寶尊彝
1229	厚趠方鼎	厚趠又償于漮公
1234	旅鼎	隹公大保來伐反尸年
1234	旅鼎	公才盩自
1234	旅鼎	公易旅貝十朋
1239	__鼎一	濂公令nt眔史旅曰
1239	__鼎一	nt用乍饔公寶尊鼎
1240	__鼎二	濂公令nt眔史旅曰
1240	__鼎二	nt用乍饔公寶尊鼎
1242	塱方鼎	隹周公于征伐東尸
1242	塱方鼎	公歸__于周廟
1242	塱方鼎	公賞塱貝百朋
1255	作冊大鼎一	公束鑄武王成王異鼎
1255	作冊大鼎一	公賞乍冊大白馬
1256	作冊大鼎二	公束鑄武王成王異鼎
1256	作冊大鼎二	公賞乍冊大白馬
1257	作冊大鼎三	公束鑄武王成王異鼎
1257	作冊大鼎三	公賞乍冊大白馬
1258	作冊大鼎四	公束鑄武王成王異鼎
1258	作冊大鼎四	公賞乍冊大白馬
1259	郜公䢼鼎	下郜雝公諴乍尊鼎
1266	郜公平侯鼒一	郜公平侯自乍尊鼒
1266	郜公平侯鼒一	用追孝于氒皇且晨公
1266	郜公平侯鼒一	于氒皇考屖__公
1267	郜公平侯鼒二	郜公平侯自乍尊鼒
1267	郜公平侯鼒二	用追孝于氒皇且晨公
1267	郜公平侯鼒二	于氒皇考屖__公
1272	剌鼎	用乍黃公尊鷰彝
1274	哀成弔鼎	台吏康公
1284	尹姞鼎	穆公乍尹姞宗室于py林
1284	尹姞鼎	休天君弗望穆公聖粦明
1285	㦰方鼎一	其用夙夜享孝于氒文且乙公
1300	南宮柳鼎	武公有南宮柳
1307	師望鼎	不顯皇考宄公
1307	師望鼎	用乍朕皇考宄公尊鼎
1308	白晨鼎	用乍朕文考h8公宮尊鼎
1310	鬲攸從鼎	从乍朕皇且丁公皇考叀公尊鼎
1311	師晨鼎	用乍朕文且辛公尊鼎
1312	此鼎一	用乍朕皇考癸公尊鼎
1313	此鼎二	用乍朕皇考癸公尊鼎
1314	此鼎三	用乍朕皇考癸公尊鼎
1316	㦰方鼎	㦰曰：烏虖、王唯念㦰辟剌考甲公
1316	㦰方鼎	㦰曰：烏虖、朕文考甲公、文母日庚
1323	師訊鼎	天子亦弗忘公上父㝬德
1323	師訊鼎	乍公上父尊于朕考虢季易父wu宗
1324	禹鼎	禹曰:不顯趄趄皇且穆公
1324	禹鼎	肆武公亦弗叚望朕聖且考幽大弔、懿弔
1324	禹鼎	肆武公迺遣禹率公戎車百乘

1324	禹鼎	雩禹㠯武公徒馭至于噩
1324	禹鼎	敢對揚武公丕顯耿光
1326	多友鼎	命武公遣乃元士羞追于京𠂤
1326	多友鼎	武公命多友達公車羞追于京𠂤
1326	多友鼎	凡㠯公車折首二百又□又五人
1326	多友鼎	公車折首百又十又五人
1326	多友鼎	多友乃獻孚、聝、訊于公
1326	多友鼎	武公乃獻于王
1326	多友鼎	廼曰武公曰
1326	多友鼎	丁酉、武公在獻宮
1326	多友鼎	公親曰多友曰
1326	多友鼎	多友敢對揚公休
1328	盂鼎	令女盂井乃嗣且南公
1328	盂鼎	易乃且南公旂
1328	盂鼎	用乍南公寶鼎
1332	毛公鼎	命女飘嗣公族
1332	毛公鼎	毛公㕯對揚天子皇休
1416	吾乍滕公鬲	吾乍滕公寶尊彝
1465	魯侯獄鬲	用亯鬻氒文考魯公
1509	虢文公子㝅乍弔妃鬲	虢文公子㝅乍弔改鬲鼎
1510	内公鑄弔姬鬲一	内公乍鑄京氏婦弔姬媵
1511	内公鑄弔姬鬲二	内公乍鑄京氏婦弔姬朕鬲
1528	公姞鬲鼎	天君蔑公姞曆
1528	公姞鬲鼎	吏易公姞魚三百
1533	尹姞寶鬲一	穆公乍尹姞宗室于䌛林
1533	尹姞寶鬲一	休天君弗望穆公聖粦明𢓊吏（ 事 ）先王
1534	尹姞寶鬲二	穆公乍尹姞宗室于䌛林
1534	尹姞寶鬲二	休天君弗望穆公聖粦明𢓊吏（ 事 ）先王
1644	大史友乍召公甗	大史友乍召公寶尊彝
1645	孚公𤝵甗	孚公𤝵乍旅甗永寶用
1648	奠白筍父甗	奠公筍父乍寶獻（ 甗 ）永寶用
1667	陳公子弔遷父甗	敶公子子弔（ 叔 ）原父乍旅獻（ 甗 ）
2097	雁公乍旅彝𣪘一	雁公乍旅彝
2098	雁公乍旅彝𣪘二	雁公乍旅彝
2188	鄧公𣪘	登（ 鄧 ）公牧乍𩟄𣪘
2234	白乍乙公𨺅𣪘	白乍乙公尊𣪘
2252	伊生乍公女𣪘	伊生乍公女尊彝
2277	弔單𣪘	弔單乍義公尊彝
2323	彔乍文考乙公𣪘	彔乍文考乙公寶尊𣪘
2329	内公𣪘	内公乍鑄從用𣪘永寶
2345	穌公乍王妃𡠦𣪘	穌公乍王改𡠦（ 羞 ）盂𣪘永寶用
2384	鄧公𣪘一	登（ 鄧 ）公乍雁嫚𢓊朕𣪘
2385	鄧公𣪘二	登（ 鄧 ）公乍雁嫚𢓊朕𣪘
2412	賸虎乍氒皇考𣪘一	賸（ 賸 ）虎敢肇乍氒皇考公命中寶尊彝
2413	賸虎乍氒皇考𣪘二	賸（ 賸賸 ）虎敢肇乍氒皇考公命中寶尊彝
2414	賸虎乍氒皇考𣪘三	賸（ 賸 ）虎敢肇乍氒皇考公命中寶尊彝
2421	舟𡭴䝫乍父乙𣪘	公史䝫吏又㝒
2439	寺季故公𣪘一	寺季故公乍寶𣪘
2440	寺季故公𣪘二	寺季故公乍寶𣪘
2455	彔乍文考乙公𣪘	彔乍氒文考乙公寶尊𣪘

公

2461	白家父乍孟姜毁	白家父乍{ 公孟 }姜賸毁
2510	臣卿乍父乙毁	公違眚自東、才新邑
2516	鄧公餗毁	鄧公午□自乍餗毁
2517	是□乍乙公毁	是𦫳乍朕文考乙公尊毁
2551	弔角父乍宕公毁一	弔角父乍朕皇孝宄公尊毁
2552	弔角父乍宕公毁二	弔角父乍朕皇考宄公尊毁
2556	復公子白舍毁一	復公子白舍曰
2557	復公子白舍毁二	復公子白舍曰
2558	復公子白舍毁三	復公子白舍曰
2568	_讯乍父辛毁	隹八月甲申、公中才宗周
2571	穌公子癸父甲毁	穌公子癸父甲乍尊毁
2571.	穌公子癸父甲毁二	穌公子癸父甲乍尊毁
2579	白喜乍文考剌公毁	白喜父乍朕文考剌公尊毁
2581	曹伯狄毁	曹白狄乍夙姒公尊毁
2583	鄁公毁	鄁公白韮用吉金
2585	禽毁	周公某禽祝
2586	史𨷻毁一	乙亥王𢍜(誥)畢公
2587	史𨷻毁二	乙亥王𢍜(誥)畢公
2592	鄧公毁	不故屯夫人始乍鄧公
2614	宗婦鄁嬰毁一	王子剌公之宗婦鄁嬰為宗彝𩰫彝
2615	宗婦鄁嬰毁二	王子剌公之宗婦鄁嬰為宗彝𩰫彝
2616	宗婦鄁嬰毁三	王子剌公之宗婦鄁嬰為宗彝𩰫彝
2617	宗婦鄁嬰毁四	王子剌公之宗婦鄁嬰為宗彝𩰫彝
2618	宗婦鄁嬰毁五	王子剌公之宗婦鄁嬰為宗彝𩰫彝
2619	宗婦鄁嬰毁六	王子剌公之宗婦鄁嬰為宗彝𩰫彝
2620	宗婦鄁嬰毁七	王子剌公之宗婦鄁嬰為宗彝𩰫彝
2626	奢乍父乙毁	公㚸(始)易奢貝、才𦬁京
2628	畢鮮毁	畢鮮乍皇且益公尊毁
2634	㝬叔毁	用亯孝于其姑公
2635	賢毁一	公弔初見于衛、賢從
2635	賢毁一	公命吏晦
2636	賢毁二	公弔初見于衛、賢從
2636	賢毁二	公命吏晦
2637	賢毁三	公弔初見于衛、賢從
2637	賢毁三	公命吏晦
2638	賢毁四	公弔初見于衛、賢從
2638	賢毁四	公命吏晦
2640	弔皮父毁	弔皮父乍朕文考弗公
2641	伯椃虘毁一	伯椃虘肇乍皇考剌公尊毁
2642	伯椃虘毁二	伯椃虘肇乍皇考剌公尊毁
2644.	伯椃虘毁	白椃虘肇乍皇考剌公尊毁
2653	𣪕㛤毁	𣪕用從永揚公休
2660	彔乍辛公毁	用乍文且辛公寶𩰫毁
2671	利毁	用乍旂公寶尊彝
2693	𪓐毁	𪓐𢓊造公
2693	𪓐毁	公易𪓐宗彝一𨽍(肆)
2693	𪓐毁	𪓐對揚公休
2693	𪓐毁	用乍辛公毁
2694	𤔲乍且考毁	公白易𤔲臣弟𤔲井五㎎
2694	𤔲乍且考毁	𤔲弗敢望公白休

2695	[illegible]兒𣪘	[illegible]兒乍朕文且乙公
2696	盂𣪘一	盂曰：朕文考眔毛公遣中征無需
2696	盂𣪘一	毛公易朕文考臣自氒工
2697	盂𣪘二	盂曰：朕文考眔毛公遣中征無需
2697	盂𣪘二	毛公易朕文考臣自氒工
2699	公臣𣪘一	虢中令公臣嗣朕百工
2699	公臣𣪘一	公臣拜䭫首
2699	公臣𣪘一	公臣其萬年用寶兹休
2700	公臣𣪘二	虢中令公臣嗣朕百工
2700	公臣𣪘二	公臣拜䭫首
2700	公臣𣪘二	公臣其萬年用寶兹休
2701	公臣𣪘三	虢中令公臣嗣朕百工
2701	公臣𣪘三	公臣拜䭫首
2701	公臣𣪘三	公臣其萬年用寶兹休
2702	公臣𣪘四	虢中令公臣嗣朕百工
2702	公臣𣪘四	公臣拜䭫首
2702	公臣𣪘四	公臣其萬年用寶兹休
2704	穆公𣪘	穆公友□
2704	穆公𣪘	王乎宰□易穆公貝廿朋
2704	穆公𣪘	穆公對王休
2706	鄀公敄人𣪘	上鄀公敄人乍尊𣪘
2722	𨯚弔乍豐姞旅𣪘	豐姞憨用宿夜亯孝于敨公
2726	[illegible]𣪘	康公右卲[illegible]
2728	恆𣪘一	用乍文考公弔寶𣪘
2729	恆𣪘二	用乍文考公弔寶𣪘
2730	獻𣪘	獻身才畢公家
2731	小臣宅𣪘	周公才豐
2731	小臣宅𣪘	揚公白休
2731	小臣宅𣪘	用乍乙公尊彝
2764	艾𣪘	乍周公彝
2770	𢦏𣪘	穆公入、右𢦏立中廷北鄉
2784	申𣪘	益公内右申中廷
2785	王臣𣪘	益公入、右王臣即立中廷北鄉
2793	元年師旋𣪘一	遟公入、右師旋即立中廷
2794	元年師旋𣪘二	遟公入、右師旋即立中廷
2795	元年師旋𣪘三	遟公入、右師旋即立中廷
2796	諫𣪘	用乍朕文考叀公尊𣪘
2796	諫𣪘	用乍朕文考叀公尊𣪘
2801	五年召白虎𣪘	余老止公僕庸土田多諫
2801	五年召白虎𣪘	公宕其參
2801	五年召白虎𣪘	公宕其貳
2802	六年召白虎𣪘	曰：公、氒禀貝
2802	六年召白虎𣪘	用乍朕剌且召公嘗𣪘
2803	師酉𣪘一	公族𤩽釐入
2804	師酉𣪘二	公族𤩽釐入
2804	師酉𣪘二	公族𤩽釐入
2805	師酉𣪘三	公族𤩽釐入
2806	師酉𣪘四	公族𤩽釐入
2806.	師酉𣪘五	公族𤩽釐入
2814	鳥冊夨令𣪘一	公尹白丁父兄(眖)于戍

公

公

2814	鳥冊夨令毁一	令敢揚皇王宦、丁公文報
2814	鳥冊夨令毁一	隹丁公報
2814	鳥冊夨令毁一	用乍丁公寶毁
2814.	夨令毁二	公尹白丁父兄(䀠)于戍
2814.	夨令毁二	令敢揚皇王宦、丁公文報
2814.	夨令毁二	隹丁公報
2814.	夨令毁二	用乍丁公寶毁
2818	此毁一	用乍朕皇考癸公尊毁
2819	此毁二	用乍朕皇考癸公尊毁
2820	此毁三	用乍朕皇考癸公尊毁
2821	此毁四	用乍朕皇考癸公尊毁
2822	此毁五	用乍朕皇考癸公尊毁
2823	此毁六	用乍朕皇考癸公尊毁
2824	此毁七	用乍朕皇考癸公尊毁
2825	此毁八	用乍朕皇考癸公尊毁
2828	宜侯夨毁	乍虞公父丁尊彝
2830	三年師兌毁	用乍朕皇考釐公䵼毁
2831	元年師兌毁一	用乍皇且城公䵼毁
2832	元年師兌毁二	用乍皇且城公䵼毁
2833	秦公毁	秦公曰：不顯朕皇且受天命
2833	秦公毁	十又二公
2835	訇毁	益公入、右訇
2837	敔毁一	武公入右
2840	番生毁	王令䜌嗣(司)公族卿吏、大史寮
2841	乖白毁	王命益公征眉敖益公至、告
2842	卯毁	䜌乃先且考死嗣(司)榮公室
2842	卯毁	今余非敢夢先公
2842	卯毁	余懋再先公官
2843	沈子它毁	朕吾考令乃鴅沈子乍綰于周公宗
2843	沈子它毁	陟二公
2843	沈子它毁	休同公克成妥吾考目于顯受令
2843	沈子它毁	烏虖隹考𢓊又念自先王先公
2843	沈子它毁	乃沈子其顧褱多公能福
2843	沈子它毁	烏虖、乃沈子妹克蔑見猒于公
2843	沈子它毁	用䜌卿己公
2843	沈子它毁	用谻多公
2843	沈子它毁	用水霝令、用妥公唯壽
2852	不嬰毁一	用乍朕皇且公白孟姬尊毁
2853	不嬰毁二	用作朕皇且公白孟姬尊毁
2855	班毁一	王令毛白更虢城公服
2855	班毁一	王令毛公以邦冢君、土(徒)馭、𢦏人
2855	班毁一	公告氒吏于上
2855	班毁一	不杯丮皇公
2855.	班毁二	王令毛白更虢城公服
2855.	班毁二	王令毛公以邦冢君土
2855.	班毁二	公告氒吏于上
2855.	班毁二	不杯丮皇公
2857	牧毁	公族絚入右牧立中廷
2878.	蔡公子義工臥匠	蔡公子義工之臥匠
2958	陳公子匠	陳公子中慶自乍匡匠

2959	鑄公乍朕匿一	鑄公乍孟妊東母朕匿
2960	鑄公乍朕匿二	鑄公乍孟妊東母朕匿
2966	蛕公諴旅匿	蛕公諴乍旅匿
2976	盨公匿	盨（許）公買羼乓吉金
2984	伯公父盤	白大師小子白公父乍盤
2984	伯公父盤	白大師小子白公父乍盤
3025	白公父旅盨（蓋）	白公父乍旅盨
3047	攺乍乙公旅盨（蓋）	攺乍朕文考乙公旅盨
3063	遡乍姜渼盨	用享孝于姑公
3063	遡乍姜渼盨	用享孝于姑公
3087	鬲从盨	鬲比乍朕皇且丁公、 文考惠公盨
3094	□公克錞	陸公克鑄其饎錞
3100	陳侯因𬯀錞	皇考孝武𧻚公
3100	陳侯因𬯀錞	用乍孝武𧻚公祭器錞
3116	劉公鋪	劉公乍杜孀尊簋永寶用
3124	昶仲無龍匕	昶中無龍公
3686	白乍爵	公乍
3991	乍乙公爵	乍乙公
4017	仲乍公爵	中乍公
4128.	盨公爵	盨周公彝
4160	□公乍鑵彝爵	□公乍旅彝
4192	美乍乓且可公爵一	美乍乓且可公尊彝
4193	美乍乓且可公爵二	美乍乓且可公尊彝
4198	望乍父甲爵	公易望貝、用乍父甲寶彝
4340.	__斝	__乍康公寶尊彝
4409	奨乍公__爻盉	乍公uc爻（鎣）[奨]
4750	雁公旅尊	雁公乍旅彝
4751	雁公尊	雁公乍寶尊彝
4815	白飞薛乍日癸尊	[白飞]薛乍日癸公寶尊彝
4839	史喪尊	事喪乍丁公寶彝
4848	舟 貲乍父乙尊	公易貲貝
4848	舟 貲乍父乙尊	對揚公休
4854	__車僰乍公日辛尊	用乍公日辛寶彝[st]
4860	魯侯尊	隹王令明公遣三族伐東或、才vq
4862	奨能匋尊	能匋易貝于乓𦉢公矢ns五朋
4863	㚇乍父乙尊	隹公pw于宗周
4863	㚇乍父乙尊	㚇從公亥ry洛于官
4864	乍冊𩰫尊	公易乍冊𩰫鬯、貝
4864	乍冊𩰫尊	𩰫揚公休
4869	次尊	公姞令次嗣田人
4869	次尊	對揚公姞休
4872	古白尊	曰母入于公
4872	古白尊	丙日隹母入于公
4877	小子生尊	王令生辨事公宗
4879	彔㦰尊	用乍文考乙公寶尊彝
4881	矙方尊	公令矙從__
4881	矙方尊	用乍辛公寶尊彝
4883	耳尊	肇乍京公寶尊彝
4883	耳尊	京公孫子寶
4885	效尊	公東宮內鄉于王

公

4885	效尊	王易公貝五十朋
4885	效尊	公易厥涉子效王休貝廿朋
4885	效尊	效對公休、用乍寶尊彝
4885	效尊	揚公亦
4890	盠方尊	穆公右盠
4890	盠方尊	用乍朕文祖益公寶尊彝
4891	何尊	昔才爾考公氏
4891	何尊	視于公氏
4891	何尊	用乍叀公寶尊彝
4893	夨令尊	王令周公子明保尹三事四方
4893	夨令尊	丁亥、令夨告于周公宮
4893	夨令尊	公令徃同卿事寮
4893	夨令尊	明公朝至于成周
4893	夨令尊	甲申、明公用牲于京宮
4893	夨令尊	明公歸自王
4893	夨令尊	明公易亢師鬯、金、牛
4893	夨令尊	乍冊令、敢揚明公尹氒宧
4893	夨令尊	用乍父丁寶尊彝、敢追明公賞于父丁[鳥冊]
4930	公方彝	[公]
4977	師遽方彝	用乍文且它公寶尊彝
4979	盠方彝一	穆公右盠
4979	盠方彝一	用乍朕文祖益公寶尊彝
4980	盠方彝二	穆公右盠
4980	盠方彝二	用乍朕文祖益公寶尊彝
4981	鳥冊令方彝	王令周公子明保尹三事四方
4981	鳥冊令方彝	丁亥、令夨告于周公宮
4981	鳥冊令方彝	公令徃同卿事寮
4981	鳥冊令方彝	明公朝至于成周、徃令
4981	鳥冊令方彝	甲申、明公用牲于京宮
4981	鳥冊令方彝	明公歸自王
4981	鳥冊令方彝	明公易亢師鬯、金、牛
4981	鳥冊令方彝	乍冊令、敢揚明公尹氒宧
4981	鳥冊令方彝	敢追明公賞于父丁
5212	公乍彝卣	公乍彝
5214	公卣	公乍彝
5353	乍公尊彝卣	乍公尊彝[彊]
5415	白乍文公旅卣	白乍文公寶尊旅彝
5415	白乍文公旅卣	白乍文公寶尊旅彝
5424	束乍父辛卣	公賞束、用乍父辛于彝
5470	__盂乍父丁卣	兮公宧盂鬯束貝十朋
5470	__盂乍父丁卣	盂對揚公休
5474	翻卣	公易乍冊翻鬯、貝
5474	翻卣	翻揚公休
5474	翻卣	公易乍冊翻鬯、貝
5474	翻卣	翻揚公休
5478	次卣	公姞令次嗣田人
5478	次卣	對揚公姞休
5498	彔戜卣	用乍文考乙公寶尊彝
5499	彔戜卣二	用乍文考乙公寶尊彝
5507	乍冊䰧卣	隹公大史見服于宗周年

5507	乍冊魖卣	公大史成見服于辟王
5507	乍冊魖卣	王遣公大史
5507	乍冊魖卣	公大史在豐
5507	乍冊魖卣	揚公休
5511	效卣一	公東宮內鄉于王
5511	效卣一	王易公貝五十朋
5511	效卣一	公易氒涉子效王休貝廿朋
5511	效卣一	效對公休
5511	效卣一	效不敢不萬年夙夜奔走揚公休
5597	次𨟭	公姞令次𤔲田
5597	次𨟭	對揚公姞休
5616	公乘方壺	公乘
5651	公子裙壺	{ 公子 }裙on
5675	雁公壺	雁公乍寶尊彝
5695	內白攸乍䵼公壺	內白攸乍䵼公尊彝
5703	內公鑄從壺一	內公乍鑄從壺永寶用
5704	內公鑄從壺二	內公乍鑄從壺永寶用
5705	內公鑄從壺三	內公乍鑄從壺永寶用
5741	左歆壺一	徝公左自
5742	左歆壺二	徝公左自
5751	白公父乍弔姬醴壺	白公父乍弔姬醴壺
5758	匽君壺	匽君茲旅者其成公鑄子孟改媵盥壺
5766	周䜌壺一	周䜌乍公日己尊壺
5767	周䜌壺二	周䜌乍公日己尊壺
5770	宗婦鄁嬰壺一	王子剌公之宗婦鄁嬰為宗彝𩰫彝
5771	宗婦鄁嬰壺二	王子剌公之宗婦鄁嬰為宗彝𩰫彝
5775	蔡公子壺	蔡公子□□乍尊壺
5776	曩公壺	曩公乍為子弔姜盥壺
5780	公孫窹壺	公孫窹立事歲飯ho月
5780	公孫窹壺	公子土斧乍子中姜Lw之盤壺
5798	曶壺	井公內右曶
5798	曶壺	用乍朕文考䵼公尊壺
5804	齊侯壺	執者獻于靈公之所
5804	齊侯壺	公曰甬甬
5804	齊侯壺	__靈公之身
5804	齊侯壺	執車馬獻之于莊公之所
5804	齊侯壺	公曰甬甬
5805	中山王譽方壺	以內絕邵公之業
5808	孟城行鈃	若公孟城乍為行鉼(鈃)
6028	子__觚	[子公奴]
6272	䑕妏乍乙公觚	妏乍乙公寶彝[䑕]
6405	雁公觶	雁公
6625	弔　乍楙公觶	弔om乍楙公寶彝
6631	小臣單觶一	周公易小臣單貝{ 十朋 }
6635	中觶	王大省公族于庚農旅
6663	白公父金勺一	白公父乍金爵
6705	征乍周公盤	征乍周公尊彝
6771	宗婦鄁嬰盤	王子剌公之宗婦鄁嬰為宗彝𩰫彝
6787	走馬休盤	益公右走馬休入門
6792	史牆盤	武王則令周公舍圖于周卑處

公

6792	史牆盤	害(猒)犀文考乙公遽趩
6835	匽公匜	匽公乍嬀姜乘般匜
6869	浮公之孫公父宅匜	浮公之孫公父宅鑄其行它
6870	䢅公孫؁父匜	䢅公孫؁父自乍盥匜
6899	_乍康公盂	_乍康公寶尊彝
6902	白公父旅盂	白公父乍旅盂
6909	𨖑盂	用乍文且己公尊盂
6910	師永盂	益公内即命于天子
6910	師永盂	公迺出氒命
6910	師永盂	氒眔公出氒命
6910	師永盂	公迺命鄭𤔲徒𠇍父
6925	晉邦盦	晉公曰：我皇且唐公
6925	晉邦盦	王命唐公
6925	晉邦盦	公曰：余䧹小子
6972	宋公鐘	宋公戌之訶鐘
6973	益公鐘	益公為楚氏龢鐘
6980	内公鐘	内公乍從鐘
6994	楚公豙鐘一	楚公豙自鑄錫鐘
6995	楚公豙鐘二	楚公豙自乍寶大𬪩鐘
6996	楚公豙鐘三	楚公豙自乍寶大𬪩鐘
6997	楚公豙鐘四	楚公自乍寶大𬪩鐘
6998	楚公豙鐘五	楚公豙自鑄錫鐘
7005	䣄公鐘	䣄公敄□□□
7005	䣄公鐘	皇且哀公、皇考晨公
7027	邾公釛鐘	陸䗦之孫邾公釛乍氒禾鐘
7058	邾公孫班鐘	鼄公孫班睪其吉金
7059	師臾鐘	師臾肁乍朕剌且虢季宄公幽弔
7060	旲生鐘一	斁生用乍_公大𬪩鐘
7084	邾公牼鐘一	鼄(邾)公牼睪氒吉金
7085	邾公牼鐘二	鼄(邾)公牼睪氒吉金
7086	邾公牼鐘三	鼄(邾)公牼睪氒吉金
7087	邾公牼鐘四	鼄(邾)公牼睪氒吉金
7092	驫羌鐘一	令于晉公
7093	驫羌鐘二	令于晉公
7094	驫羌鐘三	令于晉公
7095	驫羌鐘四	令于晉公
7096	驫羌鐘五	令于晉公
7112	者減鐘一	若召公壽
7113	者減鐘二	若召公壽
7116	南宮乎鐘	先且南公
7116	南宮乎鐘	用乍朕皇且南公
7116	南宮乎鐘	亞且公中
7135	逆鐘	乃且考□政于公室
7135	逆鐘	用𤕌于公室僕庸臣妾
7136	郘鐘一	畢公之孫
7137	郘鐘二	郘_曰：余畢公之孫
7138	郘鐘三	郘_曰：余畢公之孫
7139	郘鐘四	郘_曰：余畢公之孫
7140	郘鐘五	郘_曰：余畢公之孫
7141	郘鐘六	郘_曰：余畢公之孫

7142	邵鐘七	邵__曰：余畢公之孫
7143	邵鐘八	邵__曰：余畢公之孫
7144	邵鐘九	邵__曰：余畢公之孫
7145	邵鐘十	邵__曰：余畢公之孫
7146	邵鐘十一	邵__曰：余畢公之孫
7147	邵鐘十二	邵__曰：余畢公之孫
7148	邵鐘十三	邵__曰：余畢公之孫
7149	邵鐘十四	邵__曰：余畢公之孫
7157	邾公華鐘一	鼄(邾)公華睪厥吉金
7157	邾公華鐘一	哉公釁壽
7159	癲鐘二	追孝于高且辛公
7159	癲鐘二	文且乙公
7159	癲鐘二	皇考丁公龢鑄鐘
7164	癲鐘七	武王則令周公舍寓以五十頌處
7174	秦公鐘	秦公曰：我先且受天令
7174	秦公鐘	刺刺卲文公、靜公、憲公
7174	秦公鐘	公及王姬曰：余小子
7174	秦公鐘	以匽皇公
7174	秦公鐘	秦公其畯紷才立
7177	秦公及王姬編鐘一	秦公曰：我先且受天令
7177	秦公及王姬編鐘一	刺刺卲文公、靜公、憲公
7177	秦公及王姬編鐘一	公及王姬曰：余小子
7178	秦公及王姬編鐘二	以匽皇公
7178	秦公及王姬編鐘二	秦公其畯紷才立
7179	秦公及王姬編鐘四	秦公曰：我先且受天令
7180	秦公及王姬編鐘五	秦公曰：我先且受天令
7182	叔夷編鐘一	公曰：女尸
7183	叔夷編鐘二	公曰：尸
7183	叔夷編鐘二	女雁鬲公家
7184	叔夷編鐘三	公曰：尸
7184	叔夷編鐘三	女台專戒公家
7185	叔夷編鐘四	雁受君公之易光
7186	叔夷編鐘五	不顯穆公之孫
7186	叔夷編鐘五	其配襄公之__
7186	叔夷編鐘五	而成公之女
7186	叔夷編鐘五	又共于趞武靈公之所
7186	叔夷編鐘五	趞武霝公易尸吉金
7189	叔夷編鐘八	母公之孫
7189	叔夷編鐘八	其配襄公之__
7189	叔夷編鐘八	而成公之女
7192	叔夷編鐘十一	敢再拜韻首膺受君公之
7195	宋公戌鎛一	宋公戌之訶鐘
7196	宋公戌鎛二	宋公戌之訶鐘
7197	宋公戌鎛三	宋公戌之訶鐘
7198	宋公戌鎛四	宋公戌之訶鐘
7199	宋公戌鎛五	宋公戌之訶鐘
7200	宋公戌鎛六	宋公戌之訶鐘
7202	楚公逆鎛	楚公逆自乍夜雨䨓(雷)鎛
7202	楚公逆鎛	為____公
7209	秦公及王姬鎛	秦公曰：我先且受天令

公

7209	秦公及王姬鎛	剌剌卲文公、靜公、憲公
7209	秦公及王姬鎛	公及王姬曰：余小子
7209	秦公及王姬鎛	以匽皇公
7209	秦公及王姬鎛	秦公其畯鈴才立
7210	秦公及王姬鎛二	秦公曰：我先且受天令
7210	秦公及王姬鎛二	剌剌卲文公、靜公、憲公
7210	秦公及王姬鎛二	公及王姬曰：余小子
7210	秦公及王姬鎛二	以匽皇公
7210	秦公及王姬鎛二	秦公其畯鈴才立
7211	秦公及王姬鎛三	秦公曰：我先且受天令
7211	秦公及王姬鎛三	剌剌卲文公、靜公、憲公
7211	秦公及王姬鎛三	公及王姬曰：余小子
7211	秦公及王姬鎛三	以匽皇公
7211	秦公及王姬鎛三	秦公其畯鈴才立
7212	秦公鎛	秦公曰：不顯朕皇且受天命
7212	秦公鎛	十又二公不家才下
7214	叔夷鎛	公曰：女尸
7214	叔夷鎛	公曰：尸
7214	叔夷鎛	女雁鬲公家
7214	叔夷鎛	公曰：尸
7214	叔夷鎛	女台専戒公家
7214	叔夷鎛	雁受君公之易光
7214	叔夷鎛	不顯穆公之孫
7214	叔夷鎛	其配襄公之＿
7214	叔夷鎛	而成公之女
7214	叔夷鎛	又共于公所
7227	内公鐘一	内公乍鑄從鐘之句
7228	内公鐘二	内公乍鑄從鐘之句
7373	大公戈	大公戈
7398	鳥篆戈	□□公子□□用
7429	楚公豙秉戈	楚公豙秉戈
7450	蔡公子果之用戈一	蔡公子果之用
7451	蔡公子果之用戈二	蔡公子果之用戈
7452	蔡公子果之用戈三	蔡公子果之用
7453	蔡公子加戈	蔡公子加之用
7454	蔡加子之用戈	蔡公子加之用
7455	宋公䜌之造戈	宋公䜌之造戈
7456	宋公得之造戈	宋公得之造戈
7468	䇂于公戈	䇂于公之＿造
7475	衛公孫呂戈	衛公孫呂之告戈
7510	□公戈	王賞戴公湍之造、輈
7513	宋公差戈	宋公差之所造不陽族戈
7514	宋公差戈	宋公差之所造柳族戈
7539	伺戈	郙陲公伺之自所造
7545	秦子戈	秦子乍造公族元用左右市御用逸宜＿
7566	十三年相邦義戈	咸陽工師田公大人耆工□
7574	左軍戈	公孫＿脽之□
7651	秦子矛	秦子乍□公族元用
7678	䇂于公劍	䇂于公乍
7690	蔡公子永之用劍	蔡公子永之用

7690	蔡公子永之用劍	蔡公子永之用
7718	雁公劍	雁公圃自乍元鐱
7723	__公劍	L7公自羼吉和金
7729	守相杜波劍	冶巡執齊大攻尹公孫桴
7730	十五年守相杜波劍一	冶巡執齊大攻尹公孫桴_
7773	公矢鏃	公
7815	__昜公殘弩機	__昜公攻尹
7882	公芻權	公芻料石
7884	五年司馬權	五年司馬成公__□事命代□
7919	晉公車器一	晉公之車
7920	晉公車器二	晉公之車
7939	公□帶鉤	公好
M191	繁卣	公酌祀
M191	繁卣	公啻(禘)酌辛公祀
M191	繁卣	公蔑繁曆
M191	繁卣	對揚公休
M191	繁卣	用乍文考辛公寶尊彝
M340	魯伯悆盨	魯伯悆用公龏
M343	魯司徒中齊盨	魯司徒中齊肈乍皇考白走公餗盨段
M581	陳公子中慶簠蓋	陳公子中慶自乍匡匿
M582	陳公孫指父鏉	陳公孫指父乍旅鏉
M599	蔡公子義工簠	蔡公子義工之飤匿
M782	曹公子池戈	曹公子池之造戈
M790	宋公差戈	宋公差之徒造戈
M792	宋公欒簠	有殷天乙唐孫宋公欒
M898	魏公鏉	魏公鈃、三斗二升取
		小計：共　624 筆

公必

0112

1306	無叀鼎	易女玄衣黹屯、戈琱㦸𢦏必彤沙、攸勒䜌旂
2744	五年師旋段一	𩁹(厚)必、彤沙
2745	五年師旋段二	𩁹(厚)必、彤沙
2785	王臣段	戈畫㦸、厚必、彤沙、用事
2791.	史密段	周伐長必
2791.	史密段	周伐長必
2815	師𩛥段	厚必
2835	訇段	戈琱㦸、厚必彤沙
6787	走馬休盤	戈琱㦸、彤沙厚必、䜌旂
6789	袁盤	戈琱㦸厚必彤沙
7116	南宮乎鐘	必父之家
7886	新郪虎符	必會王符
7887	杜虎符	必會君符
		小計：共　13 筆

余 0113

	0921	余子鼎	余子__之鼎
余	1173	羌乍文考鼎	永余寶
	1190	内史鼎	非余曰
	1274	哀成弔鼎	余鄭邦之產
	1288	令鼎一	余其舍女臣卅家
	1289	令鼎二	余其舍女臣卅家
	1304	王子午鼎	余不畏不差
	1315	善鼎	今余唯肇黼先王令
	1315	善鼎	余其用各我宗子雩百生
	1315	善鼎	余用丐純魯雩萬年
	1318	晉姜鼎	晉姜曰：余隹司朕先姑君晉邦
	1318	晉姜鼎	余不叚妄寧
	1323	師訊鼎	叀余小子肇盄先王德
	1323	師訊鼎	敄辟前王吏余一人
	1325	五祀衛鼎	白邑父、定白、琼白、白俗父曰、厲曰：余執
	1325	五祀衛鼎	逆榮（營）二川、曰：余舍女田五田
	1325	五祀衛鼎	余審賈田五田
	1326	多友鼎	余肇吏女休
	1327	克鼎	王若曰：克、昔余既令女出內朕令
	1327	克鼎	今余隹黼京乃令
	1328	盂鼎	余隹即朕小學
	1328	盂鼎	女勿毖余乃辟一人
	1328	盂鼎	今余隹令女盂召榮敬雝德巠
	1330	曶鼎	余無卣貝寇足□
	1330	曶鼎	不出、kq余
	1331	中山王譻鼎	今余方壯
	1332	毛公鼎	司余小子弗彶
	1332	毛公鼎	烏虖、懼余小子
	1332	毛公鼎	王曰：父厝、□余唯肇巠先王命
	1332	毛公鼎	死（尸）母（毋）童（動）余一人在立（位）
	1332	毛公鼎	引唯乃智余非
	1332	毛公鼎	告余先王若德
	1332	毛公鼎	王曰：父厝、今余唯黼先王命
	1668	中甗	余令女史小大邦
	1668	中甗	肆肩又羞余□□□
	2677	居__敔鏄____	君舍余三鏞
	2677	居__敔鏄____	城賁余一斧
	2677	居__敔鏄____	才賜賁余一斧
	2677	居__敔鏄____	p2賁余一斧__舍余一斧
	2677	居__敔鏄____	余以鑄此__兒
	2677.	居__敔毀二	君舍余三鏞
	2677.	居__敔毀二	城賁余一斧
	2677.	居__敔毀二	才賜賁余一斧
	2677.	居__敔毀二	p2賁余一斧__舍余一斧
	2677.	居__敔毀二	余以鑄此__兒
	2698	陳昉毀	昉曰：余陳中裔孫
	2763	弔向父禹毀	余小子司朕皇考
	2763	弔向父禹毀	降余多福緐釐

2766	三兒毁	余邑目□□之孫
2766	三兒毁	余敢□□聖□□□忌
2766	三兒毁	余□□□豕□□亡一人匄三邑□□□聖□□皇
2774	臣諫毁	余朕皇辟侯
2796	諫毁	今余隹或嗣命女
2796	諫毁	今余隹或嗣命女
2797	輔師嫠毁	今余曾乃令
2798	師瘨毁一	今余唯醽（ 緟 ）先王令女官司邑人師氏
2799	師瘨毁二	今余唯醽（ 緟 ）先王令女官司邑人師氏
2801	五年召白虎毁	余獻寢氏目壺
2801	五年召白虎毁	余老止公僕庸土田多諫
2801	五年召白虎毁	余sc于君氏大章
2801	五年召白虎毁	余既訊厚我考我母令
2801	五年召白虎毁	余弗敢亂
2801	五年召白虎毁	余或至我考我母令
2802	六年召白虎毁	余告慶
2802	六年召白虎毁	余告慶
2802	六年召白虎毁	余目邑訊有嗣
2802	六年召白虎毁	余典勿敢封
2802	六年召白虎毁	今余既訊有嗣曰侯令
2802	六年召白虎毁	今余既一名典獻
2807	郾毁一	今余隹緟京乃命
2808	郾毁二	今余隹緟京乃命
2809	郾毁三	今余隹緟京乃命
2810	揚毁一	余用乍朕剌考害白寶毁
2811	揚毁二	余用乍朕剌考害白寶毁
2812	大毁一	余既易大乃里
2812	大毁一	余弗敢斁
2813	大毁二	余既易大乃里
2813	大毁二	余弗敢斁
2815	師毀毁	余令女尸我家
2816	彔白㦰毁	余易女鬯卣
2816	彔白㦰毁	余其萬年寶用
2817	師穎毁	今余隹肇醽乃令
2826	師袁毁一	今余肇令女達（ 率 ）齊帀
2826	師袁毁一	今余弗叚組
2826	師袁毁一	余用乍朕後男巤尊毁
2826	師袁毁一	今余肇令女達（ 率 ）齊帀
2826	師袁毁一	今余弗叚組
2826	師袁毁一	余用乍朕後男巤尊毁
2827	師袁毁二	今余肇令女達（ 率 ）齊帀
2827	師袁毁二	今余弗叚組
2827	師袁毁二	余用乍朕後男巤尊毁
2829	師虎毁	今余隹帥井先令
2830	三年師兌毁	余既令女疋師龢父
2830	三年師兌毁	今余隹醽（ 緟 ）京乃令
2833	秦公毁	余雖{ 小子 }
2834	㝬毁	王曰：有余隹{ 小子 }
2834	㝬毁	余亡康晝夜
2834	㝬毁	肆余目餯士獻民

余

余

2834	㝬簋	陟降余多福
2835	訇簋	今余令女啻官
2838	師𤼈簋一	今余唯䌛(緟)京乃令
2838	師𤼈簋一	今余隹䌛(緟)京乃令
2839	師𤼈簋二	今余唯䌛(緟)京乃令
2839	師𤼈簋二	今余隹䌛(緟)京乃令
2842	卯簋	今余非敢m6先公
2842	卯簋	余懋爯先公官
2842	卯簋	今余隹令女死𤔲(司)葊宮葊人
2852	不嬰簋一	余來歸獻禽
2852	不嬰簋一	余命女御追于䍐
2853	不嬰簋二	余來歸獻禽
2853	不嬰簋二	余命女御追于䍐
2854	蔡簋	今余隹䌛京乃令
2856	師訇簋	妥立余小子𪀉乃吏
2856	師訇簋	今余隹䌛京乃令
2857	牧簋	今余唯或𣪘改
2857	牧簋	今余隹䌛京乃命
2857	牧簋	旂、余馬四匹
2980	鼄大宰𣄰匿一	曰：余諾恭孔惠
2981	鼄大宰𣄰匿二	曰：余諾恭孔惠
2985	陳逆匿一	余陳趄走裔孫
2985	陳逆匿一	余寅吏齊侯
2985.	陳逆匿二	余陳趄走裔孫
2985.	陳逆匿二	余寅吏齊侯
2985.	陳逆匿三	余陳趄走裔孫
2985.	陳逆匿三	余寅吏齊侯
2985.	陳逆匿四	余陳趄走裔孫
2985.	陳逆匿四	余寅吏齊侯
2985.	陳逆匿五	余陳趄走裔孫
2985.	陳逆匿五	余寅吏齊侯
2985.	陳逆匿六	余陳趄走裔孫
2985.	陳逆匿六	余寅吏齊侯
2985.	陳逆匿七	余陳趄走裔孫
2985.	陳逆匿七	余寅吏齊侯
2985.	陳逆匿八	余陳趄走裔孫
2985.	陳逆匿八	余寅吏齊侯
2985.	陳逆匿九	余陳趄走裔孫
2985.	陳逆匿九	余寅吏齊侯
2985.	陳逆匿十	余陳趄走裔孫
2985.	陳逆匿十	余寅吏齊侯
2986	曾白𩵦旅匿一	余擇其吉金黃鑪
2986	曾白𩵦旅匿一	余用自乍旅匿
2987	曾白𩵦旅匿二	余擇其吉金黃鑪
2987	曾白𩵦旅匿二	余用自乍旅匿
3087	鬲从盨	復限余鬲比田
3088	師克旅盨一(蓋)	余隹巠乃先且考
3088	師克旅盨一(蓋)	昔余既令女
3088	師克旅盨一(蓋)	今余隹䌛(緟)京乃令
3089	師克旅盨二	余隹巠乃先且考

余

3089	師克旅盨二	昔余既令女
3089	師克旅盨二	今余佳醽(緟)京乃令
3090	㠱盨(器)	迺乍余一人殳
4867	鑋睘尊	才庈、君令余乍冊睘安尸(夷)白
4888	盠駒尊一	盠曰、余其敢對揚天子之休
4888	盠駒尊一	余用乍朕文考大中寶尊彝
4891	何尊	余其宅玆中或
4974	__方彝	余其萬年彝
5469	白ns卣	休□非余馬
5506	小臣傳卣	師田父令小臣傳非余傳□朕考kz
5506	小臣傳卣	師田父令□□余官
5508	弔趞父卣一	余考不克御事
5508	弔趞父卣一	余兄為女丝小鬱彝
5508	弔趞父卣一	見余
5801	洹子孟姜壺一	余不其事
5802	洹子孟姜壺二	余不其事
5804	齊侯壺	____曰獻余台賜女
5805	中山王譽方壺	余知其忠信施(也)
5825	欒書缶	余畜孫書巳擇其吉金
6634	郐王義楚祭耑	仔郐王義楚擇余吉金
6782	者尚余卑盤	者尚余卑□永既擇其吉金
6793	矢人盤	有爽、實余有散氏心賊
6793	矢人盤	余又爽窪
6861	曩甫人匜	曩甫人余余王__叡孫丝乍寶匜
6877	儹乍旅盉	自今余敢vv乃小大事
6925	晉邦盦	公曰:余痽小子
6925	晉邦盦	余咸畜胤士
7001	嘉賓鐘	余武于戎攻靐聞
7003	舍武編鐘	余武于戎攻靐聞
7008	通彔鐘	受余通彔
7020	單伯鐘	余小子肈帥井朕皇且考懿德
7049	井人鐘三	降余厚多福無彊
7050	井人鐘四	降余後多福無彊
7061	能原鐘	衣(依)余□郕(越)□者、利
7061	能原鐘	佳余□尸(夷)□□鄁曰之
7069	者沪鐘一	今余其念Jh乃有
7074	者沪鐘六	今余其念Jh乃有
7077	者沪鐘九	今余其念Jh乃有
7084	邾公牼鐘一	曰:余畢韓威忌
7085	邾公牼鐘二	曰:余畢韓威忌
7086	邾公牼鐘三	曰:余畢韓威忌
7087	邾公牼鐘四	曰:余畢韓威忌
7088	士父鐘一	降余魯多福亡彊
7089	士父鐘二	降余魯多福亡彊
7090	士父鐘三	降余魯多福亡彊
7091	士父鐘四	降余魯多福亡彊
7117	郐𠱼兒鐘一	余迭斯于之孫
7117	郐𠱼兒鐘一	余丝佫之元子
7117	郐𠱼兒鐘一	余義楚之良臣
7117	郐𠱼兒鐘一	余mqiv兒

	7118	郐儔兒鐘二	余迖斯于之孫
	7118	郐儔兒鐘二	余兹佫之元子
	7119	郐儔兒鐘三	余mqiv兒得吉金鎛鋁
余	7125	蔡侯□紐鐘一	余唯末少子
	7125	蔡侯□紐鐘一	余非敢寧忘
	7126	蔡侯□紐鐘二	余唯末少子
	7126	蔡侯□紐鐘二	余非敢寧忘
	7132	蔡侯□紐鐘八	余唯末少子
	7132	蔡侯□紐鐘八	余非敢寧忘
	7133	蔡侯□紐鐘九	余唯末少子
	7133	蔡侯□紐鐘九	余非敢寧忘
	7134	蔡侯□甬鐘	余唯末少子
	7134	蔡侯□甬鐘	余非敢寧忘
	7135	逆鐘	今余易女毌五
	7136	郘鐘一	余頡岡事君
	7136	郘鐘一	余既壽巻廣
	7136	郘鐘一	余不敢為喬隹王正月初吉丁亥
	7136	郘鐘一	部_日：余八聿
	7136	郘鐘一	乍為余鐘
	7137	郘鐘二	部_日：余畢公之孫
	7137	郘鐘二	余頡岡事君
	7137	郘鐘二	余嘼丮武
	7137	郘鐘二	乍為余鐘
	7137	郘鐘二	余不敢為喬
	7138	郘鐘三	部_日：余畢公之孫
	7138	郘鐘三	余頡岡事君
	7138	郘鐘三	余嘼丮武
	7138	郘鐘三	乍為余鐘
	7138	郘鐘三	余不敢為喬
	7139	郘鐘四	部_日：余畢公之孫
	7139	郘鐘四	余頡岡事君
	7139	郘鐘四	余嘼丮武
	7139	郘鐘四	乍為余鐘
	7139	郘鐘四	余不敢為喬
	7140	郘鐘五	部_日：余畢公之孫
	7140	郘鐘五	余頡岡事君
	7140	郘鐘五	余嘼丮武
	7140	郘鐘五	乍為余鐘
	7140	郘鐘五	余不敢為喬
	7141	郘鐘六	部_日：余畢公之孫
	7141	郘鐘六	余頡岡事君
	7141	郘鐘六	余嘼丮武
	7141	郘鐘六	乍為余鐘
	7141	郘鐘六	余不敢為喬
	7142	郘鐘七	部_日：余畢公之孫
	7142	郘鐘七	余頡岡事君
	7142	郘鐘七	余嘼丮武
	7142	郘鐘七	乍為余鐘
	7142	郘鐘七	余不敢為喬
	7143	郘鐘八	部_日：余畢公之孫

7143	郘鐘八	余頡岡事君
7143	郘鐘八	余嘼孔武
7143	郘鐘八	乍為余鐘
7143	郘鐘八	余不敢為喬
7144	郘鐘九	郘_曰：余畢公之孫
7144	郘鐘九	余頡岡事君
7144	郘鐘九	余嘼孔武
7144	郘鐘九	乍為余鐘
7144	郘鐘九	余不敢為喬
7145	郘鐘十	郘_曰：余畢公之孫
7145	郘鐘十	余頡岡事君
7145	郘鐘十	余嘼孔武
7145	郘鐘十	乍為余鐘
7145	郘鐘十	余不敢為喬
7146	郘鐘十一	郘_曰：余畢公之孫
7146	郘鐘十一	余頡岡事君
7146	郘鐘十一	余嘼孔武
7146	郘鐘十一	乍為余鐘
7146	郘鐘十一	余不敢為喬
7147	郘鐘十二	郘_曰：余畢公之孫
7147	郘鐘十二	余頡岡事君
7147	郘鐘十二	余嘼孔武
7147	郘鐘十二	乍為余鐘
7147	郘鐘十二	余不敢為喬
7148	郘鐘十三	郘_曰：余畢公之孫
7148	郘鐘十三	余頡岡事君
7148	郘鐘十三	余嘼孔武
7148	郘鐘十三	乍為余鐘
7148	郘鐘十三	余不敢為喬
7149	郘鐘十四	郘_曰：余畢公之孫
7149	郘鐘十四	余頡岡事君
7149	郘鐘十四	余嘼孔武
7149	郘鐘十四	乍為余鐘
7149	郘鐘十四	余不敢為喬
7157	邾公華鐘一	余異龏威忌怒穆
7158	𤼈鐘一	受余屯魯通祿永令
7159	𤼈鐘二	褱受余爾𪓐福
7159	𤼈鐘二	永余寶
7160	𤼈鐘三	受余屯魯通祿永令
7161	𤼈鐘四	受余屯魯通祿永令
7162	𤼈鐘五	受余屯魯通祿永令
7166	𤼈鐘九	褱受余爾𪓐福霝冬
7168	𤼈鐘十一	永余寶
7174	秦公鐘	公及王姬曰：余小子
7174	秦公鐘	余夙夕虔敬朕祀
7175	王孫遺者鐘	余函龏𢿭屖
7175	王孫遺者鐘	余恁的台心
7175	王孫遺者鐘	征永余德
7175	王孫遺者鐘	余敦旬于國
7176	㝬鐘	保余小子
7176	㝬鐘	降余多福
7176	㝬鐘	福余順孫

	7177	秦公及王姬編鐘一	公及王姬曰：余小子
	7177	秦公及王姬編鐘一	余夙夕虔敬朕祀
	7182	叔夷編鐘一	余經乃先且
余	7182	叔夷編鐘一	余既尃乃心
	7182	叔夷編鐘一	余引厭乃心
	7182	叔夷編鐘一	余命女政于朕三軍
	7183	叔夷編鐘二	余易女釐都___
	7183	叔夷編鐘二	余命女辝釐徇
	7184	叔夷編鐘三	余用登屯厚乃命
	7184	叔夷編鐘三	女尸毋曰余少子
	7184	叔夷編鐘三	女尃余于艱卹
	7184	叔夷編鐘三	左右余一人
	7184	叔夷編鐘三	余命女裁差正卿
	7184	叔夷編鐘三	雁卹余于
	7185	叔夷編鐘四	女台卹余朕身
	7185	叔夷編鐘四	余易女馬車戎兵
	7185	叔夷編鐘四	余弗敢灋乃命
	7191	叔夷編鐘十	余引厭乃心
	7191	叔夷編鐘十	余敏于戎攻
	7191	叔夷編鐘十	余易女釐都__
	7192	叔夷編鐘十一	女尃余于艱卹
	7203	能原鎛	衣(依)余□郕(越)□者、利
	7203	能原鎛	隹余□尸(夷)□□粊日之
	7205	蔡侯[illegible]編鎛一	余唯末少子
	7205	蔡侯[illegible]編鎛一	余非敢寧忘
	7206	蔡侯[illegible]編鎛二	余唯末少子
	7206	蔡侯[illegible]編鎛二	余非敢寧忘
	7207	蔡侯[illegible]編鎛三	余唯末少子
	7207	蔡侯[illegible]編鎛三	余非敢寧忘
	7208	蔡侯[illegible]編鎛四	余唯末少子
	7208	蔡侯[illegible]編鎛四	余非敢寧忘
	7209	秦公及王姬鎛	公及王姬曰：余小子
	7209	秦公及王姬鎛	余夙夕虔敬朕祀
	7210	秦公及王姬鎛二	公及王姬曰：余小子
	7210	秦公及王姬鎛二	余夙夕虔敬朕祀
	7211	秦公及王姬鎛三	公及王姬曰：余小子
	7211	秦公及王姬鎛三	余夙夕虔敬朕祀
	7212	秦公鎛	曰余雖小子
	7213	𬬻鎛	余彌心畏誋
	7213	𬬻鎛	余四使是以
	7213	𬬻鎛	余為大攻戹
	7214	叔夷鎛	余經乃先且
	7214	叔夷鎛	余既尃乃心
	7214	叔夷鎛	余引厭乃心
	7214	叔夷鎛	余命女政于朕三軍
	7214	叔夷鎛	余易女釐都___
	7214	叔夷鎛	余命女辝釐徇
	7214	叔夷鎛	余用登屯厚乃命

7214	叔夷鎛	女尸毋曰余少子
7214	叔夷鎛	女專余于艱卹
7214	叔夷鎛	左右余一人
7214	叔夷鎛	余命女裁差卿
7214	叔夷鎛	雁卹余于盟卹
7214	叔夷鎛	女台卹余朕身
7214	叔夷鎛	余易女車馬戎兵
7214	叔夷鎛	余弗敢灋乃命
7218	郐諳尹征城	士余是尚
7219	冉鉦鋮（南疆征）	余台行台師
7219	冉鉦鋮（南疆征）	余台政台徒
7219	冉鉦鋮（南疆征）	余台□mt
7219	冉鉦鋮（南疆征）	余台伐郐
7219	冉鉦鋮（南疆征）	羕子孫余冉鑄此鉦□
7219	冉鉦鋮（南疆征）	余處此南疆
7524	三年脩余令戈	三年逌余命韓＿工市＿＿、冶＿
7649	帝降矛	帝降棘余子之貳金
7735	少虡劍一	朕余名之
7736	少虡劍二	朕余名之
7744	工敔太子劍	莫敢御余
7744	工敔太子劍	余處江之陽
7883	三侯權	三侯朕＿中余吉
7976	之利殘片	烏虖、烏興余利資烏止
M545	配兒勾鑃	余其戕于戎攻獻武
M545	配兒勾鑃	余邲龏威嬰
M545	配兒勾鑃	余不敢詩
M545	配兒勾鑃	余羼氒吉金
M553	越王者旨於賜鐘	□順余子孫
M897	六年安平守劍	冶余執齊
		小計：共　377 筆

余 采 番

0114

5317	大舟乍父乙卣	[大舟]采乍父乙彝
J3117	采卣	采乍父丁
		小計：共　2 筆

0115

1027	番君召鼎	番君召自乍鼎
1107	番仲吳生鼎	番中吳生乍尊鼎
1123.	番□伯者鼎	隹番□伯者自乍寶鼎
1399	魯侯乍姬番鬲	魯侯乍姬番鬲
1505	番君酌白鼎	隹番君酌白自乍寶鼎
2840	番生𣪘	番生不敢弗帥井皇且考不杯元德
2840	番生𣪘	番生敢對天子休
2948	番君召𩜁匿一	番君召乍𩜁匿
2949	番君召𩜁匿二	番君召乍𩜁匿

2950	番君召鎛簠三	番君召乍鎛簠
2951	番君召鎛簠四	番君召乍鎛簠
2952	番君召鎛簠五	番君召乍鎛簠
5778	番匊生鑄賸壺	番匊生鑄賸壺
6756	番君白龏盤	隹番君白龏用其赤金自鑄盤
6761	白者君盤	隹番hJ白者君自乍寶槃
6856	番仲㷉匜	唯番中up自乍寶它
6859	白者君匜一	隹番hJ白者尹自乍寶它
6864	番_匜	唯番hhvI用士(吉)金乍自寶匜
7567	廿九年相邦尚囗戈	左庫工币鄱番冶_義執齊
M616	番休伯者君盤	隹番休伯者君用其吉金
M617	番白享匜	隹番白畗自乍匜
M622	番仲戈	番中乍之造戈、白皇
J3610	鄱伯㱃匜	(拓本未見)

小計：共　23 筆

宷　0116

1325	五祀衛鼎	女宷貫田不

小計：共　1 筆

半　0117

0529	半斗鼎	半斗、半斗、四
1114	廿七年大梁司寇肖無智鼎二	脣半斗齍、下官
1152	私官鼎	一斗半正十三斤八兩十四朱
1253	平安君鼎	容四分齍五益六釿半釿四分釿之重
4441	卅五年_盉	容半斗____奭囗
4444	卲宮盉	官四斗少半斗廿三斤十
4444	卲宮盉	少四半斗
4444.	卅五年盉	容半斗 _(__)_奭囗
5717	旻成侯鍾	旻成侯we容半斗
5754	_氏扁壺	_氏、三斗少半
5754	_氏扁壺	今三斗二升少半升
5779	安邑下官鍾	府嗇夫_冶事左__止大斛斗一益少半益
7871	子禾子釜一	贖以半鈞
7884	五年司馬權	半石_平石

小計：共　14 筆

0118

0020	牛首形鼎	[牛]
0021	牛鼎	[牛]
1329	小字盂鼎	孚牛三百五十五牛
1330	曶鼎	吕(曶)用絲金乍朕文孝𡨦白𬑢牛鼎
1684	牛𣪘	[牛]
2723	沓𣪘	王蔑友曆、易牛三
2826	師㝨𣪘一	毆孚士女羊牛、孚吉金
2826	師㝨𣪘一	毆孚士女羊牛、孚吉金
2827	師㝨𣪘二	毆孚士女羊牛、孚吉金
2842	卯𣪘	易女馬十匹、牛十
4893	矢令尊	明公易亢師鬯、金、牛
4893	矢令尊	易令鬯、金、牛
4981	𪓐冊令方彝	明公易亢師鬯、金、牛
4981	𪓐冊令方彝	易令鬯、金、牛
5034	牛(首形)卣	[牛]
5481	叔卣一	賞叔鬱鬯、白金、hx牛
5482	叔卣二	賞叔鬱鬯、白金、hx牛
6877	𠑇乍旅盉	曰：牧牛、𠭰、乃可湛
6877	𠑇乍旅盉	白揚父迺或吏牧牛誓曰
6877	𠑇乍旅盉	牧牛則誓
6877	𠑇乍旅盉	牧牛辭誓成、‘罰金
7899	鄂君啟車節	母載金革黽箭、女馬、女牛、女特
7900	鄂君啟舟節	女載馬、牛、羊台出內關

小計：共 23 筆

0119

1272	剌鼎	王啻、用牡于大室
5803	𪓐嗣好蚉壺	四駐(牡)汸汸

小計：共 2 筆

0120

2688	大𣪘	易L8𦍩犅
2788	靜𣪘	王吕吳𠦪，呂犅
4850	犅劫尊	易犅劫貝朋

小計：共 3 筆

0121

329	小字盂鼎	□□用牲
893	矢令尊	甲申、明公用牲于京宮
893	矢令尊	乙酉、用牲于康宮
893	矢令尊	咸既、用牲于王
981	𪓐冊令方彝	甲申、明公用牲于京宮

牲
牢
牼
犀
犨
告

	4981	𩰫冊令方彝	乙酉、用牲于康宮
	4981	𩰫冊令方彝	咸既、用牲于王
			小計：共 7 筆
牢	0122		
	1204	淮白鼎	其用＿蒸大牢
	5485	貉子卣一	王牢于pJ、hG宜
	5486	貉子卣二	王牢于pJ、咸宜
			小計：共 3 筆
犆	0123	犆字重見	
牼	0124		
	7084	邾公牼鐘一	鼄(邾)公牼睪氒吉金
	7085	邾公牼鐘二	鼄(邾)公牼睪氒吉金
	7086	邾公牼鐘三	鼄(邾)公牼睪氒吉金
	7087	邾公牼鐘四	鼄(邾)公牼睪氒吉金
			小計：共 4 筆
犀	0125		
	1078	犀白魚父旅鼎一	犀白魚父乍旅鼎
	1079	犀白魚父旅鼎二	犀白魚父乍旅鼎
	1417	弭弔乍犀妊齋鬲一	弭弔乍犀妊齍
	1418	弭弔乍犀妊齋鬲二	弭弔乍犀妊齍
	1419	弭弔乍犀妊齋鬲三	弭弔乍犀妊齍
	7871	子禾子釜一	贖以□犀
			小計：共 6 筆
犨	0126		
	2688	大設	易L8犨犅
	7112	者減鐘一	不帛不犨
	7113	者減鐘二	不帛不犨
			小計：共 3 筆
告	0127		
	0170	亞告鼎一	[亞告]
	0171	亞告鼎二	[亞告]
	0241	告宁鼎	[告宁]
	0282	告田鼎	[告田]
	0767	田告乍母辛方鼎	田告乍母辛尊

1029	罴乍且乙鼎	用乍且乙尊[田告亞]	
1298	師旂鼎	雷事氒友引以告于白懋父	
1298	師旂鼎	引以告中史書	
1310	鬲攸從鼎	鬲从吕攸衛牧告于王	告
1325	五祀衛鼎	衛吕邦君君厲告于井白	
1326	多友鼎	告追于王	
1329	小字盂鼎	告曰、王□□吕□□伐鬼方	
1329	小字盂鼎	盂告、㪿白即立	
1329	小字盂鼎	□白告咸盂吕□侯眔侯田□□□□盂征	
1330	曶鼎	吏守以告厎	
1330	曶鼎	以匡季告東宮	
1330	曶鼎	㫚(曶)或吕匡季告東宮	
1332	毛公鼎	告余先王若德	
1332	毛公鼎	氒非先告父厝	
1782	亞告毁	[亞告]	
1998	田告父丁毁	[田告]父丁	
2335	告田乍且乙𩁹侯弔尊毁	乍且乙𩁹侯弔尊彝[告田]	
2633	相侯毁	告于文考、 用乍尊毁	
2801	五年召白虎毁	告曰：吕君氏令曰	
2802	六年召白虎毁	召白虎告曰	
2802	六年召白虎毁	余告慶	
2802	六年召白虎毁	余告慶	
2837	敔毁一	敔告禽馘百、訊卌	
2838	師釐毁一	釐叔市巩(恐)告于王	
2839	師釐毁二	釐叔市巩(恐)告于王	
2841	𦬁白毁	王命益公征眉敖益公至、告	
2843	沈子它毁	敢取卲告	
2843	沈子它毁	迺妹克衣告剌成功	
2854	蔡毁	氒非先告蔡	
2854	蔡毁	母敢疾又入告	
2855	班毁一	公告氒吏于上	
2855.	班毁二	公告氒吏于上	
3702	告宁爵一	[告宁]	
3703	告宁爵二	[告宁]	
3703.	告宁爵三	[告宁]	
4449	裘衛盉	裘衛乃彘告于白邑父	
4667	父癸告品尊	父癸[告品]	
4881	鼉方尊	___鼉___既告	
4891	何尊	則廷告于天曰	
4892	麦尊	唯歸、遥天子休、告亡尤	
4893	矢令尊	丁亥、令矢告于周公宮	
4962	竹室父戊方彝一	[竹室]父戊[告永]	
4963	竹室父戊方彝二	[竹室]父戊[告永]	
4981	雋冊令方彝	丁亥、令矢告于周公宮	
5098	冊告卣	[冊告]	
5221	田告父乙卣	[田告]父乙	
5319	__父乙母告田卣	[亞疑]父乙、[鳥]父乙母[告田]	
5533	田告罍	[田告]	
5803	胤嗣好蚉壺	胤嗣好蚉敢明揚告	
5805	中山王𠑭方壺	卲告後嗣	

5912	告觚	[告]
5986	亞告觚	[亞告]
6046	告宁觚	[告宁]
6390	告田觶一	[告田]
6391	告田觶二	[告田]
6561	告田父丁觶	[告田]父丁
6590	告宁父戊觶	[告宁]父戊
6877	徴乍旅盉	乃師或以女告
6877	徴乍旅盉	乃以告吏琞吏曶于會
7213	鎛	侯氏從告之日
7264	告戈戈	[告、戈]
7475	衛公孫呂戈	衛公孫呂之告戈
7746	告丁刀	[告]丁
		小計：共 68 筆

口 0128

1101	亞受乍父丁鼎	戊寅王口Jbsx馬彡，易貝
3631	刀口爵	[刀口]
4025.2	口父丁爵	[口]父丁
4270.1	亞斝	口亞
4444.1	卅五年盉	容半斗 __(__)__奭口
4484	口尊	[口]
5280	帚子卣	[帚好口止]
5360	毌口乍父己卣	亞毌口乍父己
6162	口父辛觚	[口]父辛
7914	矢車鑾	口乍矢寶
M013	切卣	王口(曰)：尊文武帝乙宜
		小計：共 11 筆

呼 0129

1221	井鼎	呼井從漁
1273	師湯父鼎	王呼宰雁易口弓
1309	寰鼎	王呼史減冊
1313	此鼎二	王呼史翏冊令此曰
1314	此鼎三	王呼史翏冊令此曰
1319	頌鼎一	王呼史虢生冊令頌
1320	頌鼎二	王呼史虢生冊令頌
1321	頌鼎三	王呼史虢生冊令頌
1327	克鼎	王呼尹氏冊令善夫克
2787	望段	王呼史年冊令望
2812	大段一	王呼吳師召大
2813	大段二	王呼吳師召大
2818	此段一	王呼史翏冊令此曰
2819	此段二	王呼史翏冊令此曰
2820	此段三	王呼史翏冊令此曰
2821	此段四	王呼史翏冊令此曰

2822	此𣪕五	王呼史翏冊令此曰
2823	此𣪕六	王呼史翏冊令此曰
2824	此𣪕七	王呼史翏冊令此曰
2825	此𣪕八	王呼史翏冊令此曰
5803	胤嗣𡥱蚉壺	於呼、先王之惪

小計：共 21 筆

0130

2802	六年召白虎𣪕	今余既一名典獻
5510	乍冊嗌卣	氒名義曰
7116	南宮乎鐘	丝名曰無𦧯鐘
7202	楚公逆鎛	氒名曰__
7212	秦公鎛	氒名曰__邦
7673	__工劍	冊名__工
7735	少虡劍一	朕余名之
7736	少虡劍二	朕余名之

小計：共 8 筆

0131

1331	中山王嚳鼎	昔者、𢧐(吾)先考成王
1331	中山王嚳鼎	隹𢧐(吾)老貯
1331	中山王嚳鼎	昔者、𢧐(吾)先祖趄王
1331	中山王嚳鼎	含(今)𢧐(吾)老貯
1331	中山王嚳鼎	𢧐(吾)老貯奔走不聽命
1332	毛公鼎	以乃族干(扞)吾王身
1416	吾乍滕公鬲	吾乍滕公寶尊彝
2843	沈子它𣪕	朕吾考令乃鴅沈子乍𦆫于周公宗
2843	沈子它𣪕	休同公克成妥吾考㠯于顯受令
2843	沈子它𣪕	𣪘吾考克淵克
2856	師訇𣪕	率以乃友干吾王身
4726	商乍父丁吾尊	商乍父丁吾尊
5805	中山王嚳方壺	將與吾君並立於世
7349	吾宜戈	吾宜
7543	四年相邦樛斿戈	櫟陽工上造閒、吾

小計：共 15 筆

0132

1307	師望鼎	哲氒德
1327	克鼎	淑哲氒德
1327	克鼎	天子明哲
1331	中山王嚳鼎	烏虖，折(哲)𢦏(哉)
2791.	史密𣪕	竉不阶(折、哲)
2840	番生𣪕	穆穆克誓(哲)氒德
2972	弔家父乍仲姬匡	哲德不亡(忘)

呼
名
吾
哲
悊

	2986	曾白霥旅匿一	曾白霥哲聖元元武武孔㳄
	2987	曾白霥旅匿二	曾白霥哲聖元元武武孔㳄
	6792	史墻盤	淵悊(哲)庚王
哲	7047	井人鐘	克哲氒德
悊	7048	井人鐘二	克哲氒德
	7122	梁其鐘一	克哲氒德
	7123	梁其鐘二	克哲氒德
	7175	王孫遺者鐘	肅哲聖武

小計：共　15 筆

0133

0641	子盥君妻鼎	子盥君妻	
J454	君夫人鼎	君夫人之行貞(鼎)	君
0866	__夜君鼎	sd夜君戊之__鼎	
0979	__君鼎	pl君婦媿需乍旅尊鼎	
0980	__君鼎	pl君婦媿需乍旅__其子孫用	
1008	虎嗣君鼎	虎嗣君常羼其吉金	
1027	番君召鼎	番君召自乍鼎	
1046	圛方鼎	休朕公君匽侯易圛貝	
1061	交君子__鼎	交君子qf肇乍寶鼎	
1154	黃孫子蜾君弔單鼎	唯黃孫子蜾君弔單自乍鼎	
1169	平安邦鼎	卅三年單父上官{冢子}喜所受坪安君者也(蓋)	
1169	平安邦鼎	卅三年單父上官{冢子}喜所受坪安君者也(器)	
1170	信安君鼎	詢(信)安君{ ム官 }、容料	
1170	信安君鼎	下官容料(器), 詢(信)安君{ ム官 }、容料	
1172	征人乍父丁鼎	丙午天君鄉Gz酉才斤	
1172	征人乍父丁鼎	天君賞氒征人斤貝	
1173	羌乍文考鼎	羌對揚君令于彝	
1189	諶鼎	諶肇乍其皇考皇母者比君𩱛鼎	
1190	內史鼎	內史恭朕天君	
1253	平安君鼎	單父上官宰喜所受坪安君者也	
1264	螢鼎	休朕皇君弗忘氒寶臣	
1274	哀成弔鼎	君既安惠	
1281	史頌鼎一	灋友里君、百生	
1282	史頌鼎二	灋友里君、百生	
1284	尹姞鼎	休天君弗望穆公聖粦明	
1284	尹姞鼎	君蔑尹姞曆	
1284	尹姞鼎	拜頧首、對揚天君休	
1318	晉姜鼎	晉姜曰:余佳司朕先姑君晉邦	
1318	晉姜鼎	妥懷遠埶(邇)君子	
1324	禹鼎	休叟氒君馭方	
1325	五祀衛鼎	衛目邦君君厲告于井白	
1325	五祀衛鼎	邦君厲眔付裘衛田	
1329	小字盂鼎	三ナ(左)三右多君入服酉	
1331	中山王譽鼎	昔者郾君子徻觀(叡)弇夫猂(悟)	
1331	中山王譽鼎	而皇(況)才烏(於){ 小子 }(少)君虖	
1445	樊君鬲	樊君乍弔qywJ媵器寶J2	
1457	衛夫人行鬲	衛夫人文君弔姜乍其行鬲用	
505	番君酌白鼎	佳番君酌白自乍寶鼎	
528	公姞鬲鼎	天君蔑公姞曆	
528	公姞鬲鼎	拜䭫首、對揚天君休	
533	尹姞寶鬲一	休天君弗望穆公聖粦明𢦚吏(事)先王	
533	尹姞寶鬲一	君蔑尹姞曆	
533	尹姞寶鬲一	拜䭫首、對揚天君休	
534	尹姞寶鬲二	休天君弗望穆公聖粦明𢦚吏(事)先王	
534	尹姞寶鬲二	君蔑尹姞曆	
534	尹姞寶鬲二	拜䭫首、對揚天君休	
593	弔䣄父乍旅𣪘一	其夙夜用亯孝于皇君	
594	弔䣄父乍旅𣪘二	其夙夜用亯孝于皇君	

	2594.	弔䶒父乍旅𣪘三	其夙夜用享孝于皇君
	2604	黃君𣪘	黃君乍季嬴vz媵𣪘
	2629	牧師父𣪘一	牧師父弟弔睽父御于君
君	2630	牧師父𣪘二	牧師父弟弔睽父御于君
	2631	牧師父𣪘三	牧師父弟弔睽父御于君
	2677	居__𣪘鑄____	君舍余三鏞
	2677.	居__𣪘𣪘二	君舍余三鏞
	2681	鄦侯𣪘	㛤乍皇妣qJ君中改祭器八𣪘
	2694	豦乍且考𣪘	休朕匋(寶)君
	2705	君夫𣪘	王命君夫曰
	2705	君夫𣪘	君夫敢每揚王休
	2752	史頌𣪘一	i1穌𤔲友里君百生
	2753	史頌𣪘二	i1穌𤔲友里君百生
	2754	史頌𣪘三	i1穌𤔲友里君百生
	2755	史頌𣪘四	i1穌𤔲友里君百生
	2756	史頌𣪘五	i1穌𤔲友里君百生
	2757	史頌𣪘六	i1穌𤔲友里君百生
	2758	史頌𣪘七	i1穌𤔲友里君百生
	2759	史頌𣪘八	i1穌𤔲友里君百生
	2759	史頌𣪘九	i1穌𤔲友里君百生
	2786	縣妃𣪘	易君、我隹易壽
	2791	豆閉𣪘	嗣𡚬俞邦君
	2801	五年召白虎𣪘	告曰：目君氏令曰
	2801	五年召白虎𣪘	余sc于君氏大章
	2802	六年召白虎𣪘	對揚朕宗君其休
	2815	師𣪕𣪘	敢對揚皇君休
	2837	敔𣪘一	復付氒君
	2855	班𣪘一	王令毛公以邦冢君、土(徒)馭、𢦚人
	2855.	班𣪘二	王令毛公以邦冢君土
	2866	㚇君飛𣪕匠	㚇君飛之𣪕匠
	2925	交君子__匠一	交君子qf肈乍寶匠
	2926	交君子__匠二	交君子qf肈乍寶匠
	2948	番君召𩜁匠一	番君召乍𩜁匠
	2949	番君召𩜁匠二	番君召乍𩜁匠
	2950	番君召𩜁匠三	番君召乍𩜁匠
	2951	番君召𩜁匠四	番君召乍𩜁匠
	2952	番君召𩜁匠五	番君召乍𩜁匠
	2964.	弔邦父匠	用𦂏君王
	3090	𡫾𢀛(器)	卑復虐逐氒君氒師
	3112	𢸚陵君王子申豆一	𢸚陵君王子申
	3113	𢸚陵君王子申豆二	𢸚陵君王子申
	3122	__君之孫𢉖(者旨𨬯盤)	n8君之孫𨙸命尹者旨𨬯
	4435	__君盉	p1君婦媿霝乍旅□
	4825	𡗞者君乍父乙尊	𡗞者君乍父乙寶尊彝[cu]
	4867	𨟻睘尊	才序、君令余乍冊睘安尸(夷)白
	4893	夨令尊	眔里君
	4981	𥃝冊令方彝	眔里君、眔百工
	5471	𡚸小子省乍父己卣	省揚君商
	5471	𡚸小子省乍父己卣	省揚君商
	5493	召乍__宮旅卣	奔走事皇辟君

君

5650	__君壺	__君啟妾
5653	莊君壺	莊君之壺
5731	邛君婦龢壺	邛君婦龢乍其壺
5758	匹君壺	匹君丝旅者其成公鑄子孟記媍賸盥壺
5789	命瓜君厚子壺一	命瓜君厚子乍鑄尊壺
5790	命瓜君厚子壺二	命瓜君厚子乍尊壺
5793	幾父壺一	對揚朕皇君休
5794	幾父壺二	對揚朕皇君休
5795	白克壺	白克敢對揚天君王白休
5805	中山王譽方壺	僑(適)曹(遭)郾君子徻
5805	中山王譽方壺	將與吾君並立於世
5805	中山王譽方壺	郾故君子徻
5805	中山王譽方壺	新君子之
5805	中山王譽方壺	述(遂)定君臣之位
5807	緻__君鈃	酉、炑、緻qm君刀鈃二ta
6754.	徐令尹者旨甾爐盤	n8君之孫郐令尹者旨甾羼其吉金
6756	番君白龏盤	隹番君白龏用其赤金自鑄盤
6761	白者君盤	隹番hJ白者君自乍寶槃
6793	矢人盤	邦人嗣工騌君
6858	楚君首匜	楚君G5用吉自乍匜
6863	白君黃生匜	唯有白君堇生自乍它
6880	智君子之弄鑑一	智君子之弄鑑
6881	智君子之弄鑑二	智君子之弄鑑
6887	掷陵君王子申鑑	掷陵君王子申
6905	要君餘盂	要君白居自乍餘盂
6909	遡盂	君才雝、即宮
6909	遡盂	天君事遡事o8
6916	楚君嬰盆	楚君G5用其吉金自乍寶盆
6919	子毛竊內君寶器	子毛竊內君乍寶器
7000	邾君鐘	鼀君求吉金
7027	邾公釛鐘	揚君霝、君以萬年
7046	□□自乍鐘二	以樂君子
7122	梁其鐘一	沏其身邦君大正
7123	梁其鐘二	沏其身邦君大正
7136	郘鐘一	余頡岡事君
7137	郘鐘二	余頡岡事君
7138	郘鐘三	余頡岡事君
7139	郘鐘四	余頡岡事君
7140	郘鐘五	余頡岡事君
7141	郘鐘六	余頡岡事君
7142	郘鐘七	余頡岡事君
7143	郘鐘八	余頡岡事君
7144	郘鐘九	余頡岡事君
7145	郘鐘十	余頡岡事君
7146	郘鐘十一	余頡岡事君
7147	郘鐘十二	余頡岡事君
7148	郘鐘十三	余頡岡事君
7149	郘鐘十四	余頡岡事君
7183	叔夷編鐘二	弗敢不對揚朕辟皇君之
7185	叔夷編鐘四	雁受君公之易光

君命

7192	叔夷編鐘十一	敢再拜稽首膺受君公之
7214	叔夷鎛	弗敢不對揚朕辟皇君之易休命
7214	叔夷鎛	雁受君公之易光
7220	喬君鉦	喬君淲虘與朕以wL
7403	郜君戈	艾君鳳寶有
7470	君子友戈	君子囗造戟
7661	三年建躬君矛	三年相邦建躬君
7662	八年建躬君矛	八年相邦建躬君
7726	八年相邦建躬君劍一	八年相邦建躬君
7727	八年相邦建躬君劍二	八年相邦建躬君
7728	八年相邦建躬君劍三	八年相邦建躬君
7881	白君權	白君西里__右
7887	杜虎符	右才君
7887	杜虎符	必會君符
7899	鄂君啟車節	為鄂君啟之廣商鑄金節
7900	鄂君啟舟節	為鄂君啟之廣商鑄金節
M616	番休伯者君盤	隹番休伯者君用其吉金
M799	卅二年平安君鼎	卅三年單父上官宰喜所受平安君石它(器二)

小計：共　166 筆

命　0134

1070	鄲孝子鼎	命鑄飤鼎鬲
1090	十三年梁上官鼎	十三年、梁陰命率上官__子疾冶乘鑄
1210	寧__鼎	庚午王命寧__省北田四品
1280	康鼎	王命死嗣王家
1290	利鼎	王乎乍命內史冊令利曰
1291	善夫克鼎一	王命善夫克舍令于成周遹正八自之年
1292	善夫克鼎二	王命善夫克舍令于成周遹正八自之年
1293	善夫克鼎三	王命善夫克舍令于成周遹正八自之年
1294	善夫克鼎四	王命善夫克舍令于成周遹正八自之年
1295	善夫克鼎五	王命善夫克舍令于成周遹正八自之年
1296	善夫克鼎六	王命善夫克舍令于成周遹正八自之年
1297	善夫克鼎七	王命善夫克舍令于成周遹正八自之年
1304	王子午鼎	命尹子庚殹民之所亟
1305	師奎父鼎	王乎內史駒冊命師奎父
1307	師望鼎	虔夙夜出內王命
1308	白晨鼎	王命䡅侯伯晨曰
1324	禹鼎	命禹oo朕且考政于井邦
1324	禹鼎	睗(賜)共朕辟之命
1324	禹鼎	王迺命西六自、殷八自曰
1326	多友鼎	命武公遣乃元士羞追于京自
1326	多友鼎	武公命多友達公車羞追于京自
1326	多友鼎	迺命向父招多友
1331	中山王譽鼎	天降休命于朕邦
1331	中山王譽鼎	氏(是)以賜之氒命
1331	中山王譽鼎	麔(吾)老貯奔走不聽命
1332	毛公鼎	雁(膺)受大命
1332	毛公鼎	唯天酱(將)集氒命

1332	毛公鼎	Jq堇大命
1332	毛公鼎	不巩先王配命
1332	毛公鼎	王日：父厝、□余唯肇巠先王命
1332	毛公鼎	命女辥我邦我家內外
1332	毛公鼎	䜌圞(恪)大命
1332	毛公鼎	于外尃(敷)命尃(敷)政
1332	毛公鼎	出入尃(敷)命于外
1332	毛公鼎	父厝舍命
1332	毛公鼎	母(毋)又敢惷尃命于外
1332	毛公鼎	王曰：父厝、今余唯䜌先王命
1332	毛公鼎	命女亟一方
1332	毛公鼎	命女𤔲嗣公族
1596	命乍寶彝甗	命乍寶彝
1621	夆白甗	夆白命乍旅彝
2412	媵虎乍皇考設一	媵(賸)虎敢肇乍皇考公命中寶尊彝
2413	媵虎乍皇考設二	媵(賸媵)虎敢肇乍皇考公命中寶尊彝
2414	媵虎乍皇考設三	媵(賸)虎敢肇乍皇考公命中寶尊彝
2635	賢設一	公命吏畮
2636	賢設二	公命吏畮
2637	賢設三	公命吏畮
2638	賢設四	公命吏畮
2644	命設	王才華、王易命鹿
2644	命設	命其永以多友設飤
2689	白康設一	它它受兹永命
2690	白康設二	它它受兹永命
2705	君夫設	王命君夫曰
2711.	乍冊般設	對揚天子不顯王休命
2721	㒼設	王命㒼眔弔緐父歸吳姬飴器
2725	師毛父設	井白右、大史冊命
2733	何設	對揚天子魯命
2743	䣄設	命女𤔲(辭)成周里人
2743	䣄設	對揚王休命
2768	楚設	內史尹氏冊命楚
2769	師耤設	王乎內史尹氏冊命師耤
2771	弭弔師求設一	王乎尹氏冊命師求
2772	弭弔師求設二	王乎尹氏冊命師求
2773	即設	王乎命女赤市朱黃
2775.	害設一	王冊命宰曰
2775.	害設一	命用乍文考寶設
2775.	害設二	王冊命宰曰
2775.	害設二	命用乍文考寶設
2783	趞設	內史即命
2783	趞設	命女乍𤼈自家𤔲馬
2784	申設	王命尹冊命申更乃且考
2785	王臣設	乎內史先冊命王臣
2789	同設一	王命周左右吳大父𤔲易林吳牧
2790	同設二	王命周左右吳大父𤔲易林吳牧
2791	豆閉設	王乎內史冊命豆閉
2791	豆閉設	敢對揚天子不顯休命
2793	元年師旋設一	王乎乍冊尹冊命師旋曰

命

2793	元年師旋𣪘一	敢對揚天子不顯魯休命
2794	元年師旋𣪘二	王乎乍冊尹冊命師旋曰
2794	元年師旋𣪘二	敢對揚天子不顯魯休命
2795	元年師旋𣪘三	王乎乍冊尹冊命師旋曰
2795	元年師旋𣪘三	敢對揚天子不顯魯休命
2796	諫𣪘	王乎內史q4冊命諫曰
2796	諫𣪘	先王既命女𩁹嗣王宥
2796	諫𣪘	今余隹或嗣命女
2796	諫𣪘	王乎內史先冊命諫曰
2796	諫𣪘	先王既命女𩁹嗣王宥
2796	諫𣪘	今余隹或嗣命女
2800	伊𣪘	王乎命尹封冊命伊
2803	師酉𣪘一	王乎史𦜗冊命師酉
2803	師酉𣪘一	對揚天子不顯休命
2804	師酉𣪘二	王乎史𦜗冊命師酉
2804	師酉𣪘二	對揚天子不顯休命
2804	師酉𣪘二	王乎史𦜗冊命師酉
2804	師酉𣪘二	對揚天子不顯休命
2805	師酉𣪘三	王乎史𦜗冊命師酉
2805	師酉𣪘三	對揚天子不顯休命
2806	師酉𣪘四	王乎史𦜗冊命師酉
2806	師酉𣪘四	對揚天子不顯休命
2806.	師酉𣪘五	王乎史𦜗冊命師酉
2806.	師酉𣪘五	對揚天子不顯休命
2807	𨜶𣪘一	王乎內史冊命𨜶
2807	𨜶𣪘一	王曰：𨜶、昔先王既命女乍邑
2807	𨜶𣪘一	今余隹緟京乃命
2808	𨜶𣪘二	王乎內史冊命𨜶
2808	𨜶𣪘二	王曰：𨜶、昔先王既命女乍邑
2808	𨜶𣪘二	今余隹緟京乃命
2809	𨜶𣪘三	王乎內史冊命𨜶
2809	𨜶𣪘三	王曰：𨜶、昔先王既命女乍邑
2809	𨜶𣪘三	今余隹緟京乃命
2833	秦公𣪘	秦公曰：不顯朕皇且受天命
2833	秦公𣪘	嚴恭夤天命
2838	師𤼈𣪘一	敬夙夜、勿灋（ 廢 ）朕命
2839	師𤼈𣪘二	敬夙夜、勿灋（ 廢 ）朕命
2841	茾白𣪘	王命益公征眉敖益公至、告
2841	茾白𣪘	己未、王命中到歸茾白or裘
2841	茾白𣪘	雁（ 膺 ）受大命
2841	茾白𣪘	又帀于大命
2841	茾白𣪘	用𣄨屯彔永命魯壽子孫
2852	不𡢁𣪘一	余命女御追于𦉢
2853	不𡢁𣪘二	余命女御追于𦉢
2857	牧𣪘	今余隹𢆶京乃命
2976	𥁕公匿	永命無疆
2982.	甲午匿	用_易命臣炳臣師戊
2985	陳逆匿一	乍求永命
2985.	陳逆匿二	乍求永命
2985.	陳逆匿三	乍求永命

2985.	陳逆固四	乍求永命
2985.	陳逆固五	乍求永命
2985.	陳逆固六	乍求永命
2985.	陳逆固七	乍求永命
2985.	陳逆固八	乍求永命
2985.	陳逆固九	乍求永命
2985.	陳逆固十	乍求永命
3085	駒父旅盨(蓋)	南中邦父命駒父即南者侯逵高父見南淮夷
3085	駒父旅盨(蓋)	豖不敢不敬畏王命逆見我
3085	駒父旅盨(蓋)	我乃至于淮{ 小大 }邦亡敢不__具逆王命
3090	𤔲盨(器)	氒非正命
3090	𤔲盨(器)	勿灋(廢)朕命
3122	__君之孫盧(者旨𠳮盤)	n8君之孫郐命尹者旨𠳮
3128	魚鼎匕	參之蚰蚘命
3128	魚鼎匕	帛命入敗
4441	卅五年__盉	康命周__禹
4444.	卅五年盉	康命周__民吏
4887	蔡侯𦉜尊	蔡侯𦉜虔共大命
5503	競卣	命戍南尸
5789	命瓜君厚子壺一	命瓜君厚子乍鑄尊壺
5790	命瓜君厚子壺二	命瓜君厚子乍尊壺
5801	洹子孟姜壺一	齊侯命大子乘__來句宗白
5801	洹子孟姜壺一	聽命于天子
5801	洹子孟姜壺一	齊侯拜嘉命
5801	洹子孟姜壺一	于大無嗣折于大嗣命用璧
5801	洹子孟姜壺一	洹子孟姜用嘉命
5802	洹子孟姜壺二	齊侯命大子乘dw來句宗白聽命于天子
5802	洹子孟姜壺二	齊侯拜嘉命
5802	洹子孟姜壺二	于大無嗣折于與大嗣命用璧
5802	洹子孟姜壺二	洹子孟姜用嘉命
5803	胤嗣好蚉壺	敬命新墬(地)
5805	中山王嚳方壺	中山王嚳命相邦貫㝛郾吉金
6768	齊大宰歸父盤一	霝命難老
6769	齊大宰歸父盤二	霝命難老
6788	蔡侯𦉜盤	蔡侯𦉜虔共大命
6909	遹盂	命遹吏于述土
6910	師永盂	益公內即命于天子
6010	師永盂	公迺出氒命
6910	師永盂	氒眔公出氒命
6910	師永盂	公迺命鄭嗣徒㓝父
6910	師永盂	對揚天子休命
6925	晉邦𥂴	王命唐公
6990.	秦王鐘	秦王卑命、竟sd土之定救秦戎
7039	應侯見工鐘二	用易𩰫壽永命
7045	□□自乍鐘一	□□自乍永命
7058	邾公孫班鐘	□□是□霝命無其
7060	𡖊生鐘一	吉甲戌王命周
7076	者沪鐘八	隹王命
7079	者沪鐘十一	隹王命
7080	者沪鐘十二	隹王命元__乃德

命

7125	蔡侯𤔲紐鐘一	天命是遥
7125	蔡侯𤔲紐鐘一	為命祇祇
7126	蔡侯𤔲紐鐘二	天命是遥
7126	蔡侯𤔲紐鐘二	為命祇祇
7131	蔡侯𤔲紐鐘七	為命祇祇
7132	蔡侯𤔲紐鐘八	天命是遥
7132	蔡侯𤔲紐鐘八	為命祇祇
7133	蔡侯𤔲紐鐘九	天命是遥
7133	蔡侯𤔲紐鐘九	為命祇祇
7134	蔡侯𤔲甬鐘	天命是遥
7134	蔡侯𤔲甬鐘	為命祇祇
7135	逆鐘	勿灋朕命
7174	秦公鐘	奭雍受大命
7178	秦公及王姬編鐘二	奭雍受大命
7182	叔夷編鐘一	余命女政于朕三軍
7183	叔夷編鐘二	女敬共辝命
7183	叔夷編鐘二	余命女辝釐匋
7184	叔夷編鐘三	易休命
7184	叔夷編鐘三	余用登屯厚乃命
7184	叔夷編鐘三	余命女裁差正卿
7184	叔夷編鐘三	䌛命于外內之吏
7185	叔夷編鐘四	余弗敢灋乃命
7186	叔夷編鐘五	命
7187	叔夷編鐘六	霝命難老
7205	蔡侯𤔲編鎛一	天命是遥
7205	蔡侯𤔲編鎛一	為命祇祇
7206	蔡侯𤔲編鎛二	天命是遥
7206	蔡侯𤔲編鎛二	為命祇祇
7207	蔡侯𤔲編鎛三	天命是遥
7207	蔡侯𤔲編鎛三	為命祇祇
7208	蔡侯𤔲編鎛四	天命是遥
7208	蔡侯𤔲編鎛四	為命祇祇
7209	秦公及王姬鎛	奭雍受大命
7210	秦公及王姬鎛二	奭雍受大命
7211	秦公及王姬鎛三	奭雍受大命
7212	秦公鎛	秦公曰：不顯朕皇且受天命
7212	秦公鎛	嚴龏夤天命
7213	𪒠鎛	用旛侯氏永命萬年
7213	𪒠鎛	用求丂命彌生
7214	叔夷鎛	余命女政于朕三軍
7214	叔夷鎛	女敬共辝命
7214	叔夷鎛	余命女辝釐匋
7214	叔夷鎛	弗敢不對揚朕辟皇君之易休命
7214	叔夷鎛	余用登屯厚乃命
7214	叔夷鎛	余命女裁差卿
7214	叔夷鎛	䌛命于外內之吏
7214	叔夷鎛	余弗敢灋乃命
7214	叔夷鎛	尃受天命
7214	叔夷鎛	霝命難老
7463	新弨戈	新弨自命弗戟

7504	廿三年□陽令戈	__陽命__戲
7523	四年戈	四年命韓__右庫工帀__冶__
7524	三年脩余令戈	三年逌余命韓__工帀____、冶__
7526	卅四年屯丘令戈	卅四年屯丘命爽左工帀𥨍冶□
7528	王二年奠令戈	王二年奠命韓□右庫工帀__慶
7531	廿九年高都令陳愈戈	廿九年高都命陳愈
7532	九年我□令雁戈	高望、九年𢦏丘命雁工帀__冶__
7533	卅二年帶令戈	卅三年帶命初左庫工帀臣冶山
7534	□__戈	□__命司馬伐右庫工帀高反冶□
7538	邗令戈	四年邗命輅庶長
7541	四年咎奴戈	四年咎奴__命壯𦉜工帀賓疾冶問
7544	八年亲城大令戈	八年亲城大命韓定工帀宋費冶褚
7546	王三年奠令韓熙戈	王三年奠命韓熙右庫工師吏史□冶□
7548	元年__令戈	__命夜會上庫工帀冶門旅其都
7549	十六年喜令戈	喜命韓鳳左庫工帀司馬裕冶何
7550	十二年少令邯鄲戈	十二年尚命邯鄲□右庫工帀□紹冶倉造
7551	十二年尚令邯鄲戈	十二年尚命邯鄲□右庫工帀□紹冶倉造
7553	廿年奠令戈	廿年鄭命韓恙司寇吳裕
7558	十四年奠令戈	十四年奠命趙距司寇王造武庫
7559	十五年奠令戈	十五年奠命趙距司寇□章右庫
7560	十六年奠令戈	十六年奠命趙司寇彭璋里庫
7561	十七年奠令戈	十七年奠命幽距司寇彭璋武庫
7562	廿一年奠令戈	廿一年奠命𩨍族司寇裕左庫工帀吉□冶□
7563	卅一年奠令戈	卅一年奠命樽司寇尚它里庫工帀冶𣪘啟
7568	四年奠令戈	四年奠命韓及司寇長朱
7569	五年奠令戈	五年奠命韓__司寇張朱
7570	六年奠令戈	六年奠命__幽司寇向__左庫工帀倉慶冶尹成𩏂
7571	八年奠令戈	八年奠命__幽司寇史墜右庫工帀易高冶尹__□
7572	十七年𩰫令戈	十七年𩰫命𩨍尚司寇奠__右庫工帀□軗冶□□
7652	五年鄭令韓□矛	五年奠命韓□司寇長朱
7656	七年宅陽令矛	七年宅陽命馬登
7657	九年鄭令向佃矛	九年奠命向佃司寇□商
7663	卅二年奠令槍□矛	卅二年奠命槍□司寇趙它
7664	元年奠命槍□矛	元年奠命槍□司寇芋慶
7665	三年奠令槍□矛	三年奠命槍□司寇□慶
7666	七年奠令□幽矛	七年奠命□幽司寇□□
7667	卅四年奠令槍□矛	卅四年奠命槍□司寇造芋慶
7668	二年奠令槍□矛	二年奠命槍□司寇芋慶
7669	四年□雍令矛	四年□雝命韓匡司寇□宅
7670	六年安陽令斷矛	六年安陽命韓亟司陽□□□
7684	□命劍	子申□省尹命
7719	廿九年高都令劍	廿九年高都命陳愈工帀冶乘
7731	王立事劍一	□□命孟卯左庫工帀司馬部
7732	王立事劍二	□□命孟卯左庫工帀司馬部
7733	王立事劍三	□□命孟卯左庫工帀司馬部
7739	卅三年奠令□□劍	卅三年奠命□□司寇趙它
7867.	龍__	以命攻(工)尹穆酉(丙)
7870	陳純釜	n2命左關帀r4
7871	子禾子釜一	子禾子□□內者御命陳得
7871	子禾子釜一	如關人不用命

7871	子禾子釜一	□命者
7884	五年司馬權	五年司馬成公_□事命代□
7890	王命傳賃節一	王命命傳
7895	王命傳節一	王命傳賃一擔飤之
7896	王命傳節二	王命傳賃一擔飤之
7897	王命傳節三	王命傳賃一擔飤之
7898	王命傳節四	王命傳賃一擔飤之
7899	鄂君啟車節	大攻尹脽台王命命集尹恕(悼)nf
7900	鄂君啟舟節	大攻尹脽台王命命集尹恕nf
7954	皮氏銅牌	皮氏命□金
7955	_十命銅牌	_十命
7975	中山王墓兆域圖	王命賈為逃乏
7975	中山王墓兆域圖	不行王命者

小計：共　290 筆

咨　0134+

7434	陳侯因咨戈一	陳侯因咨造
7435	陳侯因咨戈二	陳侯因咨造
M867	陳侯因咨戟	陳侯因咨造、昜右

小計：共　3 筆

召　0135

0877	召父鼎	召父乍氒父寶彝
1027	番君召鼎	番君召自乍鼎
1092	小臣建鼎	召公建匽
1244	癲鼎	王乎虢弔召癲
1249	寓鼎	用乍召白父辛寶尊彝
1301	大鼎一	王乎善夫騣召大目氒友入孜
1301	大鼎一	王召走馬雁令取k3鴉卅二匹易大
1302	大鼎二	王乎善夫騣召大目氒友入孜
1302	大鼎二	王召走馬雁令取k3鴉卅二匹易大
1303	大鼎三	王乎善夫騣召大目氒友入孜
1303	大鼎三	王召走馬雁令取k3鴉卅二匹易大
1318	晉姜鼎	用召匹辝辟
1324	禹鼎	克夾召先王、奠四方
1328	盂鼎	今余隹令女盂召榮敬雝德巠
1328	盂鼎	王曰：盂、迺召夾死嗣戎
1328	盂鼎	夙夕召我一人葊四方
1433	召白毛尊鬲	召白毛乍王母尊鬲
1479	召仲乍生妣奠鬲一	召中乍生妣尊鬲
1480	召仲乍生妣奠鬲二	召中乍生妣尊鬲
1644	大史友乍召公甗	大史友乍召公寶尊彝
2656	師害𣪕一	以召其辟
2657	師害𣪕二	以召其辟
2767	𧻚𣪕一	王乎師晨召大師𧻚入門、立中廷
2774.	南宮弔𣪕	迺召夾死嗣??戎

2801	五年召白虎殷	召來合吏
2801	五年召白虎殷	召白虎曰
2802	六年召白虎殷	召白虎告曰
2802	六年召白虎殷	用乍朕剌且召公嘗殷
2812	大殷一	王呼吳師召大
2813	大殷二	王呼吳師召大
2856	師訇殷	乍氒□□用夾召氒辟
2857	牧殷	以今既司匐氒辠召故
2948	番君召𨰍𠤳一	番君召乍𨰍𠤳
2949	番君召𨰍𠤳二	番君召乍𨰍𠤳
2950	番君召𨰍𠤳三	番君召乍𨰍𠤳
2951	番君召𨰍𠤳四	番君召乍𨰍𠤳
2952	番君召𨰍𠤳五	番君召乍𨰍𠤳
2968	奠白大嗣工召弔山父旅𠤳一	奠白大嗣工召弔山父乍旅𠤳
2969	奠白大嗣工召弔山父旅𠤳二	奠白大嗣工召弔山父乍旅𠤳
2984	伯公父盤	我用召卿吏辟王
2984	伯公父盤	用召者考者兄
2984	伯公父盤	我用召卿吏辟王
2984	伯公父盤	用召者考者兄
4199	𩛥乍白父辛爵	𩛥乍召白父辛寶尊彝
4432	白害乍召白父辛盉	白害乍召白父辛寶尊彝
4878	召尊	白懋父易召白馬每黃猶(髮)微
4878	召尊	用u8不杯・召多用追炎不杯白懋父友
4878	召尊	召萬年永光
4888	盠駒尊一	王乎師豦召盠
5090	一一六八一六召卣	[一一六八一六召]
5492	亞獏四祀𠨘其卣	才召大廊
5493	召乍__宮旅卣	召啟進事
5493	召乍__宮旅卣	召弗敢諲王休異
5496	召卣	白懋父賜召白馬
5496	召卣	用u8不杯召多
5496	召卣	召萬年永光
5796	三年𤼈壺一	乎虢弔召𤼈、易羔俎
5796	三年𤼈壺一	乎師壽召𤼈易彘俎
5797	三年𤼈壺二	乎虢弔召𤼈、易羔俎
5797	三年𤼈壺二	乎師壽召𤼈易彘俎
6274	戉亥召乍父辛觚	戉亥召乍父辛彝
6282	召乍父戊觚	召乍氒文考父戊寶尊彝
6830	召樂父匜	召樂父乍娛改寶它、永寶用
6925	晉邦𥁰	召䱷□□□□□□____晉邦
7040	克鐘一	王乎士曶召克
7041	克鐘二	王乎士曶召克
7042	克鐘三	王乎士曶召克
7112	者減鐘一	若召公壽
7113	者減鐘二	若召公壽
7135	逆鐘	弔氏令史__召逆
7204	克鎛	王乎士曶召克

小計：共　71 筆

問
唯

問	0136		
	3100	陳侯因資錞	朝問者(諸)侯
	7541	四年咎奴戈	四年咎奴_命壯罌工币賓疾冶問
			小計:共　2 筆
唯	0137	0598佳字重見	
	1120	湶白鼎	唯湶白友□林乍鼎
	1121	唯弔從王南征鼎	唯弔從王南征、唯歸
	1121	唯弔從王南征鼎	唯弔從王南征、唯歸
	1128	_白氏鼎	唯鄧八月初吉
	1135	獻侯乍丁侯鼎	唯成王大桒、才宗周
	1136	獻侯乍丁侯鼎二	唯成王大桒、才宗周
	1154	黃孫子蟓君弔單鼎	唯黃孫子蟓君弔單自乍鼎
	1164	旂乍文父日乙鼎	唯八月初吉辰才乙卯
	1174	昜乍旅鼎	唯十月事于曾
	1187	員乍父甲鼎	唯正月既望癸酉
	1201	椒白車父鼎二	唯王四月八月初吉丁亥
	1202	椒白車父鼎三	唯王四年八月初吉丁亥
	1203	椒白車父鼎四	唯王四年八月初吉丁亥
	1205.	遨鼎	唯七月初吉甲戌
	1206	旟鼎	唯八月初吉
	1208	乙亥乍父丁方鼎	唯各、商貝
	1208	乙亥乍父丁方鼎	唯王正井方[仦]
	1217	毛公旅方鼎	亦引唯考
	1243	仲_父鼎	唯王五月初吉丁亥
	1263	呂方鼎	唯五月既死霸辰才壬戌
	1272	刺鼎	唯五月、王才□
	1280	康鼎	唯三月初吉甲戌
	1290	利鼎	唯王九月丁亥
	1298	師旂鼎	唯三月丁卯
	1299	噩侯鼎一	唯還自征
	1315	善鼎	唯十又一月初吉辰才丁亥
	1315	善鼎	今余唯肇䜌先王令
	1315	善鼎	唯用妥福唬前文人
	1316	㦰方鼎	㦰曰:烏虖、王唯念㦰辟剌考甲公
	1316	㦰方鼎	唯氒事乃子㦰萬年辟事天子
	1323	師訊鼎	唯王八祀正月辰才丁卯
	1324	禹鼎	亦唯噩侯馭方率南淮尸、東尸
	1326	多友鼎	唯孚車不克㠯、卒焚
	1326	多友鼎	唯馬毆盡
	1330	曶鼎	㝱(曶)曰:ts唯朕□□賞
	1332	毛公鼎	唯天畐(將)集氒命
	1332	毛公鼎	亦唯先正ht辪氒辟
	1332	毛公鼎	王曰:父厝、□余唯肇巠先王命
	1332	毛公鼎	引唯乃智余非
	1332	毛公鼎	無唯正聞(昏)
	1332	毛公鼎	引其唯王智

1332	毛公鼎	迺唯是喪我國
1332	毛公鼎	王曰：父厝、今余唯𤕌先王命
1444	黃虎梌鬲	唯黃虎梌用吉金乍鬲
2603	白吉父段	唯十又二月
2613	白椃乍宄寶段	唯用旛染萬年
2625	曾白文段	唯曾白文自乍寶段
2633.	食生走馬谷段	唯食生走馬谷自乍吉金用尊段
2635	𦣻段一	唯九月初吉庚午
2636	𦣻段二	唯九月初吉庚午
2637	𦣻段三	唯九月初吉庚午
2638	𦣻段四	唯九月初吉庚午
2639	𨒅段	唯七月初吉甲戌
2663	宴段一	唯正月初吉庚寅
2664	宴段二	唯正月初吉庚寅
2688	大段	唯六月初吉丁巳
2705	君夫段	唯正月初吉乙亥
2710	肄自乍寶器一	唯十又二月既生霸丁亥
2711	肄自乍寶器二	唯十又二月既生霸丁亥
2721	㒳段	唯六月既生霸辛巳
2722	窒弔乍豐姞旅段	唯王五月辰才丙戌
2732	曾仲大父蛕蚑段	唯五月既生霸庚申
2737	段段	唯王十又四祀十又一月丁卯
2743	虢段	唯王正月辰才甲午
2760	小臣謎段一	唯十又一月
2761	小臣謎段二	唯十又一月
2783	趞段	唯二月、王才宗周、戊寅
2791	豆閉段	唯王二月既眚霸
2792	師俞段	唯三年三月初吉甲戌
2798	師𤸫段一	今余唯𤕌（緟）先王令女官司邑人師氏
2799	師𤸫段二	今余唯𤕌（緟）先王令女官司邑人師氏
2835	訇段	唯王十又七祀
2838	師嫠段一	今余唯𤕌（緟）京乃令
2839	師嫠段二	今余唯𤕌（緟）京乃令
2843	沈子它段	其孔哀乃沈子它唯福
2843	沈子它段	用水霝令、用妥公唯壽
2852	不嬰段一	唯九月初吉戊申
2853	不嬰段二	唯九月初吉戊申
2853.	尹段	唯對揚尹休
2857	牧段	今余唯或𣪕改
2953	白其父慶旅祜	唯白其父慶乍遊祜
3075	白汈其旅盨一	畯臣天子、萬年唯極
3076	白汈其旅盨二	畯臣天子、萬年唯極
3085	駒父旅盨（蓋）	唯王十又八年正月
3090	𡒉盨（器）	則隹輔天降喪不□唯死
3100	敶侯因資錞	其唯因資揚皇考
4860	魯侯尊	唯王令明公遣三族伐東或，才vq
4890	盠方尊	唯八月初吉
4891	何尊	烏虖、爾有唯小子亡識
4892	麥尊	唯歸、遅天子休、告亡尤
4892	麥尊	唯天子休于麥辟侯之年

唯和

	4893	矢令尊	迺令曰、今我唯令女二人
	4979	盠方彝一	唯八月初吉
	4980	盠方彝二	唯八月初吉
	4981	奥冊令方彝	今我唯令女二人、亢眔矢
	5485	貉子卣一	唯正月丁丑
	5486	貉子卣二	唯正月丁丑
	5494	𡚸𠭯乍母辛卣	子曰：貝、唯𡚸女曆
	5496	召卣	唯九月才炎自、甲午
	5508	弔趞父卣一	唯女焂其敬辥乃身
	5508	弔趞父卣一	唯用其𢓊女
	5509	欶卣	唯還在周
	5581	峀𤰔罍	唯峀𤰔叀于u1
	5762	呂行壺	唯三月、白懋父北征
	5762	呂行壺	唯還、呂行𢦏、孚__
	5811	曾白文𦉜	唯曾白父自乍𢑒pe𦉜
	6774	__右盤	唯qe右自乍用其吉金寶盤
	6784	三十四祀盤（祼盤）	隹王卅又四祀唯五月既望戊午
	6793	矢人盤	唯王九月辰才乙卯
	6856	番仲㶾匜	唯番中up自乍寶它
	6863	白君黃生匜	唯有白君堇生自乍它
	6864	番__匜	唯番hhvi用士（吉）金乍自寶匜
	6869	浮公之孫公父宅匜	唯王正月初吉庚午
	7092	𦉢羌鐘一	唯廿又再祀
	7093	𦉢羌鐘二	唯廿又再祀
	7094	𦉢羌鐘三	唯廿又再祀
	7095	𦉢羌鐘四	唯廿又再祀
	7096	𦉢羌鐘五	唯廿又再祀
	7125	蔡侯𩂠歌鐘一	余唯末少子
	7126	蔡侯𩂠歌鐘二	余唯末少子
	7132	蔡侯𩂠歌鐘八	余唯末少子
	7133	蔡侯𩂠歌鐘九	余唯末少子
	7134	蔡侯𩂠甬鐘	余唯末少子
	7205	蔡侯𩂠編鎛一	余唯末少子
	7206	蔡侯𩂠編鎛二	余唯末少子
	7207	蔡侯𩂠編鎛三	余唯末少子
	7208	蔡侯𩂠編鎛四	余唯末少子
	7218	郐諧尹征城	唯正月月初吉、日才庚
	7743	越王兀北古劍	唯越王丌北自乍元之用之劍

小計：共 129 筆

和 0138

2698	陳財𣪘	龢弔和子
2698	陳財𣪘	用追孝□我皇𪘼（和）鎗（會）
4431	史孔盉	史孔乍和（盉）
4444	邵宮盉	和工工感邵宮和
4444	邵宮盉	五十兩廿三斤十兩十五和工工感邵官和
5803	𡩾嗣𡚸蚉壺	馭右和同
7723	__公劍	L7公自䍐吉和金

小計：共 7 筆

0139

1324	禹鼎	烏虖哀哉
1331	中山王嚳鼎	烏虖、語不竣（廢）𢦏（哉）
1331	中山王嚳鼎	烏虖、折𢦏（哉）
1331	中山王嚳鼎	烏虖、念之𢦏（哉）
1331	中山王嚳鼎	烏虖、念之𢦏（哉）
2659	郾侯庫毀	郾侯庫畏伇慭人戠
3128	魚鼎匕	欽戠
5508	弔𧾷父卣一	敬戠
5510	乍冊嗌卣	母念戠
5805	中山王嚳方壺	烏虖、允𢦏（哉）若言
7069	者沕鐘一	戠𢎪王__
7071	者沕鐘三	戠𢎪
7074	者沕鐘六	戠𢎪王__寔__庶__
7077	者沕鐘九	戠𢎪王__寔__庶__
7117	郘𪓐兒鐘一	曰：於虖敬戠
7118	郘𪓐兒鐘二	曰：於虖敬戠
7157	邾公華鐘一	戠公𩜁壽
7330	□戠戈	__戠

小計：共 18 筆

0140 2395㠯（以）字參見

0788	𤔲父鼎	𤔲父乍__台鼎
1003	楚王酓肯釶鼎	台（以）共歲嘗
1070	鄲孝子鼎	王四月、鄲孝子台（以）庚寅之日
1225	𪓐大史申鼎	用征台迮
1225	𪓐大史申鼎	台御賓客
1274	哀成弔鼎	台吏康公
2659	郾侯庫毀	休台馬__皇民
2659	郾侯庫毀	休台□L0
2659	郾侯庫毀	永台馬民__
2682	陳侯午毀	陳侯午台群者侯□鑄乍皇妣□大妃祭器
2682	陳侯午毀	□□台__台嘗
2985	陳逆匿一	台（以）乍氒元配季姜之祥器
2985	陳逆匿一	台（以）亯台（以）孝
2985.	陳逆匿二	台（以）乍氒元配季姜之祥器
2985.	陳逆匿二	台（以）亯台（以）孝
2985.	陳逆匿三	台（以）乍氒元配季姜之祥器
2985.	陳逆匿三	台（以）亯台（以）孝
2985.	陳逆匿四	台（以）乍氒元配季姜之祥器
2985.	陳逆匿四	台（以）亯台（以）孝
2985.	陳逆匿五	台（以）乍氒元配季姜之祥器
2985.	陳逆匿五	台（以）亯台（以）孝
2985.	陳逆匿六	台（以）乍氒元配季姜之祥器
2985.	陳逆匿六	台（以）亯台（以）孝

台

2985.	陳逆𠥁七	台(以)乍氒元配季姜之祥器
2985.	陳逆𠥁七	台(以)亯台(以)孝
2985.	陳逆𠥁八	台(以)乍氒元配季姜之祥器
2985.	陳逆𠥁八	台(以)亯台(以)孝
2985.	陳逆𠥁九	台(以)乍氒元配季姜之祥器
2985.	陳逆𠥁九	台(以)亯台(以)孝
2985.	陳逆𠥁十	台(以)乍氒元配季姜之祥器
2985.	陳逆𠥁十	台(以)亯台(以)孝
3093.	台(以)喜敦	台(以)喜匽
3097	陳侯午錞錞一	陳侯午台群者侯獻金
3097	陳侯午錞錞一	乍皇妣孝大妃祭器sk錞台登台嘗
3098	陳侯午錞錞二	陳侯午台群者侯獻金
3098	陳侯午錞錞二	乍皇妣孝大妃祭器sk錞台登台嘗
3099	十年陳侯午錞(器)	者侯亯台吉金
3099	十年陳侯午錞(器)	用乍平壽造器錞台登台嘗
3100	陳侯因資錞	台登台嘗、保有齊邦
4887	蔡侯䌛尊	禋亯是台
5759	趙孟壺一	台(目)為祠器
5773	陳喜壺	台寺ur巽
5784	杕氏壺	虡台(以)為弄壺
5784	杕氏壺	虡台(以)匽歙
5804	齊侯壺	台鑄其滕(賸)壺
5804	齊侯壺	商之台邑嗣衣裘車馬
5804	齊侯壺	台元伐𢦏_丘
5804	齊侯壺	商之台兵執車馬
5804	齊侯壺	與台□𢦏師
5804	齊侯壺	___日獻余台賜女
6634	郤王義楚祭耑	永保辝(台)身
6723	楚王酓肯盤	台共歲嘗
6768	齊大宰歸父盤一	台旂釁壽
6769	齊大宰歸父盤二	台旂釁壽
6788	蔡侯䌛盤	禋享是台
6888	吳王光鑑一	台乍弔姬寺吁宗__薦鑑
6889	吳王光鑑二	台乍弔姬寺吁宗__薦鑑
6965	其台鐘	其台
7070	者沕鐘二	女亦虔秉不經悳台克刺__光之于聿
7072	者沕鐘四	台克__光朕卲
7073	者沕鐘五	台克__光朕于
7074	者沕鐘六	台以r1光朕立
7077	者沕鐘九	台以r1光朕立
7082	齊鞄氏鐘	用亯台孝
7082	齊鞄氏鐘	于台皇且文考
7084	邾公牼鐘一	台樂其身
7085	邾公牼鐘二	台樂其身
7086	邾公牼鐘三	台樂其身
7087	邾公牼鐘四	台樂其身
7108	薦弔之仲子平編鐘一	台濼其大酉
7109	薦弔之仲子平編鐘二	台濼其大酉
7110	薦弔之仲子平編鐘三	台濼其大酉
7111	薦弔之仲子平編鐘四	台濼其大酉

7117	邾𪽞兒鐘一	台鑄龢鐘
7117	邾𪽞兒鐘一	台追孝先且
7119	邾𪽞兒鐘三	台以鑄龢鐘
7119	邾𪽞兒鐘三	台追孝先且
7157	邾公華鐘一	台乍其皇且考
7157	邾公華鐘一	台卹其祭祀盟祀
7157	邾公華鐘一	台樂大夫
7157	邾公華鐘一	台宴士庶子
7175	王孫遺者鐘	用𠬝台孝
7175	王孫遺者鐘	用匽台喜
7175	王孫遺者鐘	余恁⿰台心
7184	叔夷編鐘三	女台尃戒公家
7185	叔夷編鐘四	女台卹余朕身
7185	叔夷編鐘四	女台戒戎攸
7213	𪻒鎛	是台可使
7214	叔夷鎛	女台尃戒公家
7214	叔夷鎛	女台卹余朕身
7214	叔夷鎛	女台戒戎攸
7215	其次勾鑃一	台享台孝
7216	其次勾鑃二	台享台孝
7217	姑馮勾鑃	台樂賓客
7219	冉鉦鋮（ 南疆征 ）	台□台船
7219	冉鉦鋮（ 南疆征 ）	余台行⿰台師
7219	冉鉦鋮（ 南疆征 ）	余台政⿰台徒
7219	冉鉦鋮（ 南疆征 ）	余台□mt
7219	冉鉦鋮（ 南疆征 ）	余台伐郐
7219	冉鉦鋮（ 南疆征 ）	萬葉之外子子孫孫□堋作台□□
7714	攻敔王劍	台□戒人
7722	吳王光劍	台當戒人
7871	子禾子釜	而台（ 以 ）___退
7871	子禾子釜	贖台（ 以 ）半鈞
7871	子禾子釜	贖台（ 以 ）_犀
7899	鄂君啟車節	大攻尹脽台王命命集尹恕（ 悼 ）nf
7899	鄂君啟車節	屯十台堂一車
7899	鄂君啟車節	廿擔台堂一車
7899	鄂君啟車節	台毀於五十乘之中
7900	鄂君啟舟節	大攻尹脽台王命命集尹恕nf
7900	鄂君啟舟節	女載馬、牛、羊台出內關
7996.	上官登	台為大𣏚之從鈇登□□
		小計：共 112 筆

0141

0338	咸父甲鼎	［ 咸 ］父甲
0835	咸陽鼎	咸陽一斗三升、厶官
0888	咸妹早乍且丁鼎	咸𣪘乍且丁尊彝
1184	德方鼎	征珷福自蒿、咸
1242	𡙁方鼎	豐白、尃古咸𢦔
1260	我方鼎	征礿𥜶二女、咸

	1261	我方鼎二	征衸槧二女、咸
	1271	史獸鼎	咸獻工
	1299	䣄侯鼎	王宴，咸㱃[酉]
咸	1329	小字盂鼎	□越白□□䰾旂虘目新□從、咸
	1329	小字盂鼎	□白告咸盂目□侯冢侯田□□□□盂征
	1329	小字盂鼎	□咸、賓即立、贊賓
	1661	乍冊般甗	無敄、咸
	1899	帚如咸𣪘	帚如咸
	1951	咸父乙𣪘	[咸]父乙
	2833	秦公𣪘	咸畜胤士
	2853.	尹𣪘	豋、咸
	2855	班𣪘一	易鈴、鋚、咸
	2855	班𣪘一	伐東或痟戎、咸
	2855.	班𣪘二	咸
	2855.	班𣪘二	咸
	2856	師訇𣪘	用乍朕剌且乙白咸益姬寶𣪘
	3241	咸爵	[咸]
	4886	趩尊	各大室、咸
	4891	何尊	王咸𢍰
	4892	麥尊	死、咸
	4893	矢令尊	既咸令
	4893	矢令尊	咸既、用牲于王
	4981	舄冊令方彝	既咸令
	4981	舄冊令方彝	咸既、用牲于王
	5486	貉子卣二	王牢于pJ、咸宜
	5507	乍冊䰧卣	公大史咸見服于辟王
	5509	𤞷卣	王㱃西宮、烝、咸
	5785	史懋壺	親令史懋路筮、咸
	5826	國差𦉜	咸
	6925	晉邦盦	余咸畜胤士
	7092	驫羌鐘一	武文咸剌
	7093	驫羌鐘二	武文咸剌
	7094	驫羌鐘三	武文咸剌
	7095	驫羌鐘四	武文咸烈
	7096	驫羌鐘五	武文咸剌
	7174	秦公鐘	咸畜左右
	7177	秦公及王姬編鐘一	咸畜左右
	7186	叔夷編鐘五	咸有九州
	7209	秦公及王姬鎛	咸畜左右
	7210	秦公及王姬鎛二	咸畜左右
	7211	秦公及王姬鎛三	咸畜左右
	7212	秦公鎛	咸畜百辟胤士
	7214	叔夷鎛	咸有九州
	7509	丞相觸戈	__年丞相觸造、咸□工帀葉工、武
	7566	十三年相邦義戈	咸陽工師田公大人耆工□

小計：共 51 筆

0142	0452又字重見	
0622	右乍鬳鼎	右乍旅鼎
0642	公朱右自鼎	公朱右自
0722	右脒鼎	右脒三料斗
0814	東陵鼎	東陵_大右泰
0884	右官鼎	右官公_官_鎮(鼎)
1276	_季鼎	白俗父右u.J季
1276	_季鼎	日、用又(左)右俗父嗣寇
1277	七年趞曹鼎	井白入右趞曹立中廷、北鄉
1280	康鼎	榮白內右康
1283	微䜌鼎	屯右譽壽、永令霝冬
1290	利鼎	井白內右利立中廷、北鄉
1291	善夫克鼎一	用匃康勵屯右
1292	善夫克鼎二	用匃康勵屯右
1293	善夫克鼎三	用匃康勵屯右
1294	善夫克鼎四	用匃康勵屯右
1295	善夫克鼎五	用匃康勵屯右
1296	善夫克鼎六	用匃康勵屯右
1297	善夫克鼎七	用匃康勵屯右
1298	師旂鼎	氒不從氒右征
1305	師奎父鼎	嗣馬井白右師奎父
1306	無叀鼎	嗣徒南中右無叀內門
1309	寰鼎	宰頵右寰入門
1311	師晨鼎	嗣馬共右師晨入門、立中廷
1312	此鼎一	嗣土毛弔右此入門、立中廷
1313	此鼎二	嗣土毛弔右此入門、立中廷
1314	此鼎三	嗣土毛弔右此入門、立中廷
1317	善夫山鼎	南宮乎入右善夫山入門
1319	頌鼎一	宰引右頌入門、立中廷
1319	頌鼎一	旂匃康𩁹屯右、通彔永令
1320	頌鼎二	宰引右頌入門、立中廷
1320	頌鼎二	旂匃康𩁹屯右、通彔永令
1321	頌鼎三	宰引右頌入門、立中廷
1321	頌鼎三	旂匃康𩁹屯右、通彔永令
1326	多友鼎	多友右折首執訊
1327	克鼎	𪊨季右善夫克入門立中廷、北鄉
1329	小字盂鼎	三十(左)三右多君入服酉
1331	中山王譽鼎	以左右寡人
1332	毛公鼎	金車賁較、朱䪊囪(鞃)靳、虎冟熏裏、右厄
1398	季右父尊鬲	季右父乍尊鬲
1477	右戲仲夏父豐鬲	右戲中夏父乍豐鬲
2689	白康段一	無彊屯右
2690	白康段二	無彊屯右
2712	虢姜段	旛匃康𩁹屯右
2725	師毛父段	井白右、大史冊命
2725.	䊮星段	用旛康匃屯右通彔魯令
2726	㫚段	康公右卻㫚
2733	何段	王乎虢中入右何
2735	㢊敖段	其右子歆、吏孟

	2738	衛段	榮右衛內、即立
	2765	救段	井白內、右救立中廷北鄉
	2769	師稽段	榮白內、右師稽即立中廷
右	2770	㦸段	穆公入、右㦸立中廷北鄉
	2771	弭弔師求段一	井弔內、右師求
	2772	弭弔師求段二	井弔內、右師求
	2773	即段	定白入、右即
	2775	裘衛段	南白入、右裘衛入門、立中廷、北鄉
	2775.	害段一	宰屖父右害立
	2775.	害段二	宰屖父右害立
	2776	走段	司馬井白入、右徒
	2783	趞段	密弔右趞即立
	2783	趞段	小大右、陪（ 鄰 ）
	2784	申段	益公内右申中廷
	2785	王臣段	益公入、右王臣即立中廷北鄉
	2787	望段	宰倗父右望入門
	2787	望段	宰倗父右望
	2789	同段一	榮白右同立中廷、北鄉
	2789	同段一	王命周左右吳大父嗣昜林吳牧
	2789	同段一	世孫孫子子左右吳大父
	2790	同段二	榮白右同立中廷、北鄉
	2790	同段二	王命周左右吳大父嗣昜林吳牧
	2790	同段二	世孫孫子子左右吳大父
	2791	豆閉段	右豆閉
	2791.	史密段	史宓（ 密 ）右
	2792	師俞段	嗣馬共右師俞入門立中廷
	2793	元年師旋段一	遲公入、右師旋即立中廷
	2794	元年師旋段二	遲公入、右師旋即立中廷
	2795	元年師旋段三	遲公入、右師旋即立中廷
	2796	諫段	嗣馬共又右諫入門立中廷
	2796	諫段	嗣馬共又右諫入門立中廷
	2797	輔師嫠段	榮白入、右輔師嫠
	2798	師瘨段一	嗣馬井白親右師瘨入門立中廷
	2799	師瘨段二	嗣馬井白親右師瘨入門立中廷
	2800	伊段	䡅（ 緟 ）季內、右伊立中廷北鄉
	2803	師酉段一	右師酉立中廷
	2804	師酉段二	右師酉立中廷
	2804	師酉段二	右師酉立中廷
	2805	師酉段三	右師酉立中廷
	2806	師酉段四	右師酉立中廷
	2806.	師酉段五	右師酉立中廷
	2807	𨛭段一	右祝鄭
	2808	𨛭段二	右祝鄭
	2809	𨛭段三	右祝鄭
	2810	揚段一	嗣徒單白內、右揚
	2811	揚段二	嗣徒單白內、右揚
	2816	彔白㦰段	右闢四方
	2817	師穎段	嗣工液白入右師穎
	2818	此段一	司土毛弔右此入門、立中廷
	2819	此段二	司土毛弔右此入門、立中廷

2820	此𣪘三	司土毛弔右此入門、立中廷
2821	此𣪘四	司土毛弔右此入門、立中廷
2822	此𣪘五	司土毛弔右此入門、立中廷
2823	此𣪘六	司土毛弔右此入門、立中廷
2824	此𣪘七	司土毛弔右此入門、立中廷
2825	此𣪘八	司土毛弔右此入門、立中廷
2826	師𧃍𣪘一	曩、𤊾、mm、un、左右虎臣
2826	師𧃍𣪘一	曩、𤊾、mm、屎、左右虎臣
2827	師𧃍𣪘二	曩、𤊾、mm、un、左右虎臣
2829	師虎𣪘	井白內、右師虎即立中廷北鄉
2829	師虎𣪘	𤔲ナ右㪤𣌭緐𢦏（ 荊 ）
2829	師虎𣪘	𤔲ナ右㪤𣌭緐𢦏（ 荊 ）
2830	三年師兌𣪘	𩡧白右師兌入門、立中廷
2830	三年師兌𣪘	𤔲ナ右走馬
2830	三年師兌𣪘	右戹
2831	元年師兌𣪘一	同中右師兌入門、立中廷
2831	元年師兌𣪘一	司ナ（ 左 ）右走馬、五邑走馬
2832	元年師兌𣪘二	同中右師兌入門、立中廷
2832	元年師兌𣪘二	司ナ（ 左 ）右走馬、五邑走馬
2835	訇𣪘	益公入、右訇
2837	敔𣪘一	武公入右
2838	師𤔲𣪘一	宰琱生内、右師𤔲
2838	師𤔲𣪘一	宰琱生内、右師𤔲
2839	師𤔲𣪘二	宰琱生内、右師𤔲
2839	師𤔲𣪘二	宰琱生内、右師𤔲
2840	番生𣪘	朱鬲𩊄靳、虎冟熏裏、道衡右戹
2842	卯𣪘	榮季入右卯立中廷
2844	頌𣪘一	宰引右頌入門立中廷
2844	頌𣪘一	用追孝𪓊匃康𩍸屯右
2845	頌𣪘二	宰引右頌入門立中廷
2845	頌𣪘二	用追孝𪓊匃康𩍸屯右
2845	頌𣪘二	宰引右頌入門立中廷
2845	頌𣪘二	用追孝𪓊匃康𩍸屯右
2846	頌𣪘三	宰引右頌入門立中廷
2846	頌𣪘三	用追孝𪓊匃康𩍸屯右
2847	頌𣪘四	宰引右頌入門立中廷
2847	頌𣪘四	用追孝𪓊匃康𩍸屯右
2848	頌𣪘五	宰引右頌入門立中廷
2848	頌𣪘五	用追孝𪓊匃康𩍸屯右
2849	頌𣪘六	宰引右頌入門立中廷
2849	頌𣪘六	用追孝𪓊匃康𩍸屯右
2850	頌𣪘七	宰引右頌入門立中廷
2850	頌𣪘七	用追孝𪓊匃康𩍸屯右
2851	頌𣪘八	宰引右頌入門立中廷
2851	頌𣪘八	用追孝𪓊匃康𩍸屯右
2854	𥜃𣪘	宰曶入、右𥜃立中廷
2855	班𣪘一	以乃自右从毛父
2855	班𣪘一	以乃自右从毛父
2855.	班𣪘二	以乃自右从毛父
2855.	班𣪘二	以乃自右从毛父

右

2856	師訇毀	亦則於女乃聖且考克左右先王
2856	師訇毀	艾内右□
2857	牧毀	公族組入右牧立中廷
2857	牧毀	氒訊庶右彝
2857	牧毀	用雩乃訊庶右彝
3083	瘐毀(盨)一	嗣馬共右瘐
3084	瘐毀(盨)二	嗣馬共右瘐
3087	鬲从盨	氒右鬲比善夫__
3088	師克旅盨一(蓋)	飘嗣左右虎臣
3089	師克旅盨二	飘嗣左右虎臣
3094.	又子敦	右屁尹
3094.	又子敦	右屁尹
3094.	又子敦	右屁尹
3094.	又子敦	右屁尹
3990	右乍彝爵	右乍彝
4880	免尊	井弔右免
4886	趩尊	井叔入右趩
4890	盠方尊	穆公右盠
4893	矢令尊	奭左右于乃寮以乃友事
4978	吳方彝	宰朏右乍冊吳入門
4979	盠方彝一	穆公右盠
4980	盠方彝二	穆公右盠
4981	夨冊令方彝	奭左右于乃寮、以乃友事
5500	免卣	井弔右免
5566	楚高罍一	征寇右征君尹楚高
5567	楚高罍二	右孫尹
5682	鄭右__盛季壺	鄭右wc盛季壺
5697	右走馬嘉行壺	右走馬嘉自乍行壺
5701	右征尹壺	右征尹、右征尹、西宮
5718	曾仲斿父壺	自乍寶尊壺(器右行)
5791	十三年瘐壺一	屖父右瘐
5792	十三年瘐壺一	屖父右瘐
5798	曶壺	井公内右曶
5799	頌壺一	宰引右頌入門立中廷
5799	頌壺一	旛匄康𧻚屯右
5800	頌壺二	宰引右頌入門立中廷
5800	頌壺二	旛匄康𧻚屯右
5803	胤嗣好盗壺	馭(駿)右和同
5804	齊侯壺	__王之孫右帀之子武弔曰庚羼其吉金
5805	中山王嚳方壺	以佐右氒闢
6774	__右盤	唯qe右自乍用其吉金寶盤
6787	走馬休盤	益公右走馬休入門
6789	寰盤	宰頵右寰入門
6792	史墙盤	左右綬會剛鯀
6793	矢人盤	以東封于mk東彊右
6793	矢人盤	豆人虞丂、彔貞、師氏、 右眚
6882	大右鑑	大右刀
6909	遡盂	陟謀各佀右
6925	晉邦盦	左右武王
6925	晉邦盦	乍馮左右

右

7006	戮狄鐘	先王其嚴才帝左右
7008	通彔鐘	康虔屯右
7038	應侯見工鐘一	焚白內右雁侯見工
7062	柞鐘	中大師右柞
7063	柞鐘二	中大師右柞
7064	柞鐘三	中大師右柞
7065	柞鐘四	中大師右柞
7066	柞鐘五	中大師右柞
7088	士父鐘一	隹康右屯魯
7089	士父鐘二	隹康右屯魯
7090	士父鐘三	隹康右屯魯
7091	士父鐘四	隹康右屯魯
7125	蔡侯𨚕紐鐘一	佐右楚王
7126	蔡侯𨚕紐鐘二	佐右楚王
7132	蔡侯𨚕紐鐘八	佐右楚王
7133	蔡侯𨚕紐鐘九	佐右楚王
7134	蔡侯𨚕甬鐘	佐右楚王
7174	秦公鐘	咸畜左右
7177	秦公及王姬編鐘一	咸畜左右
7182	叔夷編鐘一	左右毋諱
7184	叔夷編鐘三	左右余一人
7188	叔夷編鐘七	齊侯左右
7189	叔夷編鐘八	齊侯左右
7190	叔夷編鐘九	左右毋諱
7205	蔡侯𨚕編鎛一	佐右楚王
7206	蔡侯𨚕編鎛二	佐右楚王
7207	蔡侯𨚕編鎛三	佐右楚王
7208	蔡侯𨚕編鎛四	佐右楚王
7209	秦公及王姬鎛	咸畜左右
7210	秦公及王姬鎛二	咸畜左右
7211	秦公及王姬鎛三	咸畜左右
7214	叔夷鎛	左右毋諱
7214	叔夷鎛	左右余一人
7214	叔夷鎛	齊侯左右
7308	右戈	[右]
7343	陽右戈	陽右
7347	右卯戈	右卯
7348	右庫戈	右庫
7364	乍潭右戈	無潭右
7367	右濯戈	右濯戈
7376	奠右庫戈	鄭右庫
7380	郘右庢戈	郘右庢
7400	平阿戈	平阿右戈
7408	陵右戈	陳右鋯戟
7431	右買之用戈	右買之用戈
7435	陳侯因咨戈二	即墨右
7472	朝訶右庫戈	朝歌右庫侯工帀__
7496	是氏事歲戈	是立事歲__右工戈
7498	郾王詈戈	右攻君(尹)□、攻眾
7501	齊成右戈	齊成右造車戟、冶綗

右	7512	六年奠令韓熙戈	六年鄭令韓熙□、右庫工币馬_冶狄
	7515	二年右貫府戈	右貫府受御_宥公
	7523	四年戈	四年命韓_右庫工币_冶_
	7528	王二年奠令戈	王二年奠命韓□右庫工币_慶
	7534	□_戈	□_命司馬伐右庫工币高反冶□
	7536	郾王詈戈一	右攻尹桐其攻豊
	7542	廿四年右馬令戈	廿四年申陰令右庫工币㝛冶豎
	7545	泰子戈	泰子乍造公族元用左右市御用逸宜_
	7546	王三年奠令韓熙戈	王三年奠命韓熙右庫工師吏史□冶□
	7550	十二年少令邯鄲戈	十二年尚命邯鄲□右庫工币□紹台倉造
	7551	十二年尚令邯鄲戈	十二年尚命邯鄲□右庫工币□紹台倉造
	7553	廿年奠令戈	右庫長阪冶贛
	7557	楚屈弔沱戈	楚王之元右王鐘
	7559	十五年奠令戈	十五年奠命趙距司寇□章右庫
	7569	五年奠令戈	右庫工币_高冶尹_ 造
	7571	八年奠令戈	八年奠命_幽司寇史墜右庫工币易高冶尹_□
	7572	十七年彘令戈	十七年彘命鱍尚司寇奠_右庫工币□較冶□□
	7609	右宮矛	右宮
	7621	右___矛	右___
	7623	郾右軍矛	郾右軍
	7625	奠右庫矛	奠右庫
	7628	安□右矛一	安_右_
	7629	安□右矛二	安_右_
	7651	泰子矛	左右市冶用逸□
	7656	七年宅陽令矛	右庫工币夜瘥冶趣造
	7659	元年春平侯矛	邦右庫工币尚痵冶□闢執齊
	7670	六年安陽令斷矛	右庫工币□共□工□□造戟
	7679	右軍劍	右庫工币造
	7712	十二年右庫劍	十二年□右庫五十五
	7713	郾王職劍	郾王職乍武畢so劍、右攻
	7725	元年劍	右庫工币杜生、冶參執齊
	7729	守相杜波劍	守相杜波邦右庫徙
	7730	十五年守相杜波劍一	邦右庫工币韓工币
	7740	四年春平相邦劍	右庫工币睘輅_冶臣成執齊
	7742	十三年劍	十三年右守相□□□□□
	7742	十三年劍	邦右韓□
	7791	右_矢鏃一	右k0
	7792	右_矢鏃二	右k0
	7793	右_矢鏃三	右k0
	7794	右_矢鏃四	右k0
	7795	右_矢鏃五	右k0
	7796	右_矢鏃六	右k0
	7797	右_矢鏃七	右k0
	7798	右_矢鏃八	右k0
	7799	右_矢鏃九	右k0
	7800	右_矢鏃十	右k0
	7801	右_矢鏃十一	右k0
	7802	右_矢鏃十二	右k0
	7803	右_矢鏃十三	右k0
	7804	右_矢鏃十四	右k0

7805	右__矢鏃十五	右k0
7806	右__矢鏃十六	右k0
7807	右__矢鏃十七	右k0
7808	右__矢鏃十八	右k0
7809	右__矢鏃十九	右k0
7814	秦右□弩機	秦右__攻尹五大夫__攻遑
7818	右攻尹弩牙一	右攻尹
7819	右攻尹弩牙二	右攻尹
7829	右内戈鐓	右内合造
7875	右里啟鉚一	右里啟盌_
7876	右里啟鉚二	右里啟__
7881	白君權	白君西里__右
7886	新郪虎符	右才王
7887	杜虎符	右才君
7915	右馬銜	右
7917	右輊車器	右輊
M867	陳侯因咨戟	陳侯因咨造、昜右
M873	郾侯載戟	右軍戟、郾侯庫(載)乍
		小計：共 316 筆

0143

1233	__鼎	攻龠無䀠(敵)
1272	剌鼎	王䀠、用牡于大室
1272	剌鼎	䀠卲王、剌御
1322	九年裘衛鼎	壽商眔䀠曰
2673	□弔買段	其用追孝于朕皇且䀠考
2688	大段	曰：用䀠于乃考
2783	趞段	䀠官僕、射、士、訊
2803	師酉段一	嗣乃且䀠官邑人、虎臣
2804	師酉段二	嗣乃且䀠官邑人、虎臣
2804	師酉段二	嗣乃且䀠官邑人、虎臣
2805	師酉段三	嗣乃且䀠官邑人、虎臣
2806	師酉段四	嗣乃且䀠官邑人、虎臣
2806.	師酉段五	嗣乃且䀠官邑人、虎臣
2829	師虎段	載先王既令乃祖考吏䀠官
2829	師虎段	令女更乃祖考䀠官
2835	𠭯段	今余令女䀠官
2836	㦰段	卑克氒䀠
3100	陳侯因𬋤錞	紹緟高且黃䀠
4887	蔡侯𨟭尊	祗盟嘗䀠
6784	三十四祀盤(祼盤)	䀠于卲王
6788	蔡侯𨟭盤	祗盟嘗䀠
7076	者沢鐘八	詨之于不䀠
7079	者沢鐘十一	詨之于不䀠
7080	者沢鐘十二	詨之于不䀠
M191	絮卣	公䀠(禘)彡辛公祀
		小計：共 25 筆

吉 0144

	1006	鐈鼎	□□□□吉丁亥
吉	1006	鐈鼎	□□□__其吉金
	1008	虎嗣君鼎	虎嗣君常羼其吉金
	1056	曾白從寵鼎	隹王十月既吉
	1077	曾仲子__鼎	曾中子__用其吉金自乍寶鼎
	1128	__白氏鼎	唯鄧八月初吉
	1134	敶侯鼎	隹正月初吉丁亥
	1143	曾子仲誨鼎	用其吉金
	1146	□者生鼎一	□者生□辰用吉金乍寶鼎
	1147	□者生鼎二	□者生□辰用吉金乍寶鼎
	1161	白吉父鼎	隹十又二月初吉
	1161	白吉父鼎	白吉父乍毅尊鼎
	1164	旂乍文父日乙鼎	唯八月初吉辰才乙卯
	1165	大師鐘白乍石鯱	隹正月初吉己亥
	1166	兹太子鼎	隹九月之初吉丁亥
	1175	白鮮乍旅鼎一	隹正月初吉庚午
	1176	白鮮乍旅鼎二	隹正月初吉庚午
	1177	白鮮乍旅鼎三	隹正月初吉庚午
	1195	戜弔朕鼎一	隹八月初吉庚申
	1196	戜弔朕鼎二	隹八月初吉庚申
	1197	戜弔朕鼎三	隹八月初吉庚申
	1200	散白車父鼎一	隹王四年八月初吉丁亥
	1201	椒白車父鼎二	唯王四月八月初吉丁亥
	1202	椒白車父鼎三	唯王四年八月初吉丁亥
	1203	椒白車父鼎四	唯王四年八月初吉丁亥
	1205.	遡鼎	唯七月初吉甲戌
	1206	旟鼎	唯八月初吉
	1211	庚兒鼎一	隹正月初吉丁亥
	1212	庚兒鼎二	隹正月初吉丁亥
	1213	師趁鼎一	隹九月初吉庚寅
	1214	師趁鼎二	隹九月初吉庚寅
	1216	貿鼎	隹十又二月初吉壬午
	1218	寬兒鼎	隹正八月初吉壬申
	1218	寬兒鼎	蘇公之孫寬兒羼其吉金
	1220	鄖公鼎	鄖公湯用其吉金
	1224	王子吳鼎	隹正月初吉丁亥
	1224	王子吳鼎	王子吳羼其吉金
	1225	膚大史申鼎	隹正月初吉辛亥
	1228	鮇叡方鼎	隹二月初吉庚寅
	1230	師器父鼎	用旂饗壽黃句（耇）吉康
	1231	楚王酓忓鼎一	正月吉日
	1232	楚王酓忓鼎二	正月吉日
	1238	曾子仲宣鼎	曾子中宣__用其吉金
	1241	禁大師腆鼎	隹正月初吉丁亥
	1243	仲__父鼎	唯王五月初吉丁亥
	1250	曾子斿鼎	曾子斿羼其吉金
	1264	㲋鼎	隹三月初吉
	1265	㪤弔鼎	隹王正月初吉乙丑

1266	郜公平侯鼎一	隹郜八月初吉癸未
1267	郜公平侯鼎二	隹郜八月初吉癸未
1268	梁其鼎一	隹五月初吉壬申
1269	梁其鼎二	隹五月初吉壬申
1273	師湯父鼎	隹十又二月初吉丙午
1280	康鼎	唯三月初吉甲戌
1281	史頌鼎一	穌賓章、馬四匹、吉金
1282	史頌鼎二	穌賓章、馬四匹、吉金
1286	大夫始鼎	隹三月初吉甲寅、王才龢宮
1300	南宮柳鼎	隹王五月初吉甲寅
1304	王子午鼎	隹正月初吉丁亥
1304	王子午鼎	王子午睪其吉金
1305	師至父鼎	用匄釁壽黃耇吉康
1310	鬲攸從鼎	隹卅又一年三月初吉壬辰
1311	師晨鼎	隹三年三月初吉甲戌
1315	善鼎	唯十又一月初吉辰才丁亥
1317	善夫山鼎	隹卅又七年正月初吉庚戌
1318	晉姜鼎	取氒吉金
1325	五祀衛鼎	隹正月初吉庚戌
1332	毛公鼎	邦畾(將)害吉
1444	黃虎棜鬲	唯黃虎棜用吉金乍鬲
1504	奠師□父鬲	隹五月初吉丁酉
1507	善夫吉父乍京姬鬲一	善夫吉父乍京姬尊鬲
1508	善夫吉父乍京姬鬲二	善吉父乍京姬尊鬲
1527	麃先父鬲	隹十又二月初吉
1529	仲枏父鬲一	隹六月初吉
1530	仲枏父鬲二	隹六月初吉
1531	仲枏父鬲三	隹六月初吉
1532	仲枏父鬲四	隹六月初吉
1659	白鮮旅甗	隹正月初吉庚寅
1660	曾子仲誩旅甗	隹曾子中誩用其吉金
1664	邕子良人歕甗	邕子良人睪其吉金自乍飤甗(甗)
1665	王孫壽飤甗	隹正月初吉丁亥
1665	王孫壽飤甗	王孫壽睪其吉金
1667	陳公子叔遵父甗	隹九月初吉丁亥
2392	＿白𣪘	隹九月初吉叡龍白自乍其寶𣪘
2402	敔𣪘	氒不吉其J9
2547	格白乍晉姬𣪘	隹三月初吉
2578	兮吉父乍仲姜𣪘	兮吉父乍中姜寶尊𣪘
2583	鄘公𣪘	鄘公白韭用吉金
2584	卯正衛𣪘	五月初吉甲申
2588	毛关𣪘	隹大月初吉丙申
2592	鄧公𣪘	隹登(鄧)九月初吉
2598	燮乍宮仲念器	隹八月初吉庚午
2603	白吉父𣪘	初吉
2603	白吉父𣪘	白吉父乍毅尊𣪘
2612	不壽𣪘	隹九月初吉戊辰
2621	雁侯𣪘	隹正月初吉丁亥
2626	晢乍父乙𣪘	隹十月初吉辛巳
2627	伊𣪘	六月初吉癸卯

吉

2633.	食生走馬谷毁	唯食生走馬谷自乍吉金用尊毁
2635	賢毁一	唯九月初吉庚午
2636	賢毁二	唯九月初吉庚午
2637	賢毁三	唯九月初吉庚午
2638	賢毁四	唯九月初吉庚午
2639	遄毁	唯七月初吉甲戌
2644	命毁	隹十又一月初吉甲申
2653	戡毁	隹八月初吉丁亥
2662.	宴毁一	隹正月初吉庚寅
2662.	宴毁二	隹正月初吉庚寅
2663	宴毁一	隹正月初吉庚寅
2664	宴毁二	隹正月初吉庚寅
2665	＿弔毁	隹王三月初吉癸卯
2666	鑄弔皮父毁	隹一月初吉
2668	散季毁	隹王四年八月初吉丁亥
2681	鄦侯毁	r9趣吉金
2683	白家父毁	迺用吉金
2685	仲柟父毁一	隹六月初吉
2686	仲柟父毁二	隹六月初吉
2687	敔毁	隹四月初吉丁亥
2688	大毁	唯六月初吉丁巳
2693	殭毁	隹正月初吉
2695	鄒兌毁	隹正月初吉甲午
2698	陳財毁	＿羿吉金
2705	君夫毁	唯正月初吉乙亥
2706	郜公孜人毁	隹郜正二月初吉乙丑
2711.	乍冊般毁	隹正月初吉戊辰
2723	査毁	隹四月初吉丁卯
2732	曾仲大父蛕蚊毁	曾中大父蛕迺用吉攸臤鋚金
2733	何毁	隹三月初吉庚午
2738	衛毁	隹八月初吉丁亥
2739	無曩毁一	隹十又三年正月初吉壬寅
2740	無曩毁二	隹十又三年正月初吉壬寅
2741	無曩毁三	隹十又三年正月初吉壬寅
2742	無曩毁四	隹十又三年正月初吉壬寅
2742.	無曩毁五	隹十又三年正月初吉壬寅
2742.	無曩毁五	隹十又三年正月初吉壬寅
2752	史頌毁一	穌賓章、馬四匹、吉金
2753	史頌毁二	穌賓章、馬四匹、吉金
2754	史頌毁三	穌賓章、馬四匹、吉金
2755	史頌毁四	穌賓章、馬四匹、吉金
2756	史頌毁五	穌賓章、馬四匹、吉金
2757	史頌毁六	穌賓章、馬四匹、吉金
2758	史頌毁七	穌賓章、馬四匹、吉金
2759	史頌毁八	穌賓章、馬四匹、吉金
2759	史頌毁九	穌賓章、馬四匹、吉金
2762	免毁	隹十又二月初吉
2765	救毁	隹二月初吉
2766	三兒毁	隹王二年□月初吉丁巳
2766	三兒毁	其□又之□□鉱孚吉金用乍□寶毁

吉

2768	楚殷	仕正月初吉丁亥
2769	師耤殷	佳八月初吉戊寅
2771	弭弔師求殷一	佳五月初吉甲戌
2772	弭弔師求殷二	佳五月初吉甲戌
2773	即殷	佳王三月初吉庚申
2774.	南宮弔殷	佳三月初吉□卯
2775.	害殷一	佳四月初吉
2775.	害殷二	佳四月初吉
2778	格白殷一	佳正月初吉癸巳
2778	格白殷一	佳正月初吉癸巳
2779	格白殷二	佳正月初吉癸巳
2780	格白殷三	佳正月初吉癸巳
2781	格白殷四	佳正月初吉癸巳
2782	格白殷五	佳正月初吉癸巳
2782.	格白殷六	殷佳正月初吉癸巳
2784	申殷	佳正月初吉丁卯
2785	王臣殷	佳二年三月初吉庚寅
2787	望殷	佳王十又三年六月初吉戊戌
2787	望殷	佳王十又三年六月初吉戊戌
2788	靜殷	佳六月初吉
2788	靜殷	雩八月初吉庚寅
2789	同殷一	佳十又二月初吉丁丑
2790	同殷二	佳十又二月初吉丁丑
2792	師俞殷	唯三年三月初吉甲戌
2796	諫殷	佳五年三月初吉庚寅
2796	諫殷	佳五年三月初吉庚寅
2798	師瘨殷一	佳二月初吉戊寅
2799	師瘨殷二	佳二月初吉戊寅
2807	鄜殷一	佳二年正月初吉
2808	鄜殷二	佳二年正月初吉
2809	鄜殷三	佳二年正月初吉
2815	師觳殷	佳王元年正月初吉丁亥
2826	師寰殷一	毆孚士女羊牛、孚吉金
2826	師寰殷一	毆孚士女羊牛、孚吉金
2827	師寰殷二	毆孚士女羊牛、孚吉金
2830	三年師兌殷	佳三年二月初吉丁亥
2831	元年師兌殷一	佳元年五月初吉甲寅
2832	元年師兌殷二	佳元年五月初吉甲寅
2836	致殷	佳六月初吉乙酉、才堂(盄)自
2838	師𣪘殷一	佳十又一年九月初吉丁亥
2838	師𣪘殷一	佳十又一年九月初吉丁亥
2839	師𣪘殷二	佳十又一年九月初吉丁亥
2839	師𣪘殷二	佳十又一年九月初吉丁亥
2852	不嬰殷一	唯九月初吉戊申
2853	不嬰殷二	唯九月初吉戊申
2853.	__弔殷	佳王三月初吉辛卯
2855	班殷一	佳八月初吉才宗周甲戌
2855.	班殷二	佳八月初吉
2904	善夫吉父旅匿	善夫吉父乍旅匿
2934	曾子遷彝匿	佳九月初吉庚申
2942	楚子__飤匿一	佳八月初吉庚申

吉

2943	楚子__臥匿二	隹八月初吉庚申
2944	楚子__臥匿三	隹八月初吉庚申
2945	□仲虎匿	隹□中虎羼其吉金
2946	曾子□匿	隹正月初吉丁亥
2957	子季匿	子季□子羼其吉金
2961	陳侯乍媵匿一	隹正月初吉丁亥
2962	陳侯乍媵匿二	隹正月初吉丁亥
2963	陳侯匿	隹正月初吉丁亥
2964	曾□□餗匿	隹正吉乙亥
2964	曾□□餗匿	曾□□□羼其吉金自乍餗匿
2967	陳侯乍孟姜朕匿	隹正月初吉丁亥
2970	考弔脂父尊匿一	隹正月初吉丁亥
2971	考弔脂父尊匿二	隹正月初吉丁亥
2973	楚屈子匿	隹正月初吉丁亥
2974	上鄀府匿	隹正六月初吉丁亥
2974	上鄀府匿	上鄀府羼其吉金
2975	鄦子妝匿	隹正月初吉丁亥
2975	鄦子妝匿	鄦子妝羼其吉金
2976	盥公匿	隹王正月初吉丁亥
2976	盥公匿	盥(許)公買羼乎吉金
2977	□孫弔左餗匿	隹正月初吉丁亥
2977	□孫弔左餗匿	□孫弔左羼其吉金
2978	樂子敬豧臥匿	隹正月初吉丁亥
2978	樂子敬豧臥匿	樂子敬豧羼其吉金
2979	弔朕自乍薦匿	隹十月初吉庚午
2979	弔朕自乍薦匿	弔朕羼其吉金
2979.	弔朕自乍薦匿二	十月初吉庚午
2979.	弔朕自乍薦匿二	弔朕羼其吉金
2980	鼄大宰餗匿一	隹正月初吉
2981	鼄大宰餗匿二	隹正月初吉
2982	長子□臣乍媵匿	隹正月初吉丁亥
2982	長子□臣乍媵匿	長子o7臣羼其吉金
2982	長子□臣乍媵匿	隹正月初吉丁亥
2982	長子□臣乍媵匿	長子o7臣羼其吉金
2984	伯公父盤	其金孔吉
2984	伯公父盤	其金孔吉
2985	陳逆匿一	隹王正月初吉丁亥
2985	陳逆匿一	羼乎吉金
2985.	陳逆匿二	隹王正月初吉丁亥
2985.	陳逆匿二	羼乎吉金
2985.	陳逆匿三	隹王正月初吉丁亥
2985.	陳逆匿三	羼乎吉金
2985.	陳逆匿四	隹王正月初吉丁亥
2985.	陳逆匿四	羼乎吉金
2985.	陳逆匿五	隹王正月初吉丁亥
2985.	陳逆匿五	羼乎吉金
2985.	陳逆匿六	隹王正月初吉丁亥
2985.	陳逆匿六	羼乎吉金
2985.	陳逆匿七	隹王正月初吉丁亥
2985.	陳逆匿七	羼乎吉金

2985.	陳逆匿八	隹王正月初吉丁亥
2985.	陳逆匿八	羼𡖗吉金
2985.	陳逆匿九	隹王正月初吉丁亥
2985.	陳逆匿九	羼𡖗吉金
2985.	陳逆匿十	隹王正月初吉丁亥
2985.	陳逆匿十	羼𡖗吉金
2986	曾白霥旅匿一	隹王九月初吉庚午
2986	曾白霥旅匿一	余羼其吉金黃鑪
2987	曾白霥旅匿二	隹王九月初吉庚午
2987	曾白霥旅匿二	余羼其吉金黃鑪
3043	遣弔吉父旅須一	遣弔吉父乍虢王姞旅盨(須)
3044	遣弔吉父旅須二	遣弔吉父乍虢王姞旅盨(須)
3045	遣弔吉父旅須三	遣弔吉父乍虢王姞旅盨(須)
3051	兮白吉父旅盨(蓋)	兮白吉父乍旅尊盨
3077	弔尃父乍奠季盨一	六月初吉丁亥
3078	弔尃父乍奠季盨二	六月初吉丁亥
3079	弔尃父乍奠季盨三	六月初吉丁亥
3080	弔尃父乍奠季盨四	六月初吉丁亥
3086	善夫克旅盨	隹十又八年十又二月初吉庚寅
3095	拍乍祀彝(蓋)	隹正月吉日乙丑
3099	十年陳侯午𨍭(器)	者侯𦣞台吉金
3100	陳侯因資錞	者侯𦣞薦吉金
3122	_君之孫盧(者旨留盤)	羼其吉金自乍盧盤
4344	嘉仲父𩰬	隹元年正月初吉丁亥
4344	嘉仲父𩰬	嘉中父羼其吉金
4448	長由盉	隹三月初吉丁亥
4869	次尊	隹二月初吉丁卯
4880	免尊	隹六月初吉
4882	匽乍文考日丁尊	隹四月初吉甲午
4883	耳尊	隹六月初吉辰才辛卯
4885	效尊	隹四月初吉甲午
4886	趩尊	隹三月初吉乙卯
4887	蔡侯[illegible]尊	元年正月初吉辛亥
4890	盠方尊	唯八月初吉
4893	夨令尊	隹十月月吉癸未
4978	吳方彝	隹二月初吉丁亥
4979	盠方彝一	唯八月初吉
4980	盠方彝二	唯八月初吉
4981	𩁹冊令方彝	隹十月月吉癸未
5478	次卣	隹二月初吉丁卯
5487	靜卣	隹四月初吉丙寅
5488	靜卣二	隹四月初吉丙寅
5493	召乍　宮旅卣	隹十又二月初吉丁卯
5500	免卣	隹六月初吉、王才鄭、丁亥
5511	效卣一	隹四月初吉甲午
5583	不白夏子罍一	隹正月初吉丁亥
5584	不白夏子罍二	隹正月初吉丁亥
5597	次瓿	隹二月初吉丁卯
5718	曾仲斿父壺	曾中斿父用吉金
5718	曾仲斿父壺	曾中斿父用吉金

吉

5719	盜弔壺一	□□吉□盜弔永用之
5720	盜弔壺二	□□吉□盜弔永用之
5726	華母鷹壺	隹正月初吉庚午
5728	樊夫人壺	樊夫人__姬羿其吉金
5760	蓮花壺蓋	□弔□__□__以其吉□寶壺
5775	蔡公子壺	隹正月初吉庚午
5777	孫弔師父行具	隹王正月初吉甲戌
5778	番匊生鑄媵壺	隹廿又六年十月初吉己卯
5783	曾白陭壺	隹曾白陭迺用吉金鐈鋚
5787	汈其壺一	隹五月初吉壬申
5788	汈其壺二	隹五月初吉壬申
5789	命瓜君厚子壺一	隹十年四月吉日
5790	命瓜君厚子壺二	隹十月四吉日
5791	十三年瘐壺一	隹十又三年九月初吉戊寅
5792	十三年瘐壺一	九月初吉戊寅
5793	幾父壺一	隹五月初吉庚午
5794	幾父壺二	隹五月初吉庚午
5798	曶壺	隹正月初吉丁亥
5804	齊侯壺	隹王正月初吉丁亥
5804	齊侯壺	__王之孫右市之子武弔曰庚羿其吉金
5805	中山王譽方壺	中山王譽命相邦賈羿郾吉金
5816.	伯亞臣鐳	隹正月初吉丁亥
5824	孟縢姬媵缶	隹正月初吉丁亥
5824	孟縢姬媵缶	孟縢姬羿其吉金
5825	欒書缶	余畜孫書巳羿其吉金
6634	郐王義楚祭耑	隹正月吉日丁酉
6634	郐王義楚祭耑	仔郐王義楚羿余吉金
6725	郐王義楚盤	徐王義楚羿其吉金自乍朕盤
6754.	徐令尹者旨蠶爐盤	n8君之孫郐令尹者旨蠶羿其吉金
6758	殷穀盤一	隹正月初吉
6759	殷穀盤二	隹正月初吉
6760	中子化盤	用羿其吉金
6766	黃韋艅父盤	隹元月初吉庚申
6770	齎白盤	隹正月初吉庚午
6773	__湯弔盤	隹正月初吉壬午
6774	__右盤	唯qe右自乍用其吉金寶盤
6776	楚王酓忎盤	正月吉日
6777	邛仲之孫白戔盤	隹王月初吉丁亥
6778	免盤	隹五月初吉
6780	黃大子白克盤	隹王正月初吉丁亥
6781	夆弔盤	隹王正月初吉丁亥
6782	者尚余卑盤	隹王正月初吉丁亥
6782	者尚余卑盤	者尚余卑□永既羿其吉金
6788	蔡侯𩡧盤	元年正月初吉辛亥
6790	虢季子白盤	隹十又二年正月初吉丁亥
6843	白吉父乍京姬匜	白吉父乍京姬它
6858	樊君首匜	樊君G5用吉自乍匜
6864	番__匜	唯番hhvl用士(吉)金乍自寶匜
6865	楚瀛匜	隹王正月初吉庚午
6869	浮公之孫公父宅匜	唯王正月初吉庚午

6870	穽公孫指父匜	隹正月初吉庚午
6871	敶子匜	隹正月初吉丁亥
6874	鄭大內史弔上匜	隹十又二月初吉乙巳
6876	夆弔乍季妃盥盤(匜)	隹王正月初吉丁亥
6885	吳王夫差御鑑一	攻吳王大差睪氒吉金
6886	吳王夫差御鑑二	吳王夫差睪氒吉金
6888	吳王光鑑一	隹王五月既字白期吉日初庚
6888	吳王光鑑一	吳王光睪其吉金
6889	吳王光鑑二	隹王五月既字白期吉日初庚
6889	吳王光鑑二	吳王光睪其吉金
6904	善夫吉父盂	善夫吉父乍盂
6905	要君餗盂	隹正月初吉
6908	郐宜同歙盂	隹正月初吉日己酉
6909	遬盂	隹正月初吉
6910	師永盂	隹十又二年初吉丁卯
6916	樊君夔盆	樊君C5用其吉金自乍寶盆
6920	曾大保旅盆	曾大保uq譽弔亟用其吉金
6921	鄧子仲盆	隹八月初吉丁亥
6921	鄧子仲盆	彭子中睪其吉金
6923	庚午盞	隹正九月初吉庚午
6924	江仲之孫白戔餗盞	隹八月初吉庚午
6925	晉邦盞	隹王正月初吉丁亥
7000	邾君鐘	鼄君求吉金
7004	楚王領鐘	隹王正月初吉丁亥
7016	楚王鐘	隹正月初吉丁亥
7019	邾太宰鐘	□□吉金膚呂
7021	虘鐘一	隹正月初吉丁亥
7022	虘鐘二	隹正月初吉丁亥
7023	虘鐘三	隹正月初吉丁亥
7026	邾弔鐘	隹王六初吉壬午
7026	邾弔鐘	邾叔止白□睪氒吉金用乍其龢鐘
7028	臧孫鐘	隹王正月初吉丁亥
7028	臧孫鐘	睪氒吉金
7029	臧孫鐘二	隹王正月初吉丁亥
7029	臧孫鐘二	睪氒吉金
7030	臧孫鐘三	隹王正月初吉丁亥
7030	臧孫鐘三	睪氒吉金
7031	臧孫鐘四	隹王正月初吉丁亥
7031	臧孫鐘四	睪氒吉金
7032	臧孫鐘五	隹王正月初吉丁亥
7032	臧孫鐘五	睪氒吉金
7033	臧孫鐘六	隹王正月初吉丁亥
7033	臧孫鐘六	睪氒吉金
7034	臧孫鐘七	隹王正月初吉丁亥
7034	臧孫鐘七	睪氒吉金
7035	臧孫鐘八	隹王正月初吉丁亥
7035	臧孫鐘八	睪氒吉金
7036	臧孫鐘九	隹王正月初吉丁亥
7036	臧孫鐘九	睪氒吉金
7038	應侯見工鐘一	隹正二月初吉

吉

7040	克鐘一	佳十又六年九月初吉庚寅
7041	克鐘二	佳十又六年九月初吉庚寅
7042	克鐘三	佳十又六年九月初吉庚寅
7045	□□自乍鐘一	佳王正月初吉庚申
7047	井人鐘	永冬于吉
7048	井人鐘二	永冬于吉
7051	子璋鐘一	佳正七月初吉丁亥
7051	子璋鐘一	羿其吉金
7052	子璋鐘二	佳正七月初吉丁亥
7052	子璋鐘二	羿其吉金
7053	子璋鐘三	佳正七月初吉丁亥
7053	子璋鐘三	羿其吉金
7054	子璋鐘四	佳正七月初吉丁亥
7054	子璋鐘四	羿其吉金
7055	子璋鐘五	佳正七月初吉丁亥
7055	子璋鐘五	羿其吉金
7056	子璋鐘六	佳正七月初吉丁亥
7056	子璋鐘六	羿其吉金
7057	子璋鐘八	佳正七月初吉丁亥
7057	子璋鐘八	羿其吉金
7058	邾公孫班鐘	鼄公孫班羿其吉金
7060	旲生鐘一	吉甲戌王命周
7062	柞鐘	佳王三年四月初吉甲寅
7063	柞鐘二	佳王三年四月初吉甲寅
7064	柞鐘三	佳王三年四月初吉甲寅
7065	柞鐘四	佳王三年四月初吉甲寅
7066	柞鐘五	佳王三年四月初吉甲寅
7082	齊鞄氏鐘	佳正月初吉丁亥
7082	齊鞄氏鐘	齊鞄氏孫大羿其吉金
7084	邾公牼鐘一	佳王正月初吉
7084	邾公牼鐘一	鼄(邾)公牼羿氒吉金
7085	邾公牼鐘二	佳王正月初吉
7085	邾公牼鐘二	鼄(邾)公牼羿氒吉金
7086	邾公牼鐘三	佳王正月初吉
7086	邾公牼鐘三	鼄(邾)公牼羿氒吉金
7087	邾公牼鐘四	佳王正月初吉
7087	邾公牼鐘四	鼄(邾)公牼羿氒吉金
7108	𪒠弔之仲子平編鐘一	佳正月初吉庚午
7109	𪒠弔之仲子平編鐘二	佳正月初吉庚午
7110	𪒠弔之仲子平編鐘三	佳正月初吉庚午
7111	𪒠弔之仲子平編鐘四	佳正月初吉庚午
7112	者減鐘一	佳正月初吉丁亥
7112	者減鐘一	工鷹王皮然之子者減睪其吉金
7113	者減鐘二	佳正月初吉丁亥
7113	者減鐘二	工鷹王皮然之子者減睪其吉金
7114	者減鐘三	佳正月初吉丁亥
7115	者減鐘四	佳正月初吉丁亥
7117	𨛭𠙶兒鐘一	佳正九月初吉丁亥
7117	𨛭𠙶兒鐘一	得吉金鎛鋁
7118	𨛭儔兒鐘二	佳正九月初吉丁亥

7119	𨜈儔兒鐘三	余mqlv兒得吉金鎛鋁	
7121	𨜈王子旃鐘	隹正月初吉元日癸亥	
7121	𨜈王子旃鐘	𨜈王子旃羼其吉金	
7124	沇兒鐘	隹正月初吉丁亥	吉
7124	沇兒鐘	睪其吉金	
7125	蔡侯[illegible]紐鐘一	隹正五月初吉孟庚	
7126	蔡侯[illegible]紐鐘二	隹正五月初吉孟庚	
7132	蔡侯[illegible]紐鐘八	隹正五月初吉孟庚	
7133	蔡侯[illegible]紐鐘九	隹正五月初吉孟庚	
7134	蔡侯[illegible]甬鐘	隹正五月初吉孟庚	
7136	郘鐘一	余不敢為喬隹王正月初吉丁亥	
7137	郘鐘二	隹王正月初吉丁亥	
7138	郘鐘三	隹王正月初吉丁亥	
7139	郘鐘四	隹王正月初吉丁亥	
7140	郘鐘五	隹王正月初吉丁亥	
7141	郘鐘六	隹王正月初吉丁亥	
7142	郘鐘七	隹王正月初吉丁亥	
7143	郘鐘八	隹王正月初吉丁亥	
7144	郘鐘九	隹王正月初吉丁亥	
7145	郘鐘十	隹王正月初吉丁亥	
7146	郘鐘十一	隹王正月初吉丁亥	
7147	郘鐘十二	隹王正月初吉丁亥	
7148	郘鐘十三	隹王正月初吉丁亥	
7149	郘鐘十四	隹王正月初吉丁亥	
7157	邾公華鐘一	隹王正月初吉乙亥	
7157	邾公華鐘一	鼄(邾)公華羼氒吉金	
7175	王孫遺者鐘	隹正月初吉丁亥	
7175	王孫遺者鐘	王孫遺者羼其吉金	
7186	叔夷編鐘五	趣武霝公易尸吉金	
7204	克鎛	隹十又六年九月初吉庚寅	
7205	蔡侯[illegible]編鎛一	隹正五月初吉孟庚	
7206	蔡侯[illegible]編鎛二	隹正五月初吉孟庚	
7207	蔡侯[illegible]編鎛三	隹正五月初吉孟庚	
7208	蔡侯[illegible]編鎛四	隹正五月初吉孟庚	
7213	綸鎛	隹王五月初吉丁亥	
7214	叔夷鎛	__羼吉金鈇鎬鑇鋁	
7215	其次勾鑃一	隹正初吉丁亥	
7215	其次勾鑃一	其次羼其吉金	
7216	其次勾鑃二	隹正初吉丁亥	
7216	其次勾鑃二	其次羼其吉金	
7217	姑馮勾鑃	隹王正月初吉丁亥	
7217	姑馮勾鑃	姑wd昏同之子羼氒吉金	
7218	𨜈諧尹征城	唯正月月初吉、日才庚	
7218	𨜈諧尹征城	__皮吉人享	
7219	冉鉦鋮(南疆征)	隹正月初吉丁亥	
7219	冉鉦鋮(南疆征)	□□其之子□□□吉金□作鉦□	
7494	方寅戈一	方寅用鍛金乍吉用	
7495	方寅戈二	方寅用鍛金乍吉用	
7562	廿一年奠令戈	廿一年奠命[illegible]族司寇裕左庫工帀吉□冶□	
7696	__劍	__自乍保弘吉之	

	7720	越劍	張永□□卲□□弘吉之□舌
	7723	__公劍	L7公自羼吉和金
	7735	少虡劍一	吉日壬午
吉	7736	少虡劍二	吉日壬午
周	7874	蔡太史鉌	隹王正月初吉壬午
	7883	三侯權	三侯朕__中余吉
	M191	綮卣	隹九月初吉癸丑
	M361	井伯南段	隹八月初吉壬午
	M508	虞侯政壺	隹王二月初吉壬戌
	M545	配兒勾鑃	□□□初吉庚午
	M545	配兒勾鑃	余羼孠吉金
	M553	越王者旨於賜鐘	隹正月王春吉日丁亥
	M553	越王者旨於賜鐘	戉王者旨於睗羼孠吉金
	M602	蔡賓匜	隹正月初吉丁亥
	M612	鄦子鐘	鄦子__吕羼其吉金
	M616	番休伯者君盤	隹番休伯者君用其吉金
	M695	曾伯宮父鬲	隹曾伯宮父穆迺用吉金
	M900	梁十九年鼎	羼吉金鑄鬲（ 鼒 ）、小料
			小計：共　517 筆

周	0145		
	0150	__鼎	[周㕚工]
	0328	周登鼎	周登
	0801	大万方鼎一	周大亥亥__乍
	0802	大万方鼎二	周大亥亥__乍
	0941	義仲方鼎	義中乍孠父周季尊彝
	1031	周__騌鼎	周__騌乍用寶鼎
	1116	晉司徒白郘父鼎	晉嗣徒白郘父乍周姬寶尊鼎
	1127	剢鼎	王初□恆于成周
	1135	獻侯乍丁侯鼎	唯成王大桒、才宗周
	1136	獻侯乍丁侯鼎二	唯成王大桒、才宗周
	1137	匽侯旨鼎一	匽侯旨初見事于宗周
	1157	禽鼎	周公某禽祝
	1174	易乍旅鼎	宓白于成周休賜小臣金
	1184	德方鼎	隹三月王才成周
	1191	堇乍大子癸鼎	匽侯令堇飴大保于宗周
	1207	眉__鼎	o0孠師眉vw王為周nr
	1228	皻𠪚方鼎	才宗周
	1229	厚趠方鼎	隹王來各于成周年
	1242	塱方鼎	隹周公于征伐東戶
	1242	塱方鼎	公歸__于周廟
	1243	仲__父鼎	周白__及仲__父伐南淮夷
	1270	小臣夌鼎	正月、王才成周
	1271	史獸鼎	尹令史獸立工于成周
	1273	師湯父鼎	王才周新宮
	1277	七年趞曹鼎	王才周般宮
	1278	十五年趞曹鼎	龏王才周新宮
	1281	史頌鼎一	王才宗周

1281	史頌鼎一	師𤔲辥好于成周
1282	史頌鼎二	王才宗周
1282	史頌鼎二	師𤔲辥好于成周
1283	微䜌鼎	王才宗周
1291	善夫克鼎一	王才宗周
1291	善夫克鼎一	王命善夫克舍令于成周遹正八自之年
1292	善夫克鼎二	王才宗周
1292	善夫克鼎二	王命善夫克舍令于成周遹正八自之年
1293	善夫克鼎三	王才宗周
1293	善夫克鼎三	王命善夫克舍令于成周遹正八自之年
1294	善夫克鼎四	王才宗周
1294	善夫克鼎四	王命善夫克舍令于成周遹正八自之年
1295	善夫克鼎五	王才宗周
1295	善夫克鼎五	王命善夫克舍令于成周遹正八自之年
1296	善夫克鼎六	王才宗周
1296	善夫克鼎六	王命善夫克舍令于成周遹正八自之年
1297	善夫克鼎七	王才宗周
1297	善夫克鼎七	王命善夫克舍令于成周遹正八自之年
1306	無叀鼎	王各于周廟
1309	寰鼎	王才周康穆宮
1310	鬲攸從鼎	王才周康宮、徲大室
1311	師晨鼎	王才周師彔宮
1312	此鼎一	王才周康宮徲宮
1313	此鼎二	王才周康宮徲宮
1314	此鼎三	王才周康宮徲宮
1315	善鼎	王才宗周
1317	善夫山鼎	王才周、各圖室
1319	頌鼎一	王才周康卲宮
1319	頌鼎一	王曰：頌、令女官𤔲成周賈廿家、監𤔲新寤
1320	頌鼎二	王才周康卲宮
1320	頌鼎二	王曰：頌、令女官𤔲成周賈廿家、監𤔲新寤
1321	頌鼎三	王才周康卲宮
1321	頌鼎三	王曰：頌、令女官𤔲成周、賈廿家、監𤔲新寤
1322	九年裘衛鼎	王才周駒宮
1327	克鼎	保辥周邦
1327	克鼎	王才宗周
1328	盂鼎	隹九月、王才宗周、令盂
1329	小字盂鼎	明、王各周廟
1329	小字盂鼎	□□入燎周□
1329	小字盂鼎	禘周王、□王、成王、□□□□王䢅述
1330	曶鼎	王才周穆王大□
1332	毛公鼎	配我有周
1332	毛公鼎	臨保我有周
1657	圉甗	王桒于成周
2484	伯緗父𣪕	白緗父乍周羌尊𣪕
2519	周䜌生媵𣪕	周䜌生乍楇娟媸媵𣪕
2568	__引乍父辛𣪕	隹八月甲申、公中才宗周
2585	禽𣪕	周公某禽祝
2645	周客𣪕	克𠬝師眉䧹王為周客
2687	敔𣪕	王才周、各于大室

周

2703	免乍旅段	王才周
2704	橭公段	迺自商自復還至于周□
2724	豪白馭段	至、尞于宗周
2731	小臣宅段	周公才豐
2736	師遽段	王才周、客新宮
2743	䟸段	命女𤔲(辭)成周里人
2752	史頌段一	王才宗周
2752	史頌段一	帥堣盩于成周
2753	史頌段二	王才宗周
2753	史頌段二	帥堣盩于成周
2754	史頌段三	王才宗周
2754	史頌段三	帥堣盩于成周
2755	史頌段四	王才宗周
2755	史頌段四	帥堣盩于成周
2756	史頌段五	王才宗周
2756	史頌段五	帥堣盩于成周
2757	史頌段六	王才宗周
2757	史頌段六	帥堣盩于成周
2758	史頌段七	王才宗周
2758	史頌段七	帥堣盩于成周
2759	史頌段八	王才宗周
2759	史頌段八	帥堣盩于成周
2759	史頌段九	王才宗周
2759	史頌段九	帥堣盩于成周
2762	免段	王才周、味爽
2762	免段	令女足周師、𤔲(司辭)歔
2764	𦥑段	無冬令朽(于)有周
2764	𦥑段	乍周公彝
2767	虘段一	王才周師量宮
2774.	南宮弔段	王才周
2775	裘衛段	王才周、各大室、即立
2776	走段	王才周、各大室、即立
2778	格白段一	王才成周
2778	格白段一	王才成周
2779	格白段二	王才成周
2780	格白段三	王才成周
2780	格白段三	其萬年子子孫孫永保用[eL]周
2781	格白段四	王才成周
2781	格白段四	其萬年子子孫孫永保用[eL]周
2782	格白段五	王才成周
2782	格白段五	其萬年子子孫孫永保用[eL]周
2782.	格白段六	王才成周
2782.	格白段六	其萬年子子孫孫永保用[eL]周
2783	趞段	唯二月、王才宗周、戊寅
2784	申段	王在周康宮
2786	縣妃段	易女婦爵俎之弋周玉
2787	望段	王才周康宮新宮
2787	望段	王才周康宮新宮
2788	静段	𠨘𤸫盩自、邦周射于大沱
2789	同段一	王才宗周

2789	同毁一	王命周左右吳大父嗣易林吳牧
2790	同毁二	王才宗周
2790	同毁二	王命周左右吳大父嗣易林吳牧
2791.	史密毁	周伐長必
2791.	史密毁	周伐長必
2792	師俞毁	才周師彔宮
2796	諫毁	王才周師彔宮
2796	諫毁	王才周師彔宮
2797	輔師嫠毁	王才周康宮
2798	師瘨毁一	王才周師司馬宮
2799	師瘨毁二	王才周師司馬宮
2800	伊毁	王才周康宮
2807	鄘毁一	王才周卲宮
2808	鄘毁二	王才周卲宮
2809	鄘毁三	王才周卲宮
2810	揚毁一	王才周康宮
2811	揚毁二	王才周康宮
2816	彔白㦰毁	又Jq(勞?)于周邦
2817	師𩛥毁	王才周康宮
2818	此毁一	王才周康宮徲宮
2819	此毁二	王才周康宮徲宮
2820	此毁三	王才周康宮徲宮
2821	此毁四	王才周康宮徲宮
2822	此毁五	王才周康宮徲宮
2823	此毁六	王才周康宮徲宮
2824	此毁七	王才周康宮徲宮
2825	此毁八	王才周康宮徲宮
2830	三年師兌毁	王才周
2831	元年師兌毁一	王才周、各康廟即立
2832	元年師兌毁二	王才周、各康廟即立
2835	㝬毁	則乃且奠周邦
2835	㝬毁	＿人、成周走亞
2837	敔毁一	隹王十月、王才成周
2837	敔毁一	王各于成周大廟
2838	師嫠毁一	王才周、各于大室、即立
2838	師嫠毁一	王才周
2839	師嫠毁二	王才周、各于大室、即立
2839	師嫠毁二	王才周
2843	沈子它毁	朕吾考令乃鴅沈子乍綰于周公宗
2844	頌毁一	王才周康卲宮
2844	頌毁一	令女官嗣(司)成周賈
2845	頌毁二	王才周康卲宮
2845	頌毁二	令女官嗣(司)成周賈
2845	頌毁二	王才周康卲宮
2845	頌毁二	令女官嗣(司)成周賈
2846	頌毁三	王才周康卲宮
2846	頌毁三	令女官嗣(司)成周賈
2847	頌毁四	王才周康卲宮
2847	頌毁四	令女官嗣(司)成周賈
2848	頌毁五	王才周康卲宮

周

2848	頌毁五	令女官嗣(司)成周賈
2849	頌毁六	王才周康邵宮
2849	頌毁六	令女官嗣(司)成周賈
2850	頌毁七	王才周康邵宮
2850	頌毁七	令女官嗣(司)成周賈
2851	頌毁八	王才周康邵宮
2851	頌毁八	令女官嗣(司)成周賈
2853.	尹毁	王初竂口口口口周
2855	班毁一	隹八月初吉才宗周甲戌
2855.	班毁二	才宗周
2856	師訇毁	臨保我又周、雩四方民
2856	師訇毁	鄉女彶屯卹周邦
2857	牧毁	王才周、才師游父宮
3029	周駱旅盨	周雒乍旅須
3055	虢仲旅盨	才成周乍旅盨
3068	白寬父盨一	王才成周
3069	白寬父盨二	王才成周
3077	弔尃父乍奠季盨一	王才成周
3078	弔尃父乍奠季盨二	王才成周
3079	弔尃父乍奠季盨三	王才成周
3080	弔尃父乍奠季盨四	王才成周
3083	瘨毁(盨)一	王才周師彔宮
3084	瘨毁(盨)二	王才周師彔宮
3086	善夫克旅盨	王才周康穆宮
3088	師克旅盨一(蓋)	則隹乃先且考又Jr于周邦
3089	師克旅盨二	則繇隹乃先且考又Jr于周邦
3109	周生豆一	周生乍尊豆用亯于宗室
3110	周生豆二	周生乍尊豆用亯于宗室
4128.	盩公爵	盩周公彝
4204	盂爵	隹王初桒于成周
4316	周奴父癸斝	[周奴]父癸
4441	卅五年_盉	康命周_禹
4444.	卅五年盉	康命周_民吏
4447	臣辰冊冊夛乍冊父癸盉	隹王大龠于宗周
4447	臣辰冊冊夛乍冊父癸盉	王令士上眔史寅殷于成周
4813	周_旁乍父丁尊	[周uG]旁乍父丁宗寶彝
4863	奠乍父乙尊	隹公pw于宗周
4864	乍冊翻尊	隹明保殷成周年
4871	鬩睾豐尊	王才成周
4873	臣辰冊𠬝冊乍父癸尊	隹王大龠于宗周徣竂葊京年
4876	保尊	遘于四方追王大祀祓于周
4879	彔𢦚尊	女其以成周師氏戍于古自
4886	趩尊	王才周
4890	盠方尊	王各于周廟
4891	何尊	隹王初鄙宅于成周
4892	麥尊	侯見于周、亡尤
4892	麥尊	侯易玄周戈
4893	矢令尊	王令周公子明保尹三事四方
4893	矢令尊	丁亥、令矢告于周公宮
4893	矢令尊	明公朝至于成周

4977	師遽方彝	王才周康宮、鄉醴
4978	吳方彝	王才周成大室
4979	盠方彝一	王各于周廟
4980	盠方彝二	王各于周廟
4981	舟冊令方彝	王令周公子明保尹三事四方
4981	舟冊令方彝	丁亥、令矢告于周公宮
4981	舟冊令方彝	明公朝至于成周、徭令
5474	𠨘卣	隹明保殷成周年
5474	𠨘卣	[fL]隹明保殷成周年
5480	冊𡘾冊豐卣	王才成周
5480	冊𡘾冊豐卣	王才成周
5481	叔卣一	隹王桒于宗周
5482	叔卣二	隹王桒于宗周
5483	周乎卣	周乎鑄旅寶彝
5483	周乎卣	周乎鑄旅寶彝
5483	周乎卣	孫子子其永保用周[eL]
5495	保卣	祓于周
5495	保卣	祓于周
5498	彔或卣	女其以成周師氏戍于古自
5499	彔或卣二	女其以成周師氏戍于古自
5501	臣辰冊冊𡆥卣一	隹王大龠于宗周
5501	臣辰冊冊𡆥卣一	王令士上眔史黃殷于成周
5502	臣辰冊冊𡆥卣二	隹王大龠于宗周
5502	臣辰冊冊𡆥卣二	王令士上眔史黃殷于成周
5506	小臣傳卣	令師田父殷成周年
5507	乍冊䰧卣	隹公大史見服于宗周年
5509	㱃卣	唯還在周
5576	重金方罍	百卌八重金____一周鑄
5656	周奴句父癸壺	[周奴句]父癸
5727	廿九年東周左自𣪘壺	為東周左自𣪘壺
5766	周𡢁壺一	周𡢁乍公日己尊壺
5767	周𡢁壺二	周𡢁乍公日己尊壺
5791	十三年㾓壺一	王才成周𤔲土虒宮
5792	十三年㾓壺一	王才成周𤔲土虒宮
5798	曶壺	更乃且考乍冢𤔲土于成周八自
5799	頌壺一	王才周康卲宮
5799	頌壺一	令女官𤔲成周賈廿家
5800	頌壺二	王才周康卲宮
5800	頌壺二	令女官𤔲成周賈廿家
6485	周奴父辛觶	[周奴]父辛
6631	小臣單觶一	周公易小臣單貝{ 十朋 }
6705	征乍周公盤	征乍周公尊彝
6724	周棘生盤	周棘生□□□朕般
6778	免盤	王才周
6785	守宮盤	王才周
6785	守宮盤	周師光守宮事
6785	守宮盤	祼周師、不杯
6785	守宮盤	守宮對揚周師釐
6787	走馬休盤	王才周康宮
6789	㝨盤	王才周康穆宮

周

周
唐

6790	虢季子白盤	王各周廟宣㕑、爰鄉
6791	兮甲盤	王令甲征辭成周四方責
6792	史墻盤	用肇徹周邦
6792	史墻盤	武王則令周公舍圖于周卑處
6793	矢人盤	封于單道、封于原道、封于周道
6834	＿周匜	[＿]周笔乍救姜寶它
6839	函皇父乍周媜匜	函皇父乍周妘它
6910	師永盂	周人嗣工眉、㢸史、師氏
7038	應侯見工鐘一	王歸自成周
7038	應侯見工鐘一	雁侯見工遺王于周
7040	克鐘一	王才周康剌宮
7041	克鐘二	王才周康剌宮
7042	克鐘三	王才周康剌宮
7060	旲生鐘一	吉甲戌王命周
7083	鮮鐘	王才成周嗣□㳅宮
7164	瘋鐘七	武王則令周公舍寓以五十頌處
7176	㝬鐘	王對乍宗周寶鐘
7204	克鎛	王才周康剌宮
7226	王成周鈴一	王成周令
7325	成周戈一	成周
7326	成周戈二	成周
7327	成周戈三	成周
7476	周王叚戈	周王叚之元用戈
7627	東周矛	東周左軍
7820	左周弩牙	左周尹
M126	圉卣	王桒于成周
M252	免簠	王在周
M423.	趞鼎	王在周康卲宮
M709	曾侯乙編鐘下二・二	其才周為剌音
M710	曾侯乙編鐘下二・三	其才周為𩁹音
M738	曾侯乙編鐘中二・十一	其才周為剌音
M741	曾侯乙編鐘中三・二	大族之才周號為剌音
		小計：共　309 筆

唐　0146

4057	唐子且乙爵一	唐子且乙
4058	唐子且乙爵二	唐子且乙
4059	唐子且乙爵三	唐子且乙
4060	唐子且乙爵四	唐子且乙
6544	唐子且乙觶	[唐子]且乙
6925	晉邦盦	晉公曰：我皇且唐公
6925	晉邦盦	王命唐公
7185	叔夷編鐘四	虩虩成唐
7214	叔夷鎛	虩虩成唐
M792	宋公䜌簠	有殷天乙唐孫宋公䜌
		小計：共　10 筆

0147

1322	九年裘衛鼎	舍顏有嗣[illegible]商圝，裘盠冟
1322	九年裘衛鼎	[illegible]商眔商啻曰，
2163	[illegible]作父戊段	[illegible]作父戊尊彝
2612	不壽段	王姜易不[illegible]裘
2722	寍弔乍豐姞旅段	丝段[illegible]（ 猷?）皀（ 飤 ）亦[illegible]人
2791	豆閉段	用易□（ [illegible] ）壽萬年
2816	彔白㦰段	桒（ 幬 ）較桒[illegible]（ 宏 ），朱虢[illegible]
M561	越王大子□[illegible]矛	於戉□王弋医之大子□[illegible]

小計：共　8 筆

0148　字當改釋粦，參1661粦字條下

0149

6888	吳王光鑑一	台乍弔姬寺吁宗__[illegible]鑑
6889	吳王光鑑二	台乍弔姬寺吁宗__[illegible]鑑
7426	吁□□造戈	吁□□造戈

小計：共　3 筆

[illegible]
啖
吁

各
𢓊

各𢓊 0150

1026	奄塱鼎	用夙夕偕公各
1026	奄塱鼎	用夙夕偕公各
1026	奄塱鼎	用夙夕偕公各
1026	奄塱鼎	用夙夕偕公各
1208	乙亥乍父丁方鼎	唯各、商貝
1229	厚趠方鼎	隹王來各于成周年
1277	七年趞曹鼎	旦、王各大室
1284	尹姞鼎	各于尹姞宗室py林
1305	師奎父鼎	王各于大室
1306	無叀鼎	王各于周廟
1309	寰鼎	旦、王各大室、即立
1311	師晨鼎	旦、王各大室、即立
1312	此鼎一	旦、王各大室、即立
1313	此鼎二	旦、王各大室、即立
1314	此鼎三	旦、王各大室、即立
1315	善鼎	王各大師宮
1315	善鼎	余其用各我宗子雩百生
1317	善夫山鼎	王才周、各圖室
1319	頌鼎一	旦、王各大室、即立
1320	頌鼎二	旦、王各大室、即立
1321	頌鼎三	旦、王各大室、即立
1322	九年裘衛鼎	各廟
1327	克鼎	王各穆廟、即立
1329	小字盂鼎	明、王各周廟
1329	小字盂鼎	王各廟、祝
1329	小字盂鼎	王各廟、贊王邦賓
1533	尹姞賓鬲一	各于尹姞宗室䌛林
1534	尹姞賓鬲二	各于尹姞宗室䌛林
2566	寧毀一	其用各百神
2567	寧毀二	其用各百神
2570	榮毀	隹正月甲申榮各
2687	敔毀	王才周、各于大室
2725	師毛父毀	旦、王各于大室
2726	智毀	王各于大室
2762	免毀	王各于大廟
2767	虘毀一	旦、王各大室、即立
2768	楚毀	王各于康宮
2769	師楷毀	王各于大室
2770	截毀	王各于大室
2771	弭弔師求毀一	王才𦬁、各于大室
2772	弭弔師求毀二	王才𦬁、各于大室
2773	即毀	王才康宮、各大室
2774.	南宮弔毀	昧、各大室
2775	裘衛毀	王才周、各大室、即立
2776	走毀	王才周、各大室、即立
2783	趩毀	王各于大朝
2784	申毀	各大室、即立

2785	王臣餿	王各于大室
2787	望餿	旦、王各大室即立
2789	同餿一	各于大廟
2790	同餿二	各于大廟
2791	豆閉餿	王各于師戲大室
2792	師俞餿	旦、王各大室即立
2793	元年師旋餿一	甲寅、王各廟即立
2794	元年師旋餿二	甲寅、王各廟即立
2795	元年師旋餿三	甲寅、王各廟即立
2796	諫餿	旦、王各大室即立
2796	諫餿	旦、王各大室即立
2797	輔師嫠餿	各大室即立
2798	師瘨餿一	各大室、即立
2799	師瘨餿二	各大室、即立
2800	伊餿	旦、王各穆大室即立
2803	師酉餿一	各吳大廟
2804	師酉餿二	各吳大廟
2804	師酉餿二	各吳大廟
2805	師酉餿三	各吳大廟
2806	師酉餿四	各吳大廟
2806.	師酉餿五	各吳大廟
2807	鄯餿一	丁亥、王各于宣㴑
2808	鄯餿二	丁亥、王各于宣㴑
2809	鄯餿三	丁亥、王各于宣㴑
2810	揚餿一	旦、各大室即立
2811	揚餿二	旦、各大室即立
2817	師穎餿	旦、王各大室
2818	此餿一	旦、王各大室既立
2819	此餿二	旦、王各大室既立
2820	此餿三	旦、王各大室既立
2821	此餿四	旦、王各大室既立
2822	此餿五	旦、王各大室既立
2823	此餿六	旦、王各大室既立
2824	此餿七	旦、王各大室既立
2825	此餿八	旦、王各大室既立
2829	師虎餿	各于大室
2830	三年師兌餿	各大廟、即立
2831	元年師兌餿一	王才周、各康廟即立
2832	元年師兌餿二	王才周、各康廟即立
2833	秦公餿	嬰嚴㦰各
2834	㝬餿	其各前文人
2835	訇餿	旦、王各
2837	敔餿一	王各于成周大廟
2838	師嫠餿一	王才周、各于大室、即立
2838	師嫠餿一	各于大室、即立
2839	師嫠餿二	王才周、各于大室、即立
2839	師嫠餿二	各于大室、即立
2843	沈子它餿	用徭多公
2844	頌餿一	旦、王各大室即立
2845	頌餿二	旦、王各大室即立

各
佫

2845	頌毀二	旦、王各大室即立
2846	頌毀三	旦、王各大室即立
2847	頌毀四	旦、王各大室即立
2848	頌毀五	旦、王各大室即立
2849	頌毀六	旦、王各大室即立
2850	頌毀七	旦、王各大室即立
2851	頌毀八	旦、王各大室即立
2854	蔡毀	旦、王各廟、即立
2854	蔡毀	令女眔曶：𤔲足對各
2856	師訇毀	王各于大室
2857	牧毀	各大室即立
3083	瘐毀（ 盨 ）一	各大室、即立
3084	瘐毀（ 盨 ）二	各大室、即立
4242	臢冊宰梡乍父丁角	王各、宰梡从
4838	執乍父□尊	□□各于宮□□
4880	免尊	王各大室
4883	耳尊	侯各于q3n0
4886	趩尊	各大室、咸
4890	盠方尊	王各于周廟
4978	吳方彝	旦、王各廟
4979	盠方彝一	王各于周廟
4980	盠方彝二	王各于周廟
5485	貉子卣一	王各于呂䡪
5486	貉子卣二	王各于呂䡪
5500	免卣	王各大室
5503	競卣	白屖父皇競各于官
5504	庚嬴卣一	王各于庚嬴宮
5505	庚嬴卣二	王各于庚嬴宮
5791	十三年瘐壺一	各大室即立
5792	十三年瘐壺一	各大室
5798	曶壺	王各于成宮
5799	頌壺一	旦、王各大室即立
5800	頌壺二	旦、王各大室即立
6633	靳乍文考觶	王工从靳各中
6787	走馬休盤	旦、王各大室即立
6789	寰盤	旦、王各大室即立
6790	虢季子白盤	王各周廟宣廟、爰鄉
6791	兮甲盤	王初各伐玁狁于䍙𣂕
6877	僃乍旅盉	尃各啚覰僃
6909	遡盂	赕諆各佀右
7038	應侯見工鐘一	辛未王各于康
7158	瘐鐘一	卲各樂大神
7159	瘐鐘二	用卲各喜侃樂前文人
7160	瘐鐘三	卲各樂大神
7161	瘐鐘四	卲各樂大神
7162	瘐鐘五	卲各樂大神
7176	㝬鐘	用卲各不顯且考先王
7870	陳純釜	各兹安陵
M423.	趞鼎	各于大室、即立

小計：共 143 筆

0151

0667	哀子鼎	□子哀乍是鼎
J788	般殷鼎	（文物83.12）
1274	哀成弔鼎	嘉是隹哀成弔
1274	哀成弔鼎	哀成弔之鼎
1324	禹鼎	烏虖哀哉
2843	沈子它殷	其丮哀乃沈子它唯福
2856	師訇殷	王曰：師訇、哀才
3104	哀成弔豆	哀成弔之朕
7005	邵公鐘	皇且哀公、皇考晨公
7873	哀成弔鉀	哀成弔乍鉀

小計：共 10 筆

0152

1299	噩侯鼎一	王親易馭___五敨、馬四匹、矢五__

小計：共 1 筆

0153

7125	蔡侯□紐鐘一	祉中昏德
7126	蔡侯□紐鐘二	祉中昏德
7132	蔡侯□紐鐘八	祉中昏德
7133	蔡侯□紐鐘九	祉中昏德
7134	蔡侯□甬鐘	祉中昏德
7206	蔡侯□編鎛二	祉中昏德
7207	蔡侯□編鎛三	祉中昏德
7208	蔡侯□編鎛四	祉中昏德
7217	姑馮勾鑃	姑wd昏同之子擇氒吉金

小計：共 9 筆

唬 0154

1315	善鼎	唯用妥福唬前文人
2658	白㦰毁	隹用妥神襄唬前文人
7212	秦公鎛	唬(虔)夙夕剌剌𧽊𧽊

小計：共 3 筆

知 0155

4926	吳𠦪馭觥(蓋)	[知(吳?)]𠦪馭弔史遣馬，弗左

小計：共 1 筆

㕣 0156

1322	九年裘衛鼎	舍顏姒(始)麇㕣

小計：共 1 筆

害 0157

0733	史害鼎	史害乍旅鼎
2577	害客毁	害客乍朕文考日辛寶尊毁
2852	不嬰毁一	女彶戎大臺戰(搏)

小計：共 3 筆

時 0158

0883	曾侯乙鼎	曾侯乙詐(乍)時甬(用)冬(終)
7017	楚王酓章鐘一	其永時用亯穆商、商
7018	楚王酓章鐘二	其永時用亯□羽反、宮反
7107	曾侯乙甬鐘	曾侯乙乍時
7201	楚王酓章乍曾侯乙鎛	其永時用亯
M705	曾侯乙編鐘下一・一	曾侯乙乍時，宮、徵曾，
M706	曾侯乙編鐘下一・二	曾侯乙乍時，商、羽曾，
M707	曾侯乙編鐘下一・三	曾侯乙乍時，徵顀、徵曾，
M708	曾侯乙編鐘下二・一	曾侯乙乍時，𨜽鎛、徵角，
M709	曾侯乙編鐘下二・二	曾侯乙乍時，商角、商曾，
M710	曾侯乙編鐘下二・三	曾侯乙乍時，中鎛、宮曾，
M711	曾侯乙編鐘下二・四	曾侯乙乍時，商、羽曾，
M712	曾侯乙編鐘下二・五	曾侯乙乍時，宮、徵曾，
M713	曾侯乙編鐘下二・七	曾侯乙乍時，羽、羽角，
M714	曾侯乙編鐘下二・八	曾侯乙乍時，徵、徵角，
M715	曾侯乙編鐘下二・九	曾侯乙乍時，鐊、宮曾，
M716	曾侯乙編鐘下二・十	曾侯乙乍時，商、羽曾，
M717	曾侯乙編鐘中一・一	曾侯乙乍寺(時)，羽反，宮反，羽反，宮反
M718	曾侯乙編鐘中一・二	曾侯乙乍寺(時)，角反，徵反，角反，徵反
M719	曾侯乙編鐘中一・三	曾侯乙乍寺(時)，少商，羽曾，

M720	曾侯乙編鐘中一・四	曾侯乙乍時(時),少羽,宮反,
M721	曾侯乙編鐘中一・五	曾侯乙乍寺(時),下角,徵反,
M722	曾侯乙編鐘中一・六	曾侯乙乍寺(時),商、羽曾,
M723	曾侯乙編鐘中一・七	曾侯乙乍寺(時),宮、徵曾,
M724	曾侯乙編鐘中一・八	曾侯乙乍時,羽、羽角,
M725	曾侯乙編鐘中一・九	曾侯乙乍時,徵、徵角,
M726	曾侯乙編鐘中一・十	曾侯乙乍時,宮角、宮曾,
M727	曾侯乙編鐘中一・十一	曾侯乙乍時,商、羽曾,
M728	曾侯乙編鐘中二・一	曾侯乙乍寺(時),羽、宮反,
M729	曾侯乙編鐘中二・二	曾侯乙乍時,角反,徵反,割肄之䮂,
M730	曾侯乙編鐘中二・三	曾侯乙乍時,少商,羽曾,坪皇之巽反,
M731	曾侯乙編鐘中二・四	曾侯乙乍時,少羽,宮反,
M732	曾侯乙編鐘中二・五	曾侯乙乍時,下角,徵反,
M733	曾侯乙編鐘中二・六	曾侯乙乍時,商、羽曾,
M734	曾侯乙編鐘中二・七	曾侯乙乍寺(時),宮、徵曾,
M735	曾侯乙編鐘中二・八	曾侯乙乍時,羽、羽角,
M736	曾侯乙編鐘中二・九	曾侯乙乍時,徵、徵角,
M737	曾侯乙編鐘中二・十	曾侯乙乍時,宮角、徵,
M738	曾侯乙編鐘中二・十一	曾侯乙乍寺(時),商角、商,
M739	曾侯乙編鐘中二・十二	曾侯乙乍寺(時),商、羽曾,
M740	曾侯乙編鐘中三・一	曾侯乙乍時,羽、宮,
M741	曾侯乙編鐘中三・二	曾侯乙乍時,商角、商曾,
M742	曾侯乙編鐘中三・三	曾侯乙乍時,宮角、徵,
M743	曾侯乙編鐘中三・四	曾侯乙乍時,商、羽徵,
M744	曾侯乙編鐘中三・五	曾侯乙乍時,羽、宮,
M745	曾侯乙編鐘中三・六	曾侯乙乍時,商角、徵,
M746	曾侯乙編鐘中三・七	曾侯乙乍時,商、羽徵,
M747	曾侯乙編鐘中三・八	曾侯乙乍時,宮、徵曾,
M748	曾侯乙編鐘中三・九	曾侯乙乍寺(時),羽、羽角,
M749	曾侯乙編鐘中三・十	曾侯乙乍時,徵、徵角,
		小計:共 **50** 筆

0159

0826	白吞乍籃鼎	白吞乍籃尊鼎
5497	農卣	王親令白吞曰
		小計:共 2 筆

0160

2257	哦乍父辛毀	哦乍父辛寶尊彝
		小計:共 1 筆

0161

6788	蔡侯𩏽盤	䨓頌JJ𠨍
		小計:共 1 筆

吞
哦
𠨍

盭
倉
毀
嚴

盭 0162

0828	鐵史鼎	鐵(盭)史乍考尊鼎
0841	盭乍且乙鼎	盭乍且乙寶尊彝
0942	亞䝱竹室鼎	[亞䝱竹室]智光徽(盭)[卿宁]
1388	徽白乍鬲鼎	徽(盭)白乍齍鼎口
2855	班毀一	易鈴、鋚、咸
4756	仲徽尊	中徽(盭)乍寶尊
4777	盭乍父辛尊	鐵(盭)乍父辛寶尊彝
4922	亞它礼觥	[亞它]礼乍盭逆王望器[冊]
4970	乍冊宅方彝	[亞䝱室箙箙徽(盭)]乍冊乍彝
5338	仲鐵卣	中鐵(盭)乍寶尊彝
5385	盭乍父辛卣	盭乍父辛寶尊彝
5496	召卣	用追于炎、不盭白懋父友

小計：共 12 筆

倉 0162+

0498	長剛倉鼎	長剛倉

小計：共 1 筆

毀 0163 1393襄字參看

1158	小子_鼎	王商貝、才毀師次
1172	毀中乍且辛爵	毀中乍且辛彝
6762	薛侯盤	薛侯乍弔妊毀(襄)朕盤
6793	矢人盤	毀(襄)之有嗣
6862	薛侯乍弔妊朕匜	薛侯乍弔妊毀(襄)朕匜

小計：共 5 筆

嚴 0164

1362	多友鼎	佳十月用嚴粼放興
2763	弔向父禹毀	其嚴才上
2833	秦公毀	嚴恭夤天命
2833	秦公毀	嬰嚴櫥各
2840	番生毀	嚴才上
5805	中山王譽方壺	嚴敬不敢怠荒
7006	戰狄鐘	先王其嚴才帝左右
7049	井人鐘三	前文人其嚴才上
7050	井人鐘四	前文人其嚴才上
7088	士父鐘一	其嚴才上
7089	士父鐘二	其嚴才上
7090	士父鐘三	其嚴才上
7091	士父鐘四	其嚴才上
7150	虢叔旅鐘一	皇考嚴才上、異才下

7151	虢叔旅鐘二	皇考嚴才上、異才下
7152	虢叔旅鐘三	皇考嚴才上、異才下
7153	虢叔旅鐘四	皇考嚴才上、異才下
7156	虢叔旅鐘七	皇考嚴才上、異才下
7158	瘐鐘一	嚴祐虋妥厚多福
7159	瘐鐘二	嚴才上
7160	瘐鐘三	嚴祐虋妥厚多福
7161	瘐鐘四	嚴祐虋妥厚多福
7162	瘐鐘五	嚴祐虋妥厚多福
7176	㝬鐘	其嚴才上
7212	秦公鎛	嚴龏夤天命
7554	楚王酓璋戈	楚王酓璋嚴龔寅乍su戈
J0081	王孫𨥭鼎	（拓本未見）
		小計：共　27 筆
0165	與0313器字形近易混，請參看	
1299	噩侯鼎一	噩侯馭方內豐于王
1324	禹鼎	亦唯噩侯馭方率南淮尸、東尸
1324	禹鼎	戣伐噩侯馭方
1324	禹鼎	弗克伐噩
1324	禹鼎	伐噩侯馭方
1324	禹鼎	雩禹𠂤武公徒馭至于噩
1324	禹鼎	敦伐噩
2228	噩弔乍寶毁	噩弔乍寶尊彝
2302	噩季奞父毁	噩（咢）季奞父乍寶尊彝
2303	噩侯毁	噩侯uo季自㽙毁
2305	弔噩父乍𩾵姬旅毁一	弔噩（咢）父乍𩾵姬旅毁
2306	弔噩父乍𩾵姬旅毁二	弔噩（咢）父乍𩾵姬旅毁
2497	噩侯乍王姞毁一	噩侯乍王姞媵毁
2498	噩侯乍王姞毁二	噩侯乍王姞媵毁
2499	噩侯乍王姞毁三	噩侯乍王姞媵毁
2500	噩侯乍王姞毁四	噩侯乍王姞媵毁
2593	弔噩父乍旅毁一	弔噩父乍𩾵姬旅毁
2594	弔噩父乍旅毁二	弔噩父乍𩾵姬旅毁
2594.	弔噩父乍旅毁三	弔噩父乍𩾵姬旅毁
5420	咢侯弟曆季旅卣	咢侯弟曆季乍旅彝
5810	噩鈃	噩史賞自乍鈃
M158	曆季尊	噩侯弟曆季乍寶彝
		小計：共　22 筆
0166		
0131	單鼎	[單]
0880	弔乍單公方鼎	弔乍單公寶尊彝
1154	黃孫子𧊒君弔單鼎	唯黃孫子𧊒君弔單自乍鼎
1169	平安邦鼎	卅三年單父上官{冢子}喜所受坪安君者也(蓋)

單 ⿱吅乂 詈

1169	平安邦鼎	卅三年單父上官{冢子}喜所受坪安君者也(器)
1253	平安君鼎	單父上官宰喜所受坪安君者也
1521	單白遼父鬲	單白遼父乍中姞尊鬲
1524	□大嗣攻鬲	□大□□嗣攻單□□鑄其鬲
1611	鑄妊甗	鑄妊賸獻[dz](單)
J1367	單異殷	單異乍父癸寶尊彝
2277	弔單殷	弔單乍義公尊彝
2810	揚殷一	嗣徒單白内、右揚
2811	揚殷二	嗣徒單白内、右揚
3049	單子白旅盨	單子白乍弔姜旅盨
3515	單舟爵	[單舟]
3715	單岢爵	[單岢]
4350	單盉	[單]
4437	王乍豐妊盉	王乍豐妊單寶般盉
4449	裘衛盉	榮白、定白、琼白、單白
4449	裘衛盉	單白迺令參有司;嗣土散邑
4449	裘衛盉	嗣馬單旅、司工邑人服眔受田燹趞
4799	___乍父癸尊	貍乍父癸寶尊彝[單]
4801	單異乍父癸尊	單異乍父癸寶尊彝
5407	乍父甲卣	乍父甲寶尊彝[單]
5477	單光壺乍父癸鷺卣	其日父癸夙夕鄉爾百婚遘[單光]
5954	單光單觚	[單光單]
6631	小臣單觶一	周公易小臣單貝{ 十朋 }
6793	矢人盤	封于單道、封于原道、封于周道
6793	矢人盤	嗣土qhJz、嗣馬單邦
6812	蔡侯乍姬單匜	蔡侯乍姬單賸匜
7020	單伯鐘	單白斁生曰
J3826	單蜡設戈	(拓本未見)
M236	單昊生豆	單昊生乍羞豆、用亯
M798	廿八年平安君鼎	六益料新之冢(器一)卅三年單父上官宰喜所
M799	卅二年平安君鼎	卅三年單父上官宰喜所受平安君石它(器二)

小計:共 35 筆

⿱吅乂 0167

1968	⿱吅乂乍孯殷	[戈]⿱吅乂乍孯
2015	戈⿱吅乂乍匕殷一	[戈]⿱吅乂乍孯
2016	戈⿱吅乂乍孯殷二	[戈]⿱吅乂乍孯
4107	戈⿱吅乂乍孯爵	[戈]⿱吅乂乍孯
4400	戈⿱吅乂乍孯盉	[戈⿱吅乂]乍孯
5252	戈⿱吅乂卣	戈⿱吅乂乍孯
6242	戈⿱吅乂乍孯觚一	[戈]⿱吅乂乍孯
6243	戈⿱吅乂乍孯觚二	[戈]⿱吅乂乍孯
6582	戈⿱吅乂乍孯觶	[戈⿱吅乂]乍孯

小計:共 9 筆

詈 0168

7485	郾王詈乍巨_鋸一	郾王詈乍巨攸鋸
7498	郾王詈戈	郾王詈乍行議鍨
7536	郾王詈戈一	郾王詈作行議鍨

7642	郾王訔矛一	郾王訔乍巨攼矛
7643	郾王訔矛二	郾王訔□□萃矛
		小計：共 5 筆

0169

2852	不娶毀一	余命女御追于罢
2853	不娶毀二	余命女御追于罢
		小計：共 2 筆

0170 與0165咢字形近易掍，請參看

1059	旂乍父戊鼎	弗敢喪
1174	昜乍旅鼎	弗敢喪
1324	禹鼎	用天降大喪于下或
1328	盂鼎	古喪自
1329	小字盂鼎	隹八月□□□□□昧喪
1332	毛公鼎	迺唯是喪我國
2483	量侯毀	子子孫萬年永寶毀勿喪
2842	卯毀	不淑取我家窑用喪
2856	師訇毀	今日天疾畏降喪
3090	墓盨（器）	則隹輔天降喪不□唯死
4839	史喪尊	事喪乍丁公寶彝
5801	洹子孟姜壺一	齊侯〔女〕靁喪其□
5801	洹子孟姜壺一	齊侯既濟洹子孟姜喪其人民都邑
5802	洹子孟姜壺二	齊侯既濟洹子孟姜喪其人民都邑
5810	喪鈃	喪史賞自乍鈃
6792	史墻盤	害（髸）犀文考乙公遽喪
7047	井人鐘	妥害害聖喪、霆處
7048	井人鐘二	妥害害聖喪、霆處
7159	瘋鐘二	夙夕聖喪
7219	冉鉦鋮（南疆征）	女勿喪勿敗
		小計：共 20 筆

走 0171

0968	走馬吳買乍雛鼎	sz父之走馬吳買乍雛貞(鼎)用
1288	令鼎一	令眔奮先馬走
1289	令鼎二	令眔奮先馬走
1301	大鼎一	王召走馬雁令取k3騆卅二匹易大
1302	大鼎二	王召走馬雁令取k3騆卅二匹易大
1303	大鼎三	王召走馬雁令取k3騆卅二匹易大
1328	盂鼎	敏朝夕入讕(諫)、享奔走、畏天畏
1331	中山王譽鼎	䖒(吾)老貯奔走不聽命
J1594	魯中齊𣪘	(拓本未見)
2559	白中父𣪘	白中父夙夜吏走考
2633.	食生走馬谷𣪘	唯食生走馬谷自乍吉金用尊𣪘
2764	𤼈𣪘	克奔走{上下帝}
2830	三年師兌𣪘	嗣ナ右走馬
2830	三年師兌𣪘	令女䟽嗣走馬
2831	元年師兌𣪘一	司ナ(左)右走馬、五邑走馬
2832	元年師兌𣪘二	司ナ(左)右走馬、五邑走馬
2835	㝬𣪘	__人、成周走亞
2936	走馬辪仲赤匿	走馬薛中赤自乍其匿
2985	陳逆匿一	余陳趠走裔孫
2985.	陳逆匿二	余陳趠走裔孫
2985.	陳逆匿三	余陳趠走裔孫
2985.	陳逆匿四	余陳趠走裔孫
2985.	陳逆匿五	余陳趠走裔孫
2985.	陳逆匿六	余陳趠走裔孫
2985.	陳逆匿七	余陳趠走裔孫
2985.	陳逆匿八	余陳趠走裔孫
2985.	陳逆匿九	余陳趠走裔孫
2985.	陳逆匿十	余陳趠走裔孫
3052	走亞虓孟延盨一	走亞虓孟延乍盨
3053	走亞虓孟延盨二	走亞虓孟延乍盨
4105	走馬乍彝爵	走馬乍彝
4446	麥盉	用奔走夙夕、𤔲御吏
4885	效尊	烏虖、效不敢不萬年夙夜奔走
4892	麥尊	妥多友、享奔走令
5493	召乍__宮旅卣	奔走事皇辟君
5511	效卣一	效不敢不萬年夙夜奔走揚公休
5697	右走馬嘉行壺	右走馬嘉自乍行壺
6785	守宮盤	其百世子子孫孫永寶用奔走
6787	走馬休盤	益公右走馬休入門
6968	自乍其走鐘	自乍其走鐘
M343	魯司徒中齊盨	魯司徒中齊肇乍皇考白走公䵼盨𣪘
M345	魯司徒中齊匜	魯司徒中齊肇乍皇考白走父寶匜

小計：共 42 筆

趣 0172

2681	𨟻侯𣪘	r9趣吉金
7656	七年宅陽令矛	右庫工币夜𢓊冶趣造

小計：共　2 筆

0173

1331	中山王嚳鼎	昔者、吳人并雩（越）
1331	中山王嚳鼎	雩（越）人敂（修）斆備信
6963	越王殘鐘	越
7061	能原鐘	衣（依）余□郕（越）□者、利
7061	能原鐘	郕（越）禦曰
7069	者汈鐘一	隹戉（越）十有九年
7203	能原鎛	衣（依）余□郕（越）□者、利
7203	能原鎛	郕（越）禦曰
7437	童□戈	越王之＿＿
J4004	曾侯郕戈	（拓本未見）
7624	越王矛	越王矛
7634	越王者旨於賜矛	越王者旨於賜
7650	越王州勾矛	越王州句自乍用矛
7697	越王勾踐劍	越王勾踐自乍用劍
7698	越王勾踐之子劍一	越王越王、勾踐之子
7699	越王者旨於賜劍一	越王者旨於賜王越
7700	越王者旨於賜劍二	越王者旨於賜王越
7701	越王者旨於賜劍三	越王者旨於賜王越
7702	越王州勾劍一	越王州句自乍用鐱
7703	越王州勾劍二	越王州句自乍用鐱
7704	越王州勾劍三	越王州句自乍用鐱
7705	越王州勾劍四	越王州句自乍用鐱
7706	越王州勾劍五	越王州句自乍用鐱
7707	越王州勾劍六	越王州句自乍用鐱
7708	越王劍	越王王越
7708	越王劍	越王王越
7743	越王丌北古劍	唯越王丌北自乍元之用之劍
7743	越王丌北古劍	越王丌北古
7743	越王丌北古劍	越王丌北古
M555	越王者旨於賜劍	越王者旨於賜王越

小計：共　30 筆

0173

7061	能原鐘	衣（依）余□郕（越）□者、利
7061	能原鐘	郕（越）禦曰
7203	能原鎛	衣（依）余□郕（越）□者、利
7203	能原鎛	郕（越）禦曰

小計：共　4 筆

0174

1277	七年趞曹鼎	井白入右趞曹立中廷
1277	七年趞曹鼎	易趞曹載市、冋黃、䜌
1277	七年趞曹鼎	趞曹拜䭫首
1278	十五年趞曹鼎	史趞曹易弓矢、虎盧、□冑、毌、殳

趣
越
郕
趙

趞 趯 趔 趛 趩 趙

1278	十五年趞曹鼎	趞曹<敢對曹>拜稽首
		小計：共 5 筆
趯 0175		
1332	毛公鼎	烏虖，趯(懼)余小子
		小計：共 1 筆
趔 0176		
2864	曾子遇行匠一	曾子遇之行匠
2865	曾子遇行匠二	曾子遇之行匠
		小計：共 2 筆
趛 0177		
1213	師趛鼎一	師趛乍文考聖公
1214	師趛鼎二	師趛乍文考聖公
J0809	姬趛母鬲	姬趛母乍尊鬲
J1312	伯趛父毀	白趛父乍寶毀
3056	師趛乍槲姬旅盨	師趛乍槭槲旅盨
3056	師趛乍槲姬旅盨	師趛乍槲姬旅盨
3086	善夫克旅盨	王令尹氏友、史趛典善夫克田人
		小計：共 7 筆
趩 0178		
1304	王子午鼎	畏忌趩趩
4886	趩尊	井叔入右趩
4886	趩尊	王乎內史冊令趩更𠂤且考服
4886	趩尊	易趩戠衣、載市冋黃、旂
4886	趩尊	趩拜稽首、揚王休對
4886	趩尊	趩蔑曆、用乍寶尊彝
7175	王孫遺者鐘	敳嬰趩趩
		小計：共 7 筆
趙 0179		
1113	廿七年大梁司寇肖無智一	大梁司寇肖(趙)亡智新為量
1114	廿七年大梁司寇肖無智二	大梁司寇肖(趙)亡智新為量
5759	趙孟壺一	為趙孟介
7558	十四年奠令戈	十四年奠命趙距司寇王造武庫
7559	十五年奠令戈	十五年奠命趙距司寇□章右庫
7560	十六年奠令戈	十六年奠命趙司寇彭璋生庫
7663	卅二年奠令槍□矛	卅二年奠命槍□司寇趙它
7676	陳劍	陳鑄趙□鐱

739	卅三年奠令□□劍	卅三年奠命□□司寇趙它
		小計：共　9 筆
0180		
229	厚趠方鼎	厚趠又償于𣥕公
229	厚趠方鼎	趠用乍𣪘文考父辛寶尊齋
		小計：共　2 筆
0181		
590	孫弔多父乍孟姜𣪘一	師趬父孫
590	孫弔多父乍孟姜𣪘二	師趬父孫
591	孫弔多父乍孟姜𣪘三	師趬父孫
508	弔趬父卣一	弔趬父曰
		小計：共　4 筆
0182		
926	趡乍文父戊鼎（器當為罍）	趡乍文父戊尊彝［冊冊］
		小計：共　1 筆
0183		
503	亞趄衛鼎一	［亞趄衛］
504	亞趄衛鼎二	［亞趄衛］
324	禹鼎	禹曰:不顯趄趄皇且穆公
331	中山王𰯼鼎	昔者、𠭘（吾）先祖趄王
568	亞趄衛甗	［亞趄衛］
844	亞趄衛𣪘	［亞趄衛］
330	史趄𣪘	史趄乍寶𣪘其萬年用
667	尌仲𣪘	尌中乍朕皇考趄中𩰫彝尊𣪘
833	秦公𣪘	剌剌趄趄
985	陳逆簠一	余陳趄走裔孫
985.	陳逆簠二	余陳趄走裔孫
985.	陳逆簠三	余陳趄走裔孫
985.	陳逆簠四	余陳趄走裔孫
985.	陳逆簠五	余陳趄走裔孫
985.	陳逆簠六	余陳趄走裔孫
985.	陳逆簠七	余陳趄走裔孫
985.	陳逆簠八	余陳趄走裔孫
985.	陳逆簠九	余陳趄走裔孫
985.	陳逆簠十	余陳趄走裔孫
100	陳侯因資錞	皇考孝武趄公
100	陳侯因資錞	休嗣趄文
100	陳侯因資錞	用乍孝武趄公祭器錞
720	亞趄＿爵一	［亞趄＿］
721	亞趄＿爵二	［亞趄＿］
303	亞趄衛斝	［亞趄衛］

趙
趠
趬
趡
趄
眚
迴

4363	亞趄盉	[亞趄]
4557	亞趄衎尊	[亞趄衎]
5079	亞趄衎卣	[亞趄衎]
5781	曾姬無卹壺一	聖趄之夫人曾姬無卹
5782	曾姬無卹壺二	聖趄之夫人曾姬無卹
5805	中山王譽方壺	趄祖成考
6119	亞萓衎觚一	[亞萓(趄)衎]
6120	亞萓衎觚二	[亞萓(趄)衎]
6569	亞趄父丁觶	[亞趄]父丁
6790	虢季子白盤	趄趄子白
6792	史墻盤	亟獄迴(趄)慕
7069	者沵鐘一	悉學趄趄
7071	者沵鐘三	悉學趄趄
7074	者沵鐘六	悉學趄趄
7077	者沵鐘九	悉學趄趄
7159	瘐鐘二	瘐趄趄
7186	叔夷編鐘五	又共于趄武靈公之所
7186	叔夷編鐘五	趄武靈公易尸吉金
7212	秦公鎛	虩(虔)夙夕剌剌趄趄
M466	鄦男鼎	鄦男作成姜趄母媵尊鼎
M541	吳王光戈	吳王光迴自乍用戈

小計：共　45 筆

趆　0184

7975	中山王墓兆域圖	丌梘趆(題湊)長三乇(尺)

小計：共　1 筆

趙　0185

2894	曾子㔻行器一	曾子㔻自作行器
2895	曾子㔻行器二	曾子㔻自乍行器
2896	曾子㔻行器三	曾子㔻自乍行器
7124	沇兒鐘	皇皇趙趙(熙熙)
7135	逆鐘	錫戈彤㔻(緌)
7175	王孫遺者鐘	趑趑(皇皇)趙趙(熙熙)
J0081	王孫萛鐘	(拓本未見)

小計：共　7 筆

赵　0186

J3691	邨子__缶	(拓本未見)

小計：共　1 筆

趫　0187

1118	宋莊公之孫趫亥鼎	宋莊公之孫趫亥自乍會鼎

M423.	趞鼎	宰訊趞入門立中廷北向
M423.	趞鼎	王乎內史19冊易趞玄衣䊸屯
M423.	趞鼎	趞拜稽頓首
		小計：共 4 筆

0188

2783	趞毀	密弔右趞即立
2783	趞毀	王若曰：趞
2783	趞毀	趞拜稽首對揚王休
		小計：共 3 筆

0188+

1478	齊不趏鬲	齊不趏乍𠂤白尊鬲
		小計：共 1 筆

0189

0183	亞止鼎	[亞止䵼]
0507	止亞□鼎	止亞□
0861	亞受丁旃若癸鼎	[亞受丁旃若癸止乙自乙]
0862	亞受丁旃若癸鼎二	[亞受丁旃若癸止乙自乙]
1030	鄁子員鼎	其永壽用止
2705	君夫毀	子子孫孫其永用止
2801	五年召白虎毀	余老止公僕庸土田多諫
2854	㯱毀	勿吏敢又疾、止從獄
3576.	㣇止爵	[㣇止]
3652	止__爵	[止__]
3758	止且癸爵	[止]且癸
3860	止父己爵	[止]父己
4176	友敊父癸爵一	友饕父癸妣止母
4177	友敊父癸爵二	友饕父癸妣止母
4789	亞受丁旃若癸尊一	[亞受旅丁乙止若自癸乙]
4790	亞受丁旃若癸尊二	[亞受旃乙止若自癸乙]
5280	帚好卣	[帚好口止]
5779	安邑下官鍾	府嗇夫__治事左__止大斛斗一益少半益
6279	亞受丁若癸觚一	亞受旃若癸丁乙止自乙
6280	亞受丁若癸觚二	亞受旃若癸丁乙止自乙
6283	____觚	[㗊卜止卜]
6678	㣈止盤	[㣈止]
7026	邾弔鐘	邾叔止白□羼孚吉金用乍其龢鐘
7976	之利殘片	烏虖、烏興余利貣烏止
M602	蔡眚匜	蔡弔季之孫眚賸孟臣有止媵盥盤
		小計：共 25 筆

踵	0190	經典通作踵	
	1332	毛公鼎	畫縛畫輴，金甬，錯衡，金踵(踵)，金豙
			小計：共　1 筆
前	0191		
	1315	善鼎	唯用妥福唬前文人
	1323	師訊鼎	敍辟前王吏余一人
	2658	白歔餿	隹用妥神褱唬前文人
	2746	追餿一	用亯孝于前文人
	2747	追餿二	用亯孝于前文人
	2748	追餿三	用亯孝于前文人
	2749	追餿四	用亯孝于前文人
	2750	追餿五	用亯孝于前文人
	2751	追餿六	用亯孝于前文人
	2834	猷餿	其各前文人
	7009	兮仲鐘一	用侃喜前文人
	7010	兮仲鐘二	用侃喜前文人
	7011	兮仲鐘三	用侃喜前
	7012	兮仲鐘四	用侃喜前文人
	7013	兮仲鐘五	用侃喜前文人
	7014	兮仲鐘六	用侃喜前
	7015	兮仲鐘七	用侃喜前文人
	7049	井人鐘三	用追孝侃前文人
	7049	井人鐘三	前文人其嚴才上
	7050	井人鐘四	用追孝侃前文人
	7050	井人鐘四	前文人其嚴才上
	7059	師臾鐘	用喜侃前文人
	7060	旲生鐘一	用喜侃前文人
	7159	瘐鐘二	用卲各喜侃樂前文人
			小計：共　24 筆
歷	0192		
	1324	禹鼎	至于歷内
	M900	梁十九年鼎	鬲(歷)年萬不承
			小計：共　2 筆
厤	0192		
	1332	毛公鼎	厤自今
			小計：共　1 筆

0193

1121	唯弔從王南征鼎	唯弔從王南征、唯歸
1121	唯弔從王南征鼎	唯弔從王南征、唯歸
1242	塱方鼎	公歸__于周廟
1251	中先鼎一	中乎歸生鳳于王
1252	中先鼎二	中乎歸生鳳于王
1288	令鼎一	王歸自諆田
1289	令鼎二	王歸自諆田
1662	寶甗	王人vy輔歸雚鑄其寶
2721	萬設	王命萬眔弔綿父歸吳姬飴器
2760	小臣謎設一	雩氒復歸、才牧自
2761	小臣謎設二	雩氒復歸、才牧自
2841	茾白設	己未、王命中到歸茾白or裘
2841	茾白設	歸夆其萬年日用亯于宗室
2852	不嬰設一	余來歸獻禽
2853	不嬰設二	余來歸獻禽
3121.	大宰歸父鑪	齊大宰歸父vf為忌盧盤
4892	麥尊	唯歸、遟天子休、告亡尤
4893	矢令尊	明公歸自王
4981	鳥冊令方彝	明公歸自王
5472	乍毓且丁卣	歸福于我多高処山易楚
5472	乍毓且丁卣	歸福于我多高oe山易楚
5485	貉子卣一	歸貉子鹿三
5486	貉子卣二	歸貉子鹿三
5804	齊侯壺	□□其士女□__旬四舟____丘□__于__歸獻
6768	齊大宰歸父盤一	齊大宰歸父vf為忌顋盤
6769	齊大宰歸父盤二	齊大宰歸父vf為忌顋盤
7038	應侯見工鐘一	王歸自成周
7156.2	曾侯乙編鐘下一．二	大族之珈歸（鑐）
7156.7	曾侯乙編鐘下二．四	大族之珈歸（鑐）
7156.8	曾侯乙編鐘下二．五	黃鐘之歸（鑐）

小計：共 30 筆

0194

0256	獎登鼎	[獎]登
0328	周登鼎	周登
0867	__公鼎	__公上之__保登
0867	__公鼎	__公上__嵤保登
1093	奠登白鼎	奠登白役弔婿乍寶鼎
1128	昪伯氏鼎	唯登八月初吉
1198	姬鬻彝鼎	用登（烝）用嘗
1779	亞登設	[亞登]
1956	掣登設	[掣]登
2101	坰父乍車設	坰父乍車登

登
弄
步

2188	鄧公毁	弄(登鄧)公牧乍餘毁
2208	葬侯乍弄寶毁	革侯乍登寶毁
2384	鄧公毁一	弄(登鄧)公乍雁嫚妣朕毁
2385	鄧公毁二	弄(登鄧)公乍雁嫚妣朕毁
2556	復公子白舍毁一	毆新乍我姑弄(登鄧)孟媿賸毁
2557	復公子白舍毁二	毆新乍我姑弄(登鄧)孟媿賸毁
2558	復公子白舍毁三	毆新乍我姑弄(登鄧)孟媿賸毁
2744	五年師旋毁一	儕女十五易登
2745	五年師旋毁二	儕女十五易登
2855	班毁一	登于大服
2855.	班毁二	登于大服
2990	登白盨	登白乍re盨用
3032.	奠登弔旅盨	奠登弔及子子孫孫永寶用
3097	陳侯午錞錞一	乍皇妣孝大妃祭器sk錞台登台嘗
3098	陳侯午錞錞二	乍皇妣孝大妃祭器sk錞台登台嘗
3099	十年陳侯午錞(器)	用乍平壽造器錞台登台嘗
3100	陳侯因資錞	台登台嘗、保有齊邦
4128.	登爵	登乍尊彝
4333.	登乍尊彝斝	登(鄧)乍尊彝
4711	登乍從尊	登乍從彝[華]
5288	登乍尊彝卣	登乍尊彝
5732	鄧孟乍監曼壺	弄(登鄧)孟乍監曼尊壺
6249	登觚	登乍尊彝
6595	雞步登父丁觶	[雞步登車]父丁
6729	奠登弔旅盤	奠登弔乍旅盨
J3531	鄭伯吉射盤	(拓本未見)
6793	矢人盤	內陟芻、登于厂qq
6793	矢人盤	陟州剛、登桁
7112	者減鐘一	其登于上下
7113	者減鐘二	其登于上下
7184	叔夷編鐘三	余用登屯厚乃命
7214	叔夷鎛	余用登屯厚乃命
7656	七年宅陽令矛	七年宅陽命馬登
7996.	上官登	台為大綃之從鉃登□□

小計:共 44 筆

步 0195

3216	步爵	[步]
4098	步＿父癸爵	[步e5]父癸
4649	子且辛步尊	[子]且辛[步]
6595	雞步登父丁觶	[雞步登車]父丁
7975	中山王基兆域圖	從丘歐目至內宮六步
7975	中山王基兆域圖	從丘歐目至內宮六步
7975	中山王基兆域圖	從丘歐目至內宮六步
7975	中山王基兆域圖	從丘歐目至內宮六步
7975	中山王基兆域圖	從丘歐至內宮廿四步

7975	中山王墓兆域圖	從丘欧目至內宮六步
7975	中山王墓兆域圖	從丘欧目至內宮六步
7975	中山王墓兆域圖	從丘欧至內宮廿四步
7975	中山王墓兆域圖	從內宮目至中宮卅步
7975	中山王墓兆域圖	從內宮至中宮廿五步
7975	中山王墓兆域圖	從內宮至中宮廿五步
7975	中山王墓兆域圖	從內宮目至中宮卅步
7975	中山王墓兆域圖	從內宮至中宮卅六步
7975	中山王墓兆域圖	從內宮目至中宮卅六步

小計：共　18 筆

0196

1003	楚王酓肯鉈鼎	以共歲嘗
1005	楚王酓肯喬鼎	以共歲嘗
1115	楚王酓肯喬鼎	以共歲嘗
1330	曶鼎	昔饉歲匡眾氒臣廿夫
1330	曶鼎	□乃來歲弗賞
1332	毛公鼎	用歲用政
2671	利毀	歲鼎克
2908	楚王酓肯匿一	以共歲嘗、戊寅
2909	楚王酓肯匿二	以共歲嘗、戊寅
2910	楚王酓肯匿三	以共歲嘗、戊寅
3026	□□為甫人行盨	用征用行萬歲用尚
3121.	大宰歸父鑪	魯__難歲
4887	蔡侯𨛭尊	冬歲無彊
5772	陳璋方壺	隹王五年奠陳旻再立事歲
5773	陳喜壺	陳喜再立事歲pf月己酉
5780	公孫窹壺	公孫窹立事歲飯ho月
5784	㚸氏壺	歲賢鮮于
816	奠義白鑘	我用以____永歲
826	國差𦉜	國差立事歲
723	楚王酓肯盤	台共歲嘗
776	楚王酓志盤	以共歲嘗
788	蔡侯𨛭盤	冬歲無彊
887	邶陵君王子申鑑	攸立歲嘗
046	□□自乍鐘二	百歲之外
496	是氏事歲戈	是立事歲__右工戈
505	陳𨚕戈	陳𨚕之歲□府戟
539	伺戈	獻鼎之歲
731	王立事劍一	王立事歲
732	王立事劍二	王立事歲
733	王立事劍三	王立事歲
771	大武戚	兵闢大歲
867.	龍__	□客減（ 臧 ）嘉聞王於𢦏（ 歲 ）之歲
870	陳純釜	陳猷立事歲
871	子禾子釜一	□□立事歲
899	鄂君啟車節	大司馬卲陽敗晉帀於襄陽之歲

7899	鄂君啟車節	車五十乘、歲翼(代)返
7900	鄂君啟舟節	大司馬卲陽敗晉帀於襄陵之歲
7900	鄂君啟舟節	歲翼(代)返
7933	大府鎬	秦客王子齊之歲

小計：共 39 筆

此 0197

0364	此父丁鼎	[此]父丁
1148	龏姜白鼎一	龏姜白乍此羸尊鼎
1149	龏姜白鼎二	龏姜白乍此羸尊鼎
1312	此鼎一	嗣土毛弔右此入門、立中廷
1312	此鼎一	王乎史翏冊令此曰
1312	此鼎一	此敢對揚天子不顯休令
1312	此鼎一	此其萬年無彊
1313	此鼎二	嗣土毛弔右此入門、立中廷
1313	此鼎二	王呼史翏冊令此曰
1313	此鼎二	此敢對揚天子不顯休令
1313	此鼎二	此其萬年無彊
1314	此鼎三	嗣土毛弔右此入門、立中廷
1314	此鼎三	王呼史翏冊令此曰
1314	此鼎三	此敢對揚天子不顯休令
1314	此鼎三	此其萬年無彊
1331	中山王嚳鼎	此易言而難行施(也)
2677	居__戯鑄____	余以鑄此__兒
2677.	居__戯段二	余以鑄此__兒
2818	此段一	司土毛弔右此入門、立中廷
2818	此段一	王呼史翏冊令此曰
2818	此段一	此敢對揚天子不顯休令
2818	此段一	此其萬年無彊
2819	此段二	司土毛弔右此入門、立中廷
2819	此段二	王呼史翏冊令此曰
2819	此段二	此敢對揚天子不顯休令
2819	此段二	此其萬年無彊
2820	此段三	司土毛弔右此入門、立中廷
2820	此段三	王呼史翏冊令此曰
2820	此段三	此敢對揚天子不顯休令
2820	此段三	此其萬年無彊
2821	此段四	司土毛弔右此入門、立中廷
2821	此段四	王呼史翏冊令此曰
2821	此段四	此敢對揚天子不顯休令
2821	此段四	此其萬年無彊
2822	此段五	司土毛弔右此入門、立中廷
2822	此段五	王呼史翏冊令此曰
2822	此段五	此敢對揚天子不顯休令
2822	此段五	此其萬年無彊
2823	此段六	司土毛弔右此入門、立中廷
2823	此段六	王呼史翏冊令此曰

2823	此毀六	此敢對揚天子不顯休令
2823	此毀六	此其萬年無彊
2824	此毀七	司土毛弔右此入門、立中廷
2824	此毀七	王呼史翏冊令此曰
2824	此毀七	此敢對揚天子不顯休令
2824	此毀七	此其萬年無彊
2825	此毀八	司土毛弔右此入門、立中廷
2825	此毀八	王呼史翏冊令此曰
2825	此毀八	此敢對揚天子不顯休令
2825	此毀八	此其萬年無彊
4399	此乍寶彝盉	此乍寶彝
4508	亞此中犢形尊	[亞此]
4776	此尊	此乍父辛寶尊彝
4874	萬諆尊	其則此飽□
7108	鄦弔之仲子平編鐘一	其受此釁壽
7109	鄦弔之仲子平編鐘二	其受此釁壽
7110	鄦弔之仲子平編鐘三	其受此釁壽
7111	鄦弔之仲子平編鐘四	其受此釁壽
7219	冉鉦鋮（南疆征）	夌子孫余冉鑄此鉦□
7219	冉鉦鋮（南疆征）	余處此南疆
7591	宜乘之棗戟	宜此之棗戟

小計：共 61 筆

此
正

0198

補1	正鼎	[正]
0327	正昜鼎	正昜
1072	孫乍其鬳鼎	隹正月初孫乍其鬳鬲貞貞（鼎）
1134	陳侯鼎	隹正月初吉丁亥
1152	私官鼎	一斗半正十三斤八兩十四朱
1165	大師鐘白乍石鼎	隹正月初吉己亥
1175	白鮮乍旅鼎一	隹正月初吉庚午
1176	白鮮乍旅鼎二	隹正月初吉庚午
1177	白鮮乍旅鼎三	隹正月初吉庚午
1187	員乍父甲鼎	唯正月既望癸酉
1208	乙亥乍父丁方鼎	唯王正井方[仆]
1209	嬰方鼎	㚸商又正嬰嬰貝
1211	庚兒鼎一	隹正月初吉丁亥
1212	庚兒鼎二	隹正月初吉丁亥
1218	㚸兒鼎	隹正八月初吉壬申
1224	王子吳鼎	隹正月初吉丁亥
1225	鄦大史申鼎	隹正月初吉辛亥
1231	楚王酓忓鼎一	正月吉日
1232	楚王酓忓鼎二	正月吉日
1241	禁大師腆鼎	隹正月初吉丁亥
1265	戠弔鼎	隹王正月初吉乙丑
1270	小臣夌鼎	正月、王才成周
1274	哀成弔鼎	正月庚午、嘉曰

正

1291	善夫克鼎一	王命善夫克舍令于成周遹正八自之年
1292	善夫克鼎二	王命善夫克舍令于成周遹正八自之年
1293	善夫克鼎三	王命善夫克舍令于成周遹正八自之年
1294	善夫克鼎四	王命善夫克舍令于成周遹正八自之年
1295	善夫克鼎五	王命善夫克舍令于成周遹正八自之年
1296	善夫克鼎六	王命善夫克舍令于成周遹正八自之年
1297	善夫克鼎七	王命善夫克舍令于成周遹正八自之年
1304	王子午鼎	隹正月初吉丁亥
1317	善夫山鼎	隹卅又七年正月初吉庚戌
1322	九年裘衛鼎	隹九年正月既死霸庚辰
1323	師訊鼎	唯王八祀正月辰才丁卯
1323	師訊鼎	乃用心引正乃辟安德
1325	五祀衛鼎	隹正月初吉庚戌
1325	五祀衛鼎	正迺訊厲曰
1328	盂鼎	畯（允）正氒民
1328	盂鼎	隹殷邊侯田雩殷正百辟
1328	盂鼎	今我隹即井亩于玟王正德
1328	盂鼎	若玟王令二、三正
1332	毛公鼎	亦唯先正ht辥氒辟
1332	毛公鼎	無唯正聞（昏）
1332	毛公鼎	善效乃友正
1659	白鮮旅甗	隹正月初吉庚寅
1665	王孫壽飤甗	隹正月初吉丁亥
2450	禾乍皇母孟姬段	隹正月己亥
2548	仲惠父餗段一	隹王正月 中叀父乍餗段
2549	仲惠父餗段二	隹王正月中叀父乍餗段
2570	榮段	隹正月甲申榮各
2584	卻正衛段	懋父賓卻（御）正衛馬匹自王
2608	官差父段	隹王正月既死霸乙卯
2621	雁侯段	隹正月初吉丁亥
2662.	寰段一	隹正月初吉庚寅
2662.	寰段二	隹正月初吉庚寅
2663	寰段一	隹正月初吉庚寅
2664	寰段二	隹正月初吉庚寅
2681	鄜侯段	隹五年正月丙午
2684	__鼄乎段	隹正二月既死霸壬戌
2693	鼂段	隹正月初吉
2695	鄦兒段	隹正月初吉甲午
2705	君夫段	唯正月初吉乙亥
2706	郜公敄人段	隹郜正二月初吉乙丑
2711.	乍冊般段	隹正月初吉戊辰
2736	師遽段	王延正師氏
2739	無曩段一	隹十又三年正月初吉壬寅
2740	無曩段二	隹十又三年正月初吉壬寅
2741	無曩段三	隹十又三年正月初吉壬寅
2742	無曩段四	隹十又三年正月初吉壬寅
2742.	無曩段五	隹十又三年正月初吉壬寅
2742.	無曩段五	隹十又三年正月初吉壬寅
2743	虢段	唯王正月辰才甲午
2767	虘段一	正月既望甲午

2768	楚毁	仕正月初吉丁亥
2770	䛩毁	隹正月乙巳
2778	格白毁一	隹正月初吉癸巳
2778	格白毁一	隹正月初吉癸巳
2779	格白毁二	隹正月初吉癸巳
2780	格白毁三	隹正月初吉癸巳
2781	格白毁四	隹正月初吉癸巳
2782	格白毁五	隹正月初吉癸巳
2782.	格白毁六	毁隹正月初吉癸巳
2784	申毁	隹正月初吉丁卯
2800	伊毁	隹王廿又七年正月既望丁亥
2801	五年召白虎毁	隹五正月己丑
2803	師酉毁一	隹王元年正月
2804	師酉毁二	隹王元年正月
2804	師酉毁二	酉其萬年子子孫孫永寶用（蓋）隹王元年正月
2805	師酉毁三	隹王元年正月
2806	師酉毁四	隹王元年正月
2806.	師酉毁五	隹王元年正月
2807	鄸隐毁一	隹二年正月初吉
2808	鄸隐毁二	隹二年正月初吉
2809	鄸隐毁三	隹二年正月初吉
2815	師虘毁	隹王元年正月初吉丁亥
2816	彔白䧹毁	隹王正月辰才庚寅
2826	師寰毁一	正淮尸
2826	師寰毁一	正淮尸
2827	師寰毁二	正淮尸
2830	三年師兌毁	余既令女正師龢父
2946	曾子□匿	隹正月初吉丁亥
2961	陳侯乍媵匿一	隹正月初吉丁亥
2962	陳侯乍媵匿二	隹正月初吉丁亥
2963	陳侯匿	隹正月初吉丁亥
2964	曾□□諫匿	隹正吉乙亥
2967	陳侯乍孟姜朕匿	隹正月初吉丁亥
2970	考弔脂父尊匿一	隹正月初吉丁亥
2971	考弔脂父尊匿二	隹正月初吉丁亥
2973	楚屈子匿	隹正月初吉丁亥
2974	上鄀府匿	隹正六月初吉丁亥
2975	鄦子妝匿	隹正月初吉丁亥
2976	盤公匿	隹王正月初吉丁亥
2977	□孫弔左諫匿	隹正月初吉丁亥
2978	樂子敬辅觚匿	隹正月初吉丁亥
2980	鼄大宰諫匿一	隹正月初吉
2981	鼄大宰諫匿二	隹正月初吉
2982	長子□臣乍媵匿	隹正月初吉丁亥
2982	長子□臣乍媵匿	隹正月初吉丁亥
2983	弭仲寶匿	用鄉大正
2985	陳逆匿一	隹王正月初吉丁亥
2985.	陳逆匿二	隹王正月初吉丁亥
2985.	陳逆匿三	隹王正月初吉丁亥
2985.	陳逆匿四	隹王正月初吉丁亥

正

2985.	陳逆匿五	隹王正月初吉丁亥
2985.	陳逆匿六	隹王正月初吉丁亥
2985.	陳逆匿七	隹王正月初吉丁亥
2985.	陳逆匿八	隹王正月初吉丁亥
2985.	陳逆匿九	隹王正月初吉丁亥
2985.	陳逆匿十	隹王正月初吉丁亥
3056	師趛乍楷姬旅盨	隹王正月既望
3056	師趛乍楷姬旅盨	隹王正月既望
3085	駒父旅盨(蓋)	唯王十又八年正月
3090	盨(器)	雩邦人、正人、師氏人又辠又故
3090	盨(器)	乎非正命
3095	拍乍祀彝(蓋)	隹正月吉日乙丑
3100	陳侯因資錞	隹正六月癸未
3128.	正爵	[正]
3128.	正爵二	[正]
3610	叔正爵	[叔正]
4203	御正良爵	尹大保賞御正良貝
4267.	正斝	[正]
4344	嘉仲父斝	隹元年正月初吉丁亥
4866	小臣艅尊	隹王來正尸(夷)方
4887	蔡侯尊	元年正月初吉辛亥
4975	麥方彝	才八月乙亥、辟井侯光乎正吏
4977	師遽方彝	隹正月既生霸丁酉
5485	貉子卣一	唯正月丁丑
5486	貉子卣二	唯正月丁丑
5491	亞獏二祀卲其卣	才正月遘于匕丙彡日大乙爽
5497	農卣	隹正月甲午、王才s2应
5503	競卣	正月既生霸辛丑、才坏
5507	乍冊虢卣	辨于多正
5583	不白夏子罍一	隹正月初吉丁亥
5584	不白夏子罍二	隹正月初吉丁亥
5726	華母壺	隹正月初吉庚午
5775	蔡公子壺	隹正月初吉庚午
5777	孫弔師父行具	隹王正月初吉甲戌
5798	曶壺	隹正月初吉丁亥
5804	齊侯壺	隹王正月初吉丁亥
5816.	伯亞臣鐳	隹正月初吉丁亥
5824	孟縢姬脰缶	隹正月初吉丁亥
5825	䜌書缶	正月季春元日己丑
6017	乙足觚一	乙[正]
6018	乙足觚二	乙[正]
6601	帚子每觶	帚好正
6634	郐王義楚祭耑	隹正月吉日丁酉
6758	殷穀盤一	隹正月初吉
6759	殷穀盤二	隹正月初吉
6760	中子化盤	用正筥
6770	瞿白盤	隹正月初吉庚午
6773	湯弔盤	隹正月初吉壬午
6776	楚王酓忎盤	正月吉日
6780	黃大子白克盤	隹王正月初吉丁亥

6781	夆弔盤	隹王正月初吉丁亥
6782	者尚余卑盤	隹王正月初吉丁亥
6785	守宮盤	隹正月既生霸乙未
6787	走馬休盤	隹廿年正月既望甲戌
6788	蔡侯[illegible]盤	元年正月初吉辛亥
6790	虢季子白盤	隹十又二年正月初吉丁亥
6793	矢人盤	凡十又五夫正履
6793	矢人盤	史正中農
6817	匽白聖匜	匽白聖乍正它、永用
6846	白正父旅它	白正父乍旅它
6865	楚嬴匜	隹王正月初吉庚午
6869	浮公之孫公父宅匜	唯王正月初吉庚午
6870	[illegible]公孫[illegible]父匜	隹正月初吉庚午
6871	敶子匜	隹正月初吉丁亥
6876	夆弔乍季妃盥盤(匜)	隹王正月初吉丁亥
6905	要君[illegible]盂	隹正月初吉
6908	郐宜同歙盂	隹正月初吉日己酉
6909	逋盂	隹正月初吉
6923	庚午盦	隹正九月初吉庚午
6925	晉邦盦	隹王正月初吉丁亥
6956	魚乙正鐃一	[魚乙正]
6957	魚乙正鐃二	[魚乙正]
6958	魚乙正鐃三	[魚乙正]
7004	楚王領鐘	隹王正月初吉丁亥
7005	都公鐘	隹都正四月□□
7016	楚王鐘	隹正月初吉丁亥
7021	虘鐘一	隹正月初吉丁亥
7022	虘鐘二	隹正月初吉丁亥
7023	虘鐘三	隹正月初吉丁亥
7027	邾公釛鐘	用樂我嘉賓、及我正卿
7028	臧孫鐘	隹王正月初吉丁亥
7029	臧孫鐘二	隹王正月初吉丁亥
7030	臧孫鐘三	隹王正月初吉丁亥
7031	臧孫鐘四	隹王正月初吉丁亥
7032	臧孫鐘五	隹王正月初吉丁亥
7033	臧孫鐘六	隹王正月初吉丁亥
7034	臧孫鐘七	隹王正月初吉丁亥
7035	臧孫鐘八	隹王正月初吉丁亥
7036	臧孫鐘九	隹王正月初吉丁亥
7038	應侯見工鐘一	隹正二月初吉
7045	□□自乍鐘一	隹王正月初吉庚申
7051	子璋鐘一	隹正七月初吉丁亥
7052	子璋鐘二	隹正七月初吉丁亥
7053	子璋鐘三	隹正七月初吉丁亥
7054	子璋鐘四	隹正七月初吉丁亥
7055	子璋鐘五	隹正七月初吉丁亥
7056	子璋鐘六	隹正七月初吉丁亥
7057	子璋鐘八	隹正七月初吉丁亥
7058	邾公孫班鐘	隹王正月
7082	齊鞄氏鐘	隹正月初吉丁亥

正

7084	邾公牼鐘一	隹王正月初吉
7085	邾公牼鐘二	隹王正月初吉
7086	邾公牼鐘三	隹王正月初吉
7087	邾公牼鐘四	隹王正月初吉
7108	𨟻弔之仲子平編鐘一	隹正月初吉庚午
7109	𨟻弔之仲子平編鐘二	隹正月初吉庚午
7110	𨟻弔之仲子平編鐘三	隹正月初吉庚午
7111	𨟻弔之仲子平編鐘四	隹正月初吉庚午
7112	者減鐘一	隹正月初吉丁亥
7113	者減鐘二	隹正月初吉丁亥
7114	者減鐘三	隹正月初吉丁亥
7115	者減鐘四	隹正月初吉丁亥
7117	𨛭儆兒鐘一	隹正九月初吉丁亥
7118	𨛭儔兒鐘二	隹正九月初吉丁亥
7121	𨛭王子旃鐘	隹正月初吉元日癸亥
7122	梁其鐘一	汈其身邦君大正
7123	梁其鐘二	汈其身邦君大正
7124	沇兒鐘	隹正月初吉丁亥
7125	蔡侯𬴊紐鐘一	隹正五月初吉孟庚
7126	蔡侯𬴊紐鐘二	隹正五月初吉孟庚
7132	蔡侯𬴊紐鐘八	隹正五月初吉孟庚
7133	蔡侯𬴊紐鐘九	隹正五月初吉孟庚
7134	蔡侯𬴊甬鐘	隹正五月初吉孟庚
7136	郘鐘一	余不敢為喬隹王正月初吉丁亥
7137	郘鐘二	隹王正月初吉丁亥
7138	郘鐘三	隹王正月初吉丁亥
7139	郘鐘四	隹王正月初吉丁亥
7140	郘鐘五	隹王正月初吉丁亥
7141	郘鐘六	隹王正月初吉丁亥
7142	郘鐘七	隹王正月初吉丁亥
7143	郘鐘八	隹王正月初吉丁亥
7144	郘鐘九	隹王正月初吉丁亥
7145	郘鐘十	隹王正月初吉丁亥
7146	郘鐘十一	隹王正月初吉丁亥
7147	郘鐘十二	隹王正月初吉丁亥
7148	郘鐘十三	隹王正月初吉丁亥
7149	郘鐘十四	隹王正月初吉丁亥
7157	邾公華鐘一	隹王正月初吉乙亥
7175	王孫遺者鐘	隹正月初吉丁亥
7184	叔夷編鐘三	余命女裁差正卿
7205	蔡侯𬴊編鎛一	隹正五月初吉孟庚
7206	蔡侯𬴊編鎛二	隹正五月初吉孟庚
7207	蔡侯𬴊編鎛三	隹正五月初吉孟庚
7208	蔡侯𬴊編鎛四	隹正五月初吉孟庚
7215	其次勾鑃一	隹正初吉丁亥
7216	其次勾鑃二	隹正初吉丁亥
7217	姑馮勾鑃	隹王正月初吉丁亥
7218	𨛭䛗尹征城	唯正月月初吉、日才庚
7219	冉鉦鋮（南疆征）	隹正月初吉丁亥
7874	蔡太史鉚	隹王正月初吉壬午

7938	司正鬥鋪	司正
M553	越王者旨於賜鐘	隹正月王春吉日丁亥
M602	蔡侯匜	隹正月初吉丁亥
補1	正鼎	[正]
補2	正觶	[正]
		小計：共 277 筆

0198+

0137	䰠鼎	[䰠]
		小計：共 1 筆

0199

5805	中山王譽方壺	乏其先王之祭祀
7975	中山王墓兆域圖	王命賈為逃乏
7975	中山王墓兆域圖	進退□乏者
		小計：共 3 筆

0200

0667	哀子鼎	□子哀乍是鼎
1194	郘王𦉢鼎	世世是若
1217	毛公旅方鼎	是用壽考
1225	鬲大史申鼎	子孫是若
1250	曾子斿鼎	百民是奠
1250	曾子斿鼎	民具是鄉
1274	哀成弔鼎	嘉是隹哀成弔
1304	王子午鼎	子孫是利
1318	晉姜鼎	三壽是利
1331	中山王譽鼎	隹傅母氏（ 是 ）從
1331	中山王譽鼎	是克行之
1331	中山王譽鼎	氏（ 是 ）以寡人𡚁（ 委 ）賃（ 任 ）之邦
1331	中山王譽鼎	氏（ 是 ）以賜之氒命
1331	中山王譽鼎	氏（ 是 ）以寡許之謀慮㫗（ 皆 ）從
1332	毛公鼎	迺唯是喪我國
1667	陳公子弔遷父甗	子子孫孫是尚
2480	是要𣪕	隹十月是要乍文考寶𣪕
2481	是要𣪕	隹十月是要乍文考寶𣪕
2517	是□乍乙公𣪕	是龖乍朕文考乙公尊𣪕
2632	陳逆𣪕	子孫是保
2833	秦公𣪕	萬民是敕
4887	蔡侯𦉘尊	禋享是台
5752	陳侯壺	子子孫孫永寶是尚
5784	𣎳氏壺	可是金契

是

5786	旻季良父壺	子子孫孫是永寶
5805	中山王嚳方壺	是又純德遺訓
5810	喪鈚	永寶是尚
5816.	伯亞臣鑑	子孫永寶是尚
5825	繇書缶	萬世是寶
6788	蔡侯𩰫盤	禋享是台
6790	虢季子白盤	是以先行
6790	虢季子白盤	是用左王
6905	要君鍺盂	子子孫孫寶是尚
7028	臧孫鐘	子子孫孫永保是從
7029	臧孫鐘二	子孫孫永保是從
7030	臧孫鐘三	子孫孫永保是從
7031	臧孫鐘四	子孫孫永保是從
7032	臧孫鐘五	子孫孫永保是從
7033	臧孫鐘六	子孫孫永保是從
7034	臧孫鐘七	子孫孫永保是從
7035	臧孫鐘八	子孫孫永保是從
7036	臧孫鐘九	子子孫孫永保是從
7058	邾公孫班鐘	□□是□靈命無其
7084	邾公牼鐘一	分器是寺
7085	邾公牼鐘二	分器是寺
7086	邾公牼鐘三	分器是寺
7087	邾公牼鐘四	分器是寺
7112	者減鐘一	子子孫孫永保是尚
7113	者減鐘二	子子孫孫永保是尚
7117	郐儆兒鐘一	後民是語
7119	郐儔兒鐘三	後民是語
7120	郐儔兒鐘四	後民是語
7125	蔡侯𩰫紐鐘一	天命是遥
7126	蔡侯𩰫紐鐘二	天命是遥
7132	蔡侯𩰫紐鐘八	天命是遥
7133	蔡侯𩰫紐鐘九	天命是遥
7134	蔡侯𩰫甬鐘	天命是遥
7157	邾公華鐘一	鼄(邾)邦是保
7186	叔夷編鐘五	是辟于齊侯之所
7186	叔夷編鐘五	是＿恭蹐
7205	蔡侯𩰫編鎛一	天命是遥
7206	蔡侯𩰫編鎛二	天命是遥
7207	蔡侯𩰫編鎛三	天命是遥
7208	蔡侯𩰫編鎛四	天命是遥
7212	秦公鎛	萬生是敕
7213	𩁹鎛	余四使是以
7213	𩁹鎛	是台可使
7214	叔夷鎛	是辟于齊侯之所
7214	叔夷鎛	是＿恭蹐
7218	郐𨛯尹征城	士余是尚
7496	是氏事歲戈	是立事歲＿右工戈
7500	邗王是埜戈	邗王是野乍為元用
M545	配兒勾鑃	先人是娛

小計：共 73 筆

0201

2456	的白迹段一	的（始）白迹乍寶段
2457	的白迹段二	的白迹乍寶段
2744	五年師旋段一	敬母敗迹
2745	五年師旋段二	敬母敗迹
2826	師寰段一	弗迹東域
2826	師寰段一	弗迹我東域
2827	師寰段二	弗迹我東域

小計：共 7 筆

0202

1090	十三年梁上官鼎	梁陰命逹（率）上官__子疾治乘鑄
1316	㦰方鼎	王用肇事乃子㦰逹（率）虎臣禦淮戎
1324	禹鼎	亦唯噩侯馭方逹（率）南淮尸，東尸
1326	多友鼎	武公命多友逹公車羞追于京自
1331	中山王譽鼎	亡不逹（率）从
1331	中山王譽鼎	親逹（率）參（三）軍之眾
2760	小臣謎段一	白懋父承王令易自逹征自五齵貝
2761	小臣謎段二	白懋父承王令易自逹征自五齵貝
2826	師寰段一	今余肇令女逹（率）齊市
2826	師寰段一	今余肇令女逹（率）齊市
2827	師寰段二	今余肇令女逹（率）齊市
2836	㦰段	㦰逹有嗣師氏奔追御戎于贓林
3085	駒父旅盨（蓋）	南中邦父命駒父即南者侯逹高父見南淮夷
5803	亂嗣奸蚉壺	逹（率）師征郾
5804	齊侯壺	庚逹（率）二百乘舟
6910	師永盂	㽙逹vx㽙彊宋句
7092	𩁹羌鐘一	逹征秦迮齊
7093	𩁹羌鐘二	逹征秦迮齊
7094	𩁹羌鐘三	逹征秦迮齊
7095	𩁹羌鐘四	逹征秦迮齊
7096	𩁹羌鐘五	逹征秦迮齊
7221	__郘鐸	__郘逹（率）鐸

小計：共 22 筆

0203　2354萬字重見

2521	姞氏自乍媿段	其邁（萬）年子子孫孫永寶用
4439	白衛父盉	孫孫子子邁（萬）年永寶
M602	蔡侯匜	邁（萬）年無彊

小計：共　3 筆

遻

徒 徒 0204

1094	魯大左司徒元善鼎	魯大左司徒元乍善鼎
1116	晉司徒白鄙父鼎	晉嗣徒白鄙父乍周姬寶尊鼎
1306	無叀鼎	嗣徒南中右無叀內門
1324	禹鼎	徒千日
1324	禹鼎	雩禹目武公徒馭至于噩
1765	徒段	[徒]
2609	箬小子段一	箬小子徒家弗受
2609	箬小子段一	徒用乍氒文考尊段
2610	箬小子段二	箬小子徒家弗受
2610	箬小子段二	徒用乍氒文考尊段
J1594	魯司徒仲齊段	(拓本未見)
2770	𢦚段	楚徒馬、取遺五寽、用吏
2776	走段	司馬井白入、右徒
2776	走段	徒執足□
2776	走段	徒敢拜韻首對揚王休
2776	走段	徒其眔氒子子孫孫萬年永寶用
2791.	史密段	齊𠂤、族土（ 徒 ）、述人
2810	揚段一	嗣徒單白內、右揚
2811	揚段二	嗣徒單白內、右揚
2826	師寰段一	無諆徒馭
2826	師寰段一	無諆徒馭
2827	師寰段二	無諆徒馭
2855	班段一	王令毛公以邦冢君、土（ 徒 ）馭、戜人
3035	魯嗣徒旅段（ 盨 ）	魯嗣徒白吳敢肇乍旅段
3118	魯大嗣徒厚氏元善匿一	魯大嗣徒厚氏元乍善簠
3119	魯大嗣徒厚氏元善匿二	魯大嗣徒厚氏元乍善簠
3120	魯大嗣徒厚氏元善匿三	魯大嗣徒厚氏元乍善簠
5809	弘乍旅鈃	樂大嗣徒子禁之子引乍旅鈃
6619	子徒乍兄日辛觶	子徒乍兄日辛彝
6872	魯大嗣徒子仲白匜	魯大嗣徒子中白其庶女厲孟姬賸它
6903	魯大嗣徒元歙盂	魯大嗣徒元乍歙盂
6910	師永盂	公迺命鄭嗣徒𢓊父
7005	邵公鐘	徒□□□□
7183	叔夷編鐘二	軍徒旃
7183	叔夷編鐘二	戜徒四千
7214	叔夷鎛	𢽚龢三軍徒旃
7214	叔夷鎛	戜徒四千
7219	冉鉦鋮（ 南疆征 ）	余台政的徒
7407	𣄰斤徒戈	𣄰斤徒戈
7423	陳子翼徒戈	陳子翼徒戈
7433	陳子戈	陳子山徒戟
7457	虢大子元徒戈一	虢太子元徒戈
7458	虢大子元徒戈二	虢太子元徒戈
7492	滕司徒戈	滕司徒乍□用

7592	元阿左造徒戟	元阿左造徒戟
7681	高都侯劍	高都侯散之徒
7899	鄂君啟車節	女擔徒、屯廿
M343	魯司徒中齊盨	魯司徒中齊肇乍皇考白走公餗盨毁
M344	魯司徒中齊盤	魯司徒中齊肇乍般
M345	魯司徒中齊匜	魯司徒中齊肇乍皇考白走父寶匜
M487	魯司徒伯吳毁	魯司徒白吳敢肇乍旅毁
M790	宋公差戈	宋公差之徒造戈
M816	魯大左司徒元鼎	魯大左司徒元乍善鼎

小計：共　53 筆

延征

延征 0205

1121	唯弔從王南征鼎	唯弔從王南征、唯歸
1121	唯弔從王南征鼎	唯弔從王南征、唯歸
1126	弔夜鼎	㠯(以)征㠯(以)行
1172	征人乍父丁鼎	天君賞氒征人斤貝
1211	庚兒鼎一	用征用行
1212	庚兒鼎二	用征用行
1215	麥鼎	用從井侯征事
1225	鬳大史申鼎	用征台迮
1233	_鼎	h7肇從h0征
1242	塱方鼎	隹周公于征伐東尸
1298	師旂鼎	師旂眔僕不從王征于方
1298	師旂鼎	氒不從氒右征
1299	噩侯鼎一	王南征伐角、ph
1299	噩侯鼎一	唯還自征
1318	晉姜鼎	卑貫通引征毎緆臝
1329	小字盂鼎	盂或□□□乎穖(蔑)我征
1329	小字盂鼎	□白告咸盂㠯□侯眔侯田□□□□盂征
1331	中山王𰯼鼎	㠯(以)征不宜(義)之邦
1410	束且辛父甲鬲	[束]且辛父甲征
1431	衛姒乍鬲	㠯(以)從永征
1656	尌仲甗	用征用行
1667	陳公子弔遽父甗	用征用行
2543	㝬敔𣪘	㝬御從王南征
2671	利𣪘	珷征商
2675	大保𣪘	王降征令于大保
2696	盂𣪘一	盂曰:朕文考眔毛公遣中征無需
2697	盂𣪘二	盂曰:朕文考眔毛公遣中征無需
2739	無𬯏𣪘一	王征南尸(夷)
2740	無𬯏𣪘二	王征南尸(夷)
2741	無𬯏𣪘三	王征南尸(夷)
2742	無𬯏𣪘四	王征南尸(夷)
2742.	無𬯏𣪘五	王征南夷
2742.	無𬯏𣪘五	王征南夷
2760	小臣謎𣪘一	白懋父㠯𣪘八𠂤征東尸(夷)
2760	小臣謎𣪘一	白懋父承王令易𠂤達征自五齵貝
2761	小臣謎𣪘二	白懋父㠯𣪘八𠂤征東尸(夷)
2761	小臣謎𣪘二	白懋父承王令易𠂤達征自五齵貝
2791.	史密𣪘	王令師俗、史密曰:東征
2841	茾白𣪘	王命益公征眉敖益公至、告
2855	班𣪘一	趞令曰:㠯(以)乃族从父征
2855.	班𣪘二	㠯(以)乃族從父征
2954	史免旅匿	從王征行
2964.	弔邦父匿	用征用行
2986	曾白桼旅匿一	㠯(以)征㠯(以)行
2987	曾白桼旅匿二	㠯(以)征㠯(以)行
3026	□□為甫人行盨	用征用行萬歲用尚
3055	虢仲旅盨	虢中㠯(以)王南征
3064	𬯏白子妊父征盨一	𬯏白子妊父乍其征盨

3064	曩白子𡨦父征盨一	其陰其陽、㠯(以)延(征)㠯(以)行
3064	曩白子𡨦父征盨一	其陰其陽、㠯(以)延(征)㠯(以)行
3065	曩白子𡨦父征盨二	曩白子𡨦父乍其征盨
3065	曩白子𡨦父征盨二	其陰其陽、㠯(以)延(征)㠯(以)行
3065	曩白子𡨦父征盨二	其陰其陽、㠯(以)延(征)㠯(以)行
3066	曩白子𡨦父征盨三	曩白子𡨦父乍其征盨
3066	曩白子𡨦父征盨三	其陰其陽、㠯(以)延(征)㠯(以)行
3066	曩白子𡨦父征盨三	其陰其陽、㠯(以)延(征)㠯(以)行
3067	曩白子𡨦父征盨四	曩白子𡨦父乍其征盨
3067	曩白子𡨦父征盨四	其陰其陽、㠯(以)延(征)㠯(以)行
3067	曩白子𡨦父征盨四	其陰其陽、㠯(以)延(征)㠯(以)行
3081	翏生旅盨一	王征南淮夷
3082	翏生旅盨二	王征南淮夷
3082	翏生旅盨二	萬年釁壽永寶王征南淮夷
4446	麥盉	用從邢侯征吏
4859	戉箙啟尊	啟從王南征
4877	小子生尊	隹王南征才□
5078	用征卣	用征
5489	戉箙啟卣	啟從征、堇(謹)不變
5566	楚高罍一	征窺右征尹楚高
5622	左征壺	左征
5701	右征尹壺	右征尹、右征尹、西宮
5762	呂行壺	唯三月、白懋父北征
5803	胤嗣妤螸壺	率師征郾
5810	喪鈃	用征用行
5811	曾白文鐳	用征行
5816	奠義白鐳	㠯(以)行㠯(以)征
6791	兮甲盤	王令甲征辭成周四方責
6792	史墻盤	遹征四方
7092	驫羌鐘一	達征秦迮齊
7093	驫羌鐘二	達征秦迮齊
7094	驫羌鐘三	達征秦迮齊
7095	驫羌鐘四	達征秦迮齊
7096	驫羌鐘五	達征秦迮齊
7218	斜䣄尹征城	斜䣄尹者故＿自乍征城
7711	楚王酓章劍	用□□用征
7900	鄂君啟舟節	見其金節則毋征
7900	鄂君啟舟節	不見其金節則征
M030	剛劫卣	王征楚

小計：共 87 筆

0206

5805	中山王譽方壺	𠊎(適)曹(遭)郾君子噲
7899	鄂君啟車節	自鄂往、適陽丘、適方城
7899	鄂君啟車節	適兔禾、適酉焚、適繁陽
7899	鄂君啟車節	適高丘、適下蔡、適居巢、適郢
7900	鄂君啟舟節	適䣄、適芸(鄖)陽、逾漢
7900	鄂君啟舟節	適汪、逾夏、內邔、逾江

7900	鄂君啟舟節	適彭射、適松昜、內瀘江
7900	鄂君啟舟節	適爰陵、上江、內湘
7900	鄂君啟舟節	適䧅、適兆陽、內澮、適鄗
7900	鄂君啟舟節	上江、適木關、適郢
		小計：共 10 筆

啻 0206

1233	▁鼎	攻龠無啻（敵）
1272	剌鼎	王啻、用牡于大室
1272	剌鼎	啻卲王、剌御
1322	九年裘衛鼎	壽商眔啻曰
2673	□弔買毀	其用追孝于朕皇且啻考
2688	大毀	曰：用啻于乃考
2783	趞毀	啻官僕、射、士、訊
2803	師酉毀一	嗣乃且啻官邑人、虎臣
2804	師酉毀二	嗣乃且啻官邑人、虎臣
2804	師酉毀二	嗣乃且啻官邑人、虎臣
2805	師酉毀三	嗣乃且啻官邑人、虎臣
2806	師酉毀四	嗣乃且啻官邑人、虎臣
2806.	師酉毀五	嗣乃且啻官邑人、虎臣
2829	師虎毀	載先王既令乃祖考吏啻官
2829	師虎毀	令女更乃祖考啻官
2835	訇毀	今余令女啻官
2836	𢦚毀	卑克氒啻
3100	陳侯因𬯛錞	紹緟高且黃啻
4887	蔡侯𩰫尊	祇盟嘗啻
6784	三十四祀盤（䄍盤）	啻于卲王
6788	蔡侯𩰫盤	祇盟嘗啻
7076	者沪鐘八	仇之于不啻
7079	者沪鐘十一	仇之于不啻
7080	者沪鐘十二	仇之于不啻
M191	繁卣	公啻（禘）酌辛公祀
		小計：共 25 筆

過 0207

2451	過白毀	過白從王伐反荊、孚金
4111	過白乍彝爵	過白乍彝
4972	過从父彝	過从父乍▁白尊彝
		小計：共 3 筆

進 0208

1329	小孚盂鼎	□嘼進、即大廷
2842	卯毀	又進ty
3090	𨊻盨（器）	又進退

5493	召乍__宮旅卣	召啟進事
5805	中山王嚳方壺	進賢散(措)能
6791	兮甲盤	毋敢不出其貟、其積、其進人
7975	中山王嚳兆域圖	進退□乏者
		小計：共 7 筆

0209

1000	郙造鼎	郙造遣乍寶鼎
1171	魯白車鼎	魯白車自乍文考造鬻鼎
1225	膚大史申鼎	乍其造貞(鼎)十
1319	頌鼎一	王曰：頌、令女官嗣成周賈廿家、監嗣新寤
1320	頌鼎二	王曰：頌、令女官嗣成周賈廿家、監嗣新寤
1321	頌鼎三	王曰：頌、令女官嗣成周、賈廿家、監嗣新寤
2693	䵼𣪘	䵼徣造公
2833	秦公𣪘	竈(造)囿(佑)四方
2844	頌𣪘一	監嗣(司)新寤(造)賈用宮御
2845	頌𣪘二	監嗣(司)新寤(造)賈用宮御
2845	頌𣪘二	監嗣(司)新寤(造)賈用宮御
2846	頌𣪘三	監嗣(司)新寤(造)賈用宮御
2847	頌𣪘四	監嗣(司)新寤(造)賈用宮御
2848	頌𣪘五	監嗣(司)新寤(造)賈用宮御
2849	頌𣪘六	監嗣(司)新寤(造)賈用宮御
2850	頌𣪘七	監嗣(司)新寤(造)賈用宮御
2851	頌𣪘八	監嗣(司)新寤(造)賈用宮御
3099	十年陳侯午𩞁(器)	用乍平壽造器𩞁台登台嘗
3112	捓陵君王子申豆一	攸茲造鈘盍
3113	捓陵君王子申豆二	攸茲造鈘盍
5799	頌壺一	監嗣新造賈用宮御
5800	頌壺二	監嗣新造賈用宮御
6887	捓陵君王子申鑑	造金監
6887	捓陵君王子申鑑	郢__賡 所造
7344	造子戈一	造子
7345	造戈二	造子
7384	陳__錯戈	陳wv造戈
7389	高密造戈	高密造戈
7391	子備造戈	子備造戈
7399	陳金造戈	陳金造戈
7402	邦之新郜戈	邦之新造
7409	去戈	去皮造戟冶
7412	陳戈	陳侯因𬀪造
7414	陳子戈	陳子__造
7415	□子戈	□子之造
7416	閭丘戈	膚(莒)丘為𦚏造
7418	陳麗子造戈	陳麗子造戈
7419	滕侯耆之造戈一	滕侯耆之造
7420	滕侯耆之造戈二	滕侯耆之造
7422	羊子之造戈	羊子之造戈

7426	吁□□造戈	吁□□造戈
7428	陳皮之告戈	陳皮之造戈
7430	__子戈	__子之造戈
7434	陳侯因咨戈一	陳侯因咨造
7435	陳侯因咨戈二	陳侯因咨造
7447	羊__亲戈造服	羊wm亲造散戈
7455	宋公欒之造戈	宋公欒之造戈
7456	宋公得之造戈	宋公得之造戈
7461	邶並果戈	邶並果之造戈[Gu]
7467	滕侯昃戈	滕侯昃之造戟
7468	䢸于公戈	䢸于公之__造
7470	君子友戈	君子□造戟
7474	郢侯戈	郢侯之造戈五百
7491	郙大嗣馬之造戈	郙大嗣馬之造戈
7501	齊成右戈	齊成右造車戟、冶絧
7509	丞相觸戈	__年丞相觸造、咸□工市葉工、武
7510	□公戈	王貫戴公湍之造、朝
7513	宋公差戈	宋公差之所造不陽族戈
7514	宋公差戈	宋公差之所造柳族戈
7517	六年上郡守戈	王六年上郡守疾之造戟禮、□□
7521	廿二年臨汾守戈	廿二年臨汾守曋庫系工歍造
7529	十四年相邦冉戈	十四年秦相邦冉造
7530	三年上郡守戈	三年上郡守□造
7539	伺戈	鄬陲公伺之自所造
7543	四年相邦樛游戈	四年相邦樛游之造
7543	四年相邦樛游戈	櫟陽工上造間、吾
7545	秦子戈	秦子乍造公族元用左右市御用逸宜_
7547	廿六年蜀守武戈	武、廿六年蜀守武造東工師宦丞耒工箎
7550	十二年少令邯鄲戈	十二年尚命邯鄲□右庫工帀□紹台倉造
7551	十二年尚令邯鄲戈	十二年尚命邯鄲□右庫工帀□紹台倉造
7558	十四年奠令戈	十四年奠命趙距司寇王造武庫
7564	五年相邦呂不韋戈	五年相邦呂不韋造
7565	八年相邦呂不韋戈	八年相邦呂不韋造
7566	十三年相邦義戈	十三年相邦義之造
7568	四年奠令戈	武庫工帀弗__冶尹__造
7569	五年奠令戈	右庫工帀__高冶尹__ 造
7574	左軍戈	巨校馬臧造钕戈
7592	元阿左造徒戟	元阿左造徒戟
7593	大良造鞅戟	泰大良造鞅之造戟
7656	七年宅陽令矛	右庫工帀夜瘥冶趣造
7657	九年鄭令向甸矛	武庫工帀鑄章冶造
7663	卅二年奠令槍□矛	生庫工帀皮冶尹造
7664	元年奠命槍□矛	生庫工帀皮□冶尹貞造
7665	三年奠令槍□矛	生庫工帀皮□冶尹貞造
7666	七年奠令□幽矛	左庫工帀□□冶尹貞造
7667	卅四年奠令槍□矛	卅四年奠命槍□司寇造芋慶
7667	卅四年奠令槍□矛	生庫工帀皮□□冶尹造
7668	二年奠令槍□矛	生庫工帀鈹□□冶尹學造□
7670	六年安陽令斷矛	右庫工帀□共□工□□造戟
7679	右軍劍	右庫工帀造

7680	祁侯劍	祁侯之造
7683	陰平左軍劍	陰平左庫之造
7739	卅三年奠令□□劍	里庫工市皮治尹啟造
7772	陳侯因鑿	陳侯因造
7829	右內戈鐓	右內合造
7830	十六年大良造鞅戈	十六年大良造庶長鞅之造__革
7868	商鞅方升	大良造鞅
7921	廿一年寺工獻車軎	廿一年寺工獻工上造但
M622	番仲戈	番中乍之造戈、白皇
M782	曹公子池戈	曹公子池之造戈
M790	宋公差戈	宋公差之徒造戈
M806	滕侯吳戟一	滕侯吳之造戟
M808	滕侯__戟	滕侯__之造
M867	陳侯因咨戟	陳侯因咨造、昜右

小計：共　104 筆

0210

7900	鄂君啟舟節	自鄂市、逾油、上漢
7900	鄂君啟舟節	適鄖、適芸(郇)陽、逾漢
7900	鄂君啟舟節	適汪、逾夏、內郘、逾江

小計：共　3 筆

0211

7184	叔夷編鐘三	遝乃隸寮
7214	叔夷鎛	遝乃隸寮

小計：共　2 筆

0212

1192	亞□伐__乍父乙鼎	丁卯、王令宜子迨西方
4876	保尊	遘于四方迨王大祀祐于周
5495	保卣	遘于四方、迨土大祀
5495	保卣	遘于四方、迨王大祀
6792	史墻盤	迨受萬邦

小計：共　5 筆

0213

1225	鄺大史申鼎	用征台迮
7092	屭羌鐘一	達征秦迮齊
7093	屭羌鐘二	達征秦迮齊
7094	屭羌鐘三	達征秦迮齊
7095	屭羌鐘四	達征秦迮齊

	7096	𨱇羌鐘五	達征秦迮齊
			小計：共　6 筆
遣	0214		
	1332	毛公鼎	金甬，遣（錯）衡，金嶂（踵），金豙，勅庪
	2840	番生殷	朱鬲鞃靳、虎冟熏裏、遣衡右戹
			小計：共　2 筆
遹	0215		
	2768	趚殷	取遹五寽
	5801	洹子孟姜壺一	女受＿遹傳＿御
	5802	洹子孟姜壺二	女受＿遹傳＿御
	7510	□公戈	王賞戴公遹之造、輈
			小計：共　4 筆
逨	0216		
	2972	弔家父乍仲姬匿	用逨先＿者（諸）兄
			小計：共　1 筆
逆	0217		
	1022	白宓父旅鼎	用鄉王逆逆吏人
	1322	九年裘衛鼎	衛小子＿逆者
	1325	五祀衛鼎	逆榮（營）二川、曰：余舍女田五田
	1325	五祀衛鼎	氒逆彊眔厲田
	1325	五祀衛鼎	衛小子逆其卿𩟄
	1326	多友鼎	不逆又成吏
	1330	曶鼎	不逆付
	2337	𨙻乍寶殷	𨙻乍寶殷用鄉王逆逆事
	2348	仲爯殷	中爯乍又寶彝用鄉王逆逆
	2366	白者父殷	用鄉王逆逆
	2632	陳逆殷	陳氏裔孫逆
	2789	同殷一	氒逆至于玄水
	2790	同殷二	氒逆至于玄水
	2814	烏冊夨令殷一	用鄉王逆逆
	2814.	夨令殷二	用鄉王逆逆
	2893	隮侯𢍰逆匿	隮侯𢍰逆之匿、永壽用之
	2985	陳逆匿一	少子陳逆曰
	2985.	陳逆匿二	少子陳逆曰
	2985.	陳逆匿三	少子陳逆曰
	2985.	陳逆匿四	少子陳逆曰
	2985.	陳逆匿五	少子陳逆曰
	2985.	陳逆匿六	少子陳逆曰

2985.	陳逆匿七	少子陳逆曰
2985.	陳逆匿八	少子陳逆曰
2985.	陳逆匿九	少子陳逆曰
2985.	陳逆匿十	少子陳逆曰
3085	駒父旅盨(蓋)	豕不敢不敬畏王命逆見我
3085	駒父旅盨(蓋)	我乃至于淮{小大}邦亡敢不__其逆王命
3087	鬲从盨	令小臣成友逆__☐內史無彤
4449	裘衛盉	衛{小子}px逆者其鄉
4769	逆乍父丁尊	逆乍父丁寶尊彝
4892	麥尊	用鬲侯逆遊
4922	亞它扎觥	[亞它]扎乍䜌逆王望器[冊]
5508	弔趯父卣一	女其用鄉乃辟軝侯逆遊出內事人
5774	楸車父壺	用逆姞氏
5796	三年瘐壺一	鄉逆酉
5797	三年瘐壺二	鄉逆酉
5805	中山王嚳方壺	則上逆於天
5805	中山王嚳方壺	不顧(顧)逆順
5805	中山王嚳方壺	隹逆生禍
6574	逆__父辛觶	[逆f2]父辛
7135	逆鐘	弔氏令史__召逆
7135	逆鐘	弔氏若曰:逆
7135	逆鐘	逆敢拜手韻
7176	㝬鐘	艮子迺遣閒來逆卲王
7202	楚公逆鎛	楚公逆自乍夜雨䨓(雷)鎛
7202	楚公逆鎛	逆其萬年又壽__身
7899	鄂君啟車節	栽(緘)尹逆、栽令阢
7900	鄂君啟舟節	栽尹逆、栽令阢
		小計:共 49 筆

0218

0996	子適鼎	子適乍寶鼎
		小計:共 1 筆

0219

1032	㪔乍父丁鼎	遣于☐癸☐☐月[㪔]
1264	螸鼎	螸來遣于妊氏
2676	旅肄乍父乙段	遣于{匕戊}武乙爽、豕一[旅]
2730	獻段	楇白于遣王
2841	茽白段	好倗友雩百者婚遣
3086	善夫克旅盨	隹用獻于師尹、倗友、婚(閩)遣
4876	保尊	遣于四方迨王大祀祓于周
5477	單光壴乍父癸黿卣	其旨父癸夙夕鄉爾百婚遣[單光]
5491	亞獏二祀卲其卣	才正月遣于匕丙肜日大乙爽
5492	亞獏四祀卲其卣	遣乙昱日丙午、才䰜
5495	保卣	遣于四方、迨王大祀
5495	保卣	遣于四方、迨王大祀

小計：共 12 筆

逢 0220

5803	𥂴嗣好螸壺	逢郾亡道易上

小計：共 1 筆

通 0221

1318	晉姜鼎	卑貫通引征緐湯𨺅
1319	頌鼎一	旂丏康𧽊屯右、通彔永令
1320	頌鼎二	旂丏康𧽊屯右、通彔永令
1321	頌鼎三	旂丏康𧽊屯右、通彔永令
1322	九年裘衛鼎	𩣟𩿨甬(通)皮二
1331	中山王礜鼎	寡人幼童未甬(通)智
2712	虢姜𣪘	通彔永令
2725.	𣚍星𣪘	用𪍌康𠣀屯右通彔魯令
2844	頌𣪘一	通彔永令
2845	頌𣪘二	通彔永令
2845	頌𣪘二	通彔永令
2846	頌𣪘三	通彔永令
2847	頌𣪘四	通彔永令
2848	頌𣪘五	通彔永令
2849	頌𣪘六	通彔永令
2850	頌𣪘七	通彔永令
2851	頌𣪘八	通彔永令
5799	頌壺一	通彔永令
5800	頌壺二	通彔永令
7008	通彔鐘	受余通彔
7158	㾓鐘一	受余屯魯通祿永令
7160	㾓鐘三	受余屯魯通祿永令
7161	㾓鐘四	受余屯魯通祿永令
7162	㾓鐘五	受余屯魯通祿永令

小計：共 24 筆

徙征 0222

0143	徙方鼎	[徙]
1184	德方鼎	征珷福自蒿、咸
1215	麥鼎	井侯征𩁹于麥
1260	我方鼎	征礿𥜓二女、咸
1261	我方鼎二	征礿𥜓二女、咸
1263	呂方鼎	呂征于大室
1329	小字盂鼎	征邦賓尊其旅服、東鄉
1329	小字盂鼎	征□□□□□□邦賓、不𢍰
1329	小字盂鼎	征王令賞盂□□□□□□弓一、矢百、畫𧘝一、

1330	曶鼎	用賜征贖絲五夫、用百寽
2611	𤔲渣司土𤯍段	征令康侯啚于衛
2627	伊段	伊_征于辛吏
2774	臣諫段	征令臣諫目□□亞旅處于軝
2828	宜侯夨段	征省東或圖
3371	徙爵一	[徙]
3372	徙爵二	[徙]
3693	毌徙爵	[毌徙]
4240	亞未乍父辛角	丁未夙商征貝
4275	徙斝	[徙]
4421	徙遽_乍父己盉	徙遽op乍父己
4463	徙尊	[徙]
4707	亞fk子父辛尊	[亞fk子徙父辛]
4850	犅劫尊	王征𦬢
4876	保尊	征兄六品
5495	保卣	征兄六品
5495	保卣	征兄六品
5510	乍冊嗌卣	征先𩁹死亡
5873	徙觚	[徙]
6043	征鼎觚	[征鼎]
6311	徙觶	[徙]
6488	_父辛觶	[虍徙]父辛
6526	征中且觶	[征且中]
6705	征乍周公盤	征乍周公尊彝
7125	蔡侯𤉲紐鐘一	征中昏德
7126	蔡侯𤉲紐鐘二	征中昏德
7132	蔡侯𤉲紐鐘八	征中昏德
7133	蔡侯𤉲紐鐘九	征中昏德
7134	蔡侯𤉲甬鐘	征中昏德
7175	王孫遺者鐘	征永余德
7205	蔡侯𤉲編鎛一	征中昏德
7206	蔡侯𤉲編鎛二	征中昏德
7207	蔡侯𤉲編鎛三	征中昏德
7208	蔡侯𤉲編鎛四	征中昏德
7729	守相杜波劍	守相杜波邦右庫徙

小計：共 44 筆

0223

5803	𪓐嗣好蚉壺	返(反)臣丌(其)宗
5805	中山王𰯼方壺	賈曰：為人臣而返(反)臣其宗
7017	楚王酓章鐘一	返自西昜
7201	楚王酓章乍曾侯乙鎛	返自西昜
7899	鄂君啟車節	車五十乘、歲翼(代)返
7900	鄂君啟舟節	歲翼(代)返

小計：共 6 筆

還
送

還	0224	0574睘字參見	
	0798	緐還鼎	緐還乍寶用鼎
	1299	噩侯鼎一	唯還自征
	2703	免乍旅毀	嗣奠還歒
	2704	條公毀	迺自商自復還至于周□
	2793	元年師旋毀一	官司豐還ナ又師氏
	2794	元年師旋毀二	官司豐還ナ又師氏
	2795	元年師旋毀三	官司豐還ナ又師氏
	3085	駒父旅盨(蓋)	四月、還至于蔡、乍旅盨
	5509	燓卣	唯還在周
	5762	呂行壺	唯還、呂行戠、孚__
	6793	矢人盤	還、封于履道
	6793	矢人盤	還、以西一封
	7365	__尚還戈	wn尚還
	M252	免簠	嗣奠還歒眔吳眔牧
			小計：共 14 筆
送	0225		
	5803	亂嗣好螸壺	佳送(朕)先王
			小計：共 1 筆

遣
𠳋

0226	（同趞）	
0776	遣弔乍旅鼎	遣弔乍旅鼎用
1000	郭造鼎	郭造遣乍寶鼎
1260	我方鼎	䅌遣福二
1261	我方鼎二	䅌遣福二
1262	㝬鼎	趞（遣）中令㝬𩛥𤔲鄭田
1262	㝬鼎	對揚趞（遣）中休
1270	小臣𧻓鼎	王至于𢓊㡴、無遣
1318	曾姜鼎	嘉遣我
1324	禹鼎	肄武公迺遣禹率公戎車百乘
1326	多友鼎	命武公遣乃元士羞追于京𠂤
2088	畢□父旅𣪘	畢□□遣父旅𣪘
2410	遣小子𩛥𣪘	遣小子𩛥㠯其友乍𩛥男王姬𩛥彝
2442	𢦚虢遣生旅𣪘	𢦚（城）虢遣生乍旅𣪘
2675	大保𣪘	大保克敬亡遣
2696	孟𣪘一	孟曰：朕文考眔毛公遣中征無需
2697	孟𣪘二	孟曰：朕文考眔毛公遣中征無需
2734	遹𣪘	王鄉酉、遹御亡遣
2760	小臣謎𣪘一	遣自𥃝𠂤
2761	小臣謎𣪘二	遣自𥃝𠂤
2855	班𣪘一	趞（遣）令曰：以乃族从父征
2855.	班𣪘二	趞（遣）令曰
3021	乍遣盨	乍遣盨用追考
3043	遣弔吉父旅須一	遣弔吉父乍虢王姞旅盨（須）
3044	遣弔吉父旅須二	遣弔吉父乍虢王姞旅盨（須）
3045	遣弔吉父旅須三	遣弔吉父乍虢王姞旅盨（須）
3979	趞母壬爵	[趞（遣）]母壬
3980	趞母壬爵	[趞（遣）]母壬
4435.	𪅻終盉	乍遣盉
4860	魯侯尊	隹王令明公遣三族伐東或、才vq
4868	趞乍姞尊	易趞（遣）采曰、hw易貝五朋
4868	趞乍姞尊	趞（遣）對王休
4926	吳𢦚馭觥（蓋）	[吳]𢦚馭弔史遣馬、弗左
5476	趞乍姞寶卣	易趞（遣）采曰：hw
5476	趞乍姞寶卣	趞（遣）對王休
5507	乍冊𩰫卣	王遣公大史
5510	乍冊嗌卣	遣祐石宗不刜
6910	師永盂	井白、榮白、尹氏、師俗父遣中
7176	𪄻鐘	𠬝子迺遣閒來逆卲王
7960	寏小器一	牙八王遣
7961	寏小器一	牙八王遣
7962	寏小器二	牙八王遣
7963	寏小器四	牙八王遣
7964	寏小器五	牙八王遣
7966	寏小器六	牙八王遣
7967	寏小器七	牙八王遣
7968	寏小器八	牙八王遣
7969	寏小器九	牙八王遣
7970	寏小器十	牙八王遣

	7971	寢小器十一	牙八王遣
	7973	寢小器十二	牙八王遣
			小計：共 50 筆
遜	0227		
	1208	乙亥乍父丁方鼎	王饗酌、尹pa遜
	2546	聖設	麗(遜醴)
			小計：共 2 筆
遅	0228	0273徲字參看	
	0813	白遅父乍雜鼎	白遅父乍雜貞(鼎)
	2648	仲﨔父設一	中﨔父乍朕皇考遅白
	2648	仲﨔父設一	壬母遅姬尊設
	2649	仲﨔父設二	中﨔父乍朕皇考遅白
	2649	仲﨔父設二	壬母遅姬尊設
	2650	仲﨔父設三	中﨔父乍朕皇考遅白
	2650	仲﨔父設三	壬母遅姬尊設
	2793	元年師旋設一	遅公入、右師旋即立中廷
	2794	元年師旋設二	遅公入、右師旋即立中廷
	2795	元年師旋設三	遅公入、右師旋即立中廷
	5670	遅子壺	遅子㠱尊壺
	7037	遅父鐘	遅父乍姬齊姜龢林鐘
	M706	曾侯乙編鐘下一・二	其才𨛜(申)號為遅則
	M711	曾侯乙編鐘下二・四	其才𨛜(申)號為遅則
	M713	曾侯乙編鐘下二・七	遅則之徵
	M743	曾侯乙編鐘中三・四	妥賓之才𨛜(申)號為遅則
	M743	曾侯乙編鐘中三・四	為遅則徵曾
	M746	曾侯乙編鐘中三・七	其才𨛜(申)號為遅則
	M746	曾侯乙編鐘中三・七	遅則之徵曾
	M747	曾侯乙編鐘中三・八	為遅則羽角
	M748	曾侯乙編鐘中三・九	遅則之徵
	M749	曾侯乙編鐘中三・十	遅則之羽曾
			小計：共 22 筆
適	0229	附錄下 101號適字參見	
	1291	善夫克鼎一	王命善夫克舍令于成周適正八自之年
	1292	善夫克鼎二	王命善夫克舍令于成周適正八自之年
	1293	善夫克鼎三	王命善夫克舍令于成周適正八自之年
	1294	善夫克鼎四	王命善夫克舍令于成周適正八自之年
	1295	善夫克鼎五	王命善夫克舍令于成周適正八自之年
	1296	善夫克鼎六	王命善夫克舍令于成周適正八自之年
	1297	善夫克鼎七	王命善夫克舍令于成周適正八自之年
	1328	盂鼎	雩我其適省先王受民受彊土

2734	遹段	王鄉酉、遹御亡遣
2734	遹段	穆王親易遹雔
2734	遹段	遹拜首䭫首
3081	翏生旅盨一	遹翏生從
3082	翏生旅盨二	遹翏生從
3082	翏生旅盨二	遹翏生從
6792	史墻盤	遹征四方
7040	克鐘一	王親令克遹涇東至于京自
7041	克鐘二	王親令克遹涇東至于京自
7042	克鐘三	王親令克遹涇東至于京
7176	𤔲鐘	王肇遹省文武堇疆土
7204	克鎛	王親令克遹涇東
		小計：共　20 筆

0230

2510	臣卿乍父乙設	公違省自東、才新邑
2855	班設一	允才顯、隹敬德、亡攸違
2855.	班設二	隹敬德亡逌違
		小計：共　4 筆

0231

2395	丂保子達設	保子達乍寶設
2826	師𡘇設一	曰冉、曰𦢊、曰鈴、曰達
2826	師𡘇設一	曰冉、曰𦢊、曰鈴、曰達
2827	師𡘇設二	曰冉、曰𦢊、曰鈴、曰達
6792	史墻盤	達殷畯民
		小計：共　5 筆

0232

1456	連迂鼎	連迂之行升
7061	能原鐘	連□小
7061	能原鐘	大□□連者（諸）尸（夷）
7203	能原鎛	連□小
7203	能原鎛	大□□連者（諸）尸（夷）
7867.	龍__	連𢿢（敖）屈__
7892	雁節	連馬_行___工_____
		小計：共　7 筆

0233

1059	旂乍父戊鼎	文考遺寶責
1324	禹鼎	勿遺壽幼
1324	禹鼎	勿遺壽幼
1330	曶鼎	遺十秭、為廿秭

遹 違 達 連 遺

2817	師𩔰𣪘	王乎內史遺冊令師𩔰
5370	遺乍且乙卣	遺乍且乙寶尊彝
5805	中山王嚳方壺	是又純德遺訓
7038	應侯見工鐘一	雁侯見工遺王于周
7083	鮮鐘	王易鮮□□鮮㤻遺𢡺
7175	王孫遺者鐘	王孫遺者擇其吉金
		小計：共　10 筆

遂　0234

0933	遂攺諆鼎	遂攺諆乍廟弔寶尊彝
1228	𣪕𤔲方鼎	㮚中賞厥𣪕𤔲遂毛兩
1306	無叀鼎	遂于圖室
1307	師望鼎	不敢不家不叏
1318	曾𡟰鼎	虔不家
1332	毛公鼎	女母（毋）敢家在乃福
2764	𦫳𣪘	追孝對、不敢家
2816	彔白𢦚𣪘	女肇不家
2826	師𡨦𣪘一	師𡨦虔不家
2826	師𡨦𣪘一	師𡨦虔不家
2827	師𡨦𣪘二	師𡨦虔不家
3085	駒父旅盨（蓋）	家不敢不敬畏王命逆見我
4886	𧾷尊	世孫子毋敢家、永寶
5805	中山王嚳方壺	述（遂）定君臣之位
6792	史墻盤	家尹啻彊
6792	史墻盤	史牆夙夜不家
7043	克鐘四	克不敢家
7044	克鐘五	乘、克不敢家
7135	逆鐘	母家乃政
7157	邾公䡍鐘一	不家于厥身
7174	秦公鐘	不家于上
7177	秦公及王姬編鐘一	不家于上
7182	叔夷編鐘一	女不家
7204	克鎛	克不敢家
7209	秦公及王姬鎛	不家于上
7210	秦公及王姬鎛二	不家于上
7211	秦公及王姬鎛三	不家于上
7212	秦公鎛	十又二公不家才下
7214	叔夷鎛	女不家
補3	家父丁尊	［家］父丁
		小計：共　30 筆

述　0234

1328	盂鼎	我聞殷述令
1329	小字盂鼎	禘周王、□王、成王、□□□□王𢦚述
2300	史述乍父乙𣪘	史述乍父乙寶𣪘𠈌
2760	小臣謎𣪘一	述東朕

2761	小臣謎毁二	述東陕
2791.	史密毁	齊自、族土（徒）、述人
2791.	史密毁	師俗率齊自、述人左
2879	大嗣馬欿固	大嗣（司）馬孝述自乍欿固
3128	魚鼎匕	述王魚顚曰
4819	述乍兄日乙尊	述乍兄日乙寶尊彝［卯］
5805	中山王譽方壺	述（遂）定君臣之位
6909	遡盉	命遡吏于述土
		小計：共 12 筆

0235

7975	中山王基兆域圖	王命賈為逃乏
		小計：共 1 筆

0236

1259	鄀公鼬鼎	用追享丂于皇且考
1266	鄀公平侯鼎一	用追孝于氒皇且晨公
1267	鄀公平侯鼎二	用追孝于氒皇且晨公
1305	師奎父鼎	用追考于剌仲
1319	頌鼎一	用追孝
1320	頌鼎二	用追孝
1321	頌鼎三	用追孝
1326	多友鼎	告追于王
1326	多友鼎	命武公遣乃元士羞追于京自
1326	多友鼎	武公命多友逹公車羞追于京自
1326	多友鼎	多友西追
1326	多友鼎	從至、追搏于世
1326	多友鼎	乃瀸追至于楊冢
2332	白__乍媿氏旅毁	白p1乍媿氏旅用追考（孝）
2605	邿__毁	用追孝于其父母
2605	邿__毁	用追孝于其父母
2613	白椃乍完寶毁	用追孝于氒皇考
2673	□弔賈毁	其用追孝于朕皇且啻考
2691	善夫梁其毁一	用追享孝
2692	善夫梁其毁二	用追享孝
2698	陳助毁	用追孝□我皇餘（和）鎗（會）
2712	虢姜毁	用禪追孝于皇考叀中
2732	曾仲大父蛕蚊毁	蛕其用追孝于其皇考
2744	五年師旋毁一	令女羞追于齊
2745	五年師旋毁二	令女羞追于齊
2746	追毁一	追虔夙夕卹氒死事
2746	追毁一	天子多易追休
2746	追毁一	追敢對天子覭揚
2746	追毁一	追其萬年子子孫孫永寶用
2747	追毁二	追虔夙夕卹氒死事
2747	追毁二	天子多易追休

述
逃
追

追

2747	追段二	追敢對天子覨揚
2747	追段二	追其萬年子子孫孫永寶用
2748	追段三	追虔夙夕卹厥死事
2748	追段三	天子多易追休
2748	追段三	追敢對天子覨揚
2748	追段三	追其萬年子子孫孫永寶用
2749	追段四	追虔夙夕卹厥死事
2749	追段四	天子多易追休
2749	追段四	追敢對天子覨揚
2749	追段四	追其萬年子子孫孫永寶用
2750	追段五	追虔夙夕卹厥死事
2750	追段五	天子多易追休
2750	追段五	追敢對天子覨揚
2750	追段五	追其萬年子子孫孫永寶用
2751	追段六	追虔夙夕卹厥死事
2751	追段六	天子多易追休
2751	追段六	追敢對天子覨揚
2751	追段六	追其萬年子子孫孫永寶用
2764	艾段	追考對、不敢豢
2836	㦰段	㦰達有嗣師氏奔追御戎于𩣡林
2837	敔段一	王令敔追禦于上洛炂谷
2844	頌段一	用追孝旛匄康𩛥屯右
2845	頌段二	用追孝旛匄康𩛥屯右
2845	頌段二	用追孝旛匄康𩛥屯右
2846	頌段三	用追孝旛匄康𩛥屯右
2847	頌段四	用追孝旛匄康𩛥屯右
2848	頌段五	用追孝旛匄康𩛥屯右
2849	頌段六	用追孝旛匄康𩛥屯右
2850	頌段七	用追孝旛匄康𩛥屯右
2851	頌段八	用追孝旛匄康𩛥屯右
2852	不嫢段一	王令我羞追于西
2852	不嫢段一	余命女御追于䍙
2852	不嫢段一	戎大同從追女
2853	不嫢段二	王令我羞追于西
2853	不嫢段二	余命女御追于䍙
2853	不嫢段二	戎大同從追女
2966	蛞公諴旅𠂤	用追孝于皇祖皇考
3021	乍遣盨	乍遣盨用追考
4435.	𧉿終盉	用追孝
4878	召尊	用u8不杯・召多用追炎不杯白懋父友
4893	矢令尊	用乍父丁寶尊彝、敢追明公賞于父丁[鳥冊
4960	仲追父乍宗彝	中追父乍宗彝
4981	鳥冊令方彝	敢追明公賞于父丁
5496	召卣	用追于炎、不朁白懋父友
5793	幾父壺一	幾父用追孝
5794	幾父壺二	幾父用追孝
5799	頌壺一	用追孝
5800	頌壺二	用追孝
5803	㠯䚒䢅盗壺	以追庸先王之工剌(烈)
7009	兮仲鐘一	其用追孝于皇考己白

7010	兮仲鐘二	其用追孝于皇考己白
7011	兮仲鐘三	其用追孝于皇考己白
7012	兮仲鐘四	其用追孝于皇考己白
7013	兮仲鐘五	其用追孝于皇考己白
7014	兮仲鐘六	其用追孝于皇考己白
7015	兮仲鐘七	其用追孝于皇考己白
7021	虘鐘一	用追孝于己白
7022	虘鐘二	用追孝于己白
7023	虘鐘三	用追孝于己白
7024	虘鐘四	用追孝于己白
7049	井人鐘三	用追孝侃前文人
7050	井人鐘四	用追孝侃前文人
7117	邾譸兒鐘一	台追孝先且
7119	邾譸兒鐘三	台追孝先且
7120	邾譸兒鐘四	追孝樂我父兄
7158	𤼈鐘一	用追孝𩱿祀
7159	𤼈鐘二	追孝于高且辛公
7160	𤼈鐘三	用追孝𩱿祀
7161	𤼈鐘四	用追孝𩱿祀
7162	𤼈鐘五	用追孝𩱿祀
M160	□貯設	隹巢來牧王令東宮追以六自之年
M340	魯伯悆盨	悆□□用追孝
		小計：共 103 筆

0237

0933	遂攸諆鼎	遂攸諆乍朕文考寶尊彝
1228	𣪘𣪘方鼎	楷中賞𣪘𣪘遂毛兩
1710	遂設	[遂]
3090	望盨（器）	뫆復虐遂𠂤君𠂤師
4103	𠫑母內遂爵	母丙[遂𠫑]
6281	天□遂攸宁觚	天□遂攸宁用乍父辛寶尊彝
		小計：共 6 筆

0237+ 金文作𢦏，1641+ 𢦏字參看

1318	曾姜鼎	安褱遠𢦏（邇）
1327	克鼎	𩕁（擾柔）遠能𢦏（邇）
2840	番生設	柔遠能𢦏（邇）
		小計：共 3 筆

0238

J456	連迁設	連迁之行升
		小計：共 1 筆

0239

追 遂 迁 逞 遠

7717 吳季子之子劍 吳季子之子逞之永用劍

小計：共 1 筆

逵 0240

1318 曾姬鼎 爰懷逵執（逌）君子
1327 克鼎 擾逵能猷
2834 㝬毀 宗禬宇慕逵猷
2840 番生毀 柔逵能猷
6792 史牆盤 逵猷腹心

小計：共 5 筆

迂 0241

2677 居□㪚毀一 迂舍余一斧
2678 居□㪚毀二 迂舍余一斧

小計：共 2 筆

逑 0242

7975 中山王嚳兆域圖 逑（進）退□之者

小計：共 1 筆

邍 0243

1020 鄭𩛥原父鼎 鄭𩛥邍（原）父鑄鼎
1521 單伯邍父鬲 單白邍父乍中姞尊鬲
1667 陳公子弔邍父甗 敶公子子弔（叔）邍（原）父乍旅獻（甗）
2534 魯大宰邍父毀一 魯大宰邍（原）父乍季姬牙媵毀
2535 魯大宰邍父毀二 魯大宰邍（原）父乍季姬牙媵毀
J1519 史敖毀 史敖乍邍中彝
2934 曾子邍彝固 曾子邍魯為孟姬鄬鑄媵固
6975 魯邍鐘 魯邍乍龢鐘用享考

小計：共 8 筆

道 0244

1222 㝨鼎一 師雝父省道至于㝬、㝨從
1223 㝨鼎二 師雝父省道至于㝬、㝨從
1331 中山王嚳鼎 以譔道寡人
1331 中山王嚳鼎 亡不順道
2986 曾白霥旅固一 金道錫行
2987 曾白霥旅固二 金道錫行
3090 㝬盨（器） 爰奪㪚行道
5485 貉子卣一 王令士道

5486	貉子卣二	王令士道
5803	亂嗣好蚉壺	逢郾亡道易上
6793	矢人盤	封于芻道
6793	矢人盤	封于單道、封于原道、封于周道
6793	矢人盤	還、封于履道
6793	矢人盤	以南封于qx逮道
6793	矢人盤	自根木道左至于井邑封
6793	矢人盤	道以東、一封
6793	矢人盤	降以南封于同道

小計：共 17 筆

0245

0265	遽從鼎一	遽從
0266	遽從鼎二	遽從
0267	遽從鼎三	遽從
0268	遽從鼎四	遽從
0269	遽從鼎五	遽從
1559	遽從甗	遽從
1973	遽父己設	[遽]父己
2736	師遽設	王乎師朕易師遽貝十朋
2736	師遽設	遽拜䭬首
4168.	師遽爵	師遽乍且乙[㒸]
4210	遽從角一	遽從
4211	遽從角二	遽從
4421	徙遽＿乍父己盉	徙遽op乍父己
4599	遽父己象形尊	[遽]父己
4823	憻季遽父尊	憻季遽父乍豐姬寶尊彝
4977	師遽方彝	師遽蔑曆友
4977	師遽方彝	王乎宰利易師遽瑂圭一、環章四
4977	師遽方彝	師遽拜稽首
5147	遽父己卣	遽父己
5441	憻季遽父卣一	憻季遽父乍豐姬寶尊彝
5442	憻季遽父卣二	憻季遽父乍豐姬寶尊彝
5976	遽觚一	[遽]
5977	遽觚二	[遽]
6439	父乙遽觶	父乙遽
6624	亞＿遽仲乍父丁觶	遽中乍父丁寶[亞bv]
6792	史墻盤	害(㝬)屖文考乙公遽䛨

小計：共 26 筆

0246

1328	盂鼎	隹殷邊侯田雩殷正百辟
6793	矢人盤	至于邊柳、復涉濡

小計：共 2 筆

0247

道 遽 邊 弍

迖迺达𨑨𨒅遘䢔

	0887	迖乍且丁鼎	迖乍且丁尊彝永寶
	1270	小臣夌鼎	王迖于楚麓
	1270	小臣夌鼎	王至于迖㢓、無遣
	4870	䖒商尊	迖丝廿寽商
	5479	䖒商乍文辟日丁卣	迖丝廿寽
			小計：共　5 筆
迺	0248		
	5669	子婼迺子壺	子婼迺子壺
			小計：共　1 筆
达	0249		
	7117	郘𪇶兒鐘一	余达斯于之孫
	7118	郘𪇶兒鐘二	余达斯于之孫
			小計：共　2 筆
𨑨	0250		
	7975	中山王墓兆域圖	進退𨑨之者
			小計：共　1 筆
𨒅	0251		
	1331	中山王嚳鼎	𨒅（使）智（知）社稷之任
	5805	中山王嚳方壺	舉賢𨒅（使）能
			小計：共　2 筆
遘	0252		
	1022	白宓父旅鼎	用鄉王逆遘吏人
	1668	中甗	復遘＿邦
	2337	ㄙ卭乍寶毀	ㄙ卭乍寶毀用鄉王逆遘事
	2348	仲爯毀	中爯乍又寶彝用鄉王逆遘
	2366	白者父毀	用鄉王逆遘
	2675	大保毀	王永（遘）大保
	2764	㸚毀	拜稽首、魯天子遘𠦪瀕福
	2814	鳥冊矢令毀一	用鄉王逆遘
	2814.	矢令毀二	用鄉王逆遘
	4859	戉箙啟尊	iG山谷才遘水上
	4892	麥尊	用鬲侯逆遘
	4892	麥尊	冬用遘德
	5508	中𨕖父卣一	女其用鄉乃辟軝侯逆遘出內事人

6877	僟乍旅盨	逰亦茲五夫
		小計：共 14 筆

0253

7975	中山王墓兆域圖	殃巡子孫
		小計：共 1 筆

0254

0789	田逘鼎一	[田]遥乍寶尊彝
0790	田逘鼎二	[田]遥乍寶尊彝
2611	田潘嗣土吳殷	潘司土遥眔啚乍𠂤考尊彝[田]
4429	田吳乍𠂤考盉	[田]遥乍𠂤考寶尊彝
4832	田潘白遥尊一	[田]潘白遥乍𠂤彝考寶旅尊
4833	田潘白遥尊二	[田]潘白遥乍𠂤彝考寶旅尊
5284	遥冊子韛卣	遥冊子韛
5446	田潘白遥旅卣一	[田]潘白遥乍𠂤考寶旅尊
6711	田遥乍𠂤考盤	[田]遥乍𠂤考寶尊彝
		小計：共 9 筆

0255

1222	寢鼎一	師雝父循道至于𢦏，寢(遹)從
1223	寢鼎二	師雝父循道至于𢦏，寢(遹)從
1666	遹乍旅甗	遹從師雝父肩吏
1666	遹乍旅甗	遹事于𫓟侯
1666	遹乍旅甗	侯蔑遹曆、易遹金
		小計：共 5 筆

遟 0256

1281	史頌鼎一	日遟天子猒令
1282	史頌鼎二	日遟天子猒令
2752	史頌毁一	日遟天子猒令
2753	史頌毁二	日遟天子猒令
2754	史頌毁三	日遟天子猒令
2755	史頌毁四	日遟天子猒令
2756	史頌毁五	日遟天子猒令
2757	史頌毁六	日遟天子猒令
2758	史頌毁七	日遟天子猒令
2759	史頌毁八	日遟天子猒令
2759	史頌毁九	日遟天子猒令
4185	㚸徝乍父庚爵	㚸遟父庚寶彝
4892	麥尊	唯歸、遟天子休、告亡尤
4892	麥尊	遟明令
4975	麥方彝	用鬲(嗝)井侯出入遟令、孫孫子子其永寶
7125	蔡侯𤕈𦺇𨚕鐘一	天命是遟
7126	蔡侯𤕈𦺇𨚕鐘二	天命是遟
7132	蔡侯𤕈𦺇𨚕鐘八	天命是遟
7133	蔡侯𤕈𦺇𨚕鐘九	天命是遟
7134	蔡侯𤕈甬鐘	天命是遟
7205	蔡侯𤕈編鎛一	天命是遟
7206	蔡侯𤕈編鎛二	天命是遟
7207	蔡侯𤕈編鎛三	天命是遟
7208	蔡侯𤕈編鎛四	天命是遟
M545	配兒句鑃	鉉鏐鏞(鏞)鋁

小計：共 25 筆

迺 0257

1328	盂鼎	人鬲千又五十夫𢓊(迺)nx𨗦自厥土
2990	登白盨	登白乍re瀀用

小計：共 2 筆

遣饋 0258 用為饋贈之饋，金文別有饋食之饋，見0843+

2737	段毁	令韓𤔲遣(饋)大則于段

小計：共 1 筆

遑 0259

1331	中山王譽鼎	五年遑(覆)吳
5803	𦉜嗣好蚉壺	弗可遑(復)得

小計：共 2 筆

逹
遻
遡
逾
遾

0260

0821	史逹方鼎一	史逹乍寶方鼎
0822	史逹方鼎二	史逹乍寶方鼎
0991	交鼎	交從嘼逹即
2724	竟白厰段	佳王伐逹魚
4237	史逹角	史逹乍寶尊彝
4448	長甶盉	穆王蔑長甶以逹即井白氏
4891	何尊	克逹(弼)玟王
6581	逹乍寶彝觶	逹乍寶彝
6792	史咀盤	逹匹𠂤辟
6793	矢人盤	封于㽙逹
6793	矢人盤	以南封于qx逹道
7020	單伯鐘	逹匹之(先?)王
		小計：共 12 筆

0261

0697	遻鼎	遻乍寶尊彝
		小計：共 1 筆

0262

1325	五祀衛鼎	迺令參有𤔲𤔲土邑人遡
4449	裘衛盉	司工邑人𦉢受田燹遡
6909	遡盂	命遡吏于述土
6909	遡盂	天君事遡事o8
6909	遡盂	遡敢對揚
		小計：共 5 筆

0263

5803	𧊒嗣好䖒壺	其逾(㡪)女(如)林
5805	中山王嚳方壺	而退與者侯齒長於逾(會)同
6806	王子__之逾盥匜	王子le之逾盤
7124	沇兒鐘	龢逾百生
7502	非__戈	非sJ帶邗逾陽、廿四
		小計：共 5 筆

0264

1326	多友鼎	乃遾追至于楊冢
		小計：共 1 筆

屖 0264+

3063	屖乍姜洪盨	屖乍姜洪盨
3063	屖乍姜洪盨	屖乍姜洪盨

小計：共 2 筆

遹 0264+

5402	遹乍且乙卣	遹乍且乙寶尊彝

小計：共 1 筆

道 0264+

0837	楚子道之飤[illegible]	楚子道之飤[illegible]

小計：共 1 筆

德 0265

0793	[illegible]霝德乍小鼎	[illegible]霝德乍小鼎
0981	德鼎	王易德貝{ 廿朋 }
1119	曆方鼎	曆肇對元德考友隹井乍寶尊彝
1159	辛鼎一	其亡彊氒家雝德[illegible]
1160	辛鼎二	其亡彊氒家雝德[illegible]
1163	鄭陳_鼎蓋	肇勤經德
1184	德方鼎	王易德貝廿朋
1226	師艅鼎	艅則對揚氒德
1304	王子午鼎	惠于政德
1307	師望鼎	哲氒德
1315	善鼎	秉德共屯
1318	晉姜鼎	巠雝明德
1318	晉姜鼎	用亯用德
1323	師訊鼎	用乃孔德璱屯
1323	師訊鼎	乃用心引正乃辟安德
1323	師訊鼎	叀余小子肇盄先王德
1323	師訊鼎	天子亦弗忘公上父訣德
1323	師訊鼎	小子夙夕專古先且剌德
1323	師訊鼎	白亦克款古先且蠱孫子一[illegible]皇辟懿德
1327	克鼎	淑哲氒德
1328	盂鼎	今我隹即井亯于玟王正德
1328	盂鼎	今余隹令女盂召榮敬雝德巠
1331	中山王譽鼎	敬順天悳(德)
1331	中山王譽鼎	論其德
1331	中山王譽鼎	寡人庸其悳(德)
1331	中山王譽鼎	以明其悳(德)
1332	毛公鼎	皇天引猒氒德
1332	毛公鼎	告余先王若德
2364	徝段	王易德貝廿朋

德

2526	弔㣈毁	王易弔德臣嬉十人
2563	德克乍文且考毁	德克乍朕文且考尊毁
2658	白㦰毁	秉德恭屯
2727	蔡姞乍尹弔毁	尹弔用妥多福于皇考德尹惠姬
2763	弔向父禹毁	共明德、秉威義
2833	秦公毁	穆穆帥秉明德
2840	番生毁	穆穆克誓（哲）氒德
2840	番生毁	番生不敢弗帥井皇且考不杯元德
2840	番生毁	虔夙夜專求不朁德
2855	班毁一	允才顯、隹敬德、亡攸違
2855.	班毁二	隹敬德亡卣違
2856	師訇毁	首德不克叏
2955	齊陳__匿一	肇勤（堇）經德
2956	齊陳曼匿二	肇勤（堇）經德
2972	弔家父乍仲姬匿	哲德不亡（忘）
3100	陳侯因資錞	合揚氒德
4425	季鬳孟德盉	季鬳孟德乍寶盉
4891	何尊	叀王龏德谷（裕）天
4892	麥尊	冬用遊德
5733	鼂中乍倗生飮壺	匄三壽懿德萬年
5783	曾白陭壺	為德無叚
5789	命瓜君厚子壺一	康受屯德
5790	命瓜君厚子壺二	受屯德
5805	中山王譽方壺	是又純德遺訓
5805	中山王譽方壺	隹德僼（附）民
6748	德盤	德其肇乍盤
6792	史咠盤	上帝降懿德大甹
6925	晉邦盦	秉德嬛嬛
7020	單伯鐘	余小子肇帥井朕皇且考懿德
7047	井人鐘	克哲氒德
7047	井人鐘	妄不敢弗帥用文且皇考穆穆秉德
7048	井人鐘二	克哲氒德
7048	井人鐘二	妄不敢弗帥用文且皇考穆穆秉德
7059	師臾鐘	朕皇考德弔大𪔅鐘
7072	者沏鐘四	女亦虔秉不經德
7079	者沏鐘十一	元__乃德
7080	者沏鐘十二	隹王命元__乃德
7122	梁其鐘一	克哲氒德
7122	梁其鐘一	沏其肇帥井皇且考秉明德
7123	梁其鐘二	克哲氒德
7123	梁其鐘二	沏其肇帥井皇且考秉明德
7125	蔡侯𩐋紐鐘一	征中昏德
7126	蔡侯𩐋紐鐘二	征中昏德
7132	蔡侯𩐋紐鐘八	征中昏德
7133	蔡侯𩐋紐鐘九	征中昏德
7134	蔡侯𩐋甬鐘	征中昏德
7150	虢叔旅鐘一	穆穆秉元明德
7151	虢叔旅鐘二	穆穆秉元明德
7152	虢叔旅鐘三	穆穆秉元明德
7153	虢叔旅鐘四	穆穆秉元明德

7154	虢叔旅鐘五	穆穆秉元明德
7158	瘐鐘一	秉明德、䎽夙夕、左尹氏
7160	瘐鐘三	秉明德、䎽夙夕、左尹氏
7161	瘐鐘四	秉明德、䎽夙夕、左尹氏
7162	瘐鐘五	秉明德、䎽夙夕、左尹氏
7163	瘐鐘六	上帝降懿德大甹
7174	秦公鐘	翼受明德
7175	王孫遺者鐘	惠于政德
7175	王孫遺者鐘	徝永余德
7177	秦公及王姬編鐘一	翼受明德
7182	叔夷編鐘一	肅成朕師旟之政德
7190	叔夷編鐘九	政德
7205	蔡侯䌌編鎛一	徝中氒德
7206	蔡侯䌌編鎛二	徝中昏德
7207	蔡侯䌌編鎛三	徝中昏德
7208	蔡侯䌌編鎛四	徝中昏德
7209	秦公及王姬鎛	翼受明德
7210	秦公及王姬鎛二	翼受明德
7211	秦公及王姬鎛三	翼受明德
7212	秦公鎛	穆穆帥秉明德
7214	叔夷鎛	肅成朕師旟之政德
J0081	王孫羿鐘	(拓本未見)
7540	卅一年相邦冉戈	卅一年相邦冉𩁹工帀、𩁹瓌德
7899	鄂君啟車節	毋載金革黽箭，女馬，女牛，女德(特)
M282	師脜余尊	餘則對揚氒德
		小計：共　105 筆

復　0266

1058	復鼎	侯賞復貝三朋
1058	復鼎	復用乍父乙寶尊彝[巽]
1316	㦰方鼎	氒復享于天子
1326	多友鼎	卒復筍人孚
1326	多友鼎	復奪京𠂤之孚
1330	曶鼎	效□則卑復氒絲束
1330	曶鼎	既則卑復令曰：若
1668	中甗	復造二邦
2556	復公子白舍𣪘一	復公子白舍曰
2557	復公子白舍𣪘二	復公子白舍曰
2558	復公子白舍𣪘三	復公子白舍曰
2704	㯱公𣪘	迺自商𠂤復還至于周□
2760	小臣謎𣪘一	雩氒復歸、才牧𠂤
2761	小臣謎𣪘二	雩氒復歸、才牧𠂤
2837	敔𣪘一	復付氒君
3087	鬲从盨	復限余鬲比田
3087	鬲从盨	凡復友復友鬲比田十又三邑
3090	㝬盨(器)	卑復虐逐氒君氒師
4853	復尊	匽侯賞復冂衣、臣妾、貝
4891	何尊	復爯珷王豊福自天

5803	𡈼䀠𧊒蚉壺	弗可復得
6793	𢊁人盤	至于邊柳、復涉㵸
		小計：共　22 筆

0267

6888	吳王光鑑一	往巳𠦝姬
6889	吳王光鑑二	往巳𠦝姬
7899	鄂君啟車節	自鄂𨻰、適陽丘、適方城
		小計：共　3 筆

0268

5803	𡈼䀠𧊒蚉壺	于皮（彼）新土
		小計：共　1 筆

0269

6725	郐王義楚盤	徐王義楚羼其吉金自乍朕盤
7124	沇兒鐘	徐王庚之子沇兒
		小計：共　2 筆

0270

1206	旟鼎	王姜易旟田三于待劊
		小計：共　1 筆

0271

5805	中山王譽方壺	而退與者侯齒長於遑（會）同
7975	中山王𡩜兆域圖	逮（進）復（退）𠚣乏者
		小計：共　2 筆

0272

1239	＿鼎一	以師氏眔有嗣後或𢦏伐Ld
1240	＿鼎二	以師氏眔有嗣後或𢦏伐Ld
1265.1	師隹鼎	自乍後王母𡚬商卑文母魯公孫用貞（鼎）
1307	師望鼎	王用弗忘聖人之後
1331	中山王譽鼎	後人其庸庸之
2530	𨒅姬乍父辛毁	用乍乃後御
2814	鳥冊𢊁令毁一	用𧦝後人亯
2814	鳥冊𢊁令毁一	後人永寶［鼎］

復
往
𠂩
彼
徐
待
復
後

	2814.	夨令毁二	用𧻚後人亯
	2814.	夨令毁二	後人永寶[鼎]
	2826	師㝨毁一	余用乍朕後男巤尊毁
後	2826	師㝨毁一	余用乍朕後男巤尊毁
	2827	師㝨毁二	余用乍朕後男巤尊毁
	2835	訇毁	先虎臣後庸
	5781	曾姬無卹壺一	後嗣甬(用)之
	5782	曾姬無卹壺二	後嗣甬(用)之
	5784	𡛤氏壺	戔獵毋後
	5795	白克壺	用乍朕穆考後中尊壺
	5805	中山王譽方壺	詔告後嗣
	6631	小臣單觶一	王後J6克商、才成𠂤
	7050	井人鐘四	降余後多福無疆
	7117	𨛜𪢷兒鐘一	後民是語
	7119	𨛜儔兒鐘三	後民是語
	7120	𨛜儔兒鐘四	後民是語
	7655	中央勇矛	中央勇生安空五年之後日毌
	7655	中央勇矛	中央勇□生安空三年之後日毌

小計：共 26 筆

0273 0228遲字參看

1310	鬲攸從鼎	王才周康宮、徲大室
1312	此鼎一	王才周康宮徲宮
1313	此鼎二	王才周康宮徲宮
1314	此鼎三	王才周康宮徲宮
2600	白𣪕父𣪘	白𣪕父乍朕皇考徲白吳姬尊𣪘
2800	伊𣪘	伊用乍朕不顯文且皇考徲弔寶𤔲彝
2818	此𣪘一	王才周康宮徲宮
2819	此𣪘二	王才周康宮徲宮
2820	此𣪘三	王才周康宮徲宮
2821	此𣪘四	王才周康宮徲宮
2822	此𣪘五	王才周康宮徲宮
2823	此𣪘六	王才周康宮徲宮
2824	此𣪘七	王才周康宮徲宮
2825	此𣪘八	王才周康宮徲宮
3063	徲盨	徲乍姜湋盨
3063	徲盨	徲乍姜湋盨
5791	十三年𤼈壺一	徲父右𤼈
5792	十三年𤼈壺二	徲父右𤼈
		小計：共 18 筆

徲

0274

0136	得鼎	[得]
0335	得且庚鼎	得且庚
0547	亞得父庚鼎	[亞得]父庚
1002	二年寧鼎	二年寧_子得治_為_四分_
1298	師旂鼎	白懋父迺罰得𩰫古三百寽
1307	師望鼎	得屯亡敃
1327	克鼎	得屯亡敃
1330	曶鼎	乃弗得
1331	中山王嚳鼎	寡懼其忽然不可得
2543	𢦚𣪘	又得
3333	得爵	[得]
3648	冊得爵一	[冊得]
3649	冊得爵二	[冊得]
5223	亞得父癸卣	[亞得]父乙
5512	得罍	[得]
5534	中得方罍	[冊得]
5772	陳璋方壺	隹王五年奠陳得再立事歲
5803	𡺚嗣好盗壺	或得賢佐司馬賈而家仕之邦
5803	𡺚嗣好盗壺	弗可復得
5805	中山王嚳方壺	使得賢在良佐賈
5805	中山王嚳方壺	夫古之聖王務才得賢
5805	中山王嚳方壺	其即得民
5957	得觚一	[得]
5958	得觚二	[得]
5959	得觚三	[得]

得

	6064	中得觚一	[中得]
	6065	中得觚二	[中得]
	6127	得父乙觚	[得]父乙
	6792	史墻盤	得屯無諫
	7047	井人鐘	得屯用魯
	7048	井人鐘二	得屯用魯
	7117	郐黴兒鐘一	得吉金鎛鋁
	7119	郐儔兒鐘三	余mqlv兒得吉金鎛鋁
	7122	梁其鐘一	得屯亡敃
	7123	梁其鐘二	得屯亡敃
	7150	虢叔旅鐘一	得屯亡敃
	7151	虢叔旅鐘二	得屯亡敃
	7152	虢叔旅鐘三	得屯亡敃
	7153	虢叔旅鐘四	得屯亡敃
	7154	虢叔旅鐘五	得屯亡敃
	7456	宋公得之造戈	宋公得之造戈
	7503	七年戈	十年得工戈冶左勿
	7731	王立事劍一	冶得執齊
	7732	王立事劍二	冶得執齊
	7733	王立事劍三	冶得執齊
	7871	子禾子釜一	子禾子□□內者御命陳得
			小計：共 46 筆
御	0275	1505钔字參看，又御馭形構不同，茲為分列二字	
	1071	鼄白御戎鼎	鼄白御戎乍滕姬寶貞(鼎)
	1225	鬳大史申鼎	台御賓客
	1272	剌鼎	啻卲王、剌御
	1316	戜方鼎	王用肇事乃子戜逹(率)虎臣御(禦)淮戎
	1319	頌鼎一	買用宮御
	1320	頌鼎二	買用宮御
	1321	頌鼎三	買用宮御
	1328	盂鼎	在雩御事
	1503	御鬲	[亞]庚寅、御貢□、才㝉
	1503	御鬲	王pa商御貝
	2133	御乍寶隣彝毀	御乍寶尊彝
	2530	㵾姬乍父辛毀	用乍乃後御
	2543	䟽馭毀	䟽御從王南征
	2544	亞𢆶卩乍父乙毀	[亞]辛已，𢆶卩(御?)ub㑹，才小圃
	2584	钔正衛毀	懋父賫钔(御)正衛馬匹自王
	2629	牧師父毀一	牧師父弟弔脮父御于君
	2630	牧師父毀二	牧師父弟弔脮父御于君
	2631	牧師父毀三	牧師父弟弔脮父御于君
	2661	競毀一	白屖父蔑御史競曆、賞金
	2662	競毀二	白屖父蔑御史競曆、賞金
	2734	遹毀	王鄉酉、遹御亡遣
	2836	戜毀	戜逹有嗣師氏奔追御戎于賦林
	2844	頌毀一	監嗣(司)新寤(造)買用宮御
	2845	頌毀二	監嗣(司)新寤(造)買用宮御

2845	頌段二	監嗣(司)新寤(造)賈用宮御
2846	頌段三	監嗣(司)新寤(造)賈用宮御
2847	頌段四	監嗣(司)新寤(造)賈用宮御
2848	頌段五	監嗣(司)新寤(造)賈用宮御
2849	頌段六	監嗣(司)新寤(造)賈用宮御
2850	頌段七	監嗣(司)新寤(造)賈用宮御
2851	頌段八	監嗣(司)新寤(造)賈用宮御
2852	不嬰段一	余命女御追于䍜
2853	不嬰段二	余命女御追于䍜
2855.	班段二	御戕人
2899	尹氏弔𩍩旅匡	吳王御士尹氏弔𩍩乍旅匡
4203	御正良爵	尹大保賞御正良貝
4213	白御角	白御
4446	麥盉	用奔走夙夕、䓹御吏
5460	䣜御乍父己卣	䣜、辛巳、王易馭(御)八貝一具
5460	䣜御乍父己卣	䣜、辛巳、王易馭(御)八貝一具
5508	弔趯父卣一	余考不克御事
5799	頌壺一	監嗣新造賈用宮御
5800	頌壺二	監嗣新造賈用宮御
5801	洹子孟姜壺一	女受＿遄傳＿御
5801	洹子孟姜壺一	爾其躋受御
5801	洹子孟姜壺一	用御天子之事
5801	洹子孟姜壺一	用御爾事
5802	洹子孟姜壺二	女受＿遄傳＿御
5802	洹子孟姜壺二	爾其躋受御
5802	洹子孟姜壺二	用御天子之事
5802	洹子孟姜壺二	用御爾事
6814	鑄客為御室匜	鑄客為御䆜(室)為之
6885	吳王夫差御鑑一	自乍御監
6886	吳王夫差御鑑二	自乍御監
7019	邾太宰鐘	𪓐大宰欉子懿自乍其御鐘
7150	虢叔旅鐘一	御于厥辟
7150	虢叔旅鐘一	寵御于天子
7151	虢叔旅鐘二	御于厥辟
7151	虢叔旅鐘二	寵御于天子
7152	虢叔旅鐘三	御于厥辟
7152	虢叔旅鐘三	寵御于天子
7153	虢叔旅鐘四	御于厥辟
7153	虢叔旅鐘四	寵御于天子
7154	虢叔旅鐘五	御于厥辟
7155	虢叔旅鐘六	寵御于天子
7388	乍御司馬戈	乍御司馬
7478	郾王職乍御司馬	郾王職乍御司馬
7480	郾王職乍＿萃鋸二	郾王職乍＿御萃鋸
7515	二年右貫府戈	右貫府受御＿宥公
7545	秦子戈	秦子乍造公族元用左右市御用逸宜＿
7744	工獻太子劍	莫敢御余
7871	子禾子釜一	子禾子□□內者御命陳得
7875	郾王職戟一	郾王戠乍御萃鋸

小計：共　73 筆

御
馭
駛
攸

馭駛　0275

1288	令鼎一	王馭溓中僕
1289	令鼎二	王馭溓中僕
1299	鄂侯鼎一	鄂侯馭方内豊于王
1299	鄂侯鼎一	馭方友王
1299	鄂侯鼎一	馭方卿王射
1299	鄂侯鼎一	馭方休闌
1299	鄂侯鼎一	王親（親）易馭＿＿五瑴、馬四匹、矢五＿
1299	鄂侯鼎一	馭方拜手䭫首
1301	大鼎一	王乎善夫駛（馭）召大㠯氒友入攼
1302	大鼎二	王乎善夫駛（馭）召大㠯氒友入攼
1303	大鼎三	王乎善夫駛（馭）召大㠯氒友入攼
1324	禹鼎	亦唯鄂侯馭方率南淮尸、東尸
1324	禹鼎	𢦚伐鄂侯馭方
1324	禹鼎	斯馭二百
1324	禹鼎	伐鄂侯馭方
1324	禹鼎	雩禹㠯武公徒馭至于鄂
1324	禹鼎	休隻氒君馭方
1328	盂鼎	人鬲自馭至于庶人六百又五十又九夫
2815	師㝨毁	僕馭、百工、牧、臣妾
2826	師寰毁一	無諆徒馭
2826	師寰毁一	無諆徒馭
2827	師寰毁二	無諆徒馭
2852	不嬰毁一	馭方嚴允廣伐西俞
2853	不嬰毁二	馭方嚴粇廣伐西俞
2855	班毁一	王令毛公㠯（以）邦冢君、土（徒）馭、戜人
3168	馭爵	［馭］
3339	馭爵	［馭］
4926	吳𤔲馭觥（蓋）	［吳］𤔲馭弔史遣馬、弗左
5283	駛乍旅彝卣	驪（駛馭）乍旅彝
5460	戠御乍父己卣	戠、辛巳、王易馭（御）八貝一具
5460	戠御乍父己卣	戠、辛巳、王易馭（御）八貝一具
5803	亂嗣𤔲𨖷壺	馭（駭）右和同
5880	馭觚	［馭］
5964	馭觚	［馭］
6082	馭癸觚	［馭］癸
6290	馭觶	［馭］
7277	馭戈	［馭］

小計：共　37 筆

攸　0276

2363	保攸母旅毁	保攸母易貝于庚姜

小計：共　1 筆

0277

1331	中山王嚳鼎	栽(仇)人才彷(旁)
		小計：共 1 筆

0278

2693	䨻毀	䨻徃造公
2724	𧴱白𣪘毀	徃伐淖黑
2855	班毀一	徃城、衛父身
2855	班毀一	隹民亡徃才
2855.	班毀二	徃城衛父身
2855.	班毀二	隹民亡徃才
4447	臣辰冊冊多乍冊父癸盉	徃(出)䆞葊京年
4873	臣辰冊岢冊乍父癸尊	隹王大龠于宗周徃䆞葊京年
4893	矢令尊	公令徃同卿事寮
4893	矢令尊	徃令、舍三事令
4981	𪇍冊令方彝	公令徃同卿事寮
4981	𪇍冊令方彝	明公朝至于成周、徃令
5501	臣辰冊冊多卣一	徃䆞葊京年
5502	臣辰冊冊多卣二	徃䆞葊京年
5508	弔趩父卣一	唯用其徃女
6622	吉徃乍𠂤解	吉徃乍𠂤寶尊彝
		小計：共 16 筆

0279

1222	䆁鼎一	師雝父徃道至于𢦚、䆁從
1223	䆁鼎二	師雝父徃道至于𢦚、䆁從
3027	仲鑠旅𥂴	中鑠□作鑄旅𥂴(頠)
		小計：共 3 筆

0280

5095	冊徍卣	[冊徍]
		小計：共 1 筆

0281

5741	左𨟻壺一	徃公左𠂤
5742	左𨟻壺二	徃公左𠂤
		小計：共 2 筆

0282

	5803	𧻚嗣㚤蚉壺	s3俛（逸）先王
			小計：共 1 筆
復 0283			
	2777	天亡段	亡助爾復霖
			小計：共 1 筆
徵 0284			
	0257	𡟰徵鼎	[𡟰]徵
			小計：共 1 筆
儈 0285			
	1331	中山王嚳鼎	昔者郾君子儈叡㢸夫𤠣
	5805	中山王嚳方壺	𠋫（適）曹（遭）郾君子儈
	5805	中山王嚳方壺	郾故君子儈
			小計：共 3 筆
儂 0286			
	0678	宰儂宮寶父丁鼎	宰儂宮父丁
			小計：共 1 筆
廷 0287			
	1277	七年趞曹鼎	井白入右趞曹立中廷、北鄉
	1290	利鼎	井白内右利立中廷、北鄉
	1300	南宮柳鼎	即立中廷、北卿
	1306	無叀鼎	立中廷
	1309	寰鼎	立中廷、北鄉
	1311	師晨鼎	嗣馬共右師晨入門、立中廷
	1312	此鼎一	嗣土毛弔右此入門、立中廷
	1313	此鼎二	嗣土毛弔右此入門、立中廷
	1314	此鼎三	嗣土毛弔右此入門、立中廷
	1317	善夫山鼎	立中廷、北鄉
	1319	頌鼎一	宰引右頌入門、立中廷
	1320	頌鼎二	宰引右頌入門、立中廷
	1321	頌鼎三	宰引右頌入門、立中廷
	1327	克鼎	𩁹季右善夫克入門立中廷、北卿
	1329	小字盂鼎	□酉進、即大廷
	1329	小字盂鼎	即立中廷、北卿
	1332	毛公鼎	率懷不廷方
	2765	救段	井白內、右救立中廷北鄉
	2767	虘段一	王乎師晨召大師虘入門、立中廷
	2768	楚段	又楚立中廷

2769	師耤𣪘	榮白內、右師耤即立中廷
2770	𢦚𣪘	穆公入、右𢦚立中廷北鄉
2771	弭弔師求𣪘一	即立中廷
2772	弭弔師求𣪘二	即立中廷
2775	裘衛𣪘	南白入、右裘衛入門、立中廷、北鄉
2784	申𣪘	益公內右申中廷
2785	王臣𣪘	益公入、右王臣即立中廷北鄉
2787	望𣪘	立中廷、北鄉
2789	同𣪘一	榮白右同立中廷、北鄉
2790	同𣪘二	榮白右同立中廷、北鄉
2792	師俞𣪘	嗣馬共右師俞入門立中廷
2793	元年師旋𣪘一	遟公入、右師旋即立中廷
2794	元年師旋𣪘二	遟公入、右師旋即立中廷
2795	元年師旋𣪘三	遟公入、右師旋即立中廷
2796	諫𣪘	嗣馬共又右諫入門立中廷
2796	諫𣪘	嗣馬共又右諫入門立中廷
2798	師瘨𣪘一	嗣馬井白䚄右師瘨入門立中廷
2799	師瘨𣪘二	嗣馬井白䚄右師瘨入門立中廷
2800	伊𣪘	𪒠(緟)季內、右伊立中廷北鄉
2803	師酉𣪘一	右師酉立中廷
2804	師酉𣪘二	右師酉立中廷
2804	師酉𣪘二	右師酉立中廷
2805	師酉𣪘三	右師酉立中廷
2806	師酉𣪘四	右師酉立中廷
2806.	師酉𣪘五	右師酉立中廷
2807	鼎阝𣪘一	立中廷
2808	鼎阝𣪘二	立中廷
2809	鼎阝𣪘三	立中廷
2817	師𩒨𣪘	立中廷北鄉
2818	此𣪘一	司土毛弔右此入門、立中廷
2819	此𣪘二	司土毛弔右此入門、立中廷
2820	此𣪘三	司土毛弔右此入門、立中廷
2821	此𣪘四	司土毛弔右此入門、立中廷
2822	此𣪘五	司土毛弔右此入門、立中廷
2823	此𣪘六	司土毛弔右此入門、立中廷
2824	此𣪘七	司土毛弔右此入門、立中廷
2825	此𣪘八	司土毛弔右此入門、立中廷
2829	師虎𣪘	井白內、右師虎即立中廷北鄉
2830	三年師兌𣪘	𩜍白右師兌入門、立中廷
2831	元年師兌𣪘一	同中右師兌入門、立中廷
2832	元年師兌𣪘二	同中右師兌入門、立中廷
2833	秦公𣪘	鎮靜不廷
2834	㝬𣪘	其瀕才帝廷陟降
2842	卯𣪘	榮季入右卯立中廷
2844	頌𣪘一	宰引右頌入門立中廷
2845	頌𣪘二	宰引右頌入門立中廷
2845	頌𣪘二	宰引右頌入門立中廷
2846	頌𣪘三	宰引右頌入門立中廷
2847	頌𣪘四	宰引右頌入門立中廷
2848	頌𣪘五	宰引右頌入門立中廷

廷 建 律

2849	頌毁六	宰引右頌入門立中廷
2850	頌毁七	宰引右頌入門立中廷
2851	頌毁八	宰引右頌入門立中廷
2854	蔡毁	宰曶入、右蔡立中廷
2857	牧毁	公族組入右牧立中廷
4890	盠方尊	立于中廷北鄉
4891	何尊	則廷告于天曰
4978	吳方彝	立中廷北鄉
4979	盠方彝一	立于中廷北鄉
4980	盠方彝二	立于中廷北鄉
5799	頌壺一	宰引右頌入門立中廷
5800	頌壺二	宰引右頌入門立中廷
6787	走馬休盤	立中廷北卿
6789	袁盤	立中廷北鄉
6793	矢人盤	矢王于豆新宮東廷
6925	晉邦盦	至于大廷
7212	秦公鎛	鋘靜不廷
M423.	趞鼎	宰訊趞入門立中廷北向

小計：共 88 筆

建 0288

1092	小臣建鼎	召公建匽
6038	干建觚	[干建]
6227	干父丁觚	[干建]父丁
7125	蔡侯𨓡歌鐘一	建我邦國
7126	蔡侯𨓡歌鐘二	建我邦國
7132	蔡侯𨓡歌鐘八	建我邦國
7133	蔡侯𨓡歌鐘九	建我邦國
7134	蔡侯𨓡甬鐘	建我邦國
7205	蔡侯𨓡編鎛一	建我邦國
7206	蔡侯𨓡編鎛二	建我邦國
7207	蔡侯𨓡編鎛三	建我邦國
7208	蔡侯𨓡編鎛四	建我邦國
7661	三年建躬君矛	三年相邦建躬君
7662	八年建躬君矛	八年相邦建躬君
7726	八年相邦建躬君劍一	八年相邦建躬君
7727	八年相邦建躬君劍二	八年相邦建躬君
7728	八年相邦建躬君劍三	八年相邦建躬君
M883	中山侯鉞	天子建邦

小計：共 18 筆

律 0288+

0723	_律乍寶鼎	qt律乍寶器

小計：共 1 筆

0289

1167	__父鼎一	__父乍__寶鼎延令曰
1168	__父鼎二	__父乍__寶鼎延令曰
1184	德方鼎	祉(延)珷福自蒿、咸
1215	麥鼎	井侯祉(延)鬲于麥
1260	我方鼎	祉(延)礿絜二女、咸
1261	我方鼎二	祉(延)礿絜二女、咸
1263	呂方鼎	呂祉(延)于大室
1329	小字盂鼎	祉(延)邦賓尊其旅服、東鄉
1329	小字盂鼎	祉(延)□□□□□□邦賓、不彈
1329	小字盂鼎	祉(延)王令賞盂□□□□□□弓一、矢百、畫虢一
1330	曶鼎	用賸祉(延)賣(贖)絲五夫、用百寽
2248	延乍夸廿寶殷	延乍夸廿寶尊彝
2611	朋渣嗣土疑殷	祉(延)令康侯啚于衛
2627	伊殷	伊__祉(延)于辛吏
2736	師遽殷	王延正師氏
2774	臣諫殷	祉(延)令臣諫曰□□□亞旅處于軝
2828	宜侯夨殷	祉(延)省東或圖
3128	魚鼎匕	延又匕蚰
4240	亞耒乍父辛角	丁未𡚬商祉(延)貝
4850	犅劫尊	王祉(延)𡐓
4876	保尊	祉(延誕)兄(貺)六品
5495	保卣	祉(延誕)兄(貺)六品
5495	保卣	祉(延誕)兄(貺)六品
5510	乍冊嗌卣	祉(延)先齃死亡
6043	祉鼎觚	[祉(延)鼎]
6526	祉中且觶	[祉(延)且中]
6705	祉乍周公盤	祉(延)乍周公尊彝
7125	蔡侯𪎾紐鐘一	祉(延)中㫚德
7126	蔡侯𪎾紐鐘二	祉(延)中㫚德
7132	蔡侯𪎾紐鐘八	祉(延)中㫚德
7133	蔡侯𪎾紐鐘九	祉(延)中㫚德
7134	蔡侯𪎾甬鐘	祉(延)中㫚德
7175	王孫遺者鐘	祉(延)永余德
7205	蔡侯𪎾編鎛一	祉(延)中㫚德
7206	蔡侯𪎾編鎛二	祉(延)中㫚德
7207	蔡侯𪎾編鎛三	祉(延)中㫚德
7208	蔡侯𪎾編鎛四	祉(延)中㫚德

小計：共　37 筆

延
延

0290

3052	走亞𪈷孟延盨一	走亞𪈷孟延乍盨
3052	走亞𪈷孟延盨一	延其萬年永寶子子孫孫用
3053	走亞𪈷孟延盨二	走亞𪈷孟延乍盨
3053	走亞𪈷孟延盨二	延其萬年永寶子子孫孫用

小計：共　4 筆

行	0291		
行	0628	為之行鼎	為之行鼎
	0806	沖子行鼎	沖子ja之行貞(鼎)
	0875	子陵□之孫鼎	□□□□行□子陵□□之孫□
	0918	盜叔鼎	盜弔之行貞(鼎)永用之
	1030	鄁子員鼎	鄁子夷為其行器
	1105	鄬季乍竊氏行鼎	鄬季乍竊氏行鼎
	1126	弔夜鼎	以征以行
	1211	庚兒鼎一	用征用行
	1212	庚兒鼎二	用征用行
	1251	中先鼎一	貫行執
	1252	中先鼎二	貫行執
	1331	中山王譽鼎	省其行
	1331	中山王譽鼎	此易言而難行施(也)
	1331	中山王譽鼎	是克行之
	1331	中山王譽鼎	行四方
	1457	衛夫人行鬲	衛夫人文君弔姜乍其行鬲用
	1656	尌仲甗	用征用行
	1667	陳公子弔邍父甗	用征用行
	1668	中甗	王令中先省南或貫行
	2836	娥毀	朕文母競敏__行
	2861	__之行固	__之行固
	2864	曾子遇行固	曾子遇之行固
	2865	曾固二	曾子遇之行固
	2894	曾子㬎行器一	曾子㬎自作行器
	2895	曾子㬎行器二	曾子㬎自乍行器
	2896	曾子㬎行器三	曾子㬎自乍行器
	2897	白彊行器	白彊為皇氏白行器
	2954	史免旅固	從王征行
	2964.	弔邦父固	用征用行
	2965	曾侯乍弔姬賸器鬶彝	行
	2986	曾白霥旅固一	金道錫行
	2986	曾白霥旅固一	以征以行
	2987	曾白霥旅固二	金道錫行
	2987	曾白霥旅固二	以征以行
	3026	□□為甫人行盨	□□為甫人行盨
	3026	□□為甫人行盨	用征用行萬歲用尚
	3028	虢弔行盨	虢弔鑄行盨
	3064	曩白子㝉父征盨一	其陰其陽、以延以行
	3064	曩白子㝉父征盨一	其陰其陽、以延以行
	3065	曩白子㝉父征盨二	其陰其陽、以延以行
	3065	曩白子㝉父征盨二	其陰其陽、以延以行
	3066	曩白子㝉父征盨三	其陰其陽、以征以行
	3066	曩白子㝉父征盨三	其陰其陽、以延以行
	3067	曩白子㝉父征盨四	其陰其陽、以延以行
	3067	曩白子㝉父征盨四	其陰其陽、以延以行
	3090	㪤盨(器)	爰奪㪤行道
	3579	大行爵	[大行]

4890	盠方尊	王行參有嗣
4979	盠方彝一	王行參有嗣
4980	盠方彝二	王行參有嗣
J3351	薛侯壺	(拓本未見)
5697	右走馬嘉行壺	右走馬嘉自乍行壺
5718	曾仲斿父壺	自乍寶尊壺(蓋左行)
5718	曾仲斿父壺	自乍寶尊壺(器右行)
5728	樊夫人壺	自乍行壺
5762	呂行壺	唯還、呂行戲、孚__
5777	孫弔師父行具	邛立宰孫弔師父乍行具
5803	胤嗣好蛮壺	悳行盛里(旺)
5808	孟城行鈃	若公孟城乍為行鉼(鈃)
5810	喪鈃	用征用行
5811	曾白文鐳	用征行
5816	奠義白鐳	以行以征
J2881	行父辛觶	行父辛
6790	虢季子白盤	是以先行
6792	史墻盤	隹寏南行
6821	樊夫人匜	樊夫人龍嬴自乍行它(匜)
6840	__子匜	k8子乍行彝
6869	浮公之孫公父宅匜	浮公之孫公父宅鑄其行它
6898	__子敿行盞	wp子敿之行盞
6917	鄧子行飤盆	鄧子行自乍飤盆
7046	□□自乍鐘二	以之大行
7127	蔡侯𩰫紐甬鐘三	蔡侯𩰫之行鐘
7128	蔡侯𩰫紐甬鐘四	蔡侯𩰫之行鐘
7130	蔡侯𩰫紐甬鐘六	之行鐘
7183	叔夷編鐘二	雩乎行師
7183	叔夷編鐘二	女巩勞朕行師
7214	叔夷鎛	雩乎行師
7214	叔夷鎛	女巩勞朕行師
7219	冉鉦鋮(南疆鉦)	余台行䢼師
7448	蔡侯𩰫之行戈	蔡侯𩰫之行戈
7498	郾王詈戈	郾王詈乍行議鍨
7536	郾王詈戈一	郾王詈作行議鍨
7537	汈白戈	梁白乍宮行元用
7622	行 鍨	行 鍨
7744	工𩵦太子劍	才行之先
7744	工𩵦太子劍	至于南行
7744	工𩵦太子劍	至于西行
7886	新郪虎符	乃敢行之
7886	新郪虎符	行殹(也)
7887	杜虎符	乃敢行之
7887	杜虎符	行殹
7892	雁節	連馬__行____工______
7975	中山王墓兆域圖	不行王命者
685	曾子伯__鼎	曾子伯__鑄行器

小計：共 94 筆

行

衛

衛 0292

0066	壺鼎	[衛]
0219	子壺鼎一	[子衛]
0220	子壺鼎二	[子衛]
0258	衛鼎	[衛冊奴]
0371	壺父丁鼎	[衛]父丁
0928	鮴衛妃乍旅鼎一	鮴衛改乍旅鼎其永用
0929	鮴衛妃乍旅鼎二	鮴衛改乍旅鼎其永用
0930	鮴衛妃乍旅鼎三	鮴衛改乍旅鼎其永用
0931	鮴衛妃乍旅鼎四	鮴衛改乍旅鼎其永用
1018	驧屯乍父己鼎一	屯戠曆于□oy(衛?)
1019	__屯乍父己鼎二	屯戠曆于□oy(衛?)
1140	衛鼎	衛乍文考小中姜氏盂鼎
1140	衛鼎	衛其萬年子子孫孫永寶用
1227	衛鼎	衛肈乍厥文考己中寶鼐鼎
1310	鬲攸從鼎	鬲从吕攸衛牧告于王
1310	鬲攸從鼎	迺事攸衛牧誓曰
1310	鬲攸從鼎	攸衛牧則誓
1322	九年裘衛鼎	迺舍裘衛林孴里
1322	九年裘衛鼎	付裘衛林孴里
1322	九年裘衛鼎	衛小子__逆者
1322	九年裘衛鼎	其匄衛臣虤朏
1322	九年裘衛鼎	衛用乍朕文考寶鼎
1322	九年裘衛鼎	衛其萬年永寶用
1325	五祀衛鼎	衛吕邦君厲告于井白
1325	五祀衛鼎	帥履裘衛厲田四田
1325	五祀衛鼎	邦君厲眔付裘衛田
1325	五祀衛鼎	衛小子逆其卿匄
1325	五祀衛鼎	衛用乍朕文考寶鼎
1325	五祀衛鼎	衛其萬年永寶用
1431	衛姒乍鬲	衛姒(始)乍鬲
1457	衛夫人行鬲	衛夫人文君弔姜乍其行鬲用
2223	衛始段一	衛始乍饙qo段
2224	衛始段二	衛始乍饙qo段
2273	衛乍父庚段	衛乍父庚寶尊彝
2475	衛始段	衛姒(始)乍寶尊段
2584	卸正衛段	懋父賁卸(御)正衛馬匹自王
2611	眲浯嗣土㠱段	征令康侯啚于衛
2635	賢段一	公弔初見于衛、賢從
2636	賢段二	公弔初見于衛、賢從
2637	賢段三	公弔初見于衛、賢從
2638	賢段四	公弔初見于衛、賢從
2738	衛段	榮右衛內、即立
2738	衛段	王曾令衛
2738	衛段	衛敢對揚天子不顯休
2738	衛段	衛其萬年子子孫孫永寶用
2775	裘衛段	南白入、右裘衛入門、立中廷、北鄉
2775	裘衛段	王乎內史易衛戴市、朱黃、䜌
2775	裘衛段	衛拜稽首敢對揚天子不顯休

衛
衜

2775	裘衛𣪘	衛其子子孫孫永寶用
2855	班𣪘一	徣城、衛父身
2855.	班𣪘二	徣城衛父身
2875	衛子弔宂父旅匠	衛子弔宂父乍旅匠
3214	衛爵二	[衛]
3215	衛爵一	[衛]
3529	衛癸爵	[衛]癸
3545.	子圍爵	子[衛]
3694	子衛爵一	子[衛]
3695	子衛爵二	子[衛]
3696	子爵三	子[衛]
4062	弓衛且己爵	[弓衛]且一己
4086	弓衛父庚爵	父庚[弓衛]
4194	冊壺/乍父丁爵	乍父丁尊彝[冊壺(衛)]
4439	白衛父盉	白衛父乍嬴𪔂彝
4449	裘衛盉	矩白庶人取堇章于裘衛
4449	裘衛盉	裘衛乃彘告于白邑父
4449	裘衛盉	衛 {小子}px逆者其鄉
4449	裘衛盉	衛用乍朕文考惠孟寶般
4449	裘衛盉	衛其萬年永寶用
4503	衛尊	[衛]
4577	衛父丁尊	[衛]父丁
4596	衛父己尊	[衛]父己
4698	衛箙父辛尊	[衛箙]父辛
4804	衛乍季衛父尊	衛乍季衛父寶尊彝
4997	衛卣	[衛冊奴]癸
4998	衛卣	[衛冊奴]
5181	癸衛冊卣	癸[衛冊奴]
5231	父乙衛冊卣	[衛冊奴]父乙
5342	衛父卣	衛父乍寶尊彝
5406	衛卣	衛乍季衛父寶尊彝
5740	嗣寇良父壺	嗣寇良父乍為衛姬壺
6031	子衛觚一	[子衛]
6032	子衛觚二	[子衛]
6536	衛父己觶	[衛]父己
7249	衛戈	[衛]
7475	衛公孫呂戈	衛公孫呂之告戈
7691	衛司馬劍	衛司馬與之□工市
7837	衛自盾鍚	衛師揚
7865	衛量	衛師親鑄

小計：共　88 筆

0293

0503	亞趣衜鼎一	[亞趣衜]
0504	亞趣衜鼎二	[亞趣衜]
1568	亞趣衜甗	[亞趣衜]
1844	亞趣衜𣪘	[亞趣衜]
3720	亞趣衜爵一	[亞趣衜]

4303	亞趄衜罍	[亞趄衜]
4557	亞趄衜尊	[亞趄衜]
5079	亞趄衜卣	[亞趄衜]
6119	亞豈衜觚一	[亞豈(趄)衜]
6120	亞豈衜觚二	[亞豈(趄)衜]

小計：共 10 筆

衕 0294

0446	衕父癸鼎	[衕]父癸

小計：共 1 筆

齒 0295

3594	齒戈爵	[齒戈]
5805	中山王譽方壺	而退與者侯齒長於會同
5805	中山王譽方壺	齒長於會同

小計：共 3 筆

牙 0296

1323	師訊鼎	用厚剌且牙已
2534	魯大宰遼父段一	魯大宰原父乍季姬牙賸段
2534.	魯大宰遼父段二	魯大宰原父乍季姬牙賸段
2735	屖敖段	戎獻金于子牙父百車
3088	師克旅盨一(蓋)	干害王身、乍爪牙。 王曰
3088	師克旅盨一(蓋)	牙僰、駒車、桒較、朱虢、圅靳
3089	師克旅盨二	干害王身、乍爪牙。 王曰
3089	師克旅盨二	牙僰、駒車、桒較、朱虢、圅靳
5791	十三年瘐壺一	牙僰、赤舄
5792	十三年瘐壺一	牙僰、赤舄
7960	寶小器一	牙八王遣
7961	寶小器一	牙八王遣
7962	寶小器二	牙八王遣
7963	寶小器四	牙八王遣
7964	寶小器五	牙八王遣
7966	寶小器六	牙八王遣
7967	寶小器七	牙八王遣
7968	寶小器八	牙八王遣
7969	寶小器九	牙八王遣
7970	寶小器十	牙八王遣
7971	寶小器十一	牙八王遣
7973	寶小器十二	牙八王遣

小計：共 22 筆

0297

1311	師晨鼎	王乎乍冊尹冊令師晨足師俗嗣邑人
1315	善鼎	王曰：善、昔先王既令女左足𩵦侯
1315	善鼎	令女左足𩵦侯、監𩵦師戍
1330	曶鼎	余無卣具寇足□
2762	免毁	令女足周師、嗣(司辭)歔
2776	走毁	徒𢦏足□
2784	申毁	足大祝
2831	元年師兌毁一	足師龢父
2832	元年師兌毁二	足師龢父
2854	蔡毁	令女眔曶：𢦏足對各
7158	瘐鐘一	克明氒心足尹
7160	瘐鐘三	克明氒心足尹
7161	瘐鐘四	克明氒心足尹
7162	瘐鐘五	克明氒心足尹

小計：共 14 筆

0298

5801	洹子孟姜壺一	爾其躋受御
5802	洹子孟姜壺二	爾其躋受御
7186	叔夷編鐘五	是_恭躋
7213	𩯨鎛	躋中之子𩯨乍子中姜寶鎛
7213	𩯨鎛	皇丂躋中、皇母
7214	叔夷鎛	是_恭躋

小計：共 6 筆

0299

7558	十四年奠令戈	十四年奠命趙距司寇王造武庫
7559	十五年奠令戈	十五年奠命趙距司寇□章右庫
7561	十七年奠令戈	十七年奠命幽距司寇彭璋武庫
7822	距末一	用乍距_

小計：共 4 筆

0300

5785	史懋壺	親令史懋路筮、咸

小計：共 1 筆

0301

7975	中山王墓兆域圖	丘欧
7975	中山王墓兆域圖	丘欧
7975	中山王墓兆域圖	丘欧

7975	中山王墓兆域圖	丘欧
7975	中山王墓兆域圖	丘欧
7975	中山王墓兆域圖	從丘欧目至内宮六步
7975	中山王墓兆域圖	從丘欧目至内宮六步
7975	中山王墓兆域圖	從丘欧目至内宮六步
7975	中山王墓兆域圖	從丘欧目至内宮六步
7975	中山王墓兆域圖	從丘欧至内宮廿四步
7975	中山王墓兆域圖	從丘欧目至内宮六步
7975	中山王墓兆域圖	從丘欧目至内宮六步
7975	中山王墓兆域圖	從丘欧至内宮廿四步

小計：共 14 筆

品 0302

1210	帝＿鼎	庚午王命帝＿省北田四品
1329	小字盂鼎	凡區囗品
1533	尹姞賓鬲一	易玉五品、馬四匹
1534	尹姞賓鬲二	易玉五品、馬四匹
2764	㸚𣪘	易臣三品：州人、重人、章人
4876	保尊	征兄六品
5495	保卣	征兄六品
5495	保卣	征兄六品
6784	三十四祀盤（祼盤）	鮮蔑郿、王戭郿玉三品、貝廿朋

小計：共 9 筆

喿 0303

J1455	弔喿父𣪘	弔喿父乍寶𣪘

小計：共 1 筆

龠 0304

1233	＿鼎	攻龠無啻（敵）
4447	臣辰冊冊⺈乍冊父癸盉	隹王大龠于宗周
4873	臣辰冊岗冊乍父癸尊	隹王大龠于宗周俈饔莽京年
5501	臣辰冊冊⺈卣一	隹王大龠于宗周
5502	臣辰冊冊⺈卣二	隹王大龠于宗周
6793	矢人盤	小門人繇、原人虞艿、淮嗣工虎、孝龠
7112	者減鐘一	皇熒于我霝龠
7113	者減鐘二	皇協于我霝龠

小計：共 8 筆

龢 0304

1211	庚兒鼎一	用龢用J3

1212	庚兒鼎二	用龢用J3
1286	大夫始鼎	隹三月初吉甲寅、王才龢宮
2815	師毀殷	白龢父若曰
2830	三年師兌殷	余既令女正師龢父
2831	元年師兌殷一	足師龢父
2832	元年師兌殷二	足師龢父
2838	師嫠殷一	師龢父□
2839	師嫠殷二	師龢父□
2856	師訇殷	盭龢孚政
4199	龢乍白父辛爵	龢乍召白父辛寶尊彝
4887	蔡侯[illegible]尊	康諧龢好
5731	邛君婦龢壺	邛君婦龢乍其壺
6788	蔡侯[illegible]盤	康諧龢好
6792	史墻盤	初盭龢于政
6973	益公鐘	益公為楚氏龢鐘
6974	鄦侯鐘	鄦侯自乍龢鐘用
6975	魯遵鐘	魯遵乍龢鐘用亯考
6978	鄭井叔鐘	鄭井叔乍靈龢鐘用綏賓
6979	鄭井叔鐘二	鄭井叔乍靈龢鐘用綏賓
6981	中義鐘一	中義乍龢鐘
6982	中義鐘二	中義乍龢鐘
6983	中義鐘三	中義乍龢鐘
6984	中義鐘四	中義乍龢鐘
6985	中義鐘五	中義乍龢鐘
6986	中義鐘六	中義乍龢鐘
6987	中義鐘七	中義乍龢鐘
6988	中義鐘八	中義乍龢鐘
6999	昆疕王鐘	昆疕王用貝乍龢鐘
7000	邾君鐘	用自乍其龢鐘鈴
7016	楚王鐘	楚王媵邛中嬭南龢鐘
7023	虘鐘三	用乍朕文考釐白龢林鐘
7026	邾叔鐘	邾叔止白□睪氒吉金用乍其龢鐘
7028	臧孫鐘	自乍龢鐘
7029	臧孫鐘二	自乍龢鐘
7030	臧孫鐘三	自乍龢鐘
7031	臧孫鐘四	自乍龢鐘
7032	臧孫鐘五	自乍龢鐘
7033	臧孫鐘六	自乍龢鐘
7034	臧孫鐘七	自乍龢鐘
7035	臧孫鐘八	自乍龢鐘
7036	臧孫鐘九	自乍龢鐘
7037	遲父鐘	遲父乍姬齊姜龢林鐘
7049	井人鐘三	宗室、肆妄乍龢父大林鐘
7050	井人鐘四	肆妄乍龢父大林鐘
7051	子璋鐘一	自乍龢鐘
7052	子璋鐘二	自乍龢鐘
7053	子璋鐘三	自乍龢鐘
7054	子璋鐘四	自乍龢鐘
7055	子璋鐘五	自乍龢鐘
7056	子璋鐘六	自乍龢鐘

7057	子璋鐘八	自乍龢鐘
7058	邾公孫班鐘	為其龢鎛
7082	齊鮑氏鐘	自乍龢鐘
7084	邾公牼鐘一	自乍龢鐘
7084	邾公牼鐘一	鑄辝龢鐘二堵
7085	邾公牼鐘二	自乍龢鐘
7085	邾公牼鐘二	鑄辝龢鐘二堵
7086	邾公牼鐘三	自乍龢鐘
7086	邾公牼鐘三	鑄辝龢鐘二堵
7087	邾公牼鐘四	自乍龢鐘
7087	邾公牼鐘四	鑄辝龢鐘二堵
7112	者減鐘一	卑龢卑孚
7112	者減鐘一	龢龢倉倉
7113	者減鐘二	卑龢卑孚
7113	者減鐘二	龢龢倉倉
7117	邻黻兒鐘一	台鑄龢鐘
7119	邻儔兒鐘三	台以鑄龢鐘
7121	邻王子旃鐘	自乍龢鐘
7122	梁其鐘一	用乍朕皇且考龢鐘
7124	流兒鐘	自乍龢鐘
7124	流兒鐘	龢逾百生
7150	虢叔旅鐘一	用乍朕皇考叀弔大𬪩龢鐘
7151	虢叔旅鐘二	用乍朕皇考叀弔大𬪩龢鐘
7152	虢叔旅鐘三	用乍朕皇考叀弔大𬪩龢鐘
7153	虢叔旅鐘四	用乍朕皇考叀弔大𬪩龢鐘
7156	虢叔旅鐘七	朕皇考叀弔大𬪩龢鐘
7157	邾公華鐘一	用鑄氒龢鐘
7157	邾公華鐘一	鑄其龢鐘
7158	㾓鐘一	敢乍文人大寶𬩽龢鐘
7159	㾓鐘二	皇考丁公龢𬪩鐘
7160	㾓鐘三	敢乍文人大寶𬩽龢鐘
7161	㾓鐘四	敢乍文人大寶𬩽龢鐘
7162	㾓鐘五	敢乍文人大寶𬩽龢鐘
7163	㾓鐘六	初盭龢于政
7164	㾓鐘七	肇乍龢林鐘用
7174	秦公鐘	盭(戾)龢胤士
7174	秦公鐘	乍氒龢鐘
7175	王孫遺者鐘	自乍龢鐘
7175	王孫遺者鐘	闌闌龢鐘
7175	王孫遺者鐘	龢猱民人
7177	秦公及王姬編鐘一	盭(戾)龢胤士
7178	秦公及王姬編鐘二	乍氒龢鐘
7181	秦公及王姬編鐘六	乍氒龢鐘
7182	叔夷編鐘一	戮龢三
7187	叔夷編鐘六	龢𬩽而又事
7209	秦公及王姬鎛	盭(戾)龢胤士
7209	秦公及王姬鎛	乍氒龢鐘
7210	秦公及王姬鎛二	盭(戾)龢胤士
7210	秦公及王姬鎛二	乍氒龢鐘
7211	秦公及王姬鎛三	盭(戾)龢胤士

7211	秦公及王姬鎛三	乍氒龢鐘
7212	秦公鎛	竈龢萬民
7212	秦公鎛	乍盄龢
7214	叔夷鎛	勠龢三軍徒旃
7214	叔夷鎛	龢竈而又事
M612	鄦子鐘	穆穆龢鐘
		小計：共 107 筆

0306

1283	微䜌鼎	用易康勵魯休
1291	善夫克鼎一	用匄康勵屯右
1292	善夫克鼎二	用匄康勵屯右
1293	善夫克鼎三	用匄康勵屯右
1294	善夫克鼎四	用匄康勵屯右
1295	善夫克鼎五	用匄康勵屯右
1296	善夫克鼎六	用匄康勵屯右
1297	善夫克鼎七	用匄康勵屯右
1327	克鼎	勵克王服
J1644	縈伯段	用𣪘匄康勵屯右
2763	弔向父禹段	勵于永令
2840	番生段	勵于大服
7007	梁其鐘	勵于永令
7008	通彔鐘	勵于永令
7088	士父鐘一	勵于永□
7089	士父鐘二	勵于永□
7090	士父鐘三	勵于永□
7091	士父鐘四	勵于永□
7159	瘐鐘二	勵于永令
7165	瘐鐘八	勵于永
		小計：共 20 筆

0307

4201	盟舟思爵	盟舟綸＿乍氒且乙寶宗彝
		小計：共 1 筆

0307+

4743	曾侯乙編鐘中三・四	割肄之鍣
		小計：共 1 筆

0308

0251	冊𡚸鼎	[冊𡚸]
0254	𡚴冊鼎	[𡚴冊]
0258	衛鼎	[衛冊攸]
0555	陸冊父甲鼎	[陸冊]父甲
0644	疋癸父冊鼎	[疋冊]父癸
0654	__父丁冊方鼎	[bc]父丁冊
0684	子冊__父辛鼎	[子冊__]父辛
0754	臣辰𠬪冊父乙鼎	[臣辰𠬪冊]父乙
0760	戣冊乍父己鼎	[戣冊]乍父己彝
0848	木工乍妣戊鼎	木工乍匕戊饗[冊]
0856	大保冊鼎	[冊]乍寶尊彝[大保]
0881	𡢁乍父庚鼎	𡢁乍父庚鬲[𢉅冊]
0926	趞乍文父戊鼎	趞乍文父戊尊彝[𠭯冊]
1037	乍冊𦉢鼎	康侯才㢴自易乍冊𦉢貝
1139	寓鼎	易乍冊寓□__寓拜稽首、對王休
1210	𢑴__鼎	乍冊友史易𪔂貝
1255	作冊大鼎一	公賞乍冊大白馬
1256	作冊大鼎二	公賞乍冊大白馬
1257	作冊大鼎三	公賞乍冊大白馬
1258	作冊大鼎四	公賞乍冊大白馬
1290	利鼎	王乎乍命內史冊令利曰
1300	南宮柳鼎	王乎乍冊尹冊令柳𤔲六自牧、陽、大□
1305	師奎父鼎	王乎內史駒冊命師奎父
1306	無叀鼎	王乎史翏冊令無叀曰：官𤔲Lk王lJ側虎臣
1309	𧜵鼎	王呼史減冊
1311	師晨鼎	王乎乍冊尹冊令師晨足師俗𤔲邑人
1312	此鼎一	王乎史翏冊令此曰
1313	此鼎二	王呼史翏冊令此曰
1314	此鼎三	王呼史翏冊令此曰
1317	善夫山鼎	王乎史桒冊令山
1317	善夫山鼎	受冊佩目出
1319	頌鼎一	王呼史虢生冊令頌
1319	頌鼎一	受令冊、佩以出
1320	頌鼎二	王呼史虢生冊令頌
1320	頌鼎二	受令冊、佩以出
1321	頌鼎三	王呼史虢生冊令頌
1321	頌鼎三	受令冊、佩以出
1327	克鼎	王呼尹氏冊令善夫克
1634	𠭯冊𠚤乍母戊甗	[𠭯冊]𠚤乍母戊彝
1661	乍冊般甗	王賞乍冊般貝
1661	乍冊般甗	用乍父己尊[來冊]
2138	冊亳戈父丁𣪘	[戈亳冊]父丁
2331	棪冊__乍丁癸𣪘	vovp乍丁癸尊彝[棪冊]
2334	頌𣪘	[𠭯樊]受冊令頌其寶彝
2357	𢉅冊𢆶𡚸𣪘	𢆶𡚸𣪘用乍𠣪辛𣪘[𢉅冊]
2711.	乍冊般𣪘	成王商乍冊__貝十朋
2725	師毛父𣪘	井白右、大史冊命
2762	免𣪘	王受乍冊尹者(書)
2762	免𣪘	卑冊令免曰
2765	𣪕𣪘	內史尹冊

2768	楚毀	内史尹氏冊命楚
2769	師耤毀	王乎内史尹氏冊命師耤
2771	弭弔師求毀一	王乎尹氏冊命師求
2772	弭弔師求毀二	王乎尹氏冊命師求
2775.	害毀一	王冊命宰曰
2775.	害毀二	王冊命宰曰
2776	走毀	王乎乍冊尹冊令□
2784	申毀	王命尹冊命申更乃且考
2785	王臣毀	乎内史先冊命王臣
2787	望毀	王乎史年冊令望
2787	望毀	王呼史年冊令望
2791	豆閉毀	王乎内史冊命豆閉
2792	師俞毀	王乎乍冊内史冊令師俞
2793	元年師旋毀一	王乎乍冊尹冊命師旋曰
2794	元年師旋毀二	王乎乍冊尹冊命師旋曰
2795	元年師旋毀三	王乎乍冊尹冊命師旋曰
2796	諫毀	王乎内史q4冊命諫曰
2796	諫毀	王乎内史先冊命諫曰
2797	輔師嫠毀	王乎乍冊尹冊令嫠曰
2798	師瘨毀一	王乎内史吳冊令師瘨曰
2799	師瘨毀二	王乎内史吳冊令師瘨曰
2800	伊毀	王乎命尹封冊命伊
2803	師酉毀一	王乎史冊冊命師酉
2804	師酉毀二	王乎史冊冊命師酉
2804	師酉毀二	王乎史冊冊命師酉
2805	師酉毀三	王乎史冊冊命師酉
2806	師酉毀四	王乎史冊冊命師酉
2806.	師酉毀五	王乎史冊冊命師酉
2807	鄁毀一	王乎内史冊命鄁
2808	鄁毀二	王乎内史冊命鄁
2809	鄁毀三	王乎内史冊命鄁
2810	揚毀一	王乎内史史q4冊令揚
2811	揚毀二	王乎内史史q4冊令揚
2814	鳥冊矢令毀一	乍冊矢令尊俎于王姜
2814.	矢令毀二	乍冊矢令尊俎于王姜
2817	師穎毀	王乎内史遺冊令師穎
2818	此毀一	王呼史翏冊令此曰
2819	此毀二	王呼史翏冊令此曰
2820	此毀三	王呼史翏冊令此曰
2821	此毀四	王呼史翏冊令此曰
2822	此毀五	王呼史翏冊令此曰
2823	此毀六	王呼史翏冊令此曰
2824	此毀七	王呼史翏冊令此曰
2825	此毀八	王呼史翏冊令此曰
2829	師虎毀	王乎内史吳曰冊令虎
2830	三年師兌毀	王乎内史尹冊令師兌
2831	元年師兌毀一	王乎内史尹冊令師兌
2832	元年師兌毀二	王乎内史尹冊令師兌
2838	師嫠毀一	王乎尹氏冊令師嫠
2838	師嫠毀一	王乎尹氏冊令師嫠

2839	師𤸫毁二	王乎尹氏冊令師𤸫
2839	師𤸫毁二	王乎尹氏冊令師𤸫
2844	頌毁一	王乎史虢生冊令頌
2844	頌毁一	頌拜䭫首受令冊
2845	頌毁二	王乎史虢生冊令頌
2845	頌毁二	頌拜䭫首受令冊
2845	頌毁二	王乎史虢生冊令頌
2845	頌毁二	頌拜䭫首受令冊
2846	頌毁三	王乎史虢生冊令頌
2846	頌毁三	頌拜䭫首受令冊
2847	頌毁四	王乎史虢生冊令頌
2847	頌毁四	頌拜䭫首受令冊
2848	頌毁五	王乎史虢生冊令頌
2848	頌毁五	頌拜䭫首受令冊
2849	頌毁六	王乎史虢生冊令頌
2849	頌毁六	頌拜䭫首受令冊
2850	頌毁七	王乎史虢生冊令頌
2850	頌毁七	頌拜䭫首受令冊
2851	頌毁八	王乎史虢生冊令頌
2851	頌毁八	頌拜䭫首受令冊
2854	蔡毁	王乎史尤冊令蔡
2857	牧毁	王乎內史吳冊令牧
3083	𤸫毁（ 諆 ）一	王乎史年冊
3084	𤸫毁（ 諆 ）二	王乎史年冊
3209	冊爵一	[冊]
3210	冊爵二	[冊]
3211	冊爵三	[冊]
3655	庚冊爵	[庚冊]
4074	庚冊父丁爵	[庚冊]父丁
4076	柬冊父丁爵	[柬冊]父丁
4078	父丁困冊爵	父丁[困冊]
4084	㫚冊父己爵	[冊]丁[㫚][守冊]父己
4116	王冊父丁爵	[壬冊]父丁
4227	父己冊角	父己[冊]
4231	陸冊父乙角	[陸冊]父乙
4405	宁未父乙冊盉	父乙[宁未冊]
4427	栨冊汏乍父乙盉一	汏乍父乙尊彝[栨冊]
4428	栨冊汏乍父乙盉二	汏乍父乙尊彝[栨冊]
4633	_冊宫尊	[a5冊宫]
4722	冊□宁父辛方尊	[冊□宁]父辛
4812	冊㚢乍父乙尊	冊㚢乍父乙寶尊彝[炣]
4836	_䍐乍父乙尊	䍐戓吏□用乍父乙旅尊彝[冊ap]
4864	乍冊𤔲尊	公易乍冊𤔲鬯、貝
4867	鋈睘尊	才序、君令余乍冊睘安尸（ 夷 ）白
4875	㫃折尊	令乍冊㫃（ 折 ）兄望土于相侯
4886	趞尊	王乎內史冊令趞更氒且考服
4890	盠方尊	王冊令尹
4892	麥尊	乍冊麥易金于辟侯
4893	矢令尊	乍冊令、敢揚明公尹氒宦
4893	矢令尊	用乍父丁寶尊彝、敢追明公賞于父丁[鳥冊

4894	冊觥	[冊]
4922	亞它扎觥	[亞它]扎乍𧶠逆王望器[冊]
4928	折觥	令乍冊忻(折)兄望土于梱侯
4970	乍冊宅方彝	[亞㝈㝈箙箙𦃫]乍冊宅乍彝
4976	折方彝	令乍冊忻(折)兄望土于梱侯
4978	吳方彝	宰朏右乍冊吳入門
4978	吳方彝	王乎史戊冊令吳
4979	盠方彝一	王冊令尹
4980	盠方彝二	王冊令尹
4981	矗冊令方彝	乍冊令、敢揚明公尹厥宦
4981	矗冊令方彝	用光父丁[矗冊]
4997	衛卣	[衛冊𢽎]癸
4998	衛卣	[衛冊𢽎]
5095	冊徙卣	[冊徙]
5098	冊告卣	[冊告]
5121	冊父己卣	[冊]父乙
5181	癸衛冊卣	癸[衛冊𢽎]
5230	陸冊父乙卣	[陸冊]父乙
5231	父乙衛冊卣	[衛冊𢽎]父乙
5284	遣冊子𥠖卣	遣冊子𥠖
5302	𠈉木父辛冊卣	[𠈉木父辛冊]
5397	弔夫冊卣	弔夫父冊乍寶彝
5474	劉卣	公易乍冊劉鬯、貝
5474	劉卣	公易乍冊劉鬯、貝
5475	六祀𨚕其卣	乙亥、𨚕其易乍冊擊C01埴
5484	乍冊睘卣	王姜令乍冊睘安尸白
5484	乍冊睘卣	王姜令乍冊睘安尸白
5507	乍冊魖卣	賚乍冊魖馬
5510	乍冊嗌卣	乍冊嗌乍父辛尊
5546	__見冊罍	[__見冊]
5684	梌__汱父乙壺	汱父乙彝[梌冊]
5791	十三年癲壺一	王乎乍冊尹冊易癲畫靳
5792	十三年癲壺一	王乎乍冊尹冊易癲畫靳
5798	智壺	王乎尹氏冊令智曰
5799	頌壺一	王乎史虢生冊令頌
5799	頌壺一	受令冊佩以出
5800	頌壺二	王乎史虢生冊令頌
5800	頌壺二	受令冊佩以出
6117	廟冊觚	[廟冊]
6177	__乙冊宮觚一	[a4乙冊宮]
6178	__乙冊宮觚二	[a4乙冊宮]
6217	冊关父甲觚	[冊关]父甲
6218	冊正父乙觚	[冊正]父乙
6223	冊大父己觚	[冊大]父己
6230	力冊父丁觚	[力冊]父丁
6246	子工冊木觚	[冊木子工]
6254	廟冊父庚正觚	[廟冊]父庚[正]
6256	京戈冊父乙觚	[京戈冊]父乙
6589	廟冊父乙觶	廟乍父乙[冊]
6621	冊木工乍母甲觶	[冊杠]乍母甲尊彝

6722	彭生盤	彭生乍皋文考辛寶尊彝[冊光白尹]
6778	免盤	令乍冊内史易免鹵百s1
6787	走馬休盤	王乎乍冊尹冊易休玄衣黹屯
6789	寰盤	王乎史qr冊易寰玄衣黹屯
6800	冊妌匜	[冊妌]
6820	冊物匜	物乍父乙寶尊彝[冊妌]
M423.	趞鼎	王乎内史19冊易趞玄衣黹屯
		小計：共　207 筆

嗣　0309

1008	虎嗣君鼎	虎嗣君常罨其吉金
1219	戉嗣子鼎	王賞戉學(嗣子)貝廿朋
1328	盂鼎	在珷王嗣玟乍邦
1328	盂鼎	令女盂井乃嗣且南公
2726	曶餿	曰：用嗣乃且考吏
3100	陳侯因資錞	侎嗣超文
5781	曾姬無卹壺一	後嗣甬(用)之
5782	曾姬無卹壺二	後嗣甬(用)之
5803	胤嗣好蚉壺	胤嗣好蚉敢明揚告
5805	中山王譽方壺	以警嗣王
5805	中山王譽方壺	卲告後嗣
5805	中山王譽方壺	以戒嗣王
		小計：共　12 筆

學　0309+

M707	曾侯乙編鐘下一・三	龢學之羽曾
M708	曾侯乙編鐘下二・一	龢學之羽角
M709	曾侯乙編鐘下二・二	龢學之宮
M709	曾侯乙編鐘下二・二	龢學之才楚號為新鐘
M709	曾侯乙編鐘下二・二	龢學之宮角
M710	曾侯乙編鐘下二・三	龢學之商
M714	曾侯乙編鐘下二・八	龢學之羽徵
M738	曾侯乙編鐘中二・十一	龢學之宮
M738	曾侯乙編鐘中二・十一	龢學之才楚為新鐘
M741	曾侯乙編鐘中三・二	龢學之宮
M741	曾侯乙編鐘中三・二	龢學之才楚號為新鐘
M745	曾侯乙編鐘中三・六	龢學之變商
M749	曾侯乙編鐘中三・十	龢學之羽曾
M765	曾侯乙編鐘上三・四	宮、徵曾，龢學之宮，
		小計：共　14 筆

䣛　0310

1323	師訊鼎	休白大師肩䣛
1323	師訊鼎	白亦克款古先且蠱孫子一䣛皇辟懿德

小計：共 2 筆

0311

1332 毛公鼎 [illegible][illegible]四方

小計：共 1 筆

第二卷總計：共 **7013** 筆

囂
器

青銅器銘文檢索卷三

囂 0312

1331	中山王嚳鼎	母(毋)眔而囂
6770	囂白盤	囂白媵(賸)贏尹母
7867.	龍__	羅其囂(敖)滅(臧)宂
7867.	龍__	連囂(敖)屈__

小計：共 4 筆

器 0313

0633	龏乍寶器鼎	龏乍寶器
0723	__律乍寶鼎	qt律乍寶器
1030	鄁子員鼎	鄁子夷為其行器
1207	眉__鼎	用為寶器
1230	師器父鼎	師器父乍尊鼎
1230	師器父鼎	師器父其萬年
1247	函皇父鼎	函皇父乍琱媍般、盉尊器、鼎、毁具
1274	哀成弔鼎	乍鑄飤器黃鑊
1445	楚君鬲	楚君乍弔qywj賸器寶J2
2598	燮乍宮仲念器	用乍宮中念器
2645	周客毁	用為寶器
2678	函皇父毁一	盤、盉、尊器、毁、鼎
2679	函皇父毁二	盤、盉、尊器、毁、鼎
2680	函皇父毁三	盤、盉、尊器、毁、鼎
2680.	函皇父毁四	盤、盉、尊器、毁、鼎
2681	鄘侯毁	媚乍皇妣qJ君中改祭器八毁
2682	陳侯午毁	陳侯午台群者侯□鑄乍皇妣□大妃祭器
2710	肆自乍寶器一	用自乍寶器
2711	肆自乍寶器二	用自乍寶器
2721	䎁毁	王命䎁眔弔緐父歸吳姬飴器
2833	秦公毁	元器一斗七升、__毁
J1442	叨孳毁	(拓本未見)
2894	曾子㒸行器一	曾子㒸自作行器
2895	曾子㒸行器二	曾子㒸自乍行器
2896	曾子㒸行器三	曾子㒸自乍行器
2897	白彊行器	白彊為皇氏白行器
2920.	白多父匜	白多父乍成姬多母霝盨器
2965	曾侯乍弔姬賸器𪔛彝	曾侯乍弔姬邛孎賸器𪔛彝
2984	伯公父盤	其子子孫孫永寶用啚(器)
2985	陳逆匿一	台(以)乍氒元配季姜之祥器
2985.	陳逆匿二	台(以)乍氒元配季姜之祥器
2985.	陳逆匿三	台(以)乍氒元配季姜之祥器
2985.	陳逆匿四	台(以)乍氒元配季姜之祥器
2985.	陳逆匿五	台(以)乍氒元配季姜之祥器
2985.	陳逆匿六	台(以)乍氒元配季姜之祥器
2985.	陳逆匿七	台(以)乍氒元配季姜之祥器
2985.	陳逆匿八	台(以)乍氒元配季姜之祥器

2985.	陳逆匿九	台(以)乍氒元配季姜之祥器
2985.	陳逆匿十	台(以)乍氒元配季姜之祥器
3039	白多父盨	白多父乍戌姬多母寶氒器
3081	翏生旅盨一	孚戎器、孚金
3082	翏生旅盨二	孚戎器、孚金
3082	翏生旅盨二	孚戎器、孚金
3097	陳侯午錞錞一	乍皇妣孝大妃祭器sk錞台登台嘗
3098	陳侯午錞錞二	乍皇妣孝大妃祭器sk錞台登台嘗
3099	十年陳侯午臺(器)	用乍平壽造器臺台登台嘗
3100	陳侯因咨錞	用乍孝武桓公祭器錞
4817	智尊	智乍文考日庚寶尊器
4922	亞它乩觥	[亞它]乩乍醬逆王望器[冊]
5484	乍冊睘卣	用乍文考癸寶尊器
5484	乍冊睘卣	用乍文考癸寶尊器
5759	趙孟壺一	台(目)為祠器
6708	白醽父乍用器盤	白醽父自乍用器
6730	仲乩盤	用乍中寶器
6766	黃韋艅父盤	黃韋俞父自乍飤器
6783	函皇父盤	函皇父乍琱娟般盉、尊器
6793	矢人盤	我既付散氏田器
6919	子弔羸內君寶器	子弔羸內君乍寶器
7084	邾公牼鐘一	分器是寺
7085	邾公牼鐘二	分器是寺
7086	邾公牼鐘三	分器是寺
7087	邾公牼鐘四	分器是寺
7157	邾公華鐘一	元器其舊
7977	大廎銅牛	大廎之器
7988	龔乍寶器	龔乍寶器
M685	曾子伯__鼎	曾子伯__鑄行器

小計：共 66 筆

0314

1332	毛公鼎	以乃族干(扞)吾王身
2452	女𡡃毁	母𡡃堇干王、癸日
2694	虘乍且考毁	易䜌冑、干戈
2731	小臣宅毁	白易小臣宅畫干戈九
2856	師訇毁	率以乃友干吾王身
3088	師克旅盨一(蓋)	干害王身、乍爪牙
3089	師克旅盨二	干害王身、乍爪牙
4042.	亞干示爵	[亞干示]
4321	氒田干斝	[氒田干]
4446	麥盉	井侯光氒吏麥萬干麥宮
6038	干建觚	[干建]
6227	干父丁觚	[干建]父丁
6757	干氏弔子盤	干氏弔子乍中姬客母媵般

小計：共 13 筆

屰　0315

0139	屰鼎	[屰]
0139.	屰鼎	[屰]
3400	亞屰爵	[亞屰]父丁
3526	癸屰爵	癸[屰]
3583	▲屰爵	[▲屰]
3584	▲屰爵	[▲屰]
3586	亞屰爵	[亞屰]
4004	屰父戊爵	[屰]父戊
4005	屰父辛爵	[屰]父辛
4093	屰目父癸爵三	[屰目]父癸
4094	屰目父癸爵一	[屰目]父癸
4095	屰目父癸爵二	[屰目]父癸
5076	亞屰卣	[亞屰]

小計：共　13 筆

商　0316

0984	𩰫姛乍父乙鼎一	𩰫始商易貝于司
0985	𩰫姛乍父乙鼎二	𩰫始商易貝于司
1009	鄧侯鼄鼎	商、用乍旅鼎
1011	彥乍父丁鼎	丁卯、尹商彥貝三朋
1089	女䜌方鼎	癸日、商䜌貝二朋
1117	豐乍父丁鼎	乙未、王商宗庚豐貝二朋
1124	玐乍父庚鼎一	叀弔商(賞)揚馬
1125	玐乍父庚鼎二	叀弔商(賞)揚馬
1135	獻侯乍丁侯鼎一	商(賞)獻侯䫄貝
1136	獻侯乍丁侯鼎二	商(賞)獻侯䫄貝
1158	小子__鼎	王商貝、才𨛭師次
1208	乙亥乍父丁方鼎	唯各、商貝
1209	嬰方鼎	㚸商又正嬰嬰貝
1209	嬰方鼎	嬰揚㚸商
1219	戍嗣子鼎	丙午、王商(賞)戍嗣(嗣子)貝廿朋
1322	九年裘衛鼎	舍顏有嗣壽商䵼、裘盠冟
1322	九年裘衛鼎	壽商眔啻日
1322	九年裘衛鼎	壽商口
J797	師鼎	商隹文母魯公孫用貞(鼎)
1503	御鬲	王pa商御貝
1613	奘商婦甗	商婦乍彝[奘]
1616.	子商亞羌乙甗	子商[亞羌乙]
1661	乍冊般甗	王商(賞)乍冊般貝
2452	女䜌段	商䜌貝朋
2544	亞𦣞乍父乙段	王pa商卿沚貝
2567.	戊寅段	王商易天子休
2611	𢦚㵔𤔲土吳段	王朿伐商邑
2647	魯士商𣪕段	魯士商𣪕肈乍朕皇考弔𣪕父尊段
2671	利段	珷征商
2671	利段	聞夙又商

2704	穆公毀	迺自商𠂤復還至于周□
2711.	乍冊般毀	成王商乍冊＿貝十朋
2814	鳥冊夨令毀一	姜商令貝十朋、臣十家、鬲百人
2814.	夨令毀二	姜商令貝十朋、臣十家、鬲百人
2828	宜侯夨毀	王省珷（ 武 ）王、成王伐商圖
2828	宜侯夨毀	易鬯一、商瓚一肆
2927	商丘弔旅匿一	商丘弔乍其旅匿
2928	商丘弔旅匿一二	商丘弔乍其旅匿
3087	鬲从盨	u5（ 其 ）邑役眔句商兒眔讎戈
4240	亞未乍父辛角	丁未𡔖商征貝
4726	商乍父丁吾尊	商乍父丁吾尊
4863	㚸乍父乙尊	商（ 賞 ）㚸貝
4870	𡚱商尊	帝后賞商庚姬貝卅朋
4870	𡚱商尊	玆廿寽商
4887	蔡侯𩐁尊	霝頌JJ商
4891	何尊	隹珷王既克大邑商
5439	小臣豐乍父乙卣	商小臣者貝
5450	天黿盟乍父辛卣	宜之商盟
5471	𡚱小子省乍父己卣	甲寅子商小子省貝五朋
5471	𡚱小子省乍父己卣	省揚君商
5471	𡚱小子省乍父己卣	甲寅子商小子省貝五朋
5471	𡚱小子省乍父己卣	省揚君商
5479	𡚱商乍文辟日丁卣	商用乍文辟日丁寶尊彝［ 𡚱 ］
5494	𡚱𧶠乍母辛卣	子光商𧶠貝二朋
5804	齊侯壺	商之台邑嗣衣裘車馬
5804	齊侯壺	商之台兵執車馬
6384	帚嫡觶	［ 婦商 ］
6631	小臣單觶一	王後J6克商、才成𠂤
6752	取膚子商盤	取虘s6商鑄般
6788	蔡侯𩐁盤	霝頌JJ商（ 商 ）
6853	取膚＿商它	取虘s6商鑄它
7017	楚王酓章鐘一	其永時用享穆商、商
7107	曾侯乙甬鐘	穆音之商
7174	秦公鐘	商宅受或
7177	秦公及王姬編鐘一	商宅受或
7179	秦公及王姬編鐘四	商宅受或□□□□□□
7180	秦公及王姬編鐘五	商宅受或□□□□□□
7209	秦公及王姬鎛	商宅受或
7210	秦公及王姬鎛二	商宅受或
7211	秦公及王姬鎛三	商宅受或
7217	姑馮句鑃	自乍商句鑃
7231	商汲戈	［ 商汲 ］
7057	九年鄭令向佃矛	九年奠命向佃司寇□商
7822	距末一	國差商（ 賞 ）末
7899	鄂君啟車節	為鄂君啟之質商鑄金節
7900	鄂君啟舟節	為鄂君啟之質商鑄金節
4705	曾侯乙編鐘下一・一	穆鐘之湆商
4705	曾侯乙編鐘下一・一	濁坪皇之商
4705	曾侯乙編鐘下一・一	濁坪皇之湆商
4706	曾侯乙編鐘下一・二	曾侯乙乍時，商、羽曾，

商

M706	曾侯乙編鐘下一·二	黃鐘之商角
M706	曾侯乙編鐘下一·二	文王之變商
M707	曾侯乙編鐘下一·三	為穆音變商
M707	曾侯乙編鐘下一·三	為坪皇變商
M708	曾侯乙編鐘下二·一	為剌音變商
M709	曾侯乙編鐘下二·二	曾侯乙乍時，商角、商曾，
M709	曾侯乙編鐘下二·二	割肄之商角
M709	曾侯乙編鐘下二·二	割肄之商曾
M710	曾侯乙編鐘下二·三	犀則之商
M710	曾侯乙編鐘下二·三	嬴孠之商
M711	曾侯乙編鐘下二·四	曾侯乙乍時，商、羽曾，
M711	曾侯乙編鐘下二·四	黃鐘之商角
M711	曾侯乙編鐘下二·四	文王之變商
M711	曾侯乙編鐘下二·四	符于索商之顊
M712	曾侯乙編鐘下二·五	大族之商
M712	曾侯乙編鐘下二·五	妥賓之商曾
M712	曾侯乙編鐘下二·五	為坪皇變商
M713	曾侯乙編鐘下二·七	鄦音之變商
M714	曾侯乙編鐘下二·八	新鐘之變商
M714	曾侯乙編鐘下二·八	音為穆音變商
M715	曾侯乙編鐘下二·九	坪皇之商
M715	曾侯乙編鐘下二·九	新鐘之商曾
M715	曾侯乙編鐘下二·九	新鐘之湆商
M715	曾侯乙編鐘下二·九	新鐘之商
M716	曾侯乙編鐘下二·十	曾侯乙乍時，商、羽曾，
M716	曾侯乙編鐘下二·十	割肄之湆商
M716	曾侯乙編鐘下二·十	濁文王之商
M719	曾侯乙編鐘中一·三	曾侯乙乍寺（時），少商，羽曾，
M719	曾侯乙編鐘中一·三	割肄之少商
M720	曾侯乙編鐘中一·四	新鐘之商顊
M721	曾侯乙編鐘中一·五	坪皇之少商
M721	曾侯乙編鐘中一·五	濁新鐘之商
M722	曾侯乙編鐘中一·六	曾侯乙乍寺（時），商、羽曾，
M722	曾侯乙編鐘中一·六	割肄之商
M722	曾侯乙編鐘中一·六	濁文王之少商
M723	曾侯乙編鐘中一·七	穆鐘之商
M723	曾侯乙編鐘中一·七	濁坪皇之商
M723	曾侯乙編鐘中一·七	濁坪皇之少商
M724	曾侯乙編鐘中一·八	濁割肄之商
M725	曾侯乙編鐘中一·九	濁穆鐘之商
M726	曾侯乙編鐘中一·十	坪皇之商
M726	曾侯乙編鐘中一·十	新鐘之商曾
M726	曾侯乙編鐘中一·十	新鐘之商
M726	曾侯乙編鐘中一·十	新鐘之商
M727	曾侯乙編鐘中一·十一	曾侯乙乍時，商、羽曾，
M727	曾侯乙編鐘中一·十一	割肄之龡商
M727	曾侯乙編鐘中一·十一	濁文王之商
M729	曾侯乙編鐘中二·二	濁新鐘之少商
M730	曾侯乙編鐘中二·三	割肄之少商
M731	曾侯乙編鐘中二·四	穆鐘之少商

M731	曾侯乙編鐘中二・四	新鐘之商顛
M732	曾侯乙編鐘中二・五	坪皇之少商
M732	曾侯乙編鐘中二・五	濁新鐘之商
M733	曾侯乙編鐘中二・六	曾侯乙乍時，商、羽曾，
M733	曾侯乙編鐘中二・六	割肄之商
M733	曾侯乙編鐘中二・六	濁文王之少商
M734	曾侯乙編鐘中二・七	穆鐘之商
M734	曾侯乙編鐘中二・七	濁坪皇之商
M734	曾侯乙編鐘中二・七	濁坪皇之少商
M735	曾侯乙編鐘中二・八	濁割肄之商
M736	曾侯乙編鐘中二・九	濁穆鐘之商
M737	曾侯乙編鐘中二・十	坪皇之商
M737	曾侯乙編鐘中二・十	新鐘之商曾
M737	曾侯乙編鐘中二・十	新鐘之商
M737	曾侯乙編鐘中二・十	新鐘之商
M738	曾侯乙編鐘中二・十一	曾侯乙乍寺（時），商角、商，
M739	曾侯乙編鐘中二・十二	曾侯乙乍寺（時），商、羽曾，
M739	曾侯乙編鐘中二・十二	割肄之散商
M739	曾侯乙編鐘中二・十二	濁文王之商
M741	曾侯乙編鐘中三・二	曾侯乙乍時，商角、商曾，
M743	曾侯乙編鐘中三・四	曾侯乙乍時，商、羽徵，
M743	曾侯乙編鐘中三・四	割肄之少商
M743	曾侯乙編鐘中三・四	韋音之變商
M744	曾侯乙編鐘中三・五	穆音之商
M745	曾侯乙編鐘中三・六	曾侯乙乍時，商角、徵，
M745	曾侯乙編鐘中三・六	龢孠之變商
M746	曾侯乙編鐘中三・七	曾侯乙乍時，商、羽徵，
M746	曾侯乙編鐘中三・七	割肄之商
M746	曾侯乙編鐘中三・七	文王之變商
M746	曾侯乙編鐘中三・七	符于索商之頔
M747	曾侯乙編鐘中三・八	為坪皇變商
M748	曾侯乙編鐘中三・九	郿音之變商
M749	曾侯乙編鐘中三・十	新鐘之變商
M749	曾侯乙編鐘中三・十	為穆音變商
M752	曾侯乙編鐘上一・三	商角、商曾，
M756	曾侯乙編鐘上二・一	商曾、羽角，
M757	曾侯乙編鐘上二・二	商角、羽，
M758	曾侯乙編鐘上二・三	商、羽曾，郿音之宮，
M759	曾侯乙編鐘上二・四	商曾、羽角，韋音之宮，
M760	曾侯乙編鐘上二・五	商角、羽，割肄之宮
M761	曾侯乙編鐘上二・六	商、羽曾，黃鐘之宮，
M762	曾侯乙編鐘上三・一	商、羽曾，
		小計：共 172 筆

0317

0346.	句毌父乙鼎	[句毌]父乙
0359	句毌父乙鼎	[句毌]父乙
0384	句父丁鼎	[句]父丁
0426	句父辛鼎	[句]父辛

	0685	句翻父癸鼎	[句翻]父癸
	0859	邛小子句鼎	邛小子句乍寶鼎
	0909	夏__父鼎	夏kw父乍圉(狩)姰(句?)朕(賸)鼎
句	0945	鑄客為大后脰官鼎	鑄客為大句(后)脰官為之
	0946	鑄客為王后七府鼎	鑄客為王句(后)七府為之
	1074	奠戒句父鬲	奠戒句父自乍飤鎡
	1191	堇乍大子癸鼎	用乍大子癸寶尊彝[句毌句]
	1230	師器父鼎	用旂釁壽黃句(耇)吉康
	1723	句須毀一	[句須]
	1724	句須毀二	[句須]
	2880	鑄客匠一	鑄客為王句(后)六室為之
	2881	鑄客匠二	鑄客為王句(后)六室為之
	2882	鑄客匠三	鑄客為王句(后)六室為之
	2883	鑄客匠四	鑄客為王句(后)六室為之
	2884	鑄客匠五	鑄客為王句(后)六室為之
	2885	鑄客匠六	鑄客為王句(后)六室為之
	2886	鑄客匠一	鑄客為王句(后)六室為之
	3087	鬲从盨	u5(其)邑彶眔句商兒眔讎戈
	3749	句且辛爵	[句]且辛
	3794.	句毌父乙爵	[句毌]父乙
	4115	亼句毌且辛爵	[亼句毌]且辛
	4371	句毌父乙盉	[句毌]父乙
	4393	句父癸盉	[句]父癸
	4505	句尊	[句]
	4904	句庚觥	[句庚]
	5132	句毌父乙卣一	[句毌]父乙
	5133	句毌父乙卣二	[句毌]父乙
	5277	__六六六父戊卣	[句毌六六六]父戊
	5596	句毌父戊瓿	[句毌]父戊
	5656	周奴句父癸壺	[周奴句]父癸
	5763	殷句壺	殷句乍其寶壺
	5796	三年癲壺一	己丑、王才句陵
	5797	三年癲壺二	己丑、王才句陵
	5801	洹子孟姜壺一	齊侯命大子乘__來句宗白
	5802	洹子孟姜壺二	齊侯命大子乘dw來句宗白聽命于天子
	5917	句毌觚	[句毌]
	6197	句毌父乙觚	[句毌]父乙
	6275	執戊執乍且癸句觚	[執戊執]乍且癸[句]寶彝
	6614	句乍父丁觶	[句]乍父丁尊彝
	6763	句它盤	隹句它弔乍寶般
	6884	鑄客鑪	鑄客為王句(后)六室為之
	6910	師永盂	殹達vx殹蹕宋句
	7215	其次句鑃一	鑄句鑃
	7216	其次句鑃二	鑄句鑃
	7217	姑馮句鑃	自乍商句鑃
	7227	內公鐘一	內公乍鑄從鐘之句
	7228	內公鐘二	內公乍鑄從鐘之句
	7650	越王州句矛	越王州句自乍用矛
	7697	越王句踐劍	越王句踐自乍用劍
	7702	越王州句劍一	越王州句自乍用鐱

7703	越王州勾劍二	越王州句自乍用鐱
7704	越王州勾劍三	越王州句自乍用鐱
7705	越王州勾劍四	越王州句自乍用鐱
7706	越王州勾劍五	越王州句自乍用鐱
7707	越王州勾劍六	越王州句自乍用鐱
7878	安邑下闢鍾	安邑下闢□重□□□嗇夫嘉句□....
7894	鳳節二	句酉
M792	宋公緣簠	乍其妹句敔(敔)夫人季子媵匠
		小計：共 62 筆
0317+		
4888	盠駒尊一	王拘駒敔，易盠駒
4889	盠駒尊二	王拘駒斖，易盠駒
		小計：共 2 筆
0318	句字重見	
0319		
1242	墅方鼎	專古咸戈
1298	師旂鼎	白懋父迺罰得顯古三百孚
1323	師訊鼎	小子夙夕專古先且刺德
1323	師訊鼎	白亦克款古先且蠱孫子一𪔂皇辟懿德
1328	盂鼎	古天異臨子
1328	盂鼎	古喪自
1666	遇乍旅甗	師雝父戍才古師
2446	亞古乍父己毀	用乍父己尊彝[亞古]
2586	史話毀一	話古于彝
2587	史話毀二	話古于彝
2856	師訇毀	古亡承于先王
4234.	亞古父己角	[亞古]父己
4234.	亞古父癸角	[亞古]父癸
4383	亞古父己盉	[亞古]父己
4694	斅古乍旅方尊	斅古乍旅
4872	古白尊	古白曰p7卲乍尊彝
4872	古白尊	曰古白子曰p7v2𡢁父彝
4879	彔茲尊	女其以成周師氏戍于古自
4884	臤尊	臤从師雝父戍于古自之年
5360	亞古乍父己卣	[亞古]乍父己彝
5490	戉稽卣	稽從師雝父戍于古自
5490	戉稽卣	稽從師雝父戍于古自
5498	彔茲卣	女其以成周師氏戍于古自
5499	彔茲卣二	女其以成周師氏戍于古自
5805	中山王譽方壺	夫古之聖王務才得賢
6792	史墻盤	曰古文王
7163	瘋鐘六	曰古文王
7686	滕之丕劍	滕之丕忛古于
7743	越王兀北古劍	越王丌北古
7743	越王兀北古劍	越王丌北古
		小計：共 30 筆
0320		
0321		

十

0657	巨䕭十九鼎	巨䕭十九
0658	巨䕭十二鼎	巨䕭十二
0969	從鼎	白姜易從貝{ 三十朋 }
1056	曾白從寵鼎	隹王十月既吉
1090	十三年梁上官鼎	十三年、梁陰命率上官＿子疾治乘鑄
1112	十一年庫嗇夫肖不茲鼎	十一年
1152	私官鼎	一斗半正十三斤八兩十四朱
1161	白吉父鼎	隹十又二月初吉
1162	乃子克鼎	室絲五十寽
1169	平安邦鼎	一益十釿料釿四分釿{之重}
1170	信安君鼎	十二年再九益
1170	信安君鼎	十二年再二益六釿
1174	易乍旅鼎	唯十月事于曾
1193	新邑鼎	王易貝十朋
1205	公朱左自鼎	公朱左自十一年十一月
1215	麥鼎	隹十又一月
1216	貿鼎	隹十又二月初吉壬午
1222	寂鼎一	隹十又一月
1223	寂鼎二	隹十又一月
1225	膩大史申鼎	乍其造貞(鼎)十
1234	旅鼎	才十又一月庚申
1234	旅鼎	公易旅貝十朋
1235	不栺方鼎一	不栺易貝十朋
1236	不栺方鼎甲二	不栺易貝十朋
1247	函皇父鼎	自豕鼎降十又二、毁八、兩罍、兩壺
1248	庚贏鼎	易爵、璋、貝十朋
1259	鄀公鼮鼎	隹十又四月
1260	我方鼎	隹十月又一月丁亥
1261	我方鼎二	隹十月又一月丁亥
1271	史獸鼎	十又一月癸未
1273	師湯父鼎	隹十又二月初吉丙午
1275	師同鼎	戎鼎廿、鋪五十、劍廿
1277	七年趞曹鼎	隹七年十月既生霸
1278	十五年趞曹鼎	隹十又五年五月既生霸壬午
1279	中方鼎	隹十又三月庚寅
1301	大鼎一	隹十又五年三月既霸丁亥
1302	大鼎二	隹十又五年三月既霸丁亥
1303	大鼎三	隹十又五年三月既霸丁亥
1312	此鼎一	隹十又七年十又二月既生霸乙卯
1313	此鼎二	隹十又七年十又二月既生霸乙卯
1314	此鼎三	隹十又七年十又二月既生霸乙卯
1315	善鼎	唯十又一月初吉辰才丁亥
1326	多友鼎	隹十、月用厥敉放興
1326	多友鼎	孚戎車百乘一十又七乘
1326	多友鼎	孚車十乘
1326	多友鼎	公車折首百又十又五人
1328	盂鼎	人鬲自馭至于庶人六百又五十又九夫
1328	盂鼎	易夷嗣王臣十又三白
1328	盂鼎	人鬲千又五十夫徳nx丮自氒土

1329	小字盂鼎	孚人萬三千八十一人	
1329	小字盂鼎	孚牛三百五十五牛	
1330	曶鼎	寇舀（曶）禾十秭	
1330	曶鼎	東宮迺曰：賞舀（曶）禾十秭	十
1330	曶鼎	遺十秭、為廿秭	
1331	中山王譽鼎	隹十四年中山王譽詐（乍、作）鼎、于銘曰	
1331	中山王譽鼎	剌（列）城譽（數）十	
J762	辛伯鼎	宦絲五十爰	
1527	釐先父鬲	隹十又二月初吉	
1528	公姞鬲鼎	隹十二月既生霸	
2403	遽白還毀	用貝十朋又四朋	
2409	姒父丁毀	辛未吏□易姒貝十晒	
2453	亞鐵乍且丁毀	乙亥王易□□工鐵玉十玉穀	
2480	是要毀	隹十月是要乍文考寶毀	
2481	是要毀	隹十月是要乍文考寶毀	
2526	弔德毀	王易弔德臣嬗十人	
2526	弔德毀	貝十朋、羊百	
2586	史臤毀一	迺易史臤貝十朋	
2587	史臤毀二	迺易史臤貝十朋	
2595	奠虢仲毀一	隹十又一月既生霸庚戌	
2596	奠虢仲毀二	隹十又一月既生霸庚戌	
2597	奠虢仲毀三	隹十又一月既生霸庚戌	
2603	白吉父毀	唯十又二月	
2626	晉乍父乙毀	隹十月初吉辛巳	
2644	命毀	隹十又一月初吉甲申	
2654	奨乍文父丁毀	癸巳、□賓小子□貝十朋	
2654	奨乍文父丁毀	才十月彡（肜）日［奨］	
2655	小臣靜毀	隹十又三月	
2655	小臣靜毀	王易貝五十朋	
2665	__弔毀	嗌貝十朋	
2676	旅肄乍父乙毀	才十月一、隹王廿祀劦日	
2678	函皇父毀一	自豕鼎降十又二	
2679	函皇父毀二	自豕鼎降十又二	
2680	函皇父毀三	自豕鼎降十又二	
2680.	函皇父毀四	自豕鼎降十又二	
2682	陳侯午毀	隹十又四年	
2707	小臣守毀一	賓馬兩、金十鈞	
2708	小臣守毀二	賓馬兩、金十鈞	
2709	小臣守毀三	賓馬兩、金十鈞	
2710	肄自乍寶器一	唯十又二月既生霸丁亥	
2711	肄自乍寶器二	唯十又二月既生霸丁亥	
2711.	乍冊般毀	成王商乍冊__貝十朋	
2724	章白敔毀	易章（鄘）白敔貝十朋	
2730	獻毀	十枼（世）不忘	
2735	屑敖毀	而易魯屑敖金十鈞	
2736	師遽毀	王乎師朕易師遽貝十朋	
2737	段毀	唯王十又四祀十又一月丁卯	
2739	無曩毀一	隹十又三年正月初吉壬寅	
2740	無曩毀二	隹十又三年正月初吉壬寅	
2741	無曩毀三	隹十又三年正月初吉壬寅	

2742	無曩𣪘四	佳十又三年正月初吉壬寅
2742.	無曩𣪘五	佳十又三年正月初吉壬寅
2742.	無曩𣪘五	佳十又三年正月初吉壬寅
2743	䰫𣪘	易女夷臣十家
2744	五年師旋𣪘一	僕女十五易登
2745	五年師旋𣪘二	僕女十五易登
2760	小臣謎𣪘一	唯十又一月
2761	小臣謎𣪘二	唯十又一月
2762	免𣪘	佳十又二月初吉
2767	㡉𣪘一	佳十又二年
2776	走𣪘	佳王十又二年三月既望庚寅
2786	縣妃𣪘	佳十又二月既望辰才壬午
2787	望𣪘	佳王十又三年六月初吉戊戌
2787	望𣪘	佳王十又三年六月初吉戊戌
2787	望𣪘	旦、王才大室即立
2789	同𣪘一	佳十又二月初吉丁丑
2790	同𣪘二	佳十又二月初吉丁丑
2791.	史密𣪘	佳十又二月
2812	大𣪘一	佳十又二年三月既生霸丁亥
2813	大𣪘二	佳十又二年三月既生霸丁亥
2814	鳥冊夨令𣪘一	姜商令貝十朋、臣十家、鬲百人
2814.	夨令𣪘二	姜商令貝十朋、臣十家、鬲百人
2815	師𩛥𣪘	十五鍚鐘
2818	此𣪘一	佳十又七年十又二月既生霸乙卯
2819	此𣪘二	佳十又七年十又二月既生霸乙卯
2820	此𣪘三	佳十又七年十又二月既生霸乙卯
2821	此𣪘四	佳十又七年十又二月既生霸乙卯
2822	此𣪘五	佳十又七年十又二月既生霸乙卯
2823	此𣪘六	佳十又七年十又二月既生霸乙卯
2824	此𣪘七	佳十又七年十又二月既生霸乙卯
2825	此𣪘八	佳十又七年十又二月既生霸乙卯
2828	宜侯夨𣪘	彤弓一、彤矢百、旅弓十、旅矢千
2828	宜侯夨𣪘	易盧□又五十夫
2833	秦公𣪘	十又二公
2834	㝬𣪘	佳王十又二祀
2835	𡨦𣪘	唯王十又七祀
2836	𢦚𣪘	孚戎孚人百又十又四人
2837	敔𣪘一	佳王十月、王才成周
2837	敔𣪘一	佳王十又一月
2837	敔𣪘一	_貝五十朋
2837	敔𣪘一	易田于敆五十田、于早五十田
2838	師𠭰𣪘一	佳十又一年九月初吉丁亥
2838	師𠭰𣪘一	佳十又一年九月初吉丁亥
2839	師𠭰𣪘二	佳十又一年九月初吉丁亥
2839	師𠭰𣪘二	佳十又一年九月初吉丁亥
2842	卯𣪘	佳王十又一月既生霸丁亥
2842	卯𣪘	易女馬十匹、牛十
2852	不嬰𣪘一	臣五家、田十田
2853	不嬰𣪘二	臣五家、田十田
2979	弔朕自乍簠匿	佳十月初吉庚午

2979.	弔朕自乍籐匿二	十月初吉庚午
3055	虢仲旅盨	丝盨友十又二
3085	駒父旅盨(蓋)	唯王十又八年正月
3086	善夫克旅盨	隹十又八年十又二月初吉庚寅
3087	鬲从盨	凡復友復友鬲比田十又三邑
3097	陳侯午鐏錞一	隹十又四年
3098	陳侯午鐏錞二	隹十又四年
3099	十年陳侯午𦎫(器)	隹十年
4343	亞𡖊小臣邑斝	癸巳王易小臣邑貝十朋
4444	卲宮盉	官四斗少半斗廿三斤十
4444	卲宮盉	五十兩廿三斤十兩十五和工工感卲宮和
4449	裘衛盉	才八十朋
4449	裘衛盉	𠬝賈(價)其舍田十田
4846	𦔻[尊]	𦔻易貝十朋
4866	小臣艅尊	隹王十祀又五肜日
4868	趞乍姞尊	隹十又三月辛卯、王才序
4875	𠂤折尊	隹王十又九祀
4879	彔䵼尊	易貝十朋
4883	耳尊	易臣十家
4884	臤尊	隹十又三月既生霸丁卯
4885	效尊	王易公貝五十朋
4888	盠駒尊一	隹王十又三月、辰才甲申
4893	矢令尊	隹十月月吉癸未
4928	折觥	隹王十又九祀
4976	折方彝	隹王十又九祀
4981	鳥冊令方彝	隹十月月吉癸未
5470	__盂乍父丁卣	兮公室盂鬯束貝十朋
5473	同乍父戊卣	隹十又一月
5476	趞乍姞寶卣	隹十又三月辛卯
5484	乍冊睘卣	隹十又九年王才序
5484	乍冊睘卣	隹十又九年王才序
5493	召乍__宮旅卣	隹十又二月初吉丁卯
5493	召乍__宮旅卣	賞畢土方五十里
5494	𡚸𡧊乍母辛卣	才十月二
5498	彔䵼卣	易貝十朋
5499	彔䵼卣二	易貝十朋
5504	庚嬴卣一	隹王十月既望辰才己丑
5504	庚嬴卣一	易貝十朋
5505	庚嬴卣二	隹王十月既望辰才己丑
5505	庚嬴卣二	易貝十朋
5507	乍冊𧽊卣	十二月既望乙亥
5509	𣎳卣	隹十又二月
5511	效卣一	王易公貝五十朋
5717	𡕒成侯鍾	重十勻十八益
5727	廿九年東周左自㱃壺	廿九年十二月
5737	左__壺	四升__客四受十五__
5741	左㱃壺一	十九爰四守廿九
5754	__氏扁壺	重十六斤
5778	番匊生鑄賸壺	隹廿又六年十月初吉己卯
5779	安邑下官鍾	十三斗一升

5789	命瓜君厚子壺一	隹十年四月吉日
5790	命瓜君厚子壺二	隹十月四吉日
5791	十三年痶壺一	隹十又三年九月初吉戊寅
5792	十三年痶壺一	隹十又三年
5793	幾父壺一	僕四家、金十鈞
5794	幾父壺二	僕四家、金十鈞
5795	白克壺	隹十又六年七月既生霸乙未
5803	胤嗣好蚉壺	十三業、左史車
5805	中山王譽方壺	隹十四年
6631	小臣單觶一	周公易小臣單貝{十朋}
6639	淵十六□杯	淵十六□
6783	函皇父盤	自豕鼎降十又一
6790	虢季子白盤	隹十又二年正月初吉丁亥
6790	虢季子白盤	孰訊{五十}
6793	夨人盤	凡十又五夫正履
6793	夨人盤	凡散有𤔲十夫
6874	鄭大內史弔上匜	隹十又二月初吉乙巳
6887	郳陵君王子申鑑	冢十__四__圣朱
6910	師永盂	隹十又二年初吉丁卯
7017	楚王酓章鐘一	隹王五十又六祀
7040	克鐘一	隹十又六年九月初吉庚寅
7041	克鐘二	隹十又六年九月初吉庚寅
7042	克鐘三	隹十又六年九月初吉庚寅
7069	者沕鐘一	隹戉(越)十有九年
7070	者沕鐘二	隹戉十有九年
7072	者沕鐘四	隹戉十有九年、王曰
7073	者沕鐘五	隹戉十有九年
7164	痶鐘七	武王則令周公舍寓以五十頌處
7185	叔夷編鐘四	釐僕三百又五十家
7201	楚王酓章乍曾侯乙鎛	隹王五十又六祀
7204	克鎛	隹十又六年九月初吉庚寅
7212	秦公鎛	十又二公不家才下
7213	𬴴鎛	侯氏易之邑二百又九十又九邑
7214	叔夷鎛	釐僕三百又五十家
7508	十四年屬邦戈	十四年
7529	十四年相邦冉戈	十四年秦相邦冉造
7549	十六年喜令戈	十六年
7550	十二年少令邯鄲戈	十二年尚命邯鄲□右庫工帀□紹台倉造
7551	十二年尚令邯鄲戈	十二年尚命邯鄲□右庫工帀□紹台倉造
7558	十四年奠令戈	十四年奠命趙距司寇王造武庫
7559	十五年奠令戈	十五年奠命趙距司寇□章右庫
7560	十六年奠令戈	十六年奠命趙司寇彭璋生庫
7561	十七年奠令戈	十七年奠命幽距司寇彭璋武庫
7566	十三年相邦義戈	十三年相邦義之造
7572	十七年𢑱令戈	十七年𢑱命𩣡尚司寇奠__右庫工帀□鞁治□□
7653	十年邦司寇富無矛	十年邦司寇富無
7654	十二年邦司寇野矛	十二年邦司寇野□
7660	十□年相邦春平侯矛	十□年相邦春平侯
7712	十二年右庫劍	十二年□右庫五十五
7730	十五年守相杜波劍一	十五年守相杜波

7737	十五年劍	十五年相邦春平侯
7738	十七年相邦春平侯劍	十七年相邦春平侯
7742	十三年劍	十三年右守相□□□□□
7761	郘大叔斧一	郘大叔以新金為貣車之斧十
7830	十六年大良造鞅戈	十六年大良造庶長鞅之造＿革
7868	商鞅方升	十八年
7868	商鞅方升	冬十二月乙酉
7868	商鞅方升	爰積十六尊五分尊壹為升
7879	麗山鍾	麗山園容十二斗三升
7879	麗山鍾	重二鈞十三斤八兩
7886	新郪虎符	用兵五十人以上
7887	杜虎符	用兵五十八以上
7899	鄂君啟車節	車五十乘、歲翼(代)返
7899	鄂君啟車節	屯十台堂一車
7899	鄂君啟車節	台毀於五十乘之中
7900	鄂君啟舟節	屯三舟為一舿、五十舿
7955	＿十命銅牌	＿十命
7975	中山王墓兆域圖	兩堂間八十七乇(尺)
7975	中山王墓兆域圖	兩堂間八十乇(尺)
7975	中山王墓兆域圖	夫人堂方百五十乇
7975	中山王墓兆域圖	丘平者五十乇
7975	中山王墓兆域圖	丌坡五十乇
7975	中山王墓兆域圖	丘□者五十乇
7975	中山王墓兆域圖	丌坡五十乇
7975	中山王墓兆域圖	丘平者五十乇
7975	中山王墓兆域圖	丌坡五十乇
7975	中山王墓兆域圖	丘平者五十乇
7975	中山王墓兆域圖	丌坡五十乇
7975	中山王墓兆域圖	丘平者五十乇
7975	中山王墓兆域圖	丌坡五十乇
7996.	上官登	富子之上官雙之畫sp□鉃十
M171	小臣靜卣	隹十又三月
M423.	趞鼎	隹十又九年四月既望辛卯
M900	梁十九年鼎	梁十九年鼎亡智＿兼嗇夫庶廆
補1	十觚	[十]

小計：共 284 筆

十

千 0322

1268	梁其鼎一	其百子千孫
1269	梁其鼎二	其百子千孫
1318	晉姜鼎	易鹵責千兩
1324	禹鼎	徒千日
1328	盂鼎	人鬲千又五十夫傶nx壅自𠦪土
1329	小字盂鼎	隻馘四千八百□二馘
1329	小字盂鼎	孚人萬三千八十一人
2691	善夫梁其毀一	百字千孫
2692	善夫梁其毀二	百字千孫
2828	宜侯夨毀	彤弓一、彤矢百、旅弓十、旅矢千
3081	翏生旅盨一	其百男百女千孫
3082	翏生旅盨二	其百男百女千孫
3082	翏生旅盨二	其百男百女千孫
3088	師克旅盨一(蓋)	千害王身、乍爪牙。 王日
3089	師克旅盨二	千害王身、乍爪牙。 王日
5787	汈其壺一	其百子千孫永寶用
5788	汈其壺二	其百子千孫永寶用
6786	_弔多父盤	用及孝婦嬶氏百子千孫
6793	夨人盤	則爰千罰千、傳棄之
6793	夨人盤	爰千罰千
6877	僩乍旅盉	弋可、我義鞭女千
6877	僩乍旅盉	義鞭女千
6877	僩乍旅盉	則到乃鞭千
7183	叔夷編鐘二	戜徒四千
7214	叔夷鎛	戜徒四千

小計：共 25 筆

博 0323

2826	師寰毀一	今敢博𠦪眾段
2826	師寰毀一	今敢博𠦪眾段
2827	師寰毀二	今敢博𠦪眾段
2836	𢦏毀	博戎㝬
2836	𢦏毀	衣(卒)博

小計：共 5 筆

廿 0324

0981	德鼎	王易德貝{廿朋}
1113	梁廿七年鼎一	梁廿又七年
1114	廿七年大梁司寇肖無智鼎二	梁廿又七年
1137	匽侯旨鼎一	王賞旨貝廿朋
1169	平安邦鼎	廿八年坪安邦台客𢦔{四分}齍
1184	德方鼎	王易德貝廿朋
1219	戍嗣子鼎	丙午、王賞戍嗣貝廿朋
1248	庚贏鼎	隹廿又二年四月既望己酉

廿

1275	師同鼎	大車廿、羊百
1275	師同鼎	戎鼎廿、鋪五十、劍廿
1283	微䜌鼎	隹王廿又三年九月
1291	善夫克鼎一	隹王廿又三年九月
1292	善夫克鼎二	隹王廿又三年九月
1293	善夫克鼎三	隹王廿又三年九月
1294	善夫克鼎四	隹王廿又三年九月
1295	善夫克鼎五	隹王廿又三年九月
1296	善夫克鼎六	隹王廿又三年九月
1297	善夫克鼎七	隹王廿又三年九月
1309	寰鼎	隹廿又八年五月既望庚寅
1319	頌鼎一	王曰：頌、令女官嗣成周賈廿家、監嗣新寤
1320	頌鼎二	王曰：頌、令女官嗣成周賈廿家、監嗣新寤
1321	頌鼎三	王曰：頌、令女官嗣成周、賈廿家、監嗣新寤
1326	多友鼎	執訊廿又二人
1328	盂鼎	隹王廿又三祀
1329	小字盂鼎	羊廿八羊
1330	曶鼎	昔饉歲匡眔氒臣廿夫
1330	曶鼎	遺十秭、為廿秭
1668	中甗	氒人□廿夫
2248	延乍夸廿寶毀	延乍夸廿寶尊彝
2364	德毀	王易德貝廿朋
2676	旅肄乍父乙毀	才十月一、隹王廿祀劦日
2704	穆公毀	王乎宰□易穆公貝廿朋
2766	三兒毀	用□□＿羊□□□其遮孟□□廿斧
2775	裘衛毀	隹廿又七年三月既生霸戊戌
2787	望毀	用乍朕皇且白廿ᵡ父寶毀
2800	伊毀	隹王廿又七年正月既望丁亥
2828	宜侯夨毀	氒□百又廿
2840	番生毀	取遺廿寽
3087	鬲从盨	隹王廿又五年七月既□□□
4242	㢋冊宰椃乍父丁角	才六月隹王廿祀昱又五
4444	邵宮盉	官四斗少半斗廿三斤十
4444	邵宮盉	五十兩廿三斤十兩十五和工工感邵官和
4449	裘衛盉	才廿朋
4870	奘商尊	玆廿寽商
4885	效尊	公易厥涉子效工休貝廿朋
5479	奘商乍文辟日丁卣	述玆廿寽
5511	效卣一	公易氒涉子效王休貝廿朋
5570	＿＿罍	廿一
5727	廿九年東周左自鈫壺	廿九年十二月
5737	左＿壺	左內鈫廿八
5741	左鈫壺一	十九爰四寽廿九
5778	番匊生鑄賸壺	隹廿又六年十月初吉己卯
5781	曾姬無卹壺一	隹王廿又六年
5782	曾姬無卹壺二	隹王廿又六年
5799	頌壺一	令女官嗣成周賈廿家
5800	頌壺二	令女官嗣成周賈廿家
5827	廿七年寧鈿	廿七年寧為鈿
6784	三十四祀盤（祼盤）	鮮蔑鄏、王鄏鄏玉三品、貝廿朋

廿

	6787	走馬休盤	隹廿年正月既望甲戌
	6789	寰盤	隹廿又八年五月既望庚寅
	7092	𠫑羌鐘一	唯廿又再祀
廿	7093	𠫑羌鐘二	唯廿又再祀
卅	7094	𠫑羌鐘三	唯廿又再祀
	7095	𠫑羌鐘四	唯廿又再祀
	7096	𠫑羌鐘五	唯廿又再祀
	7176	㝬鐘	廿又六邦
	7502	非_戈	非sJ帶邗遰陽、廿四
	7504	廿三年□陽令戈	廿三年
	7521	廿二年臨汾守戈	廿二年臨汾守曋庫系工歆造
	7525	廿四年左軍戈	廿四年左軍_____
	7531	廿九年高都令陳愈戈	廿九年高都命陳愈
	7542	廿四年右馬令戈	廿四年申陰令右庫工帀䓕冶豎
	7547	廿六年蜀守武戈	武、廿六年蜀守武造東工離宦丞耒工箎
	7553	廿年奠令戈	廿年鄭命韓恙司寇吳裕
	7562	廿一年奠令戈	廿一年奠命韙族司寇裕左庫工帀吉□冶□
	7567	廿九年相邦尚□戈	廿九年相邦尚_邦
	7631	廿二年左斿矛	廿二年左斿
	7719	廿九年高都令劍	廿九年高都命陳愈工帀冶乘
	7823	距末二	廿年尚上長斗乘四其我_攻書
	7831	廿四年銅梃	廿四年_昌_左執齊
	7868	商鞅方升	臨廿六年
	7869	廿五年銅量器	廿五年____
	7899	鄂君啟車節	女擔徒、屯廿
	7899	鄂君啟車節	廿擔台堂一車
	7921	廿一年寺工獻車書	廿一年寺工獻工上造但
	7975	中山王墓兆域圖	從丘欧至內宮廿四步
	7975	中山王墓兆域圖	從丘欧至內宮廿四步
	7975	中山王墓兆域圖	從內宮至中宮廿五步
	7975	中山王墓兆域圖	從內宮至中宮廿五步
	M798	廿八年平安君鼎	廿八年平安邦鑄客載四分齍
	M798	廿八年平安君鼎	廿八年平安邦鑄客載四分齍

小計：共 91 筆

卅 0325

1043	卅年鼎	卅年、康_____事_冶巡鑄
1152	私官鼎	卅六年工師瘨工疑
1169	平安邦鼎	卅三年單父上官{冢子}喜所受坪安君者也(蓋)
1169	平安邦鼎	卅三年單父上官{冢子}喜所受坪安君者也(器)
1253	平安君鼎	卅三年
1253	平安君鼎	卅二年
1263	呂方鼎	王易呂鬯三卣、貝卅朋
1272	剌鼎	王易剌貝卅朋
1275	師同鼎	孚戎金oa卅
1288	令鼎一	余其舍女臣卅家
1289	令鼎二	余其舍女臣卅家
1301	大鼎一	王召走馬雁令取k3騆卅二匹易大

1302	大鼎二	王召走馬雁令取k3騆卅二匹易大	
1303	大鼎三	王召走馬雁令取k3騆卅二匹易大	
1310	鬲攸從鼎	隹卅又一年三月初吉壬辰	
1317	善夫山鼎	隹卅又七年正月初吉庚戌	世
1326	多友鼎	折首卅又六人	
1329	小字盂鼎	孚車卅兩	
1329	小字盂鼎	孚馘二百卅七馘	
1329	小字盂鼎	隹王卅又五祀	
1330	曶鼎	昏（曶）覓匡卅秭	
1332	毛公鼎	取iq卅寽	
2778	格白段一	氒賈卅田	
2778	格白段一	氒賈卅田	
2779	格白段二	氒賈卅田	
2780	格白段三	氒賈卅田	
2781	格白段四	氒賈卅田	
2782	格白段五	氒賈卅田	
2782.	格白段六	氒賈卅田	
2828	宜侯夨段	氒宅邑卅又五	
2836	𢦏段	凡百又卅又五款	
3068	白寬父盨一	隹卅又三年八月既死辛卯	
3069	白寬父盨二	隹卅又三年八月既死辛卯	
4441	卅五年__盉	卅五年	
4444.	卅五年盉	卅五年	
4870	㜏商尊	帝后賞商庚姬貝卅朋	
4891	何尊	何易貝卅朋	
5479	㜏商乍文辟日丁卣	帝司賞庚姬貝卅朋	
5490	戉稻卣	𢦏曆、易貝卅寽	
5490	戉稻卣	易貝卅寽	
5741	左歆壺一	左歆卅二	
5742	左歆壺二	左歆卅二	
5795	白克壺	白大師易白克僕卅夫	
5803	㝬嗣好蚉壺	工qL。重一石三百卅九刀之冢（重）	
6784	三十四祀盤（祼盤）	隹王卅又四祀唯五月既望戊午	
7522	卅三年大梁左庫戈	卅三年大梁左庫工帀丑治𠬛	
7526	卅四年屯丘令戈	卅四年屯丘命爽左工帀㝏治□	
7533	卅二年帶令戈	卅三年帶命初左庫工帀臣冶山	
7540	卅一年相邦冉戈	卅一年相邦冉𨐮工帀、𨐮壞德	
7563	卅一年奠令戈	卅一年奠命㭬司寇肖它里庫工帀冶𦣵啟	
7663	卅二年奠令槍□矛	卅二年奠命槍□司寇趙它	
7667	卅四年奠令槍□矛	卅四年奠命槍□司寇造芋𢄊	
7739	卅三年奠令□□劍	卅三年奠命□□司寇趙它	
7975	中山王基兆域圖	從内宮目至中宮卅步	
7975	中山王基兆域圖	從内宮目至中宮卅步	
7975	中山王基兆域圖	從内宮至中宮卅六步	
7975	中山王基兆域圖	從内宮目至中宮卅六步	
M798	廿八年平安君鼎	六益料釿之冢（器一）卅三年單父上官宰喜所受	
M799	卅二年平安君鼎	卅二年平安邦鑄客㕻四分齍	
M799	卅二年平安君鼎	卅三年單父上官宰喜所受平安君石它（器二）	
		小計：共 59 筆	

世 0326

世

1194	余王𦚏鼎	世世是若
1311	師晨鼎	晨其萬年世
1326	多友鼎	從至、追搏于世
1331	中山王嚳鼎	及參（三）世亡不若（赦）
1663	醽五世孫矩甗	醽（緟）五世孫矩乍其寶甗
2387	白𠂤乍白幽殷一	世子孫孫寶用
2564	𩵦且日庚乃孫殷一	用世亯孝
2565	且日庚乃孫殷二	用世亯孝
2566	寧殷一	世孫子寶
2567	寧殷二	世孫子寶
2682	陳侯午殷	永世母忘
2728	恆殷一	其萬年世子子孫虞寶用
2729	恆殷二	其萬年世子子孫虞寶用
2730	獻殷	十枼（世）不忘
2736	師遽殷	世孫子永寶
2789	同殷一	世孫孫子子左右吳大父
2790	同殷二	世孫孫子子左右吳大父
2855	班殷一	子子孫多世其永寶
2855.	班殷二	子子孫多世其永寶
3097	陳侯午錞錞一	保又齊邦永世毋忘
3098	陳侯午錞錞二	保又齊邦永世毋忘
3099	十年陳侯午𩵦（器）	保有齊邦永世毋忘
3100	陳侯因資錞	世萬子孫、永為典尚
4851	黃尊	其{百世}孫孫子子永寶
4886	趩尊	世孫子毋敢家、永寶
4888	盠駒尊一	盠曰、其萬年、世子孫永寶之
4977	師遽方彝	百世孫子永寶
4978	吳方彝	吳其世子孫永寶用
5803	𡨦嗣好蚉壺	世世母絕
5805	中山王嚳方壺	將與吾君並立於世
5825	繼書缶	萬世是寶
6632	白乍蔡姬觶（尊）	其萬年、世孫子永寶
6785	守宮盤	其百世子子孫孫永寶用奔走
7092	𠫑羌鐘一	永世母忘
7093	𠫑羌鐘二	永世母忘
7094	𠫑羌鐘三	永世母忘
7095	𠫑羌鐘四	永世毋忘
7096	𠫑羌鐘五	永世母忘
7121	邾王子旃鐘	萬世鼓之
7136	郘鐘一	世世子孫
7137	郘鐘二	世世子孫
7138	郘鐘三	世世子孫
7139	郘鐘四	世世子孫
7140	郘鐘五	世世子孫
7141	郘鐘六	世世子孫
7142	郘鐘七	世世子孫
7143	郘鐘八	世世子孫
7144	郘鐘九	世世子孫

7145	郘鐘十	世世子孫
7146	郘鐘十一	世世子孫
7147	郘鐘十二	世世子孫
7148	郘鐘十三	世世子孫
7149	郘鐘十四	世世子孫
		小計：共 53 筆

0327

0927	若媯乍文嫛宗鼎	若媯乍文嫛宗尊〓彝
1330	曶鼎	則付卌秭
2828	宜侯夨𣪘	氒□百又卌
2837	敔𣪘一	執訊卌
2837	敔𣪘一	敔告禽馘百、訊卌
5576	重金方罍	百卌八重金____一周鑄
7673	__工劍	卌名__工
7975	中山王墓兆域圖	丌坡卌乇
7975	中山王墓兆域圖	丘平者卌乇
7975	中山王墓兆域圖	丌坡卌乇
7975	中山王墓兆域圖	丘平者卌乇
7975	中山王墓兆域圖	丌坡卌乇
7975	中山王墓兆域圖	丘平者卌乇
7975	中山王墓兆域圖	丌坡卌乇
7975	中山王墓兆域圖	丘平者卌乇
7975	中山王墓兆域圖	丌坡卌乇
		小計：共 16 筆

0328

0988	白矩鼎	用言王出內事人
1331	中山王嚳鼎	此易言而難行施（ 也 ）
1668	中甗	氒賈粦言曰：賓□貝
2983	弭仲簠	言王賓
3087	鬲从盨	其邑复__言二邑。畀鬲比复氒小宮tu鬲比田
5438	𢼸乍旅彝卣	孫子用言出入
5805	中山王嚳方壺	烏虖、允𢇍（ 哉 ）若言
7004	楚王頵鐘	其聿其言
		小計：共 8 筆

0329

1331	中山王嚳鼎	烏虖、語不𤼷（ 廢 ）𢇍（ 哉 ）
7117	𨚕𠬪兒鐘一	後民是語
7119	𨚕𠬪兒鐘三	後民是語
7120	𨚕𠬪兒鐘四	後民是語
		小計：共 4 筆

調 0330

請 0331

5804	中山王方壺	以請（靖）郾疆（疆）

小計：共 1 筆

許 0332

1310	鬲攸從鼎	弗能許鬲从
1325	五祀衛鼎	厲迺許曰
1330	曶鼎	效父迺許數曰于王參門
1331	中山王鼎	氏（是）以寡許之謀慮皆（皆）從
1332	毛公鼎	虩許（赫戲）上下若否
2801	五年召白虎毀	弋白氏從許
J1685	鬲比毀	弗能許鬲从
2976	鄦公匠	鄦（許）公買罪㔾吉金
7555	二年戈	許_丹鍛____弃

小計：共 9 筆

諾 0333

2980	鼄大宰鐘匠一	曰：余諾恭孔惠
2981	鼄大宰鐘匠二	曰：余諾恭孔惠

小計：共 2 筆

䛨 0334

3087	鬲从盨	u5（其）邑彶眔句商兒眔䛨戈
4774	䛨乍文父日丁尊	䛨乍文父日丁［ 𢍏 ］

小計：共 2 筆

諸 0335

1215	麥鼎	用鄉多者（諸）友
1238	曾子仲宣鼎	宣_用饗其者（諸）父者（諸）兄
2524	仲幾文毀	中幾父、史幾史于諸侯諸監
2659	郾侯庫毀	樂民聿諸
2972	弔家父乍仲姬匠	用速先_者（諸）兄
4197	亞醜方爵	［亞醜］者（諸）始日大子尊彝
7051	子璋鐘一	用樂父兄者諸士
7052	子璋鐘二	用樂父兄者諸士
7053	子璋鐘三	用樂父兄者諸士
7054	子璋鐘四	用樂父兄者諸士
7055	子璋鐘五	用樂父兄者諸士
7056	子璋鐘六	用樂父兄者諸士
7057	子璋鐘八	用樂父兄者諸士
7061	能原鐘	大□□連者（諸）尸（夷）

7203	能原鎛	大□□連者（諸）尸（夷）
7868	商鞅方升	皇帝盡并兼天下諸侯
		小計：共 16 筆
6792	史墻盤	豕尹啚彊
		小計：共 2 筆

0336

1322	九年裘衛鼎	壽商聚啚曰
2343	啚乍寶段	啚乍寶段其萬年孫子寶
6792	史墻盤	豕尹啚彊
J1471	瀆伯段	瀆白乍啚與尊段
5789	命瓜君厚子壺一	至于萬意年
5790	命瓜君厚子壺二	至于萬意年
		小計：共 6 筆

0337

1121	唯弔從王南征鼎	誨乍寶鬲鼎（蓋）
1121	唯弔從王南征鼎	誨乍寶鬲鼎（器）
1143	曾子仲誨鼎	隹曾子中誨
2852	不嬰段一	女肈誨于戎工
2853	不嬰段二	女肈誨于戎工
6792	史墻盤	井帥宇誨
7175	王孫遺者鐘	誨猷不飤
		小計：共 7 筆

0338

5803	胤嗣好蚉壺	隹司馬賈訢諮戰怒
		小計：共 1 筆

0338+

2817	師類段	官諆方闇
		小計：共 1 筆

0339

1331	中山王譽鼎	氏（是）以寡許之謀慮虐（皆）從
		小計：共 1 筆

論 0340

1331	中山王嚳鼎	論其德
		小計：共 1 筆

識 0341

4891	何尊	烏虖、爾有唯小子亡識
		小計：共 1 筆

訊 0342

1275	師同鼎	折首執訊
1325	五祀衛鼎	正迺訊厲曰
1326	多友鼎	多友右折首執訊
1326	多友鼎	執訊廿又二人
1326	多友鼎	執訊二人
1326	多友鼎	多友或又折首執訊
1326	多友鼎	執訊三人
1326	多友鼎	多友乃獻孚、聝、訊于公
2743	䚄毀	訊訟罰取遺五寽
2783	趞毀	啻官僕、射、士、訊
2801	五年召白虎毀	余既訊㬎我考我母令
2802	六年召白虎毀	余目邑訊有嗣
2802	六年召白虎毀	今余既訊有嗣曰侯令
2810	揚毀一	訊訟
2811	揚毀二	訊訟
2826	師寰毀一	折首執訊
2826	師寰毀一	折首執訊
2827	師寰毀二	折首執訊
2836	戜毀	執訊二夫
2837	敔毀一	執訊卌
2837	敔毀一	敔告禽聝百、訊卌
2852	不嬰毀一	女多折首執訊
2852	不嬰毀一	女多禽、折首執訊
2853	不嬰毀二	女多折首執訊
2853	不嬰毀二	女多禽、折首執訊
2857	牧毀	雩訊庶右粦
2857	牧毀	用雩乃訊庶右粦
3081	翏生旅盨一	執訊折首
3082	翏生旅盨二	執訊折首
3082	翏生旅盨二	執訊折首
3090	㝬盨（器）	迺敢＿訊人
4888	盠駒尊一	王訊（當釋拘）駒敔、易盠駒
6790	虢季子白盤	執訊（五十）
6791	兮甲盤	兮甲從王折首執訊
M423.	趩鼎	宰訊趩入門立中廷北向

小計：共 35 筆

0343

1189 諆鼎 諆肈乍其皇考皇母者比君𩱧鼎
1189 諆鼎 諆其萬年鬻壽

小計：共 2 筆

0344
7213 𩁹鎛 余彌心畏誋
小計：共 1 筆

0345

2735 屭敖𣪘 易不諱
4887 蔡侯𨭬尊 不諱考壽
6788 蔡侯𨭬盤 不諱考壽
7182 叔夷編鐘一 左右毋諱
7190 叔夷編鐘九 左右毋諱
7214 叔夷鎛 左右毋諱

小計：共 6 筆

0346

1310 鬲攸從鼎 迺事攸衛牧誓曰
1310 鬲攸從鼎 攸衛牧則誓
1325 五祀衛鼎 事厲誓
J1685 鬲比𣪘 迺事攸衛牧誓曰
J1685 鬲比𣪘 攸衛牧則誓
2840 番生𣪘 穆穆克誓（哲）氒德
6793 矢人盤 旅誓曰
6793 矢人盤 鮮、且、Jm、旅則誓
6793 矢人盤 武父誓、曰
6793 矢人盤 西宮㝨、武父則誓
6877 𠑇匜旅盉 女上㐰先誓
6877 𠑇匜旅盉 今女亦既又pb誓
6877 𠑇匜旅盉 亦既𨒅乃誓
6877 𠑇匜旅盉 女亦既從辭從誓
6877 𠑇匜旅盉 白揚父迺或吏牧牛誓曰
6877 𠑇匜旅盉 牧牛則誓
6877 𠑇匜旅盉 牧牛辭誓成、'罰金

小計：共 17 筆

0347

1327 克鼎 諫（諫）辥王家
1328 盂鼎 敏諫罰訟

	2801	五年召白虎毁	余老止公僕庸土田多諫
			小計：共 3 筆
諫 諫 諫 諴 訢	諫 0348		
	1327	克鼎	諫辥王家
	1328	盂鼎	敏朝夕入讕（諫）、享奔走、畏天畏
	2774	臣諫毁	征令臣諫旨□□亞旅處于軝
	2774	臣諫毁	臣諫曰
	2774	臣諫毁	臣諫□亡
	2796	諫毁	嗣馬共又右諫入門立中廷
	2796	諫毁	王乎內史q4冊命諫曰
	2796	諫毁	諫拜韻首
	2796	諫毁	諫其萬年子子孫孫永寶用（蓋）
	2796	諫毁	嗣馬共又右諫入門立中廷
	2796	諫毁	王乎內史先冊命諫曰
	2796	諫毁	諫拜韻首
	2796	諫毁	諫其萬年子子孫孫永寶用（器）
	2840	番生毁	用諫四方
	6918	曾孟嫋諫盆	曾孟嫋諫乍饗盆
	7182	叔夷編鐘一	諫罰朕庶民
	7190	叔夷編鐘九	諫罰朕庶民
	7214	叔夷鎛	諫罰朕庶民
			小計：共 18 筆
	諴 0349		
	2966	蝫公讓旅匠	蝫（鄀）公讓（諴）乍旅匠
			小計：共 1 筆
	訢 0350		
	4887	蔡侯𥇍尊	恖害訢𥇍（暢）
	5803	胤嗣好盗壺	住司馬賈訢諮戰怒
	6788	蔡侯𥇍盤	恖害訢𥇍暢
			小計：共 3 筆

0350+

2974	上鄀府匿	其釁壽無記
		小計：共 1 筆

0351

4887	蔡侯𤔲尊	康諧龢好
6788	蔡侯𤔲盤	康諧龢好
		小計：共 2 筆

0352

4779	詠乍夙尊彝日戊尊	詠乍J4尊彝、日戊
		小計：共 1 筆

0353

0354

1331	中山王嚳鼎	詒死辠之有若（赦）
		小計：共 1 筆

0355

0827	宋公緣鼎	宋公緣之餼貞（鼎）
1276	__季鼎	王易赤θ市、玄衣黹屯、緣旂
1277	七年趞曹鼎	易趞曹載市、冋黃、緣
1283	微緣鼎	王令𢼸緣䎽嗣九陂
1283	微緣鼎	緣乍朕皇考䵼彝尊鼎
1283	微緣鼎	緣用享孝于朕皇考
1283	微緣鼎	緣子子孫永寶用享
1290	利鼎	易女赤θ市、緣旂、用事
1300	無叀鼎	易女玄衣黹屯、戈琱㦰𢧵必彤沙、攸勒緣旂
1309	寰鼎	易寰玄衣、黹屯、赤市、朱黃、緣旂、攸勒、
1312	此鼎一	易女玄衣黹屯、赤市朱黃、緣旂
1313	此鼎二	易女玄衣黹屯、赤市、朱黃、緣旂
1314	此鼎三	易女玄衣黹屯、赤市、朱黃、緣旂
1317	善夫山鼎	易女玄衣黹屯、赤市朱黃、緣旂
1319	頌鼎一	易女玄衣黹屯、赤市朱黃、緣旂攸勒、用事
1320	頌鼎二	易女玄衣黹屯、赤市朱黃、緣旂攸勒、用事
1321	頌鼎三	易女玄衣黹屯、赤市朱黃、緣旂攸勒、用事

䜌

1323	師訊鼎	易女玄袞䵼屯、赤市朱黃、䜌旂、大師金雁
2365	中白毁	中白乍亲姬䜌彝
2703	免乍旅毁	易戠衣䜌
2710	肄自乍寶器一	乎易䜌旂
2711	肄自乍寶器二	乎易䜌旂
2728	恆毁一	易女䜌旂、用吏
2729	恆毁二	易女䜌旂、用吏
2733	何毁	王易何赤市、朱亢、䜌旂
2768	楚毁	赤Ө市、䜌䜌旂
2769	師𤸫毁	攸勒、䜌旂五日、用吏
2770	𢦚毁	易女戠衣、赤Ө市、䜌旂
2773	即毁	玄衣、黹屯、䜌旅（旂）
2774.	南宮弔毁	天子𤔲（司）睗（賜）女䜌旂、用狩
2775	裘衛毁	王乎內史易衛䵼市、朱黃、䜌
2776	走毁	易女赤Ө市、䜌旂、用吏
2783	趞毁	易女赤市、幽亢、䜌旂、用事
2784	申毁	䜌旂用事
2785	王臣毁	䜌旂五日
2787	望毁	易女赤Ө市、䜌、用吏
2787	望毁	易女赤Ө市、䜌、用吏
2787	望毁	䜌
2791	豆閉毁	王曰：閉、易女戠衣、Ө市、䜌旂
2797	輔師𠭰毁	易女韋市素黃、䜌旂
2797	輔師𠭰毁	䜌旂五日、用事
2800	伊毁	䜌旂攸勒、用吏
2807	𨛭毁一	易女赤市同黃、䜌旂、用吏
2808	𨛭毁二	易女赤市同黃、䜌旂、用吏
2809	𨛭毁三	易女赤市同黃、䜌旂、用吏
2810	揚毁一	賜女赤Ө市、䜌旂
2811	揚毁二	賜女赤Ө市、䜌旂
2817	師穎毁	易女赤市朱黃、䜌旂攸勒、用事
2818	此毁一	赤市朱黃、䜌旅
2819	此毁二	赤市朱黃、䜌旅
2820	此毁三	赤市朱黃、䜌旅
2821	此毁四	赤市朱黃、䜌旅
2822	此毁五	赤市朱黃、䜌旅
2823	此毁六	赤市朱黃、䜌旅
2824	此毁七	赤市朱黃、䜌旅
2825	此毁八	赤市朱黃、䜌旅
2833	秦公毁	虩吏䜌（蠻）夏
2835	訇毁	䜌旅攸勒、用吏
2844	頌毁一	䜌旂鋚勒、用吏
2845	頌毁二	䜌旂鋚勒、用吏
2845	頌毁二	䜌旂鋚勒、用吏
2846	頌毁三	䜌旂鋚勒、用吏
2847	頌毁四	䜌旂鋚勒、用吏
2848	頌毁五	䜌旂鋚勒、用吏
2849	頌毁六	䜌旂鋚勒、用吏
2850	頌毁七	䜌旂鋚勒、用吏
2851	頌毁八	䜌旂鋚勒、用吏

5756	中白乍朕壺一	中白乍亲姬䜌人賸壺
5757	中白乍朕壺二	中白乍亲姬䜌人賸壺
5798	曶壺	攸勒、䜌旂、用事
5799	頌壺一	䜌旂、攸勒、用事
5800	頌壺二	䜌旂、攸勒、用事
5825	䜌書缶	䜌書之子孫
6787	走馬休盤	戈琱戟、彤沙厚必、䜌旂
6789	袁盤	赤市朱黃、䜌旂攸勒
6790	虢季子白盤	用政䜌方
6791	兮甲盤	母敢或入䜌宄貯、則亦井
6792	史墙盤	方䜌亡不𢜳見
7062	柞鐘	易載朱黃䜌
7063	柞鐘二	易載朱黃䜌
7064	柞鐘三	易載朱黃䜌
7065	柞鐘四	易載朱黃䜌
7066	柞鐘五	易載朱黃䜌
7174	秦公鐘	以虩事䜌方
7174	秦公鐘	盜百䜌具即其服
7177	秦公及王姬編鐘一	以虩事䜌方
7177	秦公及王姬編鐘一	盜百䜌具即其
7209	秦公及王姬鎛	以虩事䜌方
7209	秦公及王姬鎛	盜百䜌具即其服
7210	秦公及王姬鎛二	以虩事䜌方
7210	秦公及王姬鎛二	盜百䜌具即其服
7211	秦公及王姬鎛三	以虩事䜌方
7211	秦公及王姬鎛三	盜百䜌具即其服
7212	秦公鎛	虩吏䜌夏
7368	䜌左庫戈	䜌左庫
7455	宋公䜌之造戈	宋公䜌之造戈
7537	汈白戈	印鬼方䜌（ 蠻 ）攻旁
M252	免簠	易戠衣、䜌
M423.	趞鼎	䜌旂、攸勒、用事
M792	宋公䜌簠	有殷天乙唐孫宋公䜌
		小計：共 100 筆

0356

2357	𠭯冊𡜊姬䋣敵殷	𡜊姬䋣敵用乍訇辛𣪘殷［ 𠭯冊 ］
2835	訇殷	王若曰：訇
2835	訇殷	訇䭫首對揚天子休令
2835	訇殷	訇萬年子子孫永寶用
2835	訇殷	益公入、右訇
2856	師訇殷	王若曰：師訇
2856	師訇殷	王曰：師訇、哀才
2856	師訇殷	訇䭫首、敢對揚天子休
2856	師訇殷	訇其萬囟年
		小計：共 9 筆

睿 0357

5801	洹子孟姜壺一	曰：睿（期）則爾睿（期）
5802	洹子孟姜壺二	睿（期）則爾睿（期）
J3664	子睿盆	仕子睿鑄皿
		小計：共 3 筆

綦 0357+

2508	攸設	啟乍綦
		小計：共 1 筆

誕 0358 0289延字0290延字重見

諆 0359

0717	旁攷乍尊諆鼎	旁攷乍尊諆
0933	遂攷諆鼎	遂攷諆乍廟弔寶尊彝
0950	羊甚諆臧鼎	甚諆臧聿乍父丁尊彝［羊］
1224	王子吳鼎	其眉壽無諆（期）
1288	令鼎一	王大耤農于諆田
1288	令鼎一	王歸自諆田
1289	令鼎二	王大耤農于諆田、餳
1289	令鼎二	王歸自諆田
1304	王子午鼎	萬年無諆（期）
1665	王孫壽甗	其眉壽無疆、萬年無諆（期）
2508	攸設	啟乍諆（當釋綦）
2566	寧設一	寧屖諆乍乙考尊設
2567	寧設二	寧屖諆乍乙考尊設
2826	師袁設一	無諆徒馭
2826	師袁設一	無諆徒馭
2827	師袁設二	無諆徒馭
2978	樂子敬辅匠	其眉壽萬年無諆（期）
2982	長子□臣乍媵匠	其眉壽萬年無諆（期）
2982	長子□臣乍媵匠	其眉壽萬年無諆（期）
4238	索諆角	索諆乍有羔日辛䵼彝
4874	萬諆尊	萬諆乍茲鑄
5508	弔趪父卣	唯用諆徣女
6909	遡盂	㚄諆各佋右
7108	𪻐弔之仲子平編鐘一	萬年無諆
7109	𪻐弔之仲子平編鐘二	萬年無諆
7110	𪻐弔之仲子平編鐘三	萬年無諆
7111	𪻐弔之仲子平編鐘四	萬年無諆
7121	郐王子旃鐘	眉壽無諆
7175	王孫遺者鐘	萬年無諆
M612	鄦子鐘	萬年無諆
		小計：共 29 筆

0360

0883	曾侯乙鼎	曾侯乙詐(乍)時甬(用)冬(終)
1331	中山王礜鼎	隹十四年中山王礜詐(乍、作)鼎、于銘曰
2873	曾侯乙匿	曾侯乙詐(乍)寺甬冬
4887	蔡侯𩚤尊	用詐(乍)大孟姬賸彝_
6788	蔡侯𩚤盤	用詐大孟姬賸彝盤

小計：共 5 筆

0361

1328	盂鼎	敏諫罰訟
1330	曶鼎	□吏卑小子𩛥目限訟于井弔
2743	𩰫毀	訊訟罰取遺五守
2810	揚毀一	訊訟
2811	揚毀二	訊訟
6877	𠑇乍旅盂	女敢以乃師訟
7472	朝訶右庫戈	朝訶(歌)右庫侯工币_

小計：共 7 筆

0362

6972	宋公鐘	宋公戌之訶鐘
7117	邾𪘲兒鐘一	歛臥訶舞
7119	邾𪘲兒鐘三	歛臥訶舞
7125	蔡侯𩚤𦀚鐘一	自乍訶鐘
7126	蔡侯𩚤𦀚鐘二	自乍訶鐘
7131	蔡侯𩚤𦀚鐘七	自乍訶鐘
7132	蔡侯𩚤𦀚鐘八	自乍訶鐘
7133	蔡侯𩚤𦀚鐘九	自乍訶鐘
7134	蔡侯𩚤甬鐘	自乍訶鐘
7195	宋公戌鎛一	宋公戌之訶鐘
7196	宋公戌鎛二	宋公戌之訶鐘
7197	宋公戌鎛三	宋公戌之訶鐘
7198	宋公戌鎛四	宋公戌之訶鐘
7199	宋公戌鎛五	宋公戌之訶鐘
7200	宋公戌鎛六	宋公戌之訶鐘
7205	蔡侯𩚤編鎛一	自乍訶鐘
7206	蔡侯𩚤編鎛二	自乍訶鐘
7207	蔡侯𩚤編鎛三	自乍訶鐘
7208	蔡侯𩚤編鎛四	自乍訶鐘

小計：共 19 筆

0363

6792	史墻盤	得屯無諫

			小計：共 1 筆

譔 0364

1307	師望鼎	王用弗譔聖人之後
1323	師訊鼎	天子亦弗譔公上父猷德
2299	白乍辛譔子設	白乍辛譔子寶尊彝
2730	獻設	十葉（世）不譔
5493	召乍__宮旅卣	召弗敢譔王休異
		小計：共 5 筆

詆 0365

5805	中山王譽方壺	詆郾之訛
		小計：共 1 筆

誰 0366

0747	梁上官鼎	宜誰（當釋誚、信）tb宰曆參分
1331	中山王譽鼎	其隹（誰）能之
1331	中山王譽鼎	其隹（誰）能之
		小計：共 3 筆

讕 0367

1328	盂鼎	敏朝夕入讕（諫）、享奔走、畏天畏
		小計：共 1 筆

誅 0368

5805	中山王譽方壺	以栽（誅）不順
		小計：共 1 筆

0369

M423.	趞鼎	宰訊趞入門立中廷北向
		小計：共 1 筆

0370

7076	者沕鐘八	敨之于不啻
7079	者沕鐘十一	敨之于不啻
7080	者沕鐘十二	敨之于不啻
7081	者沕鐘十三	敨之于不
		小計：共 4 筆

0371

2970	考弔脂父尊匿一	考弔訙父自乍尊匿
2971	考弔脂父尊匿二	考弔訙父自乍尊匿
6870	䢅公孫脂父匜	䢅公孫訙父自作盥匜
M582	陳公孫脂父瓶	陳公孫訙父乍旅瓶
		小計：共 4 筆

0372

5805	中山王嚳方壺	詆郾之訛
		小計：共 1 筆

0373

0703	訴敀乍旅鼎	訴敀乍旅鼎
		小計：共 1 筆

0374

2722	䍙弔乍豐姞旅毁	豐姞憨用宿夜亯孝于詉公
		小計：共 1 筆

0375

5468	子寡子卣	烏虖、詠帝家以寡子作永寶
5468	子寡子卣	烏虖、詠帝家以寡子乍永寶
		小計：共 2 筆

0376

	2592	鄧公段	用為夫人尊談段
			小計：共　1 筆
截	0377		
	5683	孟截父鬱壺	孟截父乍鬱壺
			小計：共　1 筆
警	0378		
	7121	邾王子旃鐘	其音警警
			小計：共　1 筆
諿	0379		
	0747	梁上官鼎	宜諿（信）tb宰曆參分
	0876	__諿侯鼎	__諿（信）侯____
	1170	信安君鼎	諿（信）安君{ ム官 }、容料
	1170	信安君鼎	下官容料（器）諿（信）安君{ ム官 }、容料
	5805	中山王譽方壺	余智（知）其忠諿（信）施（也）
			小計：共　5 筆
諱	0380		
	5805	中山王譽方壺	故諱禮敬則賢人至
			小計：共　1 筆
諱	0381		
	1331	中山王譽鼎	以諱道寡人
			小計：共　1 筆
諓	0382		
	7124	沇兒鐘	中諓（翰）叡揚
	7175	王孫遺者鐘	中諓（翰）叡揚
			小計：共　1 筆
譎	0383		

6753	仲叡父盤	用揚譣中氏䨻
		小計：共 1 筆
0384		
0385		
4887	蔡侯䜌尊	齊嘉整譸（肅）
6788	蔡侯䜌盤	齊嘉整譸（肅）
		小計：共 2 筆
0386		
1331	中山王譻鼎	方譻（數）百里
1331	中山王譻鼎	剌（列）城譻（數）十
5803	胤嗣好蚉壺	枋（方）譻（數）百里
		小計：共 3 筆
0387		
3005	弔謀父旅盨段一	弔謀父乍旅盨（鎮）段
3005.	弔謀父旅盨段二	弔謀父乍旅盨段
3041	謀季獻旅須	謀季獻乍旅盨（須）
		小計：共 3 筆
0387+		
M545	配兒勾鑃	余不敢詩
		小計：共 1 筆

善 0388

善	0805	取它人善鼎	取它人之善貞(鼎)
	1094	魯大左司徒元善鼎	魯大左司徒元乍善鼎
	1098	善夫白辛父鼎	善夫白辛父乍尊鼎
	1132	郭白祀乍善鼎	郭白祀乍善鼎
	1133	郭白乍孟妊善鼎	郭白肇乍孟妊善寶鼎
	1141	善夫旅白鼎	善夫旅白乍毛中姬尊鼎
	1187	員乍父甲鼎	王令員執犬、休善
	1291	善夫克鼎一	王命善夫克舍令于成周遹正八𠂤之年
	1292	善夫克鼎二	王命善夫克舍令于成周遹正八𠂤之年
	1293	善夫克鼎三	王命善夫克舍令于成周遹正八𠂤之年
	1294	善夫克鼎四	王命善夫克舍令于成周遹正八𠂤之年
	1295	善夫克鼎五	王命善夫克舍令于成周遹正八𠂤之年
	1296	善夫克鼎六	王命善夫克舍令于成周遹正八𠂤之年
	1297	善夫克鼎七	王命善夫克舍令于成周遹正八𠂤之年
	1301	大鼎一	王乎善夫騣召大㠯氒友入孜
	1302	大鼎二	王乎善夫騣召大㠯氒友入孜
	1303	大鼎三	王乎善夫騣召大㠯氒友入孜
	1311	師晨鼎	隹小臣善夫、守□、官犬、眔奠人、善夫、官
	1312	此鼎一	旅邑人、善夫
	1313	此鼎二	旅邑人、善夫
	1314	此鼎三	旅邑人、善夫
	1315	善鼎	王曰：善、昔先王既令女左足𩁹侯
	1315	善鼎	善敢拜䭫首
	1317	善夫山鼎	南宮乎入右善夫山入門
	1317	善夫山鼎	母敢不善
	1327	克鼎	𬅅季右善夫克入門立中廷、北卿
	1327	克鼎	王呼尹氏冊令善夫克
	1332	毛公鼎	善效乃友正
	1507	善夫吉父乍京姬鬲一	善夫吉父乍京姬尊鬲
	1508	善夫吉父乍京姬鬲二	善吉父乍京姬尊鬲
	2691	善夫梁其𣪘一	善夫汈其乍朕皇考惠中
	2692	善找梁其𣪘二	善夫汈其乍朕皇考惠中
	2796	諫𣪘	母敢不善
	2796	諫𣪘	母敢不善
	2812	大𣪘一	王令善夫豖曰趞睽曰
	2813	大𣪘二	王令善夫豖曰趞睽曰
	2815	師𣪕𣪘	母敢否善
	2818	此𣪘一	旅邑人善夫
	2819	此𣪘二	旅邑人善夫
	2820	此𣪘三	旅邑人善夫
	2821	此𣪘四	旅邑人善夫
	2822	此𣪘五	旅邑人善夫
	2823	此𣪘六	旅邑人善夫
	2824	此𣪘七	旅邑人善夫
	2825	此𣪘八	旅邑人善夫
	2842	卯𣪘	女母敢不善
	2854	槃𣪘	女母弗善效姜氏人

2904	善夫吉父旅匠	善夫吉父乍旅匠
3086	善夫克旅盨	王令尹氏友、史趛典善夫克田人、
3087	鬲从盨	𠭯右鬲比善夫__
3090	盨(器)	善效乃友內辟
3118	魯大嗣徒厚氏元善匿一	魯大嗣徒厚氏元乍善簠
3119	魯大嗣徒厚氏元善匿二	魯大嗣徒厚氏元乍善簠
3120	魯大嗣徒厚氏元善匿三	魯大嗣徒厚氏元乍善簠
3123	𡉚氏善鎗	𡉚氏𠳋乍善鎗
6904	善夫吉父盂	善夫吉父乍盂
7108	𪎭弔之仲子平編鐘一	中平善弜𠭯考鑄其游鐘
7109	𪎭弔之仲子平編鐘二	中平善弜𠭯考鑄其游鐘
7110	𪎭弔之仲子平編鐘三	中平善弜𠭯考鑄其游鐘
7111	𪎭弔之仲子平編鐘四	中平善弜𠭯考鑄其游鐘
M816	魯大左司徒元鼎	魯大左司徒元乍善鼎
		小計：共 61 筆

0389

1217	毛公旅方鼎	𩰫母又弗競
1678	競毁	[競]
2396	仲競毁	中競乍寶毁
2661	競毁一	白屖父蔑御史競曆、賞金
2661	競毁一	競揚白屖父休
2662	競毁二	白屖父蔑御史競曆、賞金
2662	競毁二	競揚白屖父休
2836	彧毁	朕文母競敏__行
2855	班毁一	亡克競𠭯剌
2855.	班毁二	亡克競𠭯剌
4700	競乍父乙旅尊	競乍父乙旅
4884	䧅尊	䧅蔑曆、中競父易金
4884	䧅尊	䧅拜稽首、敢對揚競父休
5293	競乍父乙旅卣	競乍父乙旅
5503	競卣	白屖父皇競各于官
5503	競卣	競蔑曆
5503	競卣	賞競章
5509	𤔲卣	亡競才服
6990	䣄𡢁鐘	晉人救戎於楚競
7176	𤔲鐘	朕猷又成亡競
J31	秦王鐘	競墉王之定救秦戎
7867.	龍__	攻(工)差(佐)競之
		小計：共 22 筆

0390

7107	曾侯乙甬鐘	𨟻音之角
7107	曾侯乙甬鐘	穆音之商
7107	曾侯乙甬鐘	韋音之變羽

善
競
音

音

7108	𨚕弔之仲子平編鐘一	乃為之音＿＿＿雝雝
7109	𨚕弔之仲子平編鐘二	乃為之音＿＿＿雝雝
7110	𨚕弔之仲子平編鐘三	乃為之音＿＿＿雝雝
7111	𨚕弔之仲子平編鐘四	乃為之音＿＿＿雝雝
7121	郘王子旃鐘	其音警警
7174	秦公鐘	霝音徵徵雝雝
7178	秦公及王姬編鐘二	霝音徵徵雝雝
7181	秦公及王姬編鐘六	霝音徵徵雝雝
7209	秦公及王姬鎛	霝音徵徵雝雝
7210	秦公及王姬鎛二	霝音徵徵雝雝
7211	秦公及王姬鎛三	霝音徵徵雝雝
7212	秦公鎛	其音sLsL雝雝孔煌
M706	曾侯乙編鐘下一・二	為韋音羽角
M706	曾侯乙編鐘下一・二	為鄦音羽
M707	曾侯乙編鐘下一・三	為穆音變商
M707	曾侯乙編鐘下一・三	為穆音之羽顛下角
M707	曾侯乙編鐘下一・三	刺音之羽曾
M708	曾侯乙編鐘下二・一	穆音之羽
M708	曾侯乙編鐘下二・一	為穆音羽角
M708	曾侯乙編鐘下二・一	為剌音變商
M709	曾侯乙編鐘下二・二	其才齊為呂音
M709	曾侯乙編鐘下二・二	穆音之宮
M709	曾侯乙編鐘下二・二	穆音之才楚為穆鐘
M709	曾侯乙編鐘下二・二	其才周為剌音
M710	曾侯乙編鐘下二・三	韋音之宮
M710	曾侯乙編鐘下二・三	韋音之才楚號為文王
M710	曾侯乙編鐘下二・三	為剌音變徵
M710	曾侯乙編鐘下二・三	韋音之下角
M710	曾侯乙編鐘下二・三	鄦音之宮
M710	曾侯乙編鐘下二・三	鄦音之才楚為闕鐘
M710	曾侯乙編鐘下二・三	其才周為鄦音
M711	曾侯乙編鐘下二・四	為韋音羽角
M711	曾侯乙編鐘下二・四	為鄦音羽
M712	曾侯乙編鐘下二・五	為穆音之羽顛下角
M712	曾侯乙編鐘下二・五	剌音之羽曾
M713	曾侯乙編鐘下二・七	鄦音之變商
M713	曾侯乙編鐘下二・七	韋音之羽曾
M713	曾侯乙編鐘下二・七	為鄦音羽曾
M714	曾侯乙編鐘下二・八	韋音之曾
M714	曾侯乙編鐘下二・八	音為穆音變商
M716	曾侯乙編鐘下二・十	鄦音之濁羽
M727	曾侯乙編鐘中一・十一	鄦音之鼓
M738	曾侯乙編鐘中二・十一	其才齊為呂音
M738	曾侯乙編鐘中二・十一	穆音之宮
M738	曾侯乙編鐘中二・十一	穆音之才楚為穆鐘
M738	曾侯乙編鐘中二・十一	其才周為剌音
M739	曾侯乙編鐘中二・十二	鄦音之喜
M741	曾侯乙編鐘中三・二	亓才齊號為呂音
M741	曾侯乙編鐘中三・二	大族之才周號為剌音
M741	曾侯乙編鐘中三・二	穆音之宮

M742	曾侯乙編鐘中三・三	韋音之宮
M742	曾侯乙編鐘中三・三	穆音之羽
M742	曾侯乙編鐘中三・三	韋音之徵曾
M742	曾侯乙編鐘中三・三	為剌音鼓
M743	曾侯乙編鐘中三・四	穆音之冬反
M743	曾侯乙編鐘中三・四	韋音之變商
M744	曾侯乙編鐘中三・五	䣄音之角
M744	曾侯乙編鐘中三・五	穆音之商
M744	曾侯乙編鐘中三・五	韋音之變羽
M745	曾侯乙編鐘中三・六	韋音之宮
M745	曾侯乙編鐘中三・六	韋音之才楚號為文王
M745	曾侯乙編鐘中三・六	韋音之徵曾
M746	曾侯乙編鐘中三・七	為韋音羽角
M746	曾侯乙編鐘中三・七	為䣄音羽
M747	曾侯乙編鐘中三・八	為穆音之羽䪫下角
M747	曾侯乙編鐘中三・八	剌音之羽曾
M748	曾侯乙編鐘中三・九	䣄音之變商
M748	曾侯乙編鐘中三・九	韋音之羽曾
M748	曾侯乙編鐘中三・九	為䣄音羽曾
M749	曾侯乙編鐘中三・十	為穆音變商
M758	曾侯乙編鐘上二・三	商、羽曾，䣄音之宮，
M759	曾侯乙編鐘上二・四	商曾、羽角，韋音之宮，
M764	曾侯乙編鐘上三・三	宮、角徵，穆音之宮，
		小計：共 76 筆

音章

0391

1281	史頌鼎一	穌賓章、馬四匹、吉金
1282	史頌鼎二	穌賓章、馬四匹、吉金
1286	大夫始鼎	易囗易章
1317	善夫山鼎	反入堇章
1319	頌鼎一	反、入堇章
1320	頌鼎二	反、入堇章
1321	頌鼎三	反、入堇章
2453	亞獇乍且丁毁	章用乍且丁彝
2658.	大毁	穆章馬兩
2721	𦿎毁	白黃賓𦿎章（璋）一、馬兩
2752	史頌毁一	穌賓章、馬四匹、吉金
2753	史頌毁二	穌賓章、馬四匹、吉金
2754	史頌毁三	穌賓章、馬四匹、吉金
2755	史頌毁四	穌賓章、馬四匹、吉金
2756	史頌毁五	穌賓章、馬四匹、吉金
2757	史頌毁六	穌賓章、馬四匹、吉金
2758	史頌毁七	穌賓章、馬四匹、吉金
2759	史頌毁八	穌賓章、馬四匹、吉金
2759	史頌毁九	穌賓章、馬四匹、吉金
2801	五年召白虎毁	余sc于君氏大章
2812	大毁一	睽賓豖章
2812	大毁一	大賓豖訊章、馬兩

章
諲
童

2812	大段一	賓睽訊章、帛束
2813	大段二	睽賓豖章
2813	大段二	大賓、賓豖訊章、馬兩
2813	大段二	賓睽訊章、帛束
2842	卯段	易女瑀章、瑴、宗彝一造、寳
2844	頌段一	反、入堇章
2845	頌段二	反、入堇章
2845	頌段二	反、入堇章
2846	頌段三	反、入堇章
2847	頌段四	反、入堇章
2848	頌段五	反、入堇章
2849	頌段六	反、入堇章
2850	頌段七	反、入堇章
2851	頌段八	反、入堇章
4449	裘衛盉	矩白庶人取瑾章于裘衛
4977	師遽方彝	王乎宰利易師遽瑀圭一、環章四
5503	競卣	賞競章
5772	陳璋方壺	大壯孔陳璋（章?）内伐匽亳邦之隻，
5799	頌壺一	反入堇章
5800	頌壺二	反入堇章
7017	楚王酓章鐘一	楚王酓章乍曾侯乙宗彝
7201	楚王酓章乍曾侯乙鎛	楚王酓章乍曾侯乙宗彝
7558	十四年奠令戈	工帀鑄章冶□
7559	十五年奠令戈	十五年奠命趙距司寇□章右庫
7657	九年鄭令向甸矛	武庫工帀鑄章冶造
7711	楚王酓章劍	楚王酓章為從士鑄
		小計：共 48 筆

諲 0392

0865	邵王之諲鍊鼎	邵王之諲之餘貞（鼎）
2267	邵王之諲鳳殷一	邵王之諲之鳳殷
2268	邵王之諲鳳殷二	邵王之諲之鳳殷
7121	邻王子旃鐘	諲諲熙熙
M612	鄦子鐘	諲諲熙熙
		小計：共 5 筆

童 0393

1331	中山王嚳鼎	寡人幼童未甬（通）智
1332	毛公鼎	死（尸）母（毋）童（動）余一人在立（位）
2840	番生段	畫轉畫輯、金童金豖
6792	史墻盤	虘長伐尸童
		小計：共 4 筆

0394

1327	克鼎	以厥臣妾
2800	伊段	親官司康宮王臣妾、百工
2815	師殿段	僕馭、百工、牧、臣妾
4853	復尊	匽侯賞復冂衣、臣妾、貝
5650	__君壺	__君啟妾
7135	逆鐘	用親于公室僕庸臣妾
		小計：共 6 筆

0395

1331	中山王礐鼎	厥業才祇
5805	中山王礐方壺	以內絕邵公之業
7713	郾王職劍	郾王職乍武業so劍、右攻
		小計：共 3 筆

0396

1119	曆方鼎	曆肇對元德考友隹井乍寶尊彝
1139	寓鼎	易乍冊寓□__寓拜𩒨首、對王休
1156	毫鼎	毫敢對公中休
1173	羌乍文考鼎	羌對揚君令于彝
1206	旟鼎	用對王休
1221	井鼎	對揚王休
1222	寢鼎一	對揚其父休
1223	寢鼎二	對揚其父休
1226	師艅鼎	艅則對揚厥德
1228	𢾊𢾊方鼎	對揚尹休
1248	庚贏鼎	對王休
1262	㝅鼎	對揚趞中休
1263	呂方鼎	對揚 王休
1264	螢鼎	對揚、用乍寶尊
1270	小臣𡗀鼎	對揚王休
1271	史獸鼎	對揚皇尹不顯休
1272	剌鼎	剌對揚王休
1276	__季鼎	對揚王休
1277	七年趞曹鼎	敢對揚天子休
1278	十五年趞曹鼎	趞曹< 敢對曹 >拜𩒨首
1278	十五年趞曹鼎	敢對揚天子休
1279	中方鼎	中對王休令
1280	康鼎	敢對揚天子不顯休
1284	尹姞鼎	拜𩒨首、對揚天君休
1285	㦯方鼎一	對揚王𡚬姜休
1286	大夫始鼎	大夫始敢對揚天子休
1288	令鼎一	令對揚王休
1289	令鼎二	令對揚王休
1290	利鼎	對揚天子不顯皇休
1298	師旂鼎	旂對厥賢于尊彝
1300	南宮柳鼎	對揚天子休
1301	大鼎一	對揚王天子不顯休

妾
業
對

對

1302	大鼎二	對揚王天子不顯休
1303	大鼎三	對揚王天子不顯休
1305	師奎父鼎	對揚天子不杯魯休
1306	無叀鼎	無叀敢對揚天子不顯魯休
1307	師望鼎	望敢對揚天子不顯魯休
1308	白晨鼎	敢對揚王休
1309	寰鼎	敢對揚天子不顯叚休令
1311	師晨鼎	敢對揚天子不顯休令
1312	此鼎一	此敢對揚天子不顯休令
1313	此鼎二	此敢對揚天子不顯休令
1314	此鼎三	此敢對揚天子不顯休令
1315	善鼎	對揚皇天子不杯休
1316	或方鼎	對揚王令
1317	善夫山鼎	山敢對揚天子休令
1319	頌鼎一	頌敢對揚天子不顯魯休
1320	頌鼎二	頌敢對揚天子不顯魯休
1321	頌鼎三	頌敢對揚天子不顯魯休
1323	師訊鼎	訊敢對王休
1324	禹鼎	敢對揚武公不顯耿光
1326	多友鼎	多友敢對揚公休
1327	克鼎	敢對揚天子不顯魯休
1328	盂鼎	盂用對王休
1332	毛公鼎	毛公厝對揚天子皇休
1528	公姞鬲鼎	拜韻首、對揚天君休
1533	尹姞寶鬲一	拜韻首、對揚天君休
1534	尹姞寶鬲二	拜韻首、對揚天君休
2570	榮段	對揚天子休
2598	燮乍宮仲念器	對揚王休
2606	易__乍父丁段一	對孚休、用乍父丁尊彝
2607	易__乍父丁段二	對孚休
2612	不壽段	對揚王休、用乍寶
2658.	大段	敢對揚休
2660	彔乍辛公段	對揚白休
2675	大保段	用兹彝、對令
2687	敔段	敔對揚王休
2688	大段	對揚王休
2690.	相侯段	對揚侯休
2693	䨺段	䨺對揚公休
2694	虘乍且考段	對揚白休
2696	孟段一	對揚朕考易休
2697	孟段二	對揚朕考易休
2703	免乍旅段	對揚王休
2704	穆公段	穆公對王休
2707	小臣守段一	守敢對揚天子休令
2708	小臣守段二	守敢對揚天子休令
2709	小臣守段三	守敢對揚天子休令
2710	肄自乍寶器一	肄對揚王休
2711	肄自乍寶器二	肄對揚王休
2711.	乍冊般段	對揚天子不顯王休命
2713	瘨段一	王對瘨楙、易佩

2714	瘨𣪘二	王對瘨楙、易佩
2715	瘨𣪘三	王對瘨楙、易佩
2716	瘨𣪘四	王對瘨楙、易佩
2717	瘨𣪘五	王對瘨楙、易佩
2718	瘨𣪘六	王對瘨楙、易佩
2719	瘨𣪘七	王對瘨楙、易佩
2720	瘨𣪘八	王對瘨楙、易佩
2721	𤔲𣪘	𤔲對揚天子休
2723	𠭯𣪘	友對揚王休
2724	𩫖白𩛥𣪘	敢對揚王休
2725	師毛父𣪘	對揚王休
2726	㽙𣪘	㽙敢對揚王休
2728	恆𣪘一	敢對揚天子休
2729	恆𣪘二	敢對揚天子休
2730	㝬𣪘	對朕辟休
2733	何𣪘	對揚天子魯命
2734	遹𣪘	敢對揚穆王休
2736	師遽𣪘	敢對揚天子不杯休
2737	段𣪘	敢對揚王休、用乍𣪘
2738	衛𣪘	衛敢對揚天子不顯休
2739	無㠱𣪘一	曰敢對揚天子魯休令
2740	無㠱𣪘二	曰敢對揚天子魯休令
2741	無㠱𣪘三	曰敢對揚天子魯休令
2742	無㠱𣪘四	曰敢對揚天子魯休令
2742.	無㠱𣪘五	敢對揚天子魯休令
2742.	無㠱𣪘五	敢對揚天子魯休令
2743	䛫𣪘	對揚王休命
2746	追𣪘一	追敢對天子覭揚
2747	追𣪘二	追敢對天子覭揚
2748	追𣪘三	追敢對天子覭揚
2749	追𣪘四	追敢對天子覭揚
2750	追𣪘五	追敢對天子覭揚
2751	追𣪘六	追敢對天子覭揚
2762	免𣪘	免對揚王休
2764	艾𣪘	追考對、不敢豕
2765	𢾊𣪘	敢對揚天子休
2767	虘𣪘一	虘拜䭫首敢對揚天子不顯休
2770	𢦏𣪘	對揚王休
2771	弭弔師求𣪘一	敢對揚天子休
2772	弭弔師求𣪘二	敢對揚天子休
2773	即𣪘	即敢對揚天子不顯休
2775	裘衛𣪘	衛拜䭫首敢對揚天子不顯休
2775.	害𣪘一	對揚王休
2775.	害𣪘二	對揚王休
2776	走𣪘	徒敢拜䭫首對揚王休
2783	趩𣪘	趩拜䭫首對揚王休
2784	申𣪘	申敢對揚天子休令
2785	王臣𣪘	不敢顯天子對揚休
2787	望𣪘	對揚天子不顯休
2787	望𣪘	敢對揚天子不顯休

對

對

2788	靜𣪘	對揚天子丕顯休
2789	同𣪘一	對揚天子氒休
2790	同𣪘二	對揚天子氒休
2791	豆閉𣪘	敢對揚天子丕顯休命
2791.	史密𣪘	對揚天子休
2793	元年師旋𣪘一	敢對揚天子丕顯魯休命
2794	元年師旋𣪘二	敢對揚天子丕顯魯休命
2795	元年師旋𣪘三	敢對揚天子丕顯魯休命
2796	諫𣪘	敢對揚天子丕顯休
2796	諫𣪘	敢對揚天子丕顯休
2797	輔師嫠𣪘	嫠拜稽首敢對揚王休令
2798	師𢅰𣪘一	敢對揚天子丕顯休
2799	師𢅰𣪘二	敢對揚天子丕顯休
2800	伊𣪘	對揚天子休
2802	六年召白虎𣪘	對揚朕宗君其休
2803	師酉𣪘一	對揚天子丕顯休命
2804	師酉𣪘二	對揚天子丕顯休命
2804	師酉𣪘二	對揚天子丕顯休命
2805	師酉𣪘三	對揚天子丕顯休命
2806	師酉𣪘四	對揚天子丕顯休命
2806.	師酉𣪘五	對揚天子丕顯休命
2810	揚𣪘一	敢對揚天子丕顯休
2811	揚𣪘二	敢對揚天子丕顯休
2812	大𣪘一	敢對揚天子
2813	大𣪘二	敢對揚天子
2815	師𣪕𣪘	敢對揚皇君休
2816	彔白𢦚𣪘	對揚天子丕顯休
2817	師𩒨𣪘	𩒨拜稽首敢對揚天子丕顯休
2818	此𣪘一	此敢對揚天子丕顯休令
2819	此𣪘二	此敢對揚天子丕顯休令
2820	此𣪘三	此敢對揚天子丕顯休令
2821	此𣪘四	此敢對揚天子丕顯休令
2822	此𣪘五	此敢對揚天子丕顯休令
2823	此𣪘六	此敢對揚天子丕顯休令
2824	此𣪘七	此敢對揚天子丕顯休令
2825	此𣪘八	此敢對揚天子丕顯休令
2829	師虎𣪘	對揚天子丕环魯休
2830	三年師兌𣪘	敢對揚天子丕顯魯休
2831	元年師兌𣪘一	敢對揚天子丕顯魯休
2832	元年師兌𣪘二	敢對揚天子丕顯魯休
2835	㝬𣪘	㝬稽首對揚天子休令
2836	𢦚𣪘	對揚文母福剌
2837	㪤𣪘一	㪤敢對揚天子休
2838	師嫠𣪘一	敢對揚天子休
2838	師嫠𣪘一	敢對揚于子休
2839	師嫠𣪘二	敢對揚天子休
2839	師嫠𣪘二	敢對揚于子休
2840	番生𣪘	番生敢對天子休
2842	卯𣪘	敢對揚榮白休
2844	頌𣪘一	頌敢對揚天子丕顯魯休

2845	頌𣪕二	頌敢對揚天子不顯魯休
2845	頌𣪕二	頌敢對揚天子不顯魯休
2846	頌𣪕三	頌敢對揚天子不顯魯休
2847	頌𣪕四	頌敢對揚天子不顯魯休
2848	頌𣪕五	頌敢對揚天子不顯魯休
2849	頌𣪕六	頌敢對揚天子不顯魯休
2850	頌𣪕七	頌敢對揚天子不顯魯休
2851	頌𣪕八	頌敢對揚天子不顯魯休
2853.	尹𣪕	唯對揚尹休
2854	蔡𣪕	令女眔曶：𤔲足對各
2854	蔡𣪕	敢對揚天子不顯魯休
2856	師訇𣪕	訇𩒨首、敢對揚天子休
2857	牧𣪕	牧拜𩒨首敢對揚王不顯休
3081	翏生旅盨一	用對剌翏生眔大妘
3082	翏生旅盨二	用對剌翏生眔大妘
3082	翏生旅盨二	用對剌翏生眔大妘
3083	㾓𣪕（盨）一	敢對揚天子休
3084	㾓𣪕（盨）二	敢對揚天子休
3086	善夫克旅盨	敢對天子不顯魯休揚
3088	師克旅盨一（蓋）	克敢對揚天子不顯魯休
3089	師克旅盨二	克敢對揚天子不顯魯休
3090	𨽍盨（器）	對揚天子不顯魯休
4432.	𤔲盉	𤔲對揚王休
4448	長由盉	敢對揚天子不顯休
4765	對作父乙尊	對作父乙［亞夫］寶尊彝
4846	蔡	對揚王休
4848	舟宊𡚬作父乙尊	對揚公休
4868	趞作姞尊	趞對王休
4869	次尊	對揚公姞休
4877	小子生尊	用對揚王休
4879	彔戜尊	對揚白休
4880	免尊	對揚王休
4881	矗方尊	敢對揚辟休
4882	匽作文考日丁尊	對揚天子不顯休
4883	耳尊	pp師q3對揚侯休
4884	𢼛尊	𢼛拜稽首、敢對揚競父休
4885	效尊	效對公休、用作寶尊彝
4886	趩尊	趩拜稽首、揚王休對
4888	盠駒尊一	盠曰、余其敢對揚天子之休
4890	盠方尊	敢對揚王休
4977	師遽方彝	對揚天子不顯休
4978	吳方彝	吳拜稽首、敢對揚王休
4979	盠方彝一	敢對揚王休
4980	盠方彝二	敢對揚王休
5421	亞＿對作父乙卣	對作父乙寶尊彝［亞b2］
5461	寓作幽尹卣	寓對揚王休
5469	白ns卣	對揚父休
5470	＿盂作父丁卣	盂對揚公休
5473	同作父戊卣	同對揚王休
5476	趞作姞寶卣	趞對王休

對

5478	次卣	對揚公姞休
5481	叔卣一	叔對大保休
5482	叔卣二	叔對大保休
5485	貉子卣一	貉子對揚王休
5486	貉子卣二	貉子對揚王休
5487	靜卣	敢對揚王休
5488	靜卣二	敢對揚王休
5490	戉𢦏卣	對揚師雝父休
5490	戉𢦏卣	對揚師雝父休
5497	農卣	敢對揚王休、從乍寶彝
5498	彔茲卣	對揚白休
5499	彔茲卣二	對揚白休
5500	免卣	對揚王休
5503	競卣	對揚白休
5504	庚贏卣一	庚贏對揚王休
5505	庚贏卣二	庚贏對揚王休
5509	𣄰卣	高對乍父丙寶尊彝
5511	效卣一	效對公休
5582	對罍	對乍文考日癸寶尊罍（罍）
5597	次甗	對揚公姞休
5785	史懋壺	懋拜韻首對王休
5791	十三年㾓壺一	㾓拜韻首對揚王休
5792	十三年㾓壺二	㾓拜韻首對揚王休
5793	幾父壺一	對揚朕皇君休
5794	幾父壺二	對揚朕皇君休
5795	白克壺	白克敢對揚天君王白休
5796	三年㾓壺一	拜韻首敢對揚天子休
5797	三年㾓壺二	拜韻首敢對揚天子休
5798	曶壺	敢對揚天子不顯魯休令
5799	頌壺一	頌敢對揚天子不顯魯休
5800	頌壺二	頌敢對揚天子不顯魯休
6784	三十四祀盤（祼盤）	對王休、用乍子孫其永寶
6785	守宮盤	守宮對揚周師釐
6787	走馬休盤	敢對揚天子不顯休令
6789	寰盤	敢對揚天子不顯叚休令
6792	史墻盤	對揚天子不顯休令
6909	遹盂	遹敢對揚
6910	師永盂	對揚天子休命
7039	應侯見工鐘二	見工敢對揚天子休
7043	克鐘四	專奠王令克敢對揚天子休
7044	克鐘五	專奠王令克敢對揚天子休
7060	昊生鐘一	拜手韻手敢對揚王休
7062	柞鐘	柞拜手對揚中大師休
7063	柞鐘二	柞拜手對揚中大師休
7064	柞鐘三	柞拜手對揚中大師休
7065	柞鐘四	柞拜手對揚中大師休
7067	柞鐘六	柞拜手對揚中大師休
7083	鮮鐘	敢對揚天子休
7116	南宮乎鐘	敢對揚天子不顯魯休
7122	梁其鐘一	汈其敢對天子不顯休揚

7123	梁其鐘二	汈其敢對天子不顯休揚
7150	虢叔旅鐘一	旅對天子魯休揚
7151	虢叔旅鐘二	旅對天子魯休揚
7152	虢叔旅鐘三	旅對天子魯休揚
7153	虢叔旅鐘四	旅對天子魯休揚
7155	虢叔旅鐘六	旅對天子魯休揚
7158	瘐鐘一	皇王對瘐身楙、易佩
7159	瘐鐘二	弋皇且考高對爾烈
7160	瘐鐘三	皇王對瘐身楙、易佩
7161	瘐鐘四	皇王對瘐身楙、易佩
7162	瘐鐘五	皇王對瘐身楙、易佩
7176	𢾅鐘	王對乍宗周寶鐘
7183	叔夷編鐘二	弗敢不對揚朕辟皇君之
7204	克鎛	克敢對揚天子休
7214	叔夷鎛	弗敢不對揚朕辟皇君之易休命
M191	繁卣	對揚公休
M252	免簠	對揚王休
M282	師𦙶尊	𦙶則對揚氒德
M423.	趞鼎	敢對揚天子不顯魯休
		小計：共 301 筆

0397

1164	旂乍文父日乙鼎	公易旂僕
1264	𩰫鼎	因付氒且僕二家
1288	令鼎一	王馭溓中僕
1289	令鼎二	王馭溓中僕
1298	師旂鼎	師旂眔僕不從王征于方
2454	亢僕乍父己殷	亢僕乍父己尊殷
2775.	害殷一	吏官𤔲（司）人僕
2775.	害殷二	吏官＿𤔲人僕、小射
2783	趞殷	啻官僕、射、士、訊
2788	靜殷	小子眔服眔小臣眔氒僕學射
2801	五年召白虎殷	余老止公僕庸土田多諫
2815	師嫠殷	僕馭、百工、牧、臣妾
4200	呂仲僕乍毓子爵	呂中僕乍毓子寶尊彝或
4826	呂仲僕尊	呂仲僕乍毓子寶尊彝［或］
5746	史僕壺一	史僕乍尊壺
5747	史僕壺二	史僕乍尊壺
5793	幾父壺一	僕四家、金十鈞
5794	幾父壺二	僕四家、金十鈞
5795	白克壺	白大師易白克僕卅夫
7135	逆鐘	用飘于公室僕庸臣妾
7185	叔夷編鐘四	釐僕三百又五十家
7214	叔夷鎛	釐僕三百又五十家
7574	左軍戈	之𢼸僕
		小計：共 23 筆

収 奉 睪

収 0398

0150	__鼎	[周収工]
0258	衛鼎	[衛冊収]
1311	師晨鼎	嗣馬収(共)右師晨入門、立中廷
2763	弔向父禹毁	収(共)明德、秉威義
2796	諫毁	嗣馬収(共)又右諫入門立中廷
3083	瘨毁(盨)一	嗣馬収(共)右瘨
3084	瘨毁(盨)二	嗣馬収(共)右瘨
3843.	亯収父丁爵	[亯収]父丁
4316	周収父癸斝	[周収]父癸
4997	衛卣	[衛冊収]癸
4998	衛卣	[衛冊収]
5089	____卣	[収京]、[宁工工]
5181	癸衛冊卣	癸[衛冊収]
5231	父乙衛冊卣	[衛冊収]父乙
5656	周収句父癸壺	[周収句]父癸
5994	亞其觚	[亞其収]
6028	子__觚	[子公収]
6485	周収父辛觶	[周収]父辛

小計：共　18 筆

奉 0399 見散盤或釋封參封字條下

睪 0400

1008	虎嗣君鼎	虎嗣君常睪其吉金
1218	寬兒鼎	蘇公之孫寬兒睪其吉金
1224	王子吳鼎	王子吳睪其吉金
1250	曾子斿鼎	曾子斿睪其吉金
1304	王子午鼎	王子午睪其吉金
1664	邎子良人甗甗	邎子良人睪其吉金自乍飤甗(甗)
1665	王孫壽飤甗	王孫壽睪其吉金
2698	陳昉毁	__睪吉金
2945	□仲虎匠	隹□中虎睪其吉金
2957	子季匠	子季□子睪其吉金
2964	曾□□餗匠	曾□□□睪其吉金自乍餗匠
2974.	上鄀府匠	上鄀府睪其吉金
2975	鄦子妝匠	鄦子妝睪其吉金
2976	鄦公匠	鄦(許)公買睪季吉金
2977	□孫弔左餗匠	□孫弔左睪其吉金
2978	樂子敬豧飤匠	樂子敬豧睪其吉金
2979	弔朕自乍薦匠	弔朕睪其吉金
2979.	弔朕自乍薦匠二	弔朕睪其吉金
2982	長子□臣乍媵匠	長子o7臣睪其吉金
2982	長子□臣乍媵匠	長子o7臣睪其吉金
2983	弭仲簠匠	睪之金、鏷鋁鏷鑪

2984	伯公父盤	睪之金
2984	伯公父盤	睪之金
2985	陳逆匿一	睪氒吉金
2985.	陳逆匿二	睪氒吉金
2985.	陳逆匿三	睪氒吉金
2985.	陳逆匿四	睪氒吉金
2985.	陳逆匿五	睪氒吉金
2985.	陳逆匿六	睪氒吉金
2985.	陳逆匿七	睪氒吉金
2985.	陳逆匿八	睪氒吉金
2985.	陳逆匿九	睪氒吉金
2985.	陳逆匿十	睪氒吉金
2986	曾白霥旅匿一	余睪其吉金黃鑪
2987	曾白霥旅匿二	余睪其吉金黃鑪
3122	__君之孫盧(者旨嘼盤)	睪其吉金自乍盧盤
4344	嘉仲父罍	嘉中父睪其吉金
5728	樊夫人壺	樊夫人__姬睪其吉金
5804	齊侯壺	__王之孫右帀之子武弔曰庚睪其吉金
5805	中山王譽方壺	中山王譽命相邦賈睪郾吉金
5824	孟賸姬賸缶	孟賸姬睪其吉金
5825	縊書缶	余畜孫書巳睪其吉金
6634	郐王義楚祭耑	仔郐王義楚睪余吉金
6725	郐王義楚盤	徐王義楚睪其吉金自乍朕盤
6754.	徐令尹者旨嘼爐盤	n8君之孫郐令尹者旨嘼睪其吉金
6760	中子化盤	用睪其吉金
6782	者尚余卑盤	者尚余卑□永既睪其吉金
6885	吳王夫差御鑑一	攻吳王大差睪氒吉金
6886	吳王夫差御鑑二	吳王夫差睪氒吉金
6888	吳王光鑑一	吳王光睪其吉金
6889	吳王光鑑二	吳王光睪其吉金
6921	鄧子仲盆	鄧子中睪其吉金
7026	邾弔鐘	邾叔止白□睪氒吉金用乍其龢鐘
7028	臧孫鐘	睪氒吉金
7029	臧孫鐘二	睪氒吉金
7030	臧孫鐘三	睪氒吉金
7031	臧孫鐘四	睪氒吉金
7032	臧孫鐘五	睪氒吉金
7033	臧孫鐘六	睪氒吉金
7034	臧孫鐘七	睪氒吉金
7035	臧孫鐘八	睪氒吉金
7036	臧孫鐘九	睪氒吉金
7051	子璋鐘一	睪其吉金
7052	子璋鐘二	睪其吉金
7053	子璋鐘三	睪其吉金
7054	子璋鐘四	睪其吉金
7055	子璋鐘五	睪其吉金
7056	子璋鐘六	睪其吉金
7057	子璋鐘八	睪其吉金
7058	邾公孫班鐘	鼄公孫班睪其吉金
7082	齊鮑氏鐘	齊鮑氏孫大睪其吉金

罾

7084	邾公牼鐘一	鼄(邾)公牼罾孠吉金
7085	邾公牼鐘二	鼄(邾)公牼罾孠吉金
7086	邾公牼鐘三	鼄(邾)公牼罾孠吉金
7087	邾公牼鐘四	鼄(邾)公牼罾孠吉金
7121	郐王子旃鐘	郐王子旃罾其吉金
7124	沇兒鐘	罾其吉金
7157	邾公華鐘一	鼄(邾)公華罾孠吉金
7175	王孫遺者鐘	王孫遺者罾其吉金
7214	叔夷鎛	__罾吉金鈇鎬鏷鋁
7215	其次勾鑃一	其次罾其吉金
7216	其次勾鑃二	其次罾其吉金
7217	姑馮勾鑃	姑wd昏同之子罾孠吉金
7511	口克戈	武克氏楚罾其黄鐳鑄
7723	__公劍	L7公自罾吉和金
M545	配兒勾鑃	余罾孠吉金
M553	越王者旨於賜鐘	戉王者旨於睗罾孠吉金
M612	鄦子鐘	鄦子__呂罾其吉金
M900	梁十九年鼎	罾吉金鑄甗(甗)、小料

小計：共 89 筆

0401

2803	師酉𣪘一	西門尸、𩀱尸、棗尸、京尸、畀th尸
2804	師酉𣪘二	西門尸、𩀱尸、棗尸、京尸、畀th尸
2804	師酉𣪘二	西門尸、𩀱尸、棗尸、京尸、畀th尸
2805	師酉𣪘三	西門尸、𩀱尸、棗尸、京尸、畀th尸
2806	師酉𣪘四	西門尸、𩀱尸、棗尸、京尸、畀th尸
2806.	師酉𣪘五	西門尸、𩀱尸、棗尸、京尸、畀th尸
2983	弭仲簠	弭中畀壽
		小計：共 7 筆

0402

4691	子乍弄鳥鳥形尊	子乍弄鳥
5276	王乍娘弄卣	王乍q9弄
5784	妹氏壺	𢊁以為弄壺
6880	智君子之弄鑑一	智君子之弄鑑
6881	智君子之弄鑑二	智君子之弄鑑
6969	天尹乍元弄鐘	天尹乍元弄
7974	王乍姬弄器蓋	王乍姬弄
		小計：共 7 筆

0403

1413	戒乍䔁宮鬲	戒乍䔁官明尊彝
2982.	甲午簠	帝戒夭休
4743	戒弔尊	戒弔乍寶尊彝
5805	中山王𪒠方壺	以戒嗣王
7182	叔夷編鐘一	尸不敢弗儆戒
7184	叔夷編鐘三	女台專戒公家
7185	叔夷編鐘四	女台戒戎攸
7214	叔夷鎛	尸不敢弗儆戒
7214	叔夷鎛	女台專戒公家
7214	叔夷鎛	女台戒戎攸
		小計：共 10 筆

0404

1231	楚王酓忓鼎一	楚王酓忓戰隻兵銅
1231	楚王酓忓鼎一	楚王酓忓戰隻兵銅
1232	楚王酓忓鼎二	楚王酓忓戰隻兵銅
1232	楚王酓忓鼎二	楚王酓忓戰隻兵銅
2836	𢦚𣪘	孚戎兵盾、矛、戈、弓、備、矢、裨、冑
5804	齊侯壺	商之台兵執車馬
5804	齊侯壺	庚𢦏其兵
6776	楚王酓志盤	楚王酓志戰隻兵銅
7185	叔夷編鐘四	余易女馬車戎兵

兵
彝

7214	叔夷鎛	余易女車馬戎兵
7218	鉦鍼尹征城	oJ至劒兵
7771	大武戚	兵闢大歲
7886	新郪虎符	甲兵之符
7886	新郪虎符	用兵五十人以上
7887	杜虎符	兵甲之符
7887	杜虎符	用兵五十八以上

小計：共 16 筆

彝 0405

0225	子彝鼎一	[子彝]
0226	子彝鼎二	[子彝]
0745	彝鼎	彝乍旅尊鼎
0984	彝姛乍父乙鼎一	彝(䵼)始商易貝于司
0985	彝姛乍父乙鼎二	彝(䵼)始商易貝于司
1278	十五年趞曹鼎	彝王才周新宮
1304	王子午鼎	圅彝獣犀
1319	頌鼎一	用乍朕皇考彝弔
1319	頌鼎一	皇母彝始(始)寶尊鼎
1320	頌鼎二	用乍朕皇考彝弔
1320	頌鼎二	皇母彝始(始)寶尊鼎
1321	頌鼎三	用乍朕皇考彝弔
1321	頌鼎三	生母彝始(始)寶尊鼎
1326	多友鼎	或搏于彝
1327	克鼎	肆克彝保氒辟彝王
1332	毛公鼎	彝(䵼)霝迺孜𦈡寡
1332	毛公鼎	母(毋)敢彝霝
1466	亞旅彝母辛甗	[亞俞]彝入餗于女子
1611	䵼妊甗	彝(䵼)䵼妊賸獻[dz](單)
1834	彝子設	[彝(䵼)]子
1835	彝女設	[彝(䵼)]母
2698	陳肪設	彝寅鬼神
2698	陳肪設	畢彝愄(畏)忌
2737	段設	令彝𠩺遣(饋)大則于段
2807	鄁設一	鄁用乍朕皇考彝白尊設
2808	鄁設二	鄁用乍朕皇考彝白尊設
2809	鄁設三	鄁用乍朕皇考彝白尊設
2844	頌設一	用乍朕皇考彝弔
2844	頌設一	皇母彝始(始)寶尊設
2845	頌設二	用乍朕皇考彝弔
2845	頌設二	皇母彝始(始)寶尊設
2845	頌設二	用乍朕皇考彝弔
2845	頌設二	皇母彝始(始)寶尊設
2846	頌設三	用乍朕皇考彝弔
2846	頌設三	皇母彝始(始)寶尊設
2847	頌設四	用乍朕皇考彝弔
2847	頌設四	皇母彝始(始)寶尊設
2848	頌設五	用乍朕皇考彝弔

2848	頌𣪘五	皇母龏㛗（始）寶尊𣪘
2849	頌𣪘六	用乍朕皇考龏弔
2849	頌𣪘六	皇母龏㛗（始）寶尊𣪘
2850	頌𣪘七	用乍朕皇考龏弔
2850	頌𣪘七	皇母龏㛗（始）寶尊𣪘
2851	頌𣪘八	用乍朕皇考龏弔
2851	頌𣪘八	皇母龏㛗（始）寶尊𣪘
3058	曼龏父盨一	曼龏父乍寶盨用亯孝宗室
3059	曼龏父盨三	曼龏父乍寶盨
3060	曼龏父盨二	曼龏父乍寶盨
3100	陳侯因𬁷錞	龏𢦏大慕克成
4547	子龔尊	[子龏]
4665	亞龏父辛尊	[亞龏]父辛
4891	何尊	叀王龏德谷（裕）天
4892	麥尊	王射大龏、禽
4892	麥尊	用龏義寧侯
5042	龔卣	[龏]
5799	頌壺一	用乍朕皇考龏弔
5799	頌壺一	皇母龏㛗（始）寶尊壺
5800	頌壺二	用乍朕皇考龏弔
5800	頌壺二	皇母龏㛗（始）寶尊壺
6085	龏冂觚	[龏冂]
6086	龏女觚	[龏女]
6401	龏岢觶	[龏岢]
6542	龏母子觶	[龏母子][龏子]
6647	龏子勺	[龏子]
6756	番君白龏盤	隹番君白龏用其赤金自鑄盤
6821	樊夫人匜	樊夫人龏嬴自乍行它（匜）
6925	晉邦𥁰	虔龏盟祀
7006	𢽾狄鐘	𢽾狄不龏
7084	邾公牼鐘一	曰：余畢龏威忌
7085	邾公牼鐘二	曰：余畢龏威忌
7086	邾公牼鐘三	曰：余畢龏威忌
7087	邾公牼鐘四	曰：余畢龏威忌
7157	邾公華鐘一	余異龏威忌惄穆
7175	王孫遺者鐘	余函龏𢿌屖
7212	秦公鎛	嚴龏夤天命
7554	楚王酓璋戈	楚王酓璋嚴龏（龔）寅乍su戈
7826	龏鐏	龏
7867.	龍__	集尹陳夏、少集尹龏（龔）則、少攻差孝癸
M340	魯伯念盨	魯伯念用公龏
M545	配兒勾鑃	余邲龏威忌
		小計：共　80 筆
0406	鼎同	
0762	具乍父庚鼎	具乍父庚寶鼎
0899	弔具乍𡴞考鼎	弔具乍𡴞考寶尊彝
1247	函皇父鼎	函皇父乍琱娟般、盉尊器、鼎、𣪘具

龏
具

具 斝 㝅

1250	曾子斿鼎	民具是鄉
1310	鬲攸從鼎	敢弗具付鬲从
1322	九年裘衛鼎	顏小子具叀夆
1330	曶鼎	余無逌(迺)具寇足□,
2254	觓𤞟白鼎乍寶毀	觓𤞟白斝乍寶毀
2678	函皇父毀一	盤、盉、尊器、毀斝(具)
2679	函皇父毀二	盤、盉、尊器、毀斝(具)
2680	函皇父毀三	盤、盉、尊器、毀斝(具)
2681	函皇父毀四	盤、盉、尊器、毀斝(具)
2983	弭仲簠匠	既具旨飤
2983	弭仲簠匠	者友歓飤具飽
2986	曾白霥旅匠一	具既卑方
2987	曾白霥旅匠二	具既卑方
3085	駒父旅盨(蓋)	我乃至于淮(小大)邦亡敢不＿具逆王命
5460	𤔲御乍父己卣	𤔲、辛巳、王易馭(御)八貝一具
5460	𤔲御乍父己卣	𤔲、辛巳、王易馭(御)八貝一具
5777	孫弔師父行具	邛立宰孫弔師父乍行具
6783	函皇父盤	鼎、毀一具
7174	秦公鐘	盜百蠻具即其服
7176	㝬鐘	南尸東尸具見
7177	秦公及王姬編鐘一	盜百蠻具即其
7209	秦公及王姬鎛	盜百蠻具即其服
7210	秦公及王姬鎛二	盜百蠻具即其服
7211	秦公及王姬鎛三	盜百蠻具即其服
		小計：共 26 筆

斝 0406 具同

2254	觓𤞟白鼎乍寶毀	觓𤞟白斝乍寶毀
		小計：共 1 筆

㝅 0406+

0133	㝅鼎	[㝅]
		小計：共 1 筆

0407

0689	㜏母关父癸鼎	[㜏]母关父癸
1332	毛公鼎	易女兹关(㑷)
2588	毛关𣪘	毛畀(关?)乍寶𣪘
2774	臣諫𣪘	余关(朕)皇辟侯
3203	关爵一	[关]
3630	____爵	[关戉c2]
5234	立关父丁卣一	[立关]父丁
5235	立关父丁卣二	[立关]父丁
5294	关乍父己彝卣	乍父己彝[关]
5303	㜏父癸母关卣	[㜏]父癸母[关]
5870	关觚	[关]
6217	冊关父甲觚	[冊关]父甲
7310.	关戈	[关]
7606	关左矛	关左__小__
7864	半斗小量	𦨕料关
7922	关車飾	[关]
7951	冊关冊銅器	[关冊]
		小計：共　16 筆

0408

4825	奔者君乍父乙尊	奔者君乍父乙寶尊彝[cu]
		小計：共　1 筆

0409

2586	史𩁹𣪘一	乙亥王弇(誥)畢公
2587	史𩁹𣪘二	乙亥王弇(誥)畢公
4891	何尊	王弇宗小子于京室曰
4891	何尊	王咸弇
J81	王孫弇鐘	(拓本未見)
		小計：共　5 筆

0410

1331	中山王嚳鼎	昔者郾君子噲觀(叡)弇夫猂(悟)
		小計：共　1 筆

0411

2826	師寰𣪘一	曰冉、曰槃、曰鈴、曰達

	2826	師袁𣪘一	日冉、日犇、日鈴、日達
	2827	師袁𣪘二	日冉、日犇、日鈴、日達
			小計：共 3 筆
犇	0412		
	4974	__方彝	其萬年犇
			小計：共 1 筆
樊	0413		
	0907	小臣氏樊尹鼎	小臣氏樊尹乍寶用
	1188	旃弔樊乍易姚鼎	旃弔樊乍易姚寶鼎
	1445	樊君鬲	樊君乍弔qywJ媵器寶J2
	J909	樊夫人龍嬴鬲	樊夫人犇嬴用其吉金自乍鬲
	2866	犇君飛𠂤匠	樊君飛之𠂤匠
	5728	樊夫人壺	樊夫人__姬羼其吉金
	6712	樊夫人盤	樊夫人□□□□□□□
	6821	樊夫人匜	樊夫人犇嬴自乍行它(匜)
	6858	樊君首匜	樊君C5用吉自乍匜
	6916	樊君夔盆	樊君C5用其吉金自乍寶盆
			小計：共 10 筆
棐	0414	見排字條	
樊	0415		
	2866	樊君匠	樊君飛之𠂤匠
			小計：共 1 筆

共

0416		
0738	亞共覃父甲鼎	[亞共覃]父甲
1003	楚王酓肯釶鼎	以共歲嘗
1005	楚王酓肯喬鼎	以共歲嘗
1115	楚王酓肯喬鼎	以共歲嘗
1231	楚王酓忓鼎一	以共截棠
1232	楚王酓忓鼎二	以共截棠
1311	師晨鼎	嗣馬共右師晨入門、立中廷
1315	善鼎	秉德共屯
1324	禹鼎	賜(賜)共朕辟之命
1983	亞共父癸設	[亞共]父癸
2080	亞共覃父乙設	[亞共覃]父乙
2279	牧共乍父丁食設	牧共乍父丁to食設
2763	弔向父禹設	共明德、秉威義
2792	師俞設	嗣馬共右師俞入門立中廷
2796	諫設	嗣馬共又右諫入門立中廷
2796	諫設	嗣馬共又右諫入門立中廷
2908	楚王酓肯匿一	以共歲嘗、戊寅
2909	楚王酓肯匿二	以共歲嘗、戊寅
2910	楚王酓肯匿三	以共歲嘗、戊寅
3083	瘨設(盨)一	嗣馬共右瘨
3084	瘨設(盨)二	嗣馬共右瘨
3519.	共執爵	[共執]
3692	丁共爵	[丁共]
3997	日辛爵	日辛[共]
4234	亞共__父丁角	[亞共__]父丁
4783	亞共尊一	[亞髩乙日辛甲共受]
4784	亞共尊二	[亞髩日乙受日辛日甲共]
4887	蔡侯𨟭尊	蔡侯𨟭虔共大命
5318	亞共且乙父己卣	[亞共且乙父己]
6155	__父己觚	[共]父己
6660	但□埶勺一	但□埶陳共為之
6661	但□埶勺二	但□埶陳共為之
6723	楚王酓肯盤	台共歲嘗
6776	楚王酓忎盤	剮币紹埶差陳共為之
6776	楚王酓忎盤	以共歲嘗
6788	蔡侯𨟭盤	蔡侯𨟭虔共大命
7183	叔夷編鐘二	女敬共辝命
7186	叔夷編鐘五	又共于趄武靈公之所
7214	叔夷鎛	女敬共辝命
7214	叔夷鎛	又共于公所
7328	__戈	共戈
7469	王子□戈	王子□之共戈
7590	櫝共畋戟	櫝共畋牢朱
7670	六年安陽令斷矛	右庫工币□共□工□□造戟
7924	共罐	[共]
7941	共鉤	共
		小計：共　46 筆

龔異與興

龔	0417	龔字重見	
異	0418		
	1255	作冊大鼎一	公束鑄武王成王異鼎
	1256	作冊大鼎二	公束鑄武王成王異鼎
	1257	作冊大鼎三	公束鑄武王成王異鼎
	1258	作冊大鼎四	公束鑄武王成王異鼎
	1328	盂鼎	古天異臨子
	1330	曶鼎	井弔才異為□
	2841	𦫵白段	異自它邦
	4801	單異乍父癸尊	單異乍父癸寶尊彝
	5493	召乍上宮旅卣	召弗敢謏王休異
	7122	梁其鐘一	穆穆異異
	7123	梁其鐘二	穆穆異異
	7150	虢叔旅鐘一	皇考嚴才上、異才下
	7151	虢叔旅鐘二	皇考嚴才上、異才下
	7152	虢叔旅鐘三	皇考嚴才上、異才下
	7153	虢叔旅鐘四	皇考嚴才上、異才下
	7156	虢叔旅鐘七	皇考嚴才上、異才下
	7157	邾公華鐘一	余異龏威忌惄穆
			小計：共 17 筆
與	0419		
	1331	中山王嚳鼎	蔑（與）其汋（溺）烏（於）人施（也）
	1331	中山王嚳鼎	非信與忠
	5802	洹子孟姜壺二	于大無嗣折于與大嗣命用璧
	5804	齊侯壺	與台□彘師
	5805	中山王嚳方壺	而退與者侯齒長於會同
	5805	中山王嚳方壺	將與吾君並立於世
	7213	𦅫鎛	與鄩之民人
	7220	喬君鉦	喬君淲虘與朕以wL
	7691	衛司馬劍	衛司馬與之□工市
	7884	五年司馬權	與下庫工市孟
			小計：共 10 筆
興	0420		
	0606	興乍寶鼎一	興乍寶鼎
	0607	興乍寶鼎二	興乍寶鼎
	1326	多友鼎	隹十、月用厭獻放興
	1427	鄭興白乍弔媿薦鬲一	鄭興白乍弔媿薦鬲
	1428	鄭興伯乍弔媿薦鬲二	鄭興白乍弔媿薦鬲

3038	鬲弔興父旅盨	鬲弔興父乍旅盨（須）
3206	興爵二	[興]
3207	興爵一	[興]
3909	興父辛爵	[興]父辛
3933.	興父辛爵	[興]父辛
4267	興斝	[興]
5590	下興瓿	[下興]
5608	興壺一	[興]
5609	興壺二	[興]
5763	殷句壺	用興甫丙
5869	興觚	[興]
7886	新郪虎符	凡興士被甲
7887	杜虎符	凡興士被甲
7976	之利殘片	烏虖、烏興余利資烏止

小計：共 19 筆

0421

2588	毛关段	毛畀（关?）乍寶段

小計：共 1 筆

0422

2201	白要府乍寶段	白要府乍寶段
2480	是要段	隹十月是要乍文考寶段
2481	是要段	隹十月是要乍文考寶段
4445	長陵盉	銅要銅錄乍氒絽父盉樂＿一升
6793	矢人盤	氒左執要
6905	要君饎盂	要君白居自乍饎盂

小計：共 6 筆

0423

1331	中山王譽鼎	隹十四年中山王譽詐（乍、作）鼎、于銘曰
5805	中山王譽方壺	中山王譽命相邦貫賙𨛭吉金

小計：共 3 筆

0424

1308	白晨鼎	王命𨊠侯伯晨曰
1308	白晨鼎	晨拜䭫首
1311	師晨鼎	𤔲馬共右師晨入門、立中廷

晨 晨 農 革

	1311	師晨鼎	王乎乍冊尹冊令師晨足師俗嗣邑人
	1311	師晨鼎	晨拜韻首
	1311	師晨鼎	晨其萬年世
	1326	多友鼎	甲申之晨搏于郝
	1328	盂鼎	已、女妹晨又大服
	1331	中山王嚳鼎	斁(奮)桴晨(振)鐸
	2767	虘殷一	王乎師晨召大師虘入門、立中廷
			小計：共 10 筆
晨 0424			
	1266	邵公平侯鬲一	用追孝于乎皇且晨公
	1267	邵公平侯鬲二	用追孝于乎皇且晨公
	7005	邵公鐘	皇且哀公、皇考晨公
			小計：共 3 筆
農 0425			
	0811	田農鼎	田農乍寶尊彝
	1073	白鼎	吏農才井
	1288	令鼎一	王大耤農于諆田
	1289	令鼎二	王大耤農于諆田、餳
	1626	田農甗	田農乍寶尊彝
	2111	農乍寶障彝殷	農乍寶尊彝[皇]
	2221	田農乍寶殷	田農(晨)乍寶尊彝
	5497	農卣	母卑農弋
	5497	農卣	事乎友妻農
	5497	農卣	農三拜韻首
	6407	史農觶	[史農]
	6635	中觶	王大省公族于庚農旅
	6792	史墻盤	農嗇戉曆
	6793	矢人盤	史正中農
	7122	梁其鐘一	農臣先王
	7123	梁其鐘二	農臣先王
			小計：共 16 筆
革 0426			
	1280	康鼎	令女幽黃、鋚革
	2775.	害殷一	攸革
	2775.	害殷二	幺衣黹屯、旂、攸革
	7830	十六年大良造鞅戈	十六年大良造庶長鞅之造＿革
	7899	鄂君啟車節	母載金革黽箭、女馬、女牛、女特
			小計：共 5 筆

0427

7082	齊鞄氏鐘	齊鞄氏孫大羼其吉金
7213	𪒠鎛	齊辟鞄(鮑)弔之孫
7213	𪒠鎛	鞄(鮑)弔又成
		小計：共　3 筆

0428　巩字重見

0429

2788	靜𣪘	王易靜鞞剢
2840	番生𣪘	易朱市悤黃、鞞鞍、玉瞏、玉琭
		小計：共　2 筆

轉 0430

1322	九年裘衛鼎	矩取眚車較桒、圅虎冟、桒幃、畫轉
1332	毛公鼎	畫轉畫輯、金甬錯衡、金踵、金豙、勅䇲、金
2816	彔白𢦚毁	金𠨘畫轉、馬四匹、鋚勒
2830	三年師兑毁	畫轉
2840	番生毁	畫轉畫輯、金童金豙
4978	吳方彝	桒較、畫轉、金甬

小計：共 6 筆

勒 0431

1300	南宮柳鼎	易女赤市、幽黃、攸勒
1306	無叀鼎	易女玄衣黹屯、戈琱戟緱必彤沙、攸勒䜌旂
1308	白晨鼎	𠄢表、里幽、攸勒、旅五旅
1309	寰鼎	易寰玄衣、黹屯、赤市、朱黃、䜌旂、攸勒、
1319	頌鼎一	易女玄衣黹屯、赤市朱黃、䜌旂攸勒、用事
1320	頌鼎二	易女玄衣黹屯、赤市朱黃、䜌旂攸勒、用事
1321	頌鼎三	易女玄衣黹屯、赤市朱黃、䜌旂攸勒、用事
1323	師𩛥鼎	易女玄袞䋣屯、赤市朱黃、䜌旂、大師金雁(
1332	毛公鼎	馬四匹、攸勒、金𠶾、金雁（ 膺 ）、朱旂二鈴
2738	衛毁	__赤市、攸勒
2769	師耤毁	攸勒、䜌旂五日、用吏
2771	弭弔師求毁一	易女赤舄、攸勒
2772	弭弔師求毁二	易女赤舄、攸勒
2796	諫毁	易女攸勒
2796	諫毁	易女勒
2798	師瘨毁一	易女金勒
2799	師瘨毁二	易女金勒
2800	伊毁	䜌旂攸勒、用史
2803	師酉毁一	新易女赤市朱黃中絅、攸勒
2804	師酉毁二	新易女赤市朱黃中絅、攸勒
2804	師酉毁二	新易女赤市朱黃中絅、攸勒
2805	師酉毁三	新易女赤市朱黃中絅、攸勒
2806	師酉毁四	新易女赤市朱黃中絅、攸勒
2806.	師酉毁五	新易女赤市朱黃中絅、攸勒
2816	彔白𢦚毁	金𠨘畫轉、馬四匹、鋚勒
2817	師頫毁	易女赤市朱黃、䜌旂攸勒、用事
2830	三年師兑毁	攸勒
2835	訇毁	䜌旅攸勒、用吏
2838	師嫠毁一	易女弔市金黃、赤舄攸勒、用吏
2838	師嫠毁一	易女弔市金黃、赤舄攸勒、用吏
2839	師嫠毁二	易女弔市金黃、赤舄攸勒、用吏
2839	師嫠毁二	易女弔市金黃、赤舄攸勒、用吏
2844	頌毁一	䜌旂鋚勒、用吏
2845	頌毁二	䜌旂鋚勒、用吏
2845	頌毁二	䜌旂鋚勒、用吏
2846	頌毁三	䜌旂鋚勒、用吏
2847	頌毁四	䜌旂鋚勒、用吏

2848	頌段五	䜌旂鋚勒、用吏
2849	頌段六	䜌旂鋚勒、用吏
2850	頌段七	䜌旂鋚勒、用吏
2851	頌段八	䜌旂鋚勒、用吏
2855.	班段二	令易鈴勒
3083	瘨段（盨）一	虢市攸勒
3084	瘨段（盨）二	虢市攸勒
3088	師克旅盨一（蓋）	馬四匹、攸勒、素戉
3089	師克旅盨二	馬四匹、攸勒、素戉
3090	㝬盨（器）	鋚勒
4890	盠方尊	易盠赤市幽亢、攸勒
4978	吳方彝	馬四匹、攸勒
4979	盠方彝一	易盠赤市幽亢、攸勒
4980	盠方彝二	攸勒
5798	曶壺	攸勒、䜌旂、用事
5799	頌壺一	䜌旂、攸勒、用事
5800	頌壺二	䜌旂、攸勒、用事
6789	寰盤	赤市朱黃、䜌旂攸勒
6793	夨人盤	則鞭千罰千、傳棄之
M423.	趞鼎	䜌旂、攸勒、用事
		小計：共　57 筆

0432

1322	九年裘衛鼎	夋㡀㯱、帛轡乘、金鹿鑣
6877	𠑇乍旅盉	弋可、我義鞭女千
6877	𠑇乍旅盉	義鞭女千
6877	𠑇乍旅盉	鞭女五百
6877	𠑇乍旅盉	則到乃鞭千
		小計：共　5 筆

0433

2840	番生段	易朱市悤黃、鞞鞣、玉環、玉琮
2788	靜段	王易靜鞞㓹（鞣）
		小計：共　2 筆

0434

0949	江小仲鼎	江小中母生自乍甬鬲
1070	鄲孝子鼎	命鑄飤鼎鬲
1072	㾜乍其𩰲鼎	隹正月初㾜乍其𩰲鬲貞貞（鼎）
1121	唯弔從王南征鼎	誨乍寶鬲鼎（蓋）
1121	唯弔從王南征鼎	誨乍寶鬲鼎（器）
1215	麥鼎	井侯征鬲于麥
1310	鬲攸從鼎	鬲从目攸衛牧告于王
1310	鬲攸從鼎	弗能許鬲从

	1310	鬲攸從鼎	敢弗具付鬲从
	1310	鬲攸從鼎	鬲攸从其萬年子子孫孫永寶用
	1328	盂鼎	人鬲自馭至于庶人六百又五十又九夫
鬲	1328	盂鼎	人鬲千又五十夫極nx𨒅自𠂤土、王曰：盂
	1341	鬲鬲	[鬲]
	1367	虢姞乍鬲	虢姞乍鬲
	1369	仲姬乍鬲	中姬乍鬲
	1370	同姜尊鬲	同姜乍尊鬲
	1374	虢弔尊鬲	虢弔乍尊鬲
	1375	會始朕鬲	會始乍朕鬲
	1376	季貞尊鬲	季眞乍尊鬲
	1381	㚤姬乍寶鬲	㚤姬乍寶鬲
	1382	敚白乍齋鬲一	敚白乍齋鬲
	1383	敚伯鬲二	敚白乍齋鬲
	1384	敚伯鬲三	敚白乍齋鬲
	1385	敚伯鬲四	敚白乍齋鬲
	1386	敚伯鬲五	敚白乍齋鬲
	1387	姬莽母鬲	姬莽母乍齋鬲
	1389	仲姞羞鬲一	中姞乍羞鬲[華]
	1390	仲姞羞鬲二	中姞乍羞鬲[華]
	1391	仲姞羞鬲三	中姞乍羞鬲[華]
	1392	仲姞羞鬲四	中姞乍羞鬲[華]
	1393	仲姞羞鬲五	中姞乍羞鬲[華]
	1394	仲姞羞鬲六	中姞乍羞鬲[華]
	1395	仲姞羞鬲七	中姞乍羞鬲[華]
	1396	仲姞羞鬲八	中姞乍羞鬲[華]
	1397	仲姞羞鬲九	中姞乍羞鬲[華]
	1398	季右父尊鬲	季右父乍尊鬲
	1399	魯侯乍姬番鬲	魯侯乍姬番鬲
	1400	仲𠭯父齋鬲	中𠭯父乍齋鬲
	1402	虢仲乍姞鬲一	虢中乍姞尊鬲
	1403	虢仲乍姞鬲二	虢中乍姞尊鬲
	1404	𦰡姬乍異齊鬲	𦰡姬乍異齊鬲
	1405	白邦父乍齋鼎	白邦父乍齋鬲
	1411	□□母尊鬲	□□母乍寶尊鬲
	1414	𥁰姬乍姜虎旅鬲	𥁰姬乍姜虎旅鬲
	1420	寶鬲	□□□魯□女寶鬲□
	1421	時白鬲一	時白乍□中□羞鬲
	1422	時白鬲二	時白乍□中□羞鬲
	1423	時白鬲三	時白乍□中□羞鬲
	1425	鄭弔蒦父羞鬲	鄭弔蒦父乍羞鬲
	1426	叔皇父鬲	弔皇父乍中姜尊鬲
	1427	鄭興白乍弔嬬薦鬲一	鄭興白乍弔嬬薦鬲
	1428	鄭興伯乍弔嬬薦鬲二	鄭興白乍弔嬬薦鬲
	1429	魯姬乍尊鬲	魯姬乍尊鬲永寶用
	1430	奠井弔歡父拜鬲	奠井弔歡父乍拜鬲
	1431	衛姒乍鬲	衛姒(始)乍鬲
	1432	𨙸始□母鑄羞鬲	𨙸始Ir母鑄其羞鬲
	1433	召白毛尊鬲	召白毛乍王母尊鬲
	1436	王白姜尊鬲一	王白姜乍尊鬲永寶用

1437	王白姜尊鬲二	王白姜乍尊鬲永寶用	
1438	王白姜尊鬲三	王白姜乍尊鬲永寶用	
1439	王白姜尊鬲四	王白姜乍尊鬲其萬年永寶用	
1441	戈弔慶父鼎	戈弔慶父乍弔姬尊鬲	鬲
1443	宋𤔲父乍寶子賸鬲	宋𤔲父乍豐子賸鬲	
1444	黃虎梌鬲	唯黃虎梌用吉金乍鬲	
1446	白狺父乍井姬鬲	白狺父乍井姬季姜尊鬲	
1448	白亹父鬲一	白亹父乍弔姬鬲	
1449	白墉父鬲二	白亹父乍弔姬鬲	
1450	庚姬乍弔娊尊鬲一	庚姬乍弔娊尊鬲	
1451	庚姬乍弔娊尊鬲二	庚姬乍弔娊尊鬲	
1452	庚姬乍弔娊尊鬲三	庚姬乍弔娊尊鬲	
1453	nu嬇鬲	nu嬇乍尊鬲	
1454	㝬肇家鬻	㝬肇家鑄乍鬲	
1455	榮白鬲	榮白鑄鬲于qa	
1456	京姜鬲	京姜年母乍尊鬲	
1457	衛夫人行鬲	衛夫人文君弔姜乍其行鬲用	
1458	庶鬲	庶乍寶鬲	
1459	白上父乍姜氏鬲	白上父乍姜氏尊鬲	
1460	奠羌白乍季姜鬲	鄭羌白乍季姜尊鬲	
1462	榮有嗣再甗鬲	榮又（ 有 ）嗣再乍甗鬲	
1463	呂王尊鬲	呂王乍尊鬲	
1464	王乍姬□母女尊鬲	王乍姬□母尊鬲	
1467	呂䧹姬乍鬲	呂䧹乍甗鬲	
1468	白家父乍孟姜鬲	白家父乍孟姜賸鬲	
1471	魯白愈父鬲一	魯白愈乍鼄姬仁朕（ 賸 ）羞鬲	
1472	魯白愈父鬲二	魯白愈父乍鼄姬仁賸（ 賸 ）羞鬲	
1473	魯白愈父鬲三	魯白愈父乍鼄姬仁賸（ 賸 ）羞鬲	
1474	魯白愈父鬲四	魯白愈父乍鼄姬仁賸（ 賸 ）羞鬲	
1475	魯白愈父鬲五	魯白愈父乍鼄姬仁賸（ 賸 ）羞鬲	
1476	鼄白乍朕鬲	鼄白乍賸（ 賸 ）鬲	
1477	右戲仲夏父豐鬲	右戲中夏父乍豐鬲	
1478	齊不趣鬲	齊不趣乍床白尊鬲	
1479	召仲乍生妣奠鬲一	召中乍生妣尊鬲	
1480	召仲乍生妣奠鬲二	召中乍生妣尊鬲	
1483	虢季氏子組鬲	虢季氏子緄（ 組 ）乍鬲	
1484	江𨛭鬲	江弔盁乍其尊鬲	
1486	宰駟父鬲	魯宰駟父乍姬𦤎賸鬲	
1487	白先父鬲一	白先父乍𡚬尊鬲	
1488	白先父鬲二	白先父乍𡚬尊鬲	
1489	白先父鬲三	白先父乍𡚬尊鬲	
1490	白先父鬲四	白先父乍𡚬尊鬲	
1491	白先父鬲五	白先父乍𡚬尊鬲	
1492	白先父鬲六	白先父乍𡚬尊鬲	
1493	白先父鬲七	白先父乍𡚬尊鬲	
1494	白先父鬲八	白先父乍𡚬尊鬲	
1495	白先父鬲九	白先父乍𡚬尊鬲	
1496	白先父鬲十	白先父乍𡚬尊鬲	
1497	虢仲乍虢妃鬲	虢中乍虢𡚬尊鬲	
1498	鼄友父鬲	鼄友父賸其子𡛷媵（ 曹 ）寶鬲	

鬲

1499	□季鬲	_季乍孟姬__女_鬲
1500	_白鬲	□白乍弔姬尊鬲
1501	虢季氏子忮鬲	虢季氏子忮乍寶鬲
1502	成白孫父鬲	成白孫父乍浠嬴尊鬲
1504	奠師□父鬲	奠師__父乍__鬲
1506	杜白乍弔嫞鬲	杜白乍叔嫞尊鬲
1507	善夫吉父乍京姬鬲一	善夫吉父乍京姬尊鬲
1508	善夫吉父乍京姬鬲二	善吉父乍京姬尊鬲
1509	虢文公子忮乍弔妃鬲	虢文公子忮乍弔改鬲鼎
1511	内公鑄弔姬鬲二	内公乍鑄京氏婦弔姬朕鬲
1512	虢白乍姬夨母鬲	虢白乍姬夨母尊鬲
1513	睽士父乍蓼妃鬲	睽士土父乍蓼改尊鬲
1514	白夏父乍畢姬鬲一	白夏父畢姬尊鬲
1515	白夏父乍畢姬鬲二	白夏父乍畢姬尊鬲
1516	白夏父乍畢姬鬲三	白夏父乍畢姬尊鬲
1517	白夏父乍畢姬鬲四	白夏父乍畢姬尊鬲
1518	白夏父乍畢姬鬲六	白夏父乍畢姬尊鬲
1519	白夏父乍畢姬鬲五	白夏父乍畢姬尊鬲
1520	奠白荀父鬲	奠白荀父乍弔姬尊鬲
1521	單白邍父鬲	單白邍父乍中姞尊鬲
1522	孟辛父乍孟姞鬲一	u0馬孟辛父乍孟姞寶尊鬲
1523	孟辛父乍孟姞鬲二	u0馬孟辛父乍孟姞寶尊鬲
1524	□大嗣攻鬲	□大□□嗣攻單□□鑄其鬲
1525	隥子奠白尊鬲	隥子子奠白乍尊鬲
1527	釐先父鬲	釐先父乍姜姬尊鬲
1529	仲柟父鬲一	師湯父有嗣中柟父乍寶鬲
1530	仲柟父鬲二	師湯父有嗣中柟父乍寶鬲
1531	仲相父鬲三	師湯父有嗣中相父乍寶鬲
1532	仲相父鬲四	師湯父有嗣中相父乍寶鬲
2814	鳥冊夨令毁一	姜商令貝十朋、臣十家、鬲百人
2814.	夨令毁二	姜商令貝十朋、臣十家、鬲百人
2988	攸鬲旅鎮	攸鬲乍旅盨（ 鎮 ）
3038	鬲弔興父旅盨	鬲弔興父乍旅盨（ 須 ）
3087	鬲从盨	章氒Jo夫tu鬲比田
3087	鬲从盨	复友鬲比其田
3087	鬲从盨	其邑复__言二邑。畀鬲比复氒小宮tu鬲比田
3087	鬲从盨	復限余鬲比田
3087	鬲从盨	凡復友復友鬲比田十又三邑
3087	鬲从盨	氒右鬲比善夫__
3087	鬲从盨	鬲比乍朕皇且丁公、 文考惠公盨
3650	鬲奞爵	[鬲奞]
3725	鬲天鳥爵	[鬲奞]
3884	__父己爵	[皿鬲]父己
4837	鬲乍父甲尊	鬲易貝于王、用乍父甲寶尊彝
4892	麥尊	用鬲侯逆遄
4975	麥方彝	鬲（ 嗝 ）于麥宄、易金
4975	麥方彝	用鬲（ 嗝 ）井侯出入遅令、孫孫子子其永寶
7183	叔夷編鐘二	女雁鬲公家
7214	叔夷鎛	女雁鬲公家
M379	夆伯鬲	夆白乍郜孟姬尊鬲

M695	曾伯宮父鬲	自乍寶尊鬲
M900	梁十九年鼎	鬲(歷)年萬不承
		小計：共 160 筆
0434		
1332	毛公鼎	易女鬯一卣、鄭(祼)圭鬲(瓚?)寶
2837	敔毀一	吏尹氏受𠭰敔圭鬲
2842	卯毀	易女鬲章、瑴、宗彝一造、寶
		小計：共 3 筆
0435	參鬳字條下	
0436	1626獻、2078甗字參看	
1582	見乍甗	見乍鬳(甗)
1631	師_方甗	師h2乍旅鬳(甗)尊
1665	王孫壽飤甗	自乍飤鬳(甗)
7229	伐甗戈	[伐、鬳]
		小計：共 4 筆
0437		
1213	師趛鼎一	師趛乍文考聖公、文母聖姬尊鬻
1214	師趛鼎二	師趛乍文考聖公、文母聖姬尊鬻
1454	曌肇家鬻	曌肇家鑄乍鬻(鬲)
1526	琱生乍宄仲尊鬲	琱生乍文考宄中尊鬻
1595	始奴寶甗	始奴寶鬳(甗)
1663	鬻五世孫矩甗	鬻(緟)五世孫矩乍其寶鬳(甗)
		小計：共 6 筆
0438		
3088	師克旅盨一(蓋)	干害王身、乍爪牙。王曰
3089	師克旅盨二	干害王身、乍爪牙。王曰
6204	爪亞豕觚	[爪亞豕]
		小計：共 3 筆
0439		
1009	鄦侯簋鼎	孚(俘)戹金
1233	_鼎	省于戹身、孚戈
1239	_鼎一	nt孚貝
1240	_鼎二	nt孚貝
1243	仲_父鼎	孚金

鬲 鬲 融 鬳 鬻 爪 孚

孚
為

1275	師同鼎	孚車馬五乘
1275	師同鼎	孚戎金oa卅
1326	多友鼎	癸未、戎伐筍、衣孚
1326	多友鼎	孚戎車百乘一十又七乘
1326	多友鼎	卒復筍人孚
1326	多友鼎	孚車十乘
1326	多友鼎	唯孚車不克目、卒焚
1326	多友鼎	復奪京𠂤之孚
1326	多友鼎	多友乃獻孚、聝、訊于公
1329	小字盂鼎	孚人萬三千八十一人
1329	小字盂鼎	孚馬□□匹
1329	小字盂鼎	孚車卅兩
1329	小字盂鼎	孚牛三百五十五牛
1329	小字盂鼎	孚聝二百卅七聝
1329	小字盂鼎	孚人□□人
1329	小字盂鼎	孚馬百四匹
1329	小字盂鼎	孚車百□兩
1330	曶鼎	吏(使)孚以告胝
1645	孚公𤞷甗	孚公𤞷乍旅甗永寶用
2346	_乍餗殷	nb從王伐荊、孚
2451	過白殷	過白從王伐反荊、孚金
2826	師寰殷一	毆孚士女羊牛、孚吉金
2826	師寰殷一	毆孚士女羊牛、孚吉金
2827	師寰殷二	毆孚士女羊牛、孚吉金
2836	𢦏殷	孚戎兵盾、矛、戈、弓、備、矢、裨、冑
2836	𢦏殷	孚戎孚人百又十又四人
2837	敔殷一	奪孚人四百
2857	牧殷	取□孚
3081	翏生旅盨一	孚戎器、孚金
3082	翏生旅盨二	孚戎器、孚金
3082	翏生旅盨二	孚戎器、孚金
3350	孚爵	[孚]
5465	員卣	員孚金、用乍旅彝
5762	呂行壺	唯還、呂行戲、孚_
5804	齊侯壺	_其□□□□□敗者孚
7112	者減鐘一	卑龢卑孚
7113	者減鐘二	卑龢卑孚
		小計：共 42 筆

為 0440

0628	為之行鼎	為之行鼎
0731	鑄客鼎	鑄客為集脰、集脰
0871	鑄客為集醻鼎	鑄客為集糦為之
0872	鑄客為集醻鼎	鑄客為集醻為之
0873	鑄客為集脰鼎一	鑄客為集脰為之
0874	鑄客為集脰鼎二	鑄客為集脰為之
0945	鑄客為大后脰官鼎	鑄客為大句(后)脰官為之
0946	鑄客為王后七府鼎	鑄客為王句(后)七府為之
0992	鼄討鼎	鼄訧為其鼎

1002	二年寧鼎	二年寧__子得治__為__四分__
1004	鑄客鼎	鑄客為集𦞠、伸𦞠、睘豚𦞠為之
1030	鄦子員鼎	鄦子夷為其行器
1047	𨙶白鼎	王令𨙶白啚于㞢為宮
1112	十一年庫嗇夫肖不茲鼎	庫嗇夫肖不茲𦣞人夫__所為空二斗
1113	梁廿七年鼎一	大梁司寇肖亡智新為量
1178	宗婦鄁嬰鼎一	王子剌公之宗婦鄁嬰為宗彝𩰫彝
1179	宗婦鄁嬰鼎二	王子剌公之宗婦鄁嬰為宗彝𩰫彝
1180	宗婦鄁嬰鼎三	王子剌公之宗婦鄁嬰為宗彝𩰫彝
1181	宗婦鄁嬰鼎四	王子剌公之宗婦鄁嬰為宗彝𩰫彝
1182	宗婦鄁嬰鼎五	王子剌公之宗婦鄁嬰為宗彝𩰫彝
1183	宗婦鄁嬰鼎六	王子剌公之宗婦鄁嬰為宗彝𩰫彝
1190	內史鼎	其萬年用為考寶尊
1207	眉__鼎	o0𡴞師眉vw王為周nr
1207	眉__鼎	用為寶器
1231	楚王酓忏鼎一	剛工師盤野佐桼忏為之
1232	楚王酓忏鼎二	剛工師盤野佐桼忏為之
1318	晉姜鼎	乍疐為極
1330	曶鼎	井弔才異為□
1330	曶鼎	遺十秭、為廿秭
1331	中山王兽鼎	長為人宗
1331	中山王兽鼎	為天下戮
1331	中山王兽鼎	智(知)為人臣之宜施(也)
1627	㒨伯甗	㒨白自為用甗
2274	㒨白乍自為鼎設	㒨白乍自為貞設
2358	陎侯為季姬設	陎侯白為季姬設
2521	姞氏自忮設	姞氏自忮(作)為寶尊設
2592	邵公設	用為夫人尊諆設
2614	宗婦鄁嬰設一	王子剌公之宗婦鄁嬰為宗彝𩰫彝
2615	宗婦鄁嬰設二	王子剌公之宗婦鄁嬰為宗彝𩰫彝
2616	宗婦鄁嬰設三	王子剌公之宗婦鄁嬰為宗彝𩰫彝
2617	宗婦鄁嬰設四	王子剌公之宗婦鄁嬰為宗彝𩰫彝
2618	宗婦鄁嬰設五	王子剌公之宗婦鄁嬰為宗彝𩰫彝
2619	宗婦鄁嬰設六	王子剌公之宗婦鄁嬰為宗彝𩰫彝
2620	宗婦鄁嬰設七	王子剌公之宗婦鄁嬰為宗彝𩰫彝
2632	陳逆設	乍為皇且大宗設
2645	周客設	克𡴞師眉廌王為周客
2645	周客設	用為寶器
2802	六年召白虎設	用獄Jf為白
2880	鑄客匠一	鑄客為王后六室為之
2881	鑄客匠二	鑄客為王后六室為之
2882	鑄客匠三	鑄客為王后六室為之
2883	鑄客匠四	鑄客為王后六室為之
2884	鑄客匠五	鑄客為王后六室為之
2885	鑄客匠六	鑄客為王后六室為之
2886	鑄客匠七	鑄客為王后六室為之、八
2897	白彊行器	白彊為皇氏白行器
2934	曾子遷彝匠	曾子遷魯為孟姬𨛭鑄賸匠
2968	奠白大嗣工召弔山父旅匠一	子子孫孫用為永寶
2960	奠白大嗣工召弔山父旅匠二	子子孫孫為永寶

為

3010	立為旅須	立為旅盨（須）
3024	仲大師旅盨	中大師子為其旅永寶用
3026	□□為甫人行盨	□□為甫人行盨
3100	陳侯因𬀩錞	世萬子孫、永為典尚
3105	鑄客豆一	鑄客為王后六室為之
3106	鑄客豆二	鑄客為王后六室為之
3107	鑄客豆三	鑄客為王后六室為之
3108	鑄客豆四	鑄客為王后六室為之
3121.	鑄客罏	鑄客為集豆__為之
3121.	大宰歸父盧	齊大宰歸父vf為忌盧盤
4824	引為慇膚尊	引為慇膚寶尊彝用永孝
4852	□□乍其為皇考尊	□□乍其為皇考宗彝
4892	麥尊	王乘于舟、為大豐
5459	榮弔卣	榮弔乍其為皇考宗彝
5508	弔趡父卣一	毋尚為小子
5508	弔趡父卣一	余兄為女丝小鬱彝
5571	鑄客罍一	鑄客為王后六室為之
5572	鑄客罍二	鑄客為王后六室為之
5727	廿九年東周左自𣪕壺	為東周左自𣪕壺
5740	𤔲寇良父壺	𤔲寇良父乍為衛姬壺
5759	趙孟壺一	為趙孟介
5759	趙孟壺一	台（目）為祠器
5770	宗婦鄁嬰壺一	王子刺公之宗婦鄁嬰為宗彝䵼彝
5771	宗婦鄁嬰壺二	王子刺公之宗婦鄁嬰為宗彝䵼彝
5773	陳喜壺	為左大族
5773	陳喜壺	JG客敢為尊壺九
5776	𠭯公壺	𠭯公乍為子弔姜盥壺
5783	曾白陭壺	為德無叚
5784	𬂸氏壺	𬂸以為弄壺
5805	中山王𠁣方壺	鑄為彝壺
5805	中山王𠁣方壺	賈曰：為人臣而返（反）臣其宗
5808	孟城行鈃	若公孟城乍為行𦉥（鈃）
5827	廿七年寧鉶	廿七年寧為鉶
6657	但吏勺一	但吏秦苛𦚢為之
6658	但吏勺二	但吏秦苛𦚢為之
6659	但盤勺一	但盤埜（野）秦忑為之
6660	但□条勺一	但□条陳共為之
6661	但□条勺二	但□条陳共為之
6662	但盤勺	但盤野秦忑為之
6707	鑄客為集脰盤	鑄客為集脰為之
6723	楚王酓肯盤	楚王酓肯乍為鑄盤
6768	齊大宰歸父盤一	齊大宰歸父vf為忌顋盤
6769	齊大宰歸父盤二	齊大宰歸父vf為忌顋盤
6771	宗婦鄁嬰盤	王子刺公之宗婦鄁嬰為宗彝䵼彝
6776	楚王酓忎盤	剛币紹条差陳共為之
6814	鑄客為御臸匜	鑄客為御臸（室）為之
6867	弔男父乍為霍姬匜	弔男父乍為霍姬媵旅它
6868	大師子大孟姜匜	子子孫孫用為元寶
6884	鑄客鑪	鑄客為王句（后）六室為之
6971	留鐘	留為弔𩰫禾鐘

為

6973	益公鐘	益公為楚氏龢鐘
7058	邾公孫班鐘	為其龢鎛
7107	曾侯乙甬鐘	割肄之才楚號為呂鐘
7107	曾侯乙甬鐘	其反為匽鐘
7108	𦅫弔之仲子平編鐘一	乃為之音____雝雝
7109	𦅫弔之仲子平編鐘二	乃為之音____雝雝
7110	𦅫弔之仲子平編鐘三	乃為之音____雝雝
7111	𦅫弔之仲子平編鐘四	乃為之音____雝雝
7125	蔡侯𪖐紐鐘一	寍寍為政
7125	蔡侯𪖐紐鐘一	為命祗祗
7126	蔡侯𪖐紐鐘二	寍寍為政
7126	蔡侯𪖐紐鐘二	為命祗祗
7131	蔡侯𪖐紐鐘七	為命祗祗
7132	蔡侯𪖐紐鐘八	寍寍為政
7132	蔡侯𪖐紐鐘八	為命祗祗
7133	蔡侯𪖐紐鐘九	寍寍為政
7133	蔡侯𪖐紐鐘九	為命祗祗
7134	蔡侯𪖐甬鐘	寍寍為政
7134	蔡侯𪖐甬鐘	為命祗祗
7136	郘鐘一	余不敢為喬隹王正月初吉丁亥
7136	郘鐘一	永以為寶
7136	郘鐘一	乍為余鐘
7137	郘鐘二	乍為余鐘
7137	郘鐘二	余不敢為喬
7137	郘鐘二	永以為寶
7138	郘鐘三	乍為余鐘
7138	郘鐘三	余不敢為喬
7138	郘鐘三	永以為寶
7139	郘鐘四	乍為余鐘
7139	郘鐘四	余不敢為喬
7139	郘鐘四	永以為寶
7140	郘鐘五	乍為余鐘
7140	郘鐘五	余不敢為喬
7140	郘鐘五	永以為寶
7141	郘鐘六	乍為余鐘
7141	郘鐘六	余不敢為喬
7141	郘鐘六	永以為寶
7142	郘鐘七	乍為余鐘
7142	郘鐘七	余不敢為喬
7142	郘鐘七	永以為寶
7143	郘鐘八	乍為余鐘
7143	郘鐘八	余不敢為喬
7143	郘鐘八	永以為寶
7144	郘鐘九	乍為余鐘
7144	郘鐘九	余不敢為喬
7144	郘鐘九	永以為寶
7145	郘鐘十	乍為余鐘
7145	郘鐘十	余不敢為喬
7145	郘鐘十	永以為寶
7146	郘鐘十一	乍為余鐘

	7146	郘鐘十一	余不敢為喬
	7146	郘鐘十一	永以為寶
	7147	郘鐘十二	乍為余鐘
為	7147	郘鐘十二	余不敢為喬
	7147	郘鐘十二	永以為寶
	7148	郘鐘十三	乍為余鐘
	7148	郘鐘十三	余不敢為喬
	7148	郘鐘十三	永以為寶
	7149	郘鐘十四	乍為余鐘
	7149	郘鐘十四	余不敢為喬
	7149	郘鐘十四	永以為寶
	7157	邾公華鐘一	慎為之耶
	7183	叔夷編鐘二	為女隸寮
	7202	楚公逆鎛	為____公
	7205	蔡侯[illegible]編鎛一	寴寴為政
	7205	蔡侯[illegible]編鎛一	為命祇祇
	7206	蔡侯[illegible]編鎛二	寴寴為政
	7206	蔡侯[illegible]編鎛二	為命祇祇
	7207	蔡侯[illegible]編鎛三	寴寴為政
	7207	蔡侯[illegible]編鎛三	為命祇祇
	7208	蔡侯[illegible]編鎛四	寴寴為政
	7208	蔡侯[illegible]編鎛四	為命祇祇
	7213	𦅫鎛	余為大攻厄
	7214	叔夷鎛	為女隸寮
	7214	叔夷鎛	為大事
	7416	閭丘戈	膚(莒)丘為脽造
	7500	邗王是埜戈	邗王是野乍為元用
	7527	__久白戈	__久白文妊為茲戈
	7711	楚王酓章劍	楚王酓章為從士鑄
	7723	__公劍	其以作為用元劍
	7735	少虡劍一	乍為元用
	7736	少虡劍二	乍為元用玄鏐鈇呂
	7761	郘大叔斧一	郘大叔以新金為貣車之斧十
	7868	商鞅方升	立號為皇帝
	7868	商鞅方升	爰積十六尊五分尊壹為升
	7899	鄂君啟車節	為鄂君啟之𢊁商鑄金節
	7900	鄂君啟舟節	為鄂君啟之𢊁商鑄金節
	7900	鄂君啟舟節	屯三舟為一舿、五十舿
	7933	大府鎬	立府為王一僉晉鎬集脰
	7947	鑄客銅器一	鑄客為集脰為之
	7948	鑄客銅器二	鑄客為王后六室為之
	7949	鑄客銅器三	鑄客為王后六室為之
	7975	中山王墓兆域圖	王命賈為逃乏
	7996.	上官登	台為大[illegible]之從鈇登□□
	M706	曾侯乙編鐘下一・二	妥賓之才楚號為坪皇
	M706	曾侯乙編鐘下一・二	其才[illegible](申)號為遲則
	M706	曾侯乙編鐘下一・二	為韋音羽角
	M706	曾侯乙編鐘下一・二	為𨟻音羽
	M706	曾侯乙編鐘下一・二	為槃鐘徵
	M706	曾侯乙編鐘下一・二	為妥賓之徵頔下角

M706	曾侯乙編鐘下一・二	為無睪徵顀
M707	曾侯乙編鐘下一・三	為獸鐘徵顀下角
M707	曾侯乙編鐘下一・三	為穆音變商
M707	曾侯乙編鐘下一・三	為坪皇變商
M707	曾侯乙編鐘下一・三	為屖則羽角
M707	曾侯乙編鐘下一・三	為穆音之羽顀下角
M708	曾侯乙編鐘下二・一	為無睪之羽顀下角
M708	曾侯乙編鐘下二・一	為獸鐘曾
M708	曾侯乙編鐘下二・一	為穆音羽角
M708	曾侯乙編鐘下二・一	為剌音變商
M708	曾侯乙編鐘下二・一	為獸鐘之徵顀下角
M709	曾侯乙編鐘下二・二	嬴孠之才楚號為新鐘
M709	曾侯乙編鐘下二・二	其才齊為呂音
M709	曾侯乙編鐘下二・二	穆音之才楚為穆鐘
M709	曾侯乙編鐘下二・二	其才周為剌音
M709	曾侯乙編鐘下二・二	其反才晉為鎜鐘
M710	曾侯乙編鐘下二・三	韋音之才楚號為文王
M710	曾侯乙編鐘下二・三	為剌音變徵
M710	曾侯乙編鐘下二・三	鄦音之才楚為獸鐘
M710	曾侯乙編鐘下二・三	其才周為鄦音
M711	曾侯乙編鐘下二・四	妥賓之才楚號為坪皇
M711	曾侯乙編鐘下二・四	其才𨛜(申)號為遟則
M711	曾侯乙編鐘下二・四	為鎜鐘曾
M711	曾侯乙編鐘下二・四	為妥賓之徵顀下角
M711	曾侯乙編鐘下二・四	為無睪徵角
M711	曾侯乙編鐘下二・四	為韋音羽角
M711	曾侯乙編鐘下二・四	為鄦音羽
M712	曾侯乙編鐘下二・五	割肄之才楚號為呂鐘
M712	曾侯乙編鐘下二・五	其坂(反)為宣鐘
M712	曾侯乙編鐘下二・五	宣鐘之才晉號為六墉
M712	曾侯乙編鐘下二・五	為穆音之羽顀下角
M712	曾侯乙編鐘下二・五	為黃鐘徵
M712	曾侯乙編鐘下二・五	為坪皇變商
M712	曾侯乙編鐘下二・五	為屖則羽角
M713	曾侯乙編鐘下二・七	為鄦音羽曾
M713	曾侯乙編鐘下二・七	為大族之徵顀下角
M713	曾侯乙編鐘下二・七	為鎜鐘徵曾
M713	曾侯乙編鐘下二・七	為文王羽
M713	曾侯乙編鐘下二・七	為坪皇徵角
M713	曾侯乙編鐘下二・七	為獸鐘之羽顀下角
M714	曾侯乙編鐘下二・八	為獸鐘徵顀下角
M714	曾侯乙編鐘下二・八	音為穆音變商
M714	曾侯乙編鐘下二・八	為大族羽角
M714	曾侯乙編鐘下二・八	為黃鐘徵曾
M738	曾侯乙編鐘中二・十一	嬴孠之才楚為新鐘
M738	曾侯乙編鐘中二・十一	其才齊為呂音
M738	曾侯乙編鐘中二・十一	其反才晉為鎜鐘
M738	曾侯乙編鐘中二・十一	穆音之才楚為穆鐘
M738	曾侯乙編鐘中二・十一	其才周為剌音
M740	曾侯乙編鐘中三・一	割肄之才楚為呂鐘

M740	曾侯乙編鐘中三・一	亘鐘之才晉為六墉
M741	曾侯乙編鐘中三・二	㵩孚之才楚號為新鐘
M741	曾侯乙編鐘中三・二	丌才齊號為呂音
M741	曾侯乙編鐘中三・二	大族之才周號為剌音
M741	曾侯乙編鐘中三・二	丌才晉號為槃鐘
M741	曾侯乙編鐘中三・二	穆立楚號為穆鐘
M742	曾侯乙編鐘中三・三	其才楚為文王
M742	曾侯乙編鐘中三・三	為剌音鼓
M743	曾侯乙編鐘中三・四	妥賓之才[illegible](申)號為遟則
M743	曾侯乙編鐘中三・四	為黃鐘鼓
M743	曾侯乙編鐘中三・四	為遟則徵曾
M744	曾侯乙編鐘中三・五	割肄之才楚號為呂鐘
M744	曾侯乙編鐘中三・五	其反為亘鐘
M745	曾侯乙編鐘中三・六	韋音之才楚號為文王
M745	曾侯乙編鐘中三・六	為坪皇之羽顧下角
M745	曾侯乙編鐘中三・六	為槃鐘羽
M746	曾侯乙編鐘中三・七	妥賓之才楚號為坪皇
M746	曾侯乙編鐘中三・七	其才[illegible](申)號為遟則
M746	曾侯乙編鐘中三・七	為槃鐘曾
M746	曾侯乙編鐘中三・七	為妥賓之徵顧下角
M746	曾侯乙編鐘中三・七	為無睪徵角
M746	曾侯乙編鐘中三・七	為韋音羽角
M746	曾侯乙編鐘中三・七	為鄕音羽
M747	曾侯乙編鐘中三・八	割肄之才楚號為呂鐘
M747	曾侯乙編鐘中三・八	其反為亘鐘
M747	曾侯乙編鐘中三・八	亘鐘之才晉為六墉
M747	曾侯乙編鐘中三・八	為黃鐘徵
M747	曾侯乙編鐘中三・八	為坪皇變商
M747	曾侯乙編鐘中三・八	為遟則羽角
M747	曾侯乙編鐘中三・八	為穆音之羽顧下角
M748	曾侯乙編鐘中三・九	為文王羽
M748	曾侯乙編鐘中三・九	為坪皇徵角
M748	曾侯乙編鐘中三・九	為獸鐘之羽顧下角
M748	曾侯乙編鐘中三・九	為鄕音羽曾
M748	曾侯乙編鐘中三・九	為夫族之徵顧下角
M748	曾侯乙編鐘中三・九	為槃鐘徵曾
M749	曾侯乙編鐘中三・十	為獸鐘之徵顧下角
M749	曾侯乙編鐘中三・十	為穆音變商
M749	曾侯乙編鐘中三・十	為夫族羽角
M749	曾侯乙編鐘中三・十	為黃鐘徵曾
		小計：共　299 筆

豙　0441

6994	楚公豙鐘一	楚公豙自鑄鍚鐘
6995	楚公豙鐘二	楚公豙自乍寶大醽鐘
6996	楚公豙鐘三	楚公豙自乍寶大醽鐘
6998	楚公豙鐘五	楚公豙自鑄鍚鐘
7429	楚公豙秉戈	楚公豙秉戈
		小計：共　5 筆

0442

4361	冉[illegible]盉	[冉[illegible]]
4546	冉[illegible]尊	[冉[illegible]]
6074	冉[illegible]觚一	[冉[illegible]]
6075	冉[illegible]觚二	[冉[illegible]]
6373	冉[illegible]觶	[冉[illegible]]

小計：共　56 筆

0443

2843	沈子它𣪘	其丮哀乃沈子它唯福
2855	班𣪘一	不杯丮皇公
2855.	班𣪘二	不杯丮皇公
4112	戈丮亞毌爵	戈丮[亞毌]
4255	丮罍	[丮]
4255.	丮罍二	[丮]
4334.	丮__父癸罍	丮__父癸[六]
4838	丮乍父□尊	易聿丮用乍父□尊彝
4922	亞它丮觥	[亞它]丮乍𩰫逆王望器[冊]
5050	丮卣	[丮]
6068	亞丮丮觚	[亞丮丮]
7136	郘𨸏鐘一	嘼丮武
7137	郘𨸏鐘二	余嘼丮武
7138	郘𨸏鐘三	余嘼丮武
7139	郘𨸏鐘四	余嘼丮武
7140	郘𨸏鐘五	余嘼丮武
7141	郘𨸏鐘六	余嘼丮武
7142	郘𨸏鐘七	余嘼丮武
7143	郘𨸏鐘八	余嘼丮武
7144	郘𨸏鐘九	余嘼丮武
7145	郘𨸏鐘十	余嘼丮武
7146	郘𨸏鐘十一	余嘼丮武
7147	郘𨸏鐘十二	余嘼丮武
7148	郘𨸏鐘十三	余嘼丮武
7149	郘𨸏鐘十四	余嘼丮武
補1	□丮竹爵	[□丮竹]

小計：共　26 筆

0444　與附上 067當同字. 與杕(迺)別字, 0237+ 迺字、 1641+杕字參看

1251	中先鼎一	貫行埶
1251	中先鼎一	埶于寶彝
1252	中先鼎二	貫行埶
1252	中先鼎二	埶于寶彝
1332	毛公鼎	埶小大楚賦
1668	中甗	王令中先省南或貫行埶应在甾(曾)
1671	埶𣪘	[埶埶]

埶
[illegible]
丮
埶

埶
孰
䞈
𤔲
巩

1884	埶父辛段	[埶]父辛
2169	埶乍父辛段	埶乍父辛尊彝
3519.1	共埶爵	[共埶]
4101	口父癸爵	[埶戈]父癸
4185	埶埶𢓊乍父庚爵	[埶埶]遅父庚寶彝
4890	盠方尊	䞈嗣六自眔八自埶
4979	盠方彝一	䞈嗣六自眔八自埶
4980	盠方彝二	䞈嗣六自眔八自埶
5233	埶埶父丁卣	[埶埶]父丁
5852	埶觚	[埶]
6275	埶埶戉乍且癸句觚	[埶埶戉]乍且癸[句]寶彝
6470	埶埶父己觶	[埶埶]父己
6635	中觶	中埶王休
7188	叔夷編鐘	七卑百斯男而埶斯字
7189	叔夷編鐘	八卑百斯男而埶斯字
7214	叔夷鎛	卑百斯男而埶斯字
J72	蔡侯𨱔𨱔鐘	

小計：共 25 筆

孰 0445

2120	白到乍孰段	白到乍孰段

小計：共 1 筆

䞈𤔲 0446

0781	弔旟鼎	弔旟(旅)乍寶尊鼎
1217	毛公旅方鼎	我用𤔲厚眔我友
1323	師䞈鼎	王曰：師䞈、女克𧗓乃身
1323	師䞈鼎	䞈拜䭫首
1323	師䞈鼎	䞈臣皇辟
1323	師䞈鼎	䞈蔑曆
1323	師䞈鼎	䞈敢𤔲王卑天子萬年whwi
1323	師䞈鼎	䞈敢對王休
2215	𢑴需𢑴乍䞈段	𢑴需𢑴乍䞈段
2357	㝬冊𡚬𡚬𤔲段	𡚬𡚬𤔲用乍匋辛𤔲段[㝬冊]
2842	卯段	䞈乃先且考死𤔲(司)榮公室
2842	卯段	易于䞈一田
2843	沈子它段	用䞈卿己公
2856	師訇段	妥立余小子䞈乃吏
J1703	師虎段	(拓本未見)
5339	弔𤔲卣	弔𤔲乍寶尊彝
J3366	𢑴需𢑴壺	(拓本未見)

小計：共 17 筆

巩 0447

1332	毛公鼎	不巩先王配命
1332	毛公鼎	永巩先王
2838	師𩛥𣪘一	䖒叔市巩(恐)告于王
2839	師𩛥𣪘二	䖒叔市巩(恐)告于王
6792	史墻盤	永不巩狄
7183	叔夷編鐘二	女巩勞朕行師
7214	叔夷鎛	女巩勞朕行師
		小計：共 7 筆

巩
𢵭

0448

0254	𢵭冊鼎	[𢵭冊]
0897	䵼𢵭乍父癸鼎	𢵭乍父癸寶尊彝[䵼]
1209	㝨方鼎	𢵭商又正㝨嬰貝
1209	㝨方鼎	㝨揚𢵭商
1298	師旂鼎	白懋父迺罰得䙷古三百守
1415	𢵭鬲	[𢵭𡿺]白乍父乙彝
1440	亞俞林𢵭鬲	林𢵭乍父辛寶尊彝[亞俞]
1577	𢵭父辛甗	[𢵭]父辛
1589	亞𢵭甗	[亞𢵭]㚇
1623	㝨史𢵭䇴甗	㝨史𢵭乍旅彝
1923	𢵭父癸𣪘	[𢵭]父癸
2339	𠬝鳥乍且癸𣪘	𢵭易鳥玉、用乍且癸彝[𠬝]
2409	𢵭父丁𣪘	辛未吏囗易𢵭貝十朋
2409	𢵭父丁𣪘	𢵭用乍父丁尊彝
2737	段𣪘	令龏𢵭遺(饋)大則于段
2786	䋣妃𣪘	易女婦爵𢵭之弋周玉
3148	𢵭爵	[𢵭]
3858	𢵭父己爵	[𢵭]父己
3893	𢵭父庚爵一	[𢵭]父庚
3894	𢵭父庚爵二	[𢵭]父庚
3904	𢵭父辛爵	[𢵭]父辛
3937	𢵭父癸爵	[𢵭]父癸
4240	亞未乍父辛角	丁未𢵭商征貝
4847	小子夫尊	𢵭賫小子夫貝二朋
4892	麥尊	巳夕，侯易者𢵭臣二百家
5308	__𢵭乍從彝卣	[𢊁]𢵭乍從彝
5443	亞㠱侯矣𢵭卣	𢵭易孝用乍且丁彝[亞㠱侯矣]
5491	亞獏二祀𠨘其卣	既𢵭于上帝
5925	𢵭觚	[𢵭]
6278	𠬝𢵭用__日義觚	𠂤婦賞于𢵭
6427	𢵭父乙觶	[𢵭]父乙
6477	執戈父庚觶	[𢵭]父庚
6500	𢵭父癸觶一	[𢵭]父癸
6501	𢵭父癸觶二	[𢵭]父癸
6691	乍𢵭從彝盤	乍𢵭从彝
6792	史墻盤	方䜌亡不𢵭見
		小計：共 36 筆

扒 0449

1415	扒鬲	[坄𡵂]白乍父乙彝

小計：共 1 筆

玐 0450

J541	玐鼎	(拓本未見)
2170	玐乍父辛設	玐乍父辛䵼彝

小計：共 2 筆

䡁 0451

1038	白䡁父鼎	白䡁父乍寶鼎
6784	三十四祀盤(祼盤)	鮮蔑鄠、王䡁鄠玉三品、貝廿朋

小計：共 2 筆

又

1315	善鼎	唯十又一月初吉辰才丁亥
1316	戜方鼎	母又眈于氒身
1317	善夫山鼎	隹卅又七年正月初吉庚戌
1324	禹鼎	肆禹又成
1326	多友鼎	凡㠯公車折首二百又□又五人
1326	多友鼎	執訊廿又三人
1326	多友鼎	孚戎車百乘一十又七乘
1326	多友鼎	折首卅又六人
1326	多友鼎	多友或又折首執訊
1326	多友鼎	公車折首百又十又五人
1326	多友鼎	不逆又成吏
1328	盂鼎	已、女妹晨又大服
1328	盂鼎	人鬲自馭至于庶人六百又五十又九夫
1328	盂鼎	易夷嗣王臣十又三白
1328	盂鼎	人鬲千又五十夫㥣nx甄自氒土、王曰：盂
1328	盂鼎	隹王廿又三祀
1329	小字盂鼎	隹王卅又五祀
1330	曶鼎	迺酷又訵眔䊸金
1330	曶鼎	又臣□□
1332	毛公鼎	庸又聞
1332	毛公鼎	母（ 毋 ）又敢惷尃命于外
1462	榮有嗣爯鬲鬲	榮又（ 有 ）嗣爯乍䵼鬲
1466	亞䝷餘鉢母辛鬲	用作又（ 氒 ）母辛尊彝
1527	䪫先父鬲	隹十又二月初吉
1668	中甗	氒又舍女邦量至于女
1668	中甗	肆肩又羞余□□□
2002	又養父己𣪘	[又羊攵]父己
2348	仲爯𣪘	中爯乍又寶彝用鄉王逆逰
2403	遽白還𣪘	用貝十朋又四朋
2421	舟𡿯㚸乍父乙𣪘	公史㚸吏又宗
2543	𢦏䮂𣪘	又得
2585	禽𣪘	禽又kk祝
2595	奠虢仲𣪘一	隹十又一月既生霸庚戌
2596	奠虢仲𣪘二	隹十又一月既生霸庚戌
2597	奠虢仲𣪘三	隹十又一月既生霸庚戌
2603	白吉父𣪘	唯十又二月
2644	命𣪘	隹十又一月初吉甲申
2655	小臣靜𣪘	隹十又三月
2669	__妊小𣪘	𠀁又__
2671	利𣪘	聞夙又商
2671	利𣪘	易又吏利金
2672	伯𦬊父𣪘	𠀁又__
2678	函皇父𣪘一	自豕鼎降十又二
2679	函皇父𣪘二	自豕鼎降十又二
2680	函皇父𣪘三	自豕鼎降十又二
2680.	函皇父𣪘四	自豕鼎降十又二
2682	陳侯午𣪘	隹十又四年
2682	陳侯午𣪘	保又齊邦
2710	𩎫自乍寶器一	唯十又二月既生霸丁亥
2711	𩎫自乍寶器二	唯十又二月既生霸丁亥

2737	段毁	唯王十又四祀十又一月丁卯
2739	無㠱毁一	隹十又三年正月初吉壬寅
2740	無㠱毁二	隹十又三年正月初吉壬寅
2741	無㠱毁三	隹十又三年正月初吉壬寅
2742	無㠱毁四	隹十又三年正月初吉壬寅
2742.	無㠱毁五	隹十又三年正月初吉壬寅
2742.	無㠱毁五	隹十又三年正月初吉壬寅
2752	史頌毁一	休又成吏
2753	史頌毁二	休又成吏
2754	史頌毁三	休又成吏
2755	史頌毁四	休又成吏
2756	史頌毁五	休又成吏
2757	史頌毁六	休又成吏
2758	史頌毁七	休又成吏
2759	史頌毁八	休又成吏
2759	史頌毁九	休又成吏
2760	小臣謎毁一	唯十又一月
2761	小臣謎毁二	唯十又一月
2762	免毁	隹十又二月初吉
2766	三兒毁	其□又之□□就孚吉金用乍□寶毁
2767	虘毁一	隹十又二年
2768	楚毁	又楚立中廷
2774	臣諫毁	母弟引竜又長子□
2774.	南宮乎毁	又賜（賜）女邦＿百人
2775	裘衛毁	隹廿又七年三月既生霸戊戌
2776	走毁	隹王十又二年三月既望庚寅
2777	天亡毁	乙亥、王又大豐
2777	天亡毁	天亡又王衣祀于王丕顯考文王
2777	天亡毁	隹朕又蔑
2786	縣妃毁	隹十又二月既望辰才壬午
2787	望毁	隹王十又三年六月初吉戊戌
2787	望毁	隹王十又三年六月初吉戊戌
2789	同毁一	隹十又二月初吉丁丑
2789	同毁一	母女又閑
2790	同毁二	隹十又二月初吉丁丑
2790	同毁二	母女又閑
2791.	史密毁	隹十又二月
2793	元年師旋毁一	官司豐還ナ又師氏
2794	元年師旋毁二	官司豐還ナ又師氏
2795	元年師旋毁三	官司豐還ナ又師氏
2796	諫毁	嗣馬共又右諫入門立中廷
2796	諫毁	女某不又聞
2796	諫毁	嗣馬共又右諫入門立中廷
2796	諫毁	女某不又聞
2800	伊毁	隹王廿又七年正月既望丁亥
2801	五年召白虎毁	琱生又吏
2802	六年召白虎毁	又祇又成
2812	大毁一	隹十又二年三月既生霸丁亥
2813	大毁二	隹十又二年三月既生霸丁亥
2815	師𣪕毁	師𣪕、乃且考又Jq（勞?）于我家

又

2816	彔白㦰𣪕	又Jq(勞?)于周邦
2818	此𣪕一	隹十又七年十又二月既生霸乙卯
2819	此𣪕二	隹十又七年十又二月既生霸乙卯
2820	此𣪕三	隹十又七年十又二月既生霸乙卯
2821	此𣪕四	隹十又七年十又二月既生霸乙卯
2822	此𣪕五	隹十又七年十又二月既生霸乙卯
2823	此𣪕六	隹十又七年十又二月既生霸乙卯
2824	此𣪕七	隹十又七年十又二月既生霸乙卯
2825	此𣪕八	隹十又七年十又二月既生霸乙卯
2826	師寰𣪕一	休既又工
2826	師寰𣪕一	休既又工
2827	師寰𣪕二	休既又工
2828	宜侯夨𣪕	𠭰□百又廿
2828	宜侯夨𣪕	𠭰宅邑卅又五
2828	宜侯夨𣪕	𠭰□百又卌
2828	宜侯夨𣪕	易才宜王人□又七生
2828	宜侯夨𣪕	𠭰䖒□又五十夫
2828	宜侯夨𣪕	易宜庶人六百又□六夫
2833	秦公𣪕	十又二公
2833	秦公𣪕	高引又慶
2834	㝬𣪕	隹王十又二祀
2835	訇𣪕	唯王十又七祀
2836	㦰𣪕	凡百又卅又五款
2836	㦰𣪕	孚戎孚人百又十又四人
2837	敔𣪕一	隹王十又一月
2838	師𣪕𣪕一	隹十又一年九月初吉丁亥
2838	師𣪕𣪕一	隹十又一年九月初吉丁亥
2839	師𣪕𣪕二	隹十又一年九月初吉丁亥
2839	師𣪕𣪕二	隹十又一年九月初吉丁亥
2841	茀白𣪕	又芾于大命
2842	卯𣪕	隹王十又一月既生霸丁亥
2842	卯𣪕	又進ly
2843	沈子它𣪕	烏虖隹考𡛥又念自先王先公
2843	沈子它𣪕	克又井學𢘅父迺□子
2854	𦀚𣪕	母敢又不聞
2854	𦀚𣪕	𠭰又見又即令
2854	𦀚𣪕	母敢疾又入告
2854	𦀚𣪕	勿吏敢又疾、止從獄
2856	師訇𣪕	臨保我又周、雩四方民
2857	牧𣪕	隹王七年又三月既生霸甲寅
3055	虢仲旅盨	𢆶盨友十又二
3068	白寬父盨一	隹卅又三年八月既死辛卯
3069	白寬父盨二	隹卅又三年八月既死辛卯
3085	駒父旅盨(蓋)	唯王十又八年正月
3086	善夫克旅盨	隹十又八年十又二月初吉庚寅
3087	高从盨	隹王廿又五年七月既□□□
3087	高从盨	凡復友復友鬲比田十又三邑
3088	師克旅盨一(蓋)	則隹乃先且考又Jr于周邦
3089	師克旅盨二	則䌛隹乃先且考又Jr于周邦
3090	𨘢盨(器)	又進退

又

3090	㙉盨(器)	雩邦人、正人、師氏人又辠又故
3097	陳侯午鎛錞一	隹十又四年
3097	陳侯午鎛錞一	保又齊邦永世毋忘
3098	陳侯午鎛錞二	隹十又四年
3098	陳侯午鎛錞二	保又齊邦永世毋忘
3128	魚鼎匕	延又匕蝕
3193	又爵	[又]
3636	羧又爵	[養又]
4188	又作䘏父爵	又作䘏父寶尊彝
4242	𢉏冊宰椃作父丁角	才六月隹王廿祀昱又五
4496	又尊一	[又]
4497	又尊二	[又]
4660	又羧父己尊	[又養]父己
4860	魯侯尊	魯侯又卟工
4866	小臣艅尊	隹王十祀又五彡日
4868	趞作姑尊	隹十又三月辛卯、王才序
4875	𣂔折尊	隹王十又九祀
4884	敃尊	隹十又三月既生霸丁卯
4888	盠駒尊一	隹王十又三月、辰才甲申
4928	折觥	隹王十又九祀
4946	亞又方彝	[亞又]
4976	折方彝	隹王十又九祀
5240	又養父己卣	[又羊攵]父己
5473	同作父戊卣	隹十又一月
5476	趞作姑寶卣	隹十又三月辛卯
5484	作冊睘卣	隹十又九年王才序
5484	作冊睘卣	隹十又九年王才序
5493	召作_宮旅卣	隹十又二月初吉丁卯
5497	農卣	母又田
5504	庚嬴卣一	又丹一杆
5505	庚嬴卣二	又丹一杆
5509	麸卣	隹十又二月
5778	番匊生鑄媵壺	隹廿又六年十月初吉己卯
5781	曾姬無卹壺一	隹王廿又六年
5782	曾姬無卹壺二	隹王廿又六年
5791	十三年瘨壺一	隹十又三年九月初吉戊寅
5792	十三年瘨壺一	隹十又三年
5795	白克壺	隹十又六年七月既生霸乙未
5805	中山王譽方壺	是又純德遺訓
5805	中山王譽方壺	亡又sv息
6562	川又父乙觶	[川又]父乙
0044	又勺	[又]
6783	函皇父盤	自豖鼎降十又一
6784	三十四祀盤(祼盤)	隹王卅又四祀唯五月既望戊午
6786	_弔多父盤	曰㕓又父一母
6789	寰盤	隹廿又八年五月既望庚寅
6790	虢季子白盤	隹十又二年正月初吉丁亥
6790	虢季子白盤	孔覭又光
6793	矢人盤	凡十又五夫正履
6793	矢人盤	余又爽窳

又	6874	鄭大內史弔上匜	隹十又二月初吉乙巳
	6877	儹乍旅盂	今女亦既又pb誓
	6910	師永盂	隹十又二年初吉丁卯
	7017	楚王酓章鐘一	隹王五十又六祀
	7040	克鐘一	隹十又六年九月初吉庚寅
	7041	克鐘二	隹十又六年九月初吉庚寅
	7042	克鐘三	隹十又六年九月初吉庚寅
	7092	驫羌鐘一	唯廿又再祀
	7093	驫羌鐘二	唯廿又再祀
	7094	驫羌鐘三	唯廿又再祀
	7095	驫羌鐘四	唯廿又再祀
	7096	驫羌鐘五	唯廿又再祀
	7174	秦公鐘	克明又(卒)心
	7176	㝬鐘	廿又六邦
	7176	㝬鐘	朕猷又成亡競
	7177	秦公及王姬編鐘一	克明又(卒)心
	7184	叔夷編鐘三	女康能乃又事
	7185	叔夷編鐘四	釐僕三百又五十家
	7185	叔夷編鐘四	又敢才帝所
	7186	叔夷編鐘五	又共于趄武靈公之所
	7187	叔夷編鐘六	龢燮而又事
	7193	叔夷編鐘十二	又
	7201	楚王酓章乍曾侯乙鎛	隹王五十又六祀
	7202	楚公逆鎛	逆其萬年又壽_身
	7204	克鎛	隹十又六年九月初吉庚寅
	7209	秦公及王姬鎛	克明又(卒)心
	7210	秦公及王姬鎛二	克明又(卒)心
	7211	秦公及王姬鎛三	克明又(卒)心
	7212	秦公鎛	竈又下國
	7212	秦公鎛	十又二公不彖才下
	7212	秦公鎛	畯疐才立高引又慶
	7212	秦公鎛	匍又四方
	7213	𬶍鎛	于皇祖又成惠弔
	7213	𬶍鎛	皇妣(妣)又成惠姜
	7213	𬶍鎛	鞄(鮑)弔又成
	7213	𬶍鎛	侯氏易之邑二百又九十又九邑
	7214	叔夷鎛	女康能乃又事
	7214	叔夷鎛	釐僕三百又五十家
	7214	叔夷鎛	又敢才帝所
	7214	叔夷鎛	又共于公所
	7214	叔夷鎛	龢燮而又事
	7355	敄亞又戈一	[目、養亞又]
	7356	敄亞又戈二	[目、養亞又]
	7357	敄亞又戈三	[目、養亞又]
	7358	敄亞又戈四	[目、養亞又]
	7359	敄亞又戈五	[目、養亞又]
	7360	敄亞又戈六	[目、養亞又]
	7362	亞又攸辛戈	[辛、亞又攸]
	7871	子禾子釜一	又外Lv又
	M171	小臣靜卣	隹十又三月

M191	緐卣	雩旬又一日辛亥
M423.	趞鼎	隹十又九年四月既望辛卯
		小計：共 300 筆

0453

0197	父丁鼎一	父丁
0198	父丁鼎二	父丁
0199	父戊鼎一	父戊
0200	父戊鼎二	父戊
0201	父己鼎一	父己
0202	父己鼎二	父己
0203	父己鼎三	父己
0204	父己鼎四	父己
0205	父己鼎五	父己
0206	父辛方鼎一	父辛
0207	父辛方鼎二	父辛
0208	父辛方鼎三	父辛
0209	父辛方鼎四	父辛
0210	父壬鼎	壬父
0211	父癸方鼎一	父癸
0212	父癸鼎二	父癸
0213	父癸鼎三	父癸
0214	父癸鼎四	父癸
0215	父戊鼎	父戊
0336	奘父甲鼎	[奘]甲父
0337	戈父甲鼎一	[戈]父甲
0338	咸父甲鼎	[咸]父甲
0339	魚父乙鼎 一	[魚]父乙
0340	魚父乙鼎 二	[魚]父乙
0341	卬父乙鼎	[卬]父乙
0342	卬父乙鼎一	[卬]父乙
0343	卬父乙鼎二	[卬]父乙
0344	舟父乙鼎	[舟]父乙
0345	父乙舟鼎	父乙[舟]
0346	宊父乙鼎	[宊]父乙
0346.	字毌父乙鼎	[旬毌]父乙
0347	朹父乙鼎	[朹]父乙
0348	超父乙鼎	[超]父乙
0349	判父丁方鼎	[判]父丁
0350	父乙子鼎	父乙[子]
0351	奘父乙鼎一	[奘]父乙
0352	奘父乙鼎二	[奘]父乙
0353	奘父乙鼎三	[奘]父乙
0354	奘父乙鼎四	[奘]父乙
0355	自父乙鼎	[自]父乙
0356	析父乙鼎	[析]父乙
0357	箙父乙鼎	[箙]父乙
0359	旬毌父乙鼎	[旬毌]父乙

父

0360	𠬝父丙鼎	[𠬝]父丙
0361	黿父丙鼎	[黿]父丙
0362	弔父丙鼎	[弔]父丙
0363	犬父丙鼎	[犬]父丙
0363.	_父丙鼎	[f7]父丙
0364	此父丁鼎	[此]父丁
0365	𠬝父丁鼎一	[𠬝]父丁
0366	𠬝父丁鼎二	[𠬝]父丁
0367	魚父丁鼎	[魚]父丁
0368	丫父丁鼎	[丫]父丁
0369	黽父丁鼎一	[黽]父丁
0370	黽父丁鼎二	[黽]父丁
0371	衛父丁鼎	[衛]父丁
0372	弔父丁鼎二	[弔]父丁
0373	弔父丁鼎一	[弔]父丁
0374	弔父丁鼎三	[弔]父丁
0375	𠦪父丁鼎一	[𠦪]父丁
0376	𠦪父丁鼎二	[𠦪]父丁
0377	𠦪父丁鼎三	[𠦪]父丁
0378	般父丁鼎	[般]父丁
0379	會父丁鼎	[會]父丁
0380	嬰父丁鼎	[嬰]父丁
0381	𦦁父丁鼎	[𦦁]父丁
0382	戈父丁鼎	[戈]父丁
0383	天黿父丁鼎	[天黿]父丁
0384	旬父丁鼎	[旬]父丁
0385	獎父丁鼎一	[獎]父丁
0386	獎父丁鼎二	[獎]父丁
0387	鍪父戊鼎一	[鍪]父戊
0388	鍪父戊鼎二	[鍪]父戊
0389	戈父己方鼎	[戈]父己
0390	戈父己鼎	[戈]父己
0391	卿父己鼎	[卿]父己
0392	子父己鼎	[子]父己
0393	耒父己鼎	[耒]父己
0394	亯父己鼎一	[亯]父己
0395	亯父己鼎二	[亯]父己
0396	㚔父己鼎	[㚔]父己
0397	舌父己鼎	[舌]父己
0398	父己車鼎	父己[車]
0399	𡧊父己鼎	[𡧊]父己
0400	乍父己鼎	乍父己
0401	獎父己鼎	[獎]父己
0402	羊父庚鼎	[羊]父庚
0403	𩵋父庚鼎	[𩵋]父庚
0404	箙父庚鼎	[箙]父庚
0405	幸父庚鼎	[幸]父庚
0406	史父庚鼎一	[史]父庚
0407	史父庚鼎二	[史]父庚
0408	𠬝父辛鼎	[𠬝]父辛

0409	舟父辛鼎二	[舟]父辛
0410	舟父辛鼎一	[舟]父辛
0411	子父辛鼎	[子]父辛
0412	㽙父辛鼎一	[㽙]父辛
0413	㽙父辛鼎二	[㽙]父辛
0414	歺父辛鼎	[歺]父辛
0415	戈父辛鼎一	[戈]父辛
0416	戈父辛鼎二	[戈]父辛
0417	木父辛鼎	[木]父辛
0418	田父辛方鼎	[田]父辛
0419	敿父辛鼎	[敿]父辛
0420	壴父辛鼎	[壴]父辛
0421	串父辛鼎	[串]父辛
0422	卬父辛鼎	[卬]父辛
0423	朙父辛鼎	[朙]父辛
0424	宎父辛鼎	[宎]父辛
0425	戉豕父辛鼎	[戉豕]父辛
0426	句父辛鼎	[句]父辛
0427	鱳父辛鼎	[鱳]父辛
0427.	斿父辛鼎	[斿]父辛
0427.	誟父辛鼎	[誟]父辛
0428	魚父癸方鼎	[魚]父癸
0429	木父壬鼎	[木]父壬
0430	鳥父癸鼎	[鳥]父癸
0431	旱父癸方鼎	[旱]父癸
0432	守父癸鼎	[守]父癸
0433	__父癸鼎	[CG]父癸
0434	串父癸鼎	[串]癸父
0435	會父癸鼎	[會]父癸
0436	叟父癸鼎	[叟]父癸
0437	叟父癸鼎	[叟]父癸
0438	卬父癸鼎	[卬]父癸
0439	__父癸鼎	[ad]父癸
0440	戈父癸鼎	[戈]父癸
0441	弓父癸鼎	[弓]父癸
0442	__父癸鼎	[ab]父癸
0444	子父癸鼎	[子]父癸
0445	舟父癸鼎	[舟]父癸
0446	衜父癸鼎	[衜]父癸
0447	學父癸鼎	[學]父癸
0497	乍父己鼎	乍父己
0506	亞犬父鼎	[亞犬]父口
0511	__父甲鼎	dp父甲
0512	岢父乙鼎	[馬馬岢]父乙
0513	光父乙鼎	[光]父乙
0514	父乙鬲鼎一	父乙鬲(鼎)
0515	父乙鬲鼎二	父乙鬲(鼎)
0524	__父乙鼎	__父乙
0526	東父辛鼎	[東]父辛
0531	亞酘父乙鼎	[亞酘]父乙

父

0532	爻父乙方鼎	[爻]父乙
0533	亞攴父乙鼎一	[亞攴]父乙
0534	亞攴父乙鼎二	[亞攴]父乙
0535	亞醜父丙方鼎	[亞醜]父丙
0536	亞醜父丁方鼎一	[亞醜]父丁
0537	亞醜父丁方鼎二	[亞醜]父丁
0538	亞醜父丁方鼎三	[亞醜]父丁
0539	冊豕父丁鼎	[冊豕]父丁
0540	亞旃父丁鼎	[亞旃]父丁
0541	亞雔父戊鼎	[亞雔]父戊
0542	亞__父己鼎	[亞bz]父己
0543	亞__父己鼎一	[亞bq]父己
0544	亞__父己鼎	[亞bq]父己
0545	父己亞醜鼎	父己[亞醜]
0546	亞竟父己鼎	[亞竟]父己
0547	亞得父庚鼎	[亞得]父庚
0548	亞醜父辛鼎	[亞醜]父辛
0549	亞醜父辛鼎	[亞醜]父辛
0550	亞醜父辛鼎	[亞醜]父辛
0553	且己父癸鼎	且己父癸
0555	陸冊父甲鼎	[陸冊]父甲
0556	天黽父乙鼎一	[天黽]父乙
0557	天黽父乙鼎二	[天黽]父乙
0558	天黽父乙鼎三	[天黽]父乙
0559	天黽父乙鼎四	[天黽]父乙
0560	舟尖父乙鼎	[舟尖]父乙
0561	宂父乙鼎	宂父乙乙
0562	矢宁父乙方鼎	[矢宁]父乙
0563	卿宁父乙鼎	[卿宁]父乙
0564	寧母父丁鼎	寧母父丁
0565	臤父丁鑊鼎	[臤]父丁鑊
0566	子羊父丁鼎	[子羊]父丁
0567	亞獏父丁鼎一	[亞獏]父丁
0568	亞獏父丁鼎二	[亞獏]父丁
0569	亞獏父丁鼎三	[亞獏]父丁
0570	亞獏父丁鼎四	[亞獏]父丁
0571	亞獏父丁鼎五	[亞獏]父丁
0572	亞橐父丁鼎	[亞橐]父丁
0573	天豕父丁鼎	[忝]父丁
0574	衠天父乙鼎一	[衠天]父乙
0575	衠天父乙鼎二	[衠天]父乙
0576	衠天父乙鼎三	[衠天]父乙
0577	衠天父丁鼎	[衠天]父乙
0578	亞酉父丁鼎	[亞酉]父丁
0579	又羧父己鼎	[又養]父己
0580	亞貫父己鼎	[亞貫]父己
0581	亞戈父己鼎	[亞戈]父己
0582	乍父己舟鼎	乍父己[舟]
0583	仆乍父辛鼎	[仆]乍父辛
0584	__父辛鼎	[dv]父辛

0585	天黿父癸鼎一	[天黽]父癸
0586	天黿父癸鼎二	[天黽]父癸
0587	子刀父辛方鼎	[子刀]父辛
0588	子探父癸鼎	[子探]父癸
0589	___父癸鼎	[cp]父癸
0590	戚作父癸鼎	[戚]作父癸
0591	疋父癸__鼎一	[疋]父癸fy
0592	疋父癸__鼎二	[疋]父癸fy
0593	又敉父癸鼎	[又養]父癸
0594	婐ikk父癸鼎	[婐ikk]父癸
0643	卿宁父乙鼎	[卿宁]父乙
0644	疋癸父冊鼎	[疋冊]父癸
0648	字角父戊鼎	[字角]戊父
0652	父辛長矢鼎	父辛長矢
0654	__父丁冊方鼎	[bc]父丁冊
0656	子申父己鼎	子申父己
0660	__隻父乙鼎	[d8隻]父乙
0662	父作寶鼎	父作寶鼎
0670	旌且庚父辛鼎	[旌]且庚父辛
0671	作父甲鼎	作父甲尊彝
0672	父乙臣辰𠂤鼎一	父乙[臣辰𠂤]
0673	父乙臣辰𠂤鼎二	父乙[臣辰𠂤]
0674	旁__父乙鼎	[旁bl]父乙
0675	__冊父乙方鼎	[ap冊]父乙
0676	弓辜父丁方鼎	[弓辜]父丁
0677	作父乙鼎	作父乙尊彝
0678	宰儂宦寶父丁鼎	宰儂宦父丁
0679	弓羊亯父己鼎	[弓辜]父己
0680	父辛冊𠂤冊方鼎	父辛[冊𠂤]
0681	單父辛鼎	[獸]父辛
0682	單父辛鼎	[獸]父辛
0683	□父辛鼎	[豕□豕]父辛
0684	子冊__父辛鼎	[子冊__]父辛
0685	句冊父癸鼎	[句冊]父癸
0686	冊父癸房鼎	[冊房]癸父
0687	孔作父癸旅鼎	孔作父癸旅
0688	魚父癸鼎	[魚]父癸 [d4]
0689	婐母关父癸鼎	[婐]母关父癸
0694	仲自父作齋	中自父作齋
0738	亞共覃父甲鼎	[亞共覃]父甲
0740	伯父方鼎	白父作寶鼎
0743	小子作父己鼎一	小子作父己
0744	小子作父乙鼎二	小子作父乙
0746	父己亞音史鼎	父己[亞音史]
0751	期父方鼎	期(其)父作旅鼎
0754	臣辰𠂤冊父乙鼎	[臣辰𠂤冊]父乙
0755	京犬犬魚父乙鼎	[京犬犬魚]父乙
0756	疋弓歓作父丙鼎	[疋弓]歓作父丙
0757	㠭作父丁鼎	㠭作父丁寶鼎
0758	田冊形父丁鼎	[田cc]父丁

父

0759	天黿作父戊方鼎	[天黽]作父戊彝
0760	戣冊作父己鼎	[戣冊]作父己彝
0761	端韋作父丁鼎	端韋作父丁彝
0762	具作父庚鼎	具作父庚寶鼎
0763	剌作父庚鼎	剌作父庚尊彝
0764	作父辛方鼎	作父辛寶尊彝
0765	冉作父癸鼎	冉作父癸寶鼎
0766	刀糸子_父癸鼎	[刀糸子cv]父癸
0777	孟淠父鼎	孟淠父作寶鼎
0778	仲義父鼎一	中義父作尊鼎
0779	仲義父鼎二	中義父作尊鼎
0780	仲義父鼎三	中義父作尊鼎
0783	鮮父鼎	鮮父作寶尊彝
0784	旂父鼎	旂父作寶端彝
0785	才僩父鼎	才僩父作尊彝
0786	史盄父鼎	史盄父作寶鼎
0787	考作友父鼎	考作友父尊鼎
0788	杕父鼎	杕父作_台鼎
0808	安父鼎	安父作寶尊彝
0809	木作父辛鼎	木作父辛寶尊
0810	臣方作父癸鼎	[臣]方作父癸彝
0813	白遅父作雜鼎	白遅父作雜貞(鼎)
0823	_作父癸方鼎	作父癸尊彝[rr]
0839	共舟作父乙鼎	[共舟]作父乙寶□
0842	鼎作父己鼎	鼎其用作父己寶鼎
0843	_作父丁鼎	亞_作父丁寶尊
0844	匽侯旨作父辛鼎	匽侯旨作父辛尊
0845	毌作父癸鼎	[毌]作父癸寶尊彝
0846	臣辰父癸鼎	[臣辰𤔲夕]父癸
0877	召父鼎	召父作孪父寶彝
0879	作父乙鼎	[as]般作父乙
0881	孀作父庚鼎	孀作父庚鬲[庸冊]
0889	伯戜方鼎	白戜作孪父寶尊彝
0890	堇臨作父乙鼎	堇臨作父乙寶尊彝
0891	堇臨作父乙方鼎	堇臨作父乙寶尊彝
0892	啟𩞁弜作文父丁鼎	弜作文父丁[𩞁啟𩞁]
0893	亞牧作父辛鼎	作父辛寶尊彝[亞牧]
0894	_作父癸鼎	sb季作父癸寶尊彝
0895	瀓父作姜懿母鼎一	瀓父作姜懿母鍊貞(鼎)
0896	瀓父作姜懿母鼎二	瀓父作姜懿母鍊貞(鼎)
0897	䖵𠨘作父癸鼎	𠨘作父癸寶尊彝[䖵]
0908	宥作父辛鼎	宥作父辛尊彝[亞俞]
0909	賓_父鼎	賓kw父作狩姁朕(賸)鼎
0910	亞毫作父乙方鼎	[亞弘]毫作父乙尊彝
0911	弔虎父作弔姬鼎	弔虎父作弔姬寶鼎
0915	亞吏弜作父辛鼎	[亞吏弜]作父辛尊彝
0922	嗌婦方鼎	[cm]己且丁父癸嗌婦尊
0923	戚箙束作父丁鼎	束作父丁寶鼎[戚箙]
0924	䑇奪作父丁鼎一	奪作父丁寶尊彝[䑇]
0926	趞作文父戊鼎	趞作文父戊尊彝[䧹冊]

父

0934	中斿父鼎	中斿父乍寶尊彝貞（鼎）[七五八]
0941	義仲方鼎	義中乍卑父周季尊彝
0943	亞父庚且辛鼎	[亞俞fw]父父庚保且辛
0948	脺侯戚乍父乙鼎	辥侯戚乍父乙鼎彝[史]
0950	羊甚諆臧鼎	甚諆臧聿乍父丁尊彝[羊]
0952	戈囧蕅陶父辛鼎	戈囧蕅陶乍父辛寶尊彝
0957	弔盂父鼎	弔盂父乍尊鼎其永寶用
0958	弔師父鼎	弔師父乍尊鼎其永寶用
0965	曾侯仲子斿父鼎	曾侯中子斿父自乍鼒彝
0967	獎___乍文父甲鼎	p5u3用乍文父甲寶尊彝[獎]
0968	走馬吳買乍雝鼎	sz父之走馬吳買乍雝貞（鼎）用
0978	弔猒父鼎	弔猒父乍鼎
0982	己華父鼎	己華父乍寶鼎
0984	犨姛乍父乙鼎一	乍父乙彝
0985	犨姛乍父乙鼎二	乍父乙彝
0989	仲宦父鼎	中宦父乍寶鼎
0997	_父鼎一	休王易L3父貝
0998	_父鼎二	休王易L3父貝
0999	_父鼎三	休王易L3父貝
1011	彥乍父丁鼎	用乍父丁尊彝
1018	騳屯乍父己鼎一	用乍鼒彝、父己[騳]
1019	_屯乍父己鼎二	用乍鼒彝、父己[騳]
1020	鄭鑫原父鼎	鄭鑫遼（原）父鑄鼎
1021	虢弔大父鼎	虢弔大父乍尊鼎
1022	白宓父旅鼎	白宓父乍旅鼎
1032	旱乍父丁鼎	乙__□□__貝□用乍父丁彝、才六月
1033	縈子旅乍父戊鼎	縈子旅乍父戊寶尊彝
1034	仲殷父鼎一	中殷父乍鼎
1035	仲殷父鼎二	中殷父乍鼎
1036	史宜父鼎	史宜父乍尊鼎
1038	白氝父鼎	白氝父乍寶鼎
1039	兼咯父旅鼎	兼咯父乍旅鼎
1040	弔荼父鼎	弔荼父乍尊鼎
1041	且方鼎	鄧父中曼□□且
1042	白庙父鼎	白庙父乍比鼎
1050	白筍父鼎一	白筍父乍寶鼎
1051	白筍父鼎二	白筍父乍寶鼎
1053	白考父鼎	白考父乍寶鼎
1058	復鼎	復用乍父乙寶尊彝[獎]
1059	旂乍父戊鼎	旂用乍父戊寶尊彝
1060	輔白脡父鼎	輔白脡父乍豐孟妘賸鼎
1074	奠戒句父鬲	奠戒句父自乍飤鎡
1078	犀白魚父旅鼎一	犀白魚父乍旅鼎
1079	犀白魚父旅鼎二	犀白魚父乍旅鼎
1080	華仲義父鼎一	中義父乍新寵寶鼎
1081	華仲義父鼎二	中義父乍新寵寶鼎
1082	華仲義父鼎三	中義父乍新寵寶鼎
1083	華仲義父鼎四	中義父乍新寵寶鼎
1084	華仲義父鼎五	中義父乍新寵寶鼎
1095	函皇父鼎	圅（函）皇父乍琱妘尊ps鼎

父

1096	弗奴父鼎	弗奴父乍孟姒(始)府賸鼎
1097	白庸父乍羊鼎	白庸父乍羊鼎
1098	善夫白辛父鼎	善夫白辛父乍尊鼎
1099	仲枏父鼎	中枏父乍尊鼎
1101	亞受乍父丁方鼎	用乍父丁尊[亞受]
1103	臣卿乍父乙鼎	用乍父乙寶彝
1108	師賸父鼎	師賸父乍豳姬寶鼎
1116	晉司徒白鄀父鼎	晉𤔲徒白鄀父乍周姬寶尊鼎
1117	豊乍父丁鼎	丁亥、豊用乍父乙齍彝[亞高]
1123	伯夏父鼎	白夏父乍畢姬尊鼎
1124	玐乍父庚鼎一	用乍父庚彝[天黽]
1125	玐乍父庚鼎二	用乍父庚彝[天黽]
1127	𤔲鼎	用乍父□□□
1145	舍父鼎	辛宮易舍父帛金
1150	小臣缶方鼎	[獎]父乙
1153	白頵父鼎	白頵父乍朕皇考屖白吳姬寶鼎
1158	小子__鼎	Jn用乍父己寶尊[獎]
1161	白吉父鼎	白吉父乍毅尊鼎
1162	乃子克鼎	用乍父辛寶尊彝
1164	旂乍文父日乙鼎	旂用乍文父日乙寶尊彝[獎]
1167	__父鼎一	__父乍__寶鼎延令日
1168	__父鼎二	__父乍__寶鼎延令日
1169	平安邦鼎	卅三年單父上官{冢子}喜所受坪安君者也(蓋)
1169	平安邦鼎	卅三年單父上官{冢子}喜所受坪安君者也(器)
1172	征人乍父丁鼎	用乍父丁尊彝[天黽]
1187	員乍父甲鼎	用乍父甲𩰫彝[獎]
1192	亞□伐__乍父乙鼎	用乍父乙齍[bp]
1200	散白車父鼎一	椒白車父乍𨚕姞尊鼎
1201	椒白車父鼎二	椒白車父 乍𨚕姞尊鼎
1202	椒白車父鼎三	椒白車父乍𨚕姞尊鼎
1203	椒白車父鼎四	椒白車父乍𨚕姞尊鼎
1208	乙亥乍父丁方鼎	用乍父丁彝
1210	需__鼎	用乍父乙尊[羊𦥑]
1219	戍嗣子鼎	用乍父癸寶𩰫
1222	寂鼎一	師雝父省道至于㝬、寂從
1222	寂鼎一	其父蔑寂曆、易金
1222	寂鼎一	對揚其父休
1223	寂鼎二	師雝父省道至于㝬、寂從
1223	寂鼎二	其父蔑寂曆、易金
1223	寂鼎二	對揚其父休
1229	厚趠方鼎	趠用乍氒文考父辛寶尊齍
1230	師器父鼎	師器父乍尊鼎
1230	師器父鼎	師器父其萬年
1234	旅鼎	旅用乍父尊彝
1238	曾子仲宣鼎	宣__用饔其者(諸)父者(諸)兄
1243	仲__父鼎	周白__及仲__父伐南淮夷
1245	仲師父鼎一	中師父乍季㚤姒(始)寶尊鼎
1246	仲師父鼎二	中師父乍季㚤姒(始)寶尊鼎
1247	圅皇父鼎	圅皇父乍琱娟般、盉尊器、鼎、𣪘具
1249	寓鼎	用乍召白父辛寶尊彝

1253	平安君鼎	單父上官宰喜所受坪安君者也
1254	□鼎	父乙
1260	我方鼎	用乍父己寶尊彝
1261	我方鼎二	用乍父己寶尊彝
1271	史獸鼎	用乍父庚永寶尊彝
1273	師湯父鼎	師湯父拜䭫首
1274	哀成弔鼎	少去母父
1276	_季鼎	白俗父右uJ季
1276	_季鼎	曰、用又（左）右俗父嗣寇
1279	中方鼎	䵼父乙尊
1298	師旂鼎	雷事厥友引以告于白懋父
1298	師旂鼎	白懋父迺罰得䵼古三百寽
1298	師旂鼎	懋父令曰
1305	師奎父鼎	嗣馬井白右師奎父
1305	師奎父鼎	王乎內史駒冊命師奎父
1305	師奎父鼎	用嗣乃父官友
1305	師奎父鼎	奎父拜䭫首
1305	師奎父鼎	師奎父其萬年子子孫孫永寶用
1317	善夫山鼎	用乍朕皇考叔碩父尊鼎
1323	師訊鼎	天子亦弗忘公上父㝬德
1323	師訊鼎	乍公上父尊于朕考虢季易父wu宗
1325	五祀衛鼎	白邑父、定白、琼白、白俗父曰、厲曰：余執
1325	五祀衛鼎	井白、白邑父、定白、琼白、白俗父迺顜
1325	五祀衛鼎	眔政父田
1326	多友鼎	迺命向父招多友
1327	克鼎	克曰：穆穆朕文且師華父悤hv厥心
1327	克鼎	巠念厥聖保且師華父
1327	克鼎	用乍朕文且師華父寶䵼彝
1330	曶鼎	我既贖女五□□父
1330	曶鼎	效父迺𧦝
1332	毛公鼎	王若曰、父厝、不顯文武
1332	毛公鼎	王曰：父厝、□余唯肇巠先王命
1332	毛公鼎	王曰：父厝、雩之庶出入事
1332	毛公鼎	厥非先告父厝
1332	毛公鼎	父厝舍命
1332	毛公鼎	王曰：父厝、今余唯䌛先王命
1332	毛公鼎	王曰：父厝、巳曰及茲卿事寮
1332	毛公鼎	大史寮于父即尹
1343	父丁鬲	父丁
1344	父辛鬲	父辛
1349	弔父丁鬲	[弔弔]父丁
1350	𡚸父丁鬲	[𡚸]父丁
1351	重父□鬲	[重]父□
1353	歺父丁鬲	[歺]父丁
1356	𧶠父己鬲	[𧶠]父己
1362	dp父乙鬲	[dp]父乙
1363	舟宊父丁鬲	[舟宊]父丁
1364	匕糸父丁鬲	[匕糸]父丁
1365	鼛乍父辛鬲	乍父辛[鼛]
1372	竟父乙鬲一	竟乍父乙

父

1373	竟父乙鬲二	竟乍父乙
1398	季右父尊鬲	季右父乍尊鬲
1400	仲刱父齍鬲	中刱父乍齍鬲
1405	白邦父乍齍鼎	白邦父乍齍鬲
1406	虢弔叔父鬲	虢弔叔父乍鼎
1407	亞從父丁鬲	亞从父丁[鳥宁]
1408	苟鬲	苟乍父丁尊齍
1410	束且辛父甲鬲	[束]且辛父甲征
1415	玐鬲	[玐共]白乍父乙彝
1424	榮子鬲	榮子口乍父戊寶彝
1425	鄭弔蒦父羞鬲	鄭弔蒦父乍羞鬲
1426	叔皇父鬲	弔皇父乍中姜尊鬲
1430	奠井弔歡父拜鬲	奠井弔歡父乍拜鬲
1440	亞俞林玐鬲	林玐乍父辛寶尊彝[亞俞]
1441	戈弔慶父鼎	戈弔慶父乍弔姬尊鬲
1443	宋糧父乍寶子媵鬲	宋糧父乍豐子媵鬲
1446	白狺父乍井姬鬲	白狺父乍井姬季姜尊鬲
1447	弔鬲鬲	弔鬲乍己白父丁寶尊彝
1448	白章父鬲一	白章父乍弔姬鬲
1449	白墉父鬲二	白章父乍弔姬鬲
1459	白上父乍姜氏鬲	白上父乍姜氏尊鬲
1468	白家父乍孟姜鬲	白家父乍孟姜媵鬲
1472	魯白愈父鬲二	魯白愈父乍鼄姬仁媵(賸)羞鬲
1473	魯白愈父鬲三	魯白愈父乍鼄姬仁媵(賸)羞鬲
1474	魯白愈父鬲四	魯白愈父乍鼄姬仁媵(賸)羞鬲
1475	魯白愈父鬲五	魯白愈父乍鼄姬仁媵(賸)羞鬲
1477	右戲仲夏父豐鬲	右戲中夏父乍豐鬲
1485	白矩鬲	用乍父戊尊彝
1486	宰駟父鬲	魯宰駟父乍姬雛媵鬲
1487	白先父鬲一	白先父乍𡚬尊鬲
1488	白先父鬲二	白先父乍𡚬尊鬲
1489	白先父鬲三	白先父乍𡚬尊鬲
1490	白先父鬲四	白先父乍𡚬尊鬲
1491	白先父鬲五	白先父乍𡚬尊鬲
1492	白先父鬲六	白先父乍𡚬尊鬲
1493	白先父鬲七	白先父乍𡚬尊鬲
1494	白先父鬲八	白先父乍𡚬尊鬲
1495	白先父鬲九	白先父乍𡚬尊鬲
1496	白先父鬲十	白先父乍𡚬尊鬲
1498	鼄友父鬲	鼄友父媵其子𡠀𡡉(曹)寶鬲
1502	成白孫父鬲	成白孫父乍浠嬴尊鬲
1503	御鬲	用乍父彝
1504	奠師口父鬲	奠師__父乍__鬲
1507	善夫吉父乍京姬鬲一	善夫吉父乍京姬尊鬲
1508	善夫吉父乍京姬鬲二	善吉父乍京姬尊鬲
1513	睽土父乍嫪妃鬲	睽士土父乍嫪改尊鬲
1514	白夏父乍畢姬鬲一	白夏父畢姬尊鬲
1515	白夏父乍畢姬鬲二	白夏父乍畢姬尊鬲
1516	白夏父乍畢姬鬲三	白夏父乍畢姬尊鬲
1517	白夏父乍畢姬鬲四	白夏父乍畢姬尊鬲

1518	白夏父乍畢姬鬲六	白夏父乍畢姬尊鬲
1519	白夏父乍畢姬鬲五	白夏父乍畢姬尊鬲
1520	奠白荀父鬲	奠白荀父乍弔姬尊鬲
1521	單白邍父鬲	單白邍父乍中姞尊鬲
1522	孟辛父乍孟姞鬲一	u0馬孟辛父乍孟姞寶尊鬲
1523	孟辛父乍孟姞鬲二	u0馬孟辛父乍孟姞寶尊鬲
1527	𨟭先父鬲	𨟭先父乍姜姬尊鬲
1529	仲枏父鬲一	師湯父有嗣中枏父乍寶鬲
1530	仲枏父鬲二	師湯父有嗣中枏父乍寶鬲
1531	仲枏父鬲三	師湯父有嗣中枏父乍寶鬲
1532	仲枏父鬲四	師湯父有嗣中枏父乍寶鬲
1554	父己甗	父己
1569	鍪父乙甗	乙父[鍪]
1571	𠧪父乙甗	[𠧪]父乙
1572	戈父戊甗	[戈]父戊
1573	__父己甗	[cL]父己
1574	乍父乙甗	乍父乙
1575	亥亞父丁甗	[亥亞]父丁
1576	令父己甗	[令]父己
1577	娳父辛甗	[娳]父辛
1578	𡖊父辛甗	[𡖊]父辛
1579	𡚬父癸甗	[𡚬]父癸
1587	膐父己甗	[膐]父己
1590	__父丁甗	[__]父丁
1590.	守豕父乙甗	[守豕]父乙
1591	亞𣪕父丁甗	[亞𣪕]父丁
1592	妔父乙甗	[妔]乙父
1593	亞㠱父己甗	[亞㠱]父己
1594	黽乍父辛甗	黽乍父辛
1597	箙戊父癸甗	[箙戊]父癸
1617	鼎乍父乙甗	鼎乍父乙尊彝
1618	乍父庚寶甗	乍父庚寶彝[ac]
1632	亞旛乍父□甗	[亞旛]乍父乙彝甗
1633	戣𡨦乍父乙甗	戣𡨦乍父乙尊彝
1637	乍父癸甗	乍父癸寶尊甗[am]
1640	__仲孚父方甗	Jt中孚父乍旅甗
1648	奠白荀父甗	奠公荀父乍寶獻(甗)永寶用
1649	𣪘𡖊乃子乍父辛甗	乃子乍父辛寶尊彝[𣪘𡖊]
1651	仲伐父甗	中伐父乍姬尚母旅獻(甗)其永用
1652	弔碩父旅甗	弔碩父乍旅獻(甗)
1653	㪇父甗	㪇乍父寶甗
1654	子邦父旅甗	子邦父乍旅甗
1655	奠氏白高父旅甗	奠氏白□父乍旅獻(甗)
1658	奠大師小子甗	奠大師小子侯父乍寶獻(甗)
1661	乍冊般甗	用乍父己尊[來冊]
1666	遇乍旅甗	師雝父戍才古師
1666	遇乍旅甗	遇從師雝父肩吏
1667	陳公子弔邍父甗	陳公子子弔(叔)原父乍旅獻(甗)
1668	中甗	白買父以自氒人戍漢中州
1668	中甗	用乍父乙寶彝

父

1792	父乙毀	父乙
1793	父丁毀一	父丁
1794	父丁毀二	父丁
1795	父戊毀一	父戊
1796	父戊毀二	父戊
1797	父辛毀二	父辛
1798	父辛毀一	父辛
1799	父辛毀三	父辛
1800	父己毀	父己
1801	父癸毀一	父癸
1802	父癸毀二	父癸
1830	父辛毀	父辛
1850	田父甲毀	[田]父甲
1851	山父乙毀	[山]父乙
1852	爻父乙毀	[爻]父乙
1853	爻父乙毀	[爻]父乙
1854	__父乙毀	[ea]父乙
1855	嬰父乙毀	[嬰] 父乙
1856	子父乙毀一	[子]父乙
1857	父乙子毀	父乙[子]
1858	乍父乙毀	乍父乙
1859	冉父乙毀	[冉]父乙
1860	父乙舟毀	父乙[舟]
1861	奘父乙毀二	[奘]父乙
1862	奘父乙毀	[奘]父乙
1863	奘父乙毀一	[奘]父乙
1864	天父乙毀	[天]父乙
1864.	__父乙毀	[aG]父乙
1865	木父丙毀	[木]父丙
1866	戈父丁毀一	[戈]父丁
1867	戈父丁毀二	[戈]父丁
1868	戈父丁毀三	[戈]父丁
1869	子父丁毀	[子]父丁
1870	鋬父甲毀	[鋬]父甲
1871	鋬父丁毀一	[鋬]父丁
1872	鋬父丁毀二	[鋬]父丁
1873	鋬父丁毀三	[鋬]父丁
1874	抓父丁毀	[抓]父丁
1875	爻父丁毀	[爻]父丁
1876	酛父丁毀	[酛]父丁
1877	奘父丁毀一	[奘]父丁
1878	奘父丁毀二	[奘]父丁
1879	奘父丁毀三	[奘]父丁
1880	__父己毀	[aq]父己
1881	舟父己毀	[舟]父己
1882	子父戊毀	[子]父戊
1883	庴父辛毀	[庴]父辛
1884	埶父辛毀	[埶]父辛
1885	肰父辛毀	[肰]父辛
1886	鳶父辛毀	[鳶]父辛

1887	串父辛毀一	[串]父辛
1888	串父辛毀二	[串]父辛
1889	𠇗父辛毀	[𠇗]父辛
1890	析父辛毀	[析]父辛
1891	亞父辛毀	[亞]父辛
1892	𩰫父辛毀	[𩰫]父辛
1892.	__父辛毀	[fq]父辛
1893	探父癸毀	[探]父癸
1894	𠇗父癸毀	[𠇗]父癸
1895	𠇗父癸毀	[𠇗]父癸
1896	□父辛毀	[□]父辛
1897	舟父癸毀一	[舟]父癸
1898	舟父癸毀二	[舟]父癸
1898.	亞__父□毀	[亞bs]父□
1918	保父丁毀	[保]父丁
1919	戈父丁毀	[戈]父丁
1920	父戊天毀	父戊[天]
1921	𢦏父己毀	[𢦏]父己
1922	臤父癸毀	[臤]父癸
1923	𡚬父癸毀	[𡚬]父癸
1924	鳥父戊毀	[鳥]父戊
1949	鍪父丁毀	[鍪]父丁
1950	丁箙冪箙父乙毀	[丁箙冪箙]父乙
1951	咸父乙毀	[咸]父乙
1952	父丁𨸏毀	父丁[𨸏]
1953	車父己毀	[車]父己
1954	魚父癸毀	[魚]父癸
1957	舌父己毀	[舌]父己
1959	酉父癸毀	[酉]父癸
1959.	𨙸父癸毀	[𨙸]父癸
1960	八冊父癸毀	[八冊]父癸
1962	庚父戊毀	[庚]父戊
1963	父丁□毀	父丁__
1967	父癸嬰毀	父癸[嬰]
1970	聿父戊毀	[聿]父戊
1971	亞父乙吳毀	亞父乙[吳]
1972	父乙亞矢毀	父乙[亞矢]
1972.	__父乙毀	[ck]父乙
1973	遽父己毀	[遽]父己
1976.	矢宁毀	[矢宁]父丁
1977	亞離父丁毀	[亞離]父丁
1978	亞𩰫父丁毀	[亞𩰫]父丁
1979	弔弔父丁毀一	[弔弔]父丁
1980	弔弔父丁毀二	[弔弔]父丁
1981	𦨶父戊毀	[𦨶]父戊
1982	亞戈父己毀	[亞戈]父己
1983	亞共父癸毀	[亞共]父癸
1984	亞醜父辛毀一	[亞醜]父辛
1985	亞醜父辛毀二	[亞醜]父辛
1986	亞弜父癸毀	[亞弜]父癸

父

1987	且癸父丁毁	且癸父丁
1988	天黽父乙毁一	[天黽]父乙
1989	天黽父乙毁二	[天黽]父乙
1990	天黽父乙毁三	[天黽]父乙
1991	弔𢆶父乙毁	[弔弔]𢆶父乙
1992	□乍父乙毁	□乍父乙
1993	𦣻冊父乙毁	[𦣻]父乙
1994	戚喜父乙毁	[戚喜]父乙
1995	乍父乙𡖊毁	乍父乙[𡖊]
1996	天黽父丁毁	[天黽]父丁
1997	𨭉竹父丁毁	[𨭉竹]父丁
1998	田告父丁毁	[田告]父丁
1999	戠乍父丁毁	[戠]乍父丁
2000	安夏父丁毁	[安夏]父丁
2001	子𦃞父丁毁	子𦃞父丁
2002	又養父己毁	[又羊攵]父己
2003	__父己𣄰毁	__父己[𣄰]
2004	亞𡗜父己毁	[亞𡗜]父己
2005	耒乍父己毁	[耒]乍父己
2006	賁乍父辛毁	[賁]乍父辛
2007	衡天父癸毁	[衡天]父癸
2009	何父癸毁	[何]父癸[𢓊?]
2010	乍父癸𡖊毁	乍父癸[𡖊]
2012	卿父癸宁毁	[卿]父癸[宁]
2070	亞__父乙毁	亞__父乙
2076	亞𢉩父乙毁	[亞𢉩]父乙
2077	舟雞父丁毁	[舟雞]父丁
2078	𩜁羊父丁毁	[𩜁羊]父丁
2080	亞共罤父乙毁	[亞共罤]父乙
2083	__䦧父乙毁	[c9䦧]父乙
2084	乍父乙毁	乍父乙毁[町]
2085	子眉__父乙毁	子o9父乙
2086	__乍父丁毁	乍父丁[co]
2087	魚乍父庚毁	[魚]乍父庚彝
2088	畢□父旅毁	畢□□遣父旅毁
2090	囝乍父辛毁	囝乍父辛彝
2091	縌乍父癸毁	[縌]乍父癸彝
2096	王乍又𢍰彝毁	王乍父𢍰彝
2100	事父乍障彝毁	吏父乍尊彝
2101	𠨘父乍車毁	𠨘父乍車登
2115	父乙臣辰𡖊毁一	父乙臣辰[𡖊]
2116	父乙臣辰𡖊毁二	父乙臣辰[𡖊]
2117	弔龜乍父丙毁一	[弔龜]乍父丙
2118	弔龜乍父丙毁二	[弔龜]乍父丙
2126	䚄父乍寶毁	䚄父乍寶毁
2137	事父乍障彝毁	吏父乍尊彝
2138	冊毫戈父丁毁	[戈毫冊]父丁
2147	亞㠱吳乍父乙毁	亞㠱吳乍父乙
2148	亞㠱侯吳父乙毁	[亞㠱侯吳]父乙
2150	亞㠱侯父戊吳毁	[亞㠱]侯父戊[吳]

父

父

2280	亞高亢乍父癸𣪕	亞高亢乍父癸尊彝
2284	___乍父丁寶𣪕一	co乍父丁寶尊彝
2285	___乍父丁寶𣪕二	co乍父丁寶尊彝
2286	___乍父丁寶𣪕三	co乍父丁寶尊彝
2287	堇臨乍父乙𣪕	堇臨乍父乙寶尊彝
2288	嚚田乍父己𣪕	田乍父己寶尊彝[品]
2289	弜_乍父癸宗𣪕	q2乍父癸宗尊彝[弜]
2290	_黃乍父癸𣪕	[dw]黃乍父癸寶尊彝戈
2291	𡧊向乍父癸寶𣪕	向乍父癸寶尊彝[𡧊]
2292	集𠍙乍父癸𣪕一	集𠍙乍父癸寶尊彝
2293	集𠍙乍父癸𣪕二	集𠍙乍父癸寶尊彝
2296	子令乍父癸寶𣪕	子令乍父癸寶尊彝
2297	奠𩰫原父戶寶𣪕	鄭𩰫原父寶彝
2300	史述乍父乙𣪕	史述乍父乙寶𣪕𩚵
2301	□乍父癸寶𣪕	□乍父癸寶尊彝[旅]
2302	䣄季𡘋父𣪕	䣄(咢)季𡘋父乍寶尊彝
2305	弔䣄父乍𪀚姬旅𣪕一	弔䣄(咢)父乍𪀚姬旅𣪕
2306	弔䣄父乍𪀚姬旅𣪕二	弔䣄(咢)父乍𪀚姬旅𣪕
2308	子�乍父己𣪕	子邡乍父己寶尊彝
2311	白𧟹父𣪕	白𧟹父乍母𡡊寶𣪕
2311.	_父𣪕	um父乍寶尊彝、父壬
2313	䮕辨乍父己𣪕一	辨乍文父己寶尊彝[䮕]
2314	䮕辨乍父己𣪕二	辨乍文父己寶尊彝[䮕]
2315	䮕辨乍父己𣪕三	辨乍文父己寶尊彝[䮕]
2316	宔父丁𣪕	宔父丁尊彝[cc]
2317	趨子冉乍父庚𣪕	趨子冉乍父庚寶尊彝
2318	𤔲𡿺冀乍父癸𣪕	𤔲𡿺冀乍父癸寶尊彝
2324	孟𢗁父𣪕	孟𢗁父乍寶𣪕其永用
2326	師𡨦父乍弔姞𣪕	師𡨦父乍弔姞寶尊𣪕
2328	師𡨦父乍季姞𣪕	師𡨦父乍季姞寶尊𣪕
2336	冊戈䴡鄧乍父辛𣪕	[戈䴡冊]鄧乍父辛尊彝
2340	弔䜌父𣪕	弔䜌父乍尊𣪕、其萬年用
2347	𡭰𩛥頁駒乍父乙𣪕	𩛥頁駒用乍父乙尊彝[𡭰]
2350	稃乍父甲𣪕	稃乍父甲寶𣪕萬年孫子寶
2351	仲自父乍好旅𣪕一	中自父乍好旅𣪕其用萬年
2352	仲自父乍好旅𣪕二	中自父乍好旅𣪕其用萬年
2354	仲网父𣪕一	中网父乍𣪕其萬年永寶用
2355	仲网父𣪕二	中网父乍𣪕
2356	仲网父𣪕三	中网父乍𣪕其萬年永寶用
2366	白者父𣪕	白者父乍寶𣪕
2374	白庶父𣪕	白庶父乍旅𣪕
2379	中友父𣪕一	中友父乍寶𣪕
2380	中友父𣪕二	中友父乍寶𣪕
2381	友父𣪕一	友父乍寶𣪕
2382	友父𣪕二	友父乍寶𣪕
2388	大保乍父丁𣪕	用乍父丁尊彝
2393	白喬父𩚵𣪕	白喬父乍𩚵𣪕
2397	_乍父辛𣪕	C3乍父辛皇母匕乙寶尊彝
2398	𢆶弔山父𣪕一	𢆶弔山父乍曡姬尊𣪕
2399	𢆶弔山父𣪕二	𢆶弔山父乍曡姬尊𣪕

2400	𢇍弔山父段三	𢇍弔山父乍疊姬尊段
2404	效父段一	休王易效父𠂤三
2405	效父段二	休王易效父𠂤三
2406	五八六效父段三	休王易效父𠂤三
2409	𠨘父丁段	𠨘用乍父丁尊彝
2419	白喜父乍洹餗段一	白喜父乍洹餗段
2420	白喜父乍洹餗段二	白喜父乍洹餗段
2421	舟宊𢦏乍父乙段	用乍父乙寶尊彝[舟宊]
2431	＿弔侯父乍尊段一	弔侯父乍尊段
2432	＿弔侯父乍尊段二	弔侯父乍尊段
2435	散車父段一	散車父乍𡝟姞𩐲(餗)段
2436	散車父段二	散車父乍𡝟姞餗段
2437	散車父段三	散車父乍𡝟姞餗段
2438	散車父段四	散車父乍𡝟姞餗段
2438.	散車父段五	散車父乍𡝟姞餗段
2438.	𢿱車父乍𡝟姞餗段	散車父乍𡝟姞餗段
2438.	𢿱車父乍𡝟姞餗段二	散車父乍𡝟姞餗段
2443	孟弢父段一	孟弢父乍寶段
2444	孟𢏚父段二	孟𢏚父乍寶段
2445	孟𢏚父段三	孟𢏚父乍寶段
2446	亞古乍父己段	用乍父己尊彝[亞古]
2447	白汈父乍𡠌姞段一	白汈父乍𡠌姞尊段
2448	白汈父乍𡠌姞段二	白汈父乍𡠌姞尊段
2449	白汈父乍𡠌姞段三	白汈父乍𡠌姞尊段
2454	亢僕乍父己段	亢僕乍父己尊段
2458	孟奠父段一	孟奠父乍尊段
2459	孟奠父段二	孟奠父乍尊段
2460	孟奠父段三	孟奠父乍尊段
2461	白家父乍孟姜段	白家父乍{ 公孟 }姜賸段
2462	弔向父乍婞姒段一	弔向父乍母辛姒(始)尊段
2463	弔向父乍婞姒段二	弔向父乍母辛姒(始)尊段
2464	弔向父乍婞姒段三	弔向父乍母辛姒(始)尊段
2465	弔向父乍婞姒段四	弔向父乍母辛姒(始)尊段
2466	弔向父乍婞姒段五	弔向父乍母辛姒(始)尊段
2476	葦段	葦乍父寶尊段
2477	葦父丁段	葦乍父丁寶尊段
2478	白賓父段(器)一	白賓父乍寶段
2479	白賓父段二	白賓父乍寶段
2484	伯𦀚父段	白𦀚父乍周羌尊段
2485	隁仲孝段	隁中孝乍父日乙尊段
2487	白𣪕乍文考幽仲段	白𣪕(祈)父乍文考幽中尊段
2495	季＿父𢕺段	季oG父𢕺乍寶段
2496	廣乍弔彭父段	廣乍弔彭父寶段
2505	白疑父乍𡡗段	白疑父乍𡡗寶段
2508	攸段	攸用乍父戊寶尊彝
2510	臣卿乍父乙段	用乍父乙寶彝
2515	小子野乍父丁段	用乍父丁尊段[㚔]
2518	白田父段	白田父乍井r1寶段
2520	大𠂤事良父段	大𠂤吏良父乍寶段
2522	孟弢父段	孟弢父乍幻白姬賸段八

父

父

2523	孟弢父設	孟弢父乍幻白姬賸設八
2524	仲幾文設	中幾父、史幾史于諸侯諸監
2527	朿仲賁父設	朿中賁父乍鬲設
2528	魯白大父乍賸設	魯白大父乍季姬rk賸設
2530	㴱姬乍父辛設	㴱姬乍父辛尊設
2531	魯白大父乍孟囗姜設	魯白大父乍孟姬姜賸設
2532	魯白大父乍仲姬俞設	魯白大父乍中姬俞賸設
2534	魯大宰邍父設一	魯大宰原父乍季姬牙賸設
2534.	魯大宰邍父設二	魯大宰原父乍季姬牙賸設
2535	仲殷父設一	中殷父鑄設
2536	仲殷父設二	中殷父鑄設
2537	仲殷父設三	中殷父鑄設
2537	仲殷父設四	中殷父鑄設
2538	仲殷父設五	中殷父鑄設
2539	仲殷父設六	中殷父鑄設
2540	仲殷父設六	中殷父鑄設
2541	仲殷父設七	中殷父鑄設
2541.	仲設父設七	中設父鑄設
2541.	仲設父設八	中設父鑄設
2543	鈇敃設	用乍父戊寶尊彝[吳]
2544	亞𠨘乍父乙設	用乍父乙彝
2548	仲惠父餗設一	隹王正月 中叀父乍餗設
2549	仲惠父餗設二	隹王正月中叀父乍餗設
2551	弔角父乍宕公設一	弔角父乍朕皇孝宂公尊設
2552	弔角父乍宕公設二	弔角父乍朕皇考宂公尊設
2559	白中父設	白中父夙夜吏走考
2560	吳彭父設一	吳彭父乍皇且考庚孟尊設
2561	吳彭父設二	吳彭父乍皇且考庚孟尊設
2562	吳彭父設三	吳彭父乍皇且考庚孟尊設
2567.	戊寅設	用乍父丁寶尊彝
2568	＿幵乍父辛設	用乍父辛尊彝[＿]
2569	鼎卓林父設	卓林父乍寶設
2570	榮設	王休易𠂹臣父榮蒿
2571	穌公子癸父甲設	穌公子癸父甲乍尊設
2571.	穌公子癸父甲設二	穌公子癸父甲乍尊設
2572	毛白嘂父設	毛白嘂父乍中姚寶設
2578	兮吉父乍仲姜設	兮吉父乍中姜寶尊設
2579	白喜乍文考剌公設	白喜父乍朕文考剌公尊設
2580	㚸乍北子設	用ue𠂹且父日乙
2582	內弔＿設	內弔＿父乍寶設
2584	卯正衛設	懋父賓卯(御)正衛馬匹白王
2584	卯正衛設	用乍父戊寶尊彝
2589	孫弔多父乍孟姜設一	師趞父孫
2589	孫弔多父乍孟姜設一	孫弔多父乍孟姜尊設
2590	孫弔多父乍孟姜設二	師趞父孫
2590	孫弔多父乍孟姜設二	孫弔多父乍孟姜尊設
2591	孫弔多父乍孟姜設三	師趞父孫
2591	孫弔多父乍孟姜設三	孫弔多父乍孟姜尊設
2593	弔䰜父乍旅設一	弔䰜父乍鵜姬旅設
2594	弔䰜父乍旅設二	弔䰜父乍鵜姬旅設

2594.	弔䣄父乍旅毁三	弔䣄父乍鴅姬旅毁
2600	白䢅父毁	白䢅父乍朕皇考屖白吳姬尊毁
2603	白吉父毁	白吉父乍毅尊毁
2605	邿_毁	用追孝于其父母
2605	邿_毁	用追孝于其父母
2606	易_乍父丁毁一	對䚄休、用乍父丁尊彝
2607	易_乍父丁毁二	用乍父丁尊彝
2608	官差父毁	官差父乍義友寶毁
2622	琱伐父毁一	琱伐父乍交尊毁
2623	琱伐父毁二	琱伐父乍交尊毁
2623.	琱伐父毁	琱伐父乍交尊毁
2623.	琱伐父毁	琱伐父乍交尊毁
2624	琱伐父毁三	琱伐父乍交尊毁
2626	㝬乍父乙毁	用乍父乙寶彝
2627	伊毁	用乍父丁尊彝
2629	牧師父毁一	牧師父弟弔䀢父御于君
2630	牧師父毁二	牧師父弟弔䀢父御于君
2631	牧師父毁三	牧師父弟弔䀢父御于君
2640	弔皮父毁	弔皮父乍朕文考弗公
2646	仲辛父毁	中辛父乍朕皇且日丁
2646	仲辛父毁	辛父其萬年無彊
2647	魯士商獻毁	魯士商獻肇乍朕皇考弔猷父尊毁
2648	仲獻父毁一	中獻父乍朕皇考遲白
2649	仲獻父毁二	中獻父乍朕皇考遲白
2650	仲獻父毁三	中獻父乍朕皇考遲白
2651	內白多父毁	內白多父乍寶毁
2653.	弔_孫父毁	弔_孫父乍孟姜尊毁
2654	𡚬乍文父丁毁	□□用乍文父丁尊彝
2655	小臣静毁	用乍父丁寶尊彝
2656	師害毁一	麇生智父師害uL中舀
2657	師害毁二	麇生智父師害uL中舀
2659	郾侯庫毁	教父所
2660	彔乍辛公毁	白䧹父來自㝬
2661	競毁一	白屖父蔑御史競曆、賞金
2661	競毁一	競揚白屖父休
2661	競毁一	用乍父乙寶尊彝毁
2662	競毁二	白屖父蔑御史競曆、賞金
2662	競毁二	競揚白屖父休
2662	競毁二	用乍父乙寶尊彝毁
2662.	寏毁一	寏從㫃父東
2662.	寏毁二	寏從㫃父東
2663	寏毁一	寏從㫃父東
2664	寏毁二	寏從㫃父東
2666	鑄弔皮父毁	乍鑄弔皮父尊毁
2666	鑄弔皮父毁	其妻子用喜考于弔皮父
2669	_妊小毁	白芀父吏___尹人于齊白
2672	伯芀父毁	(蓋)白芀父吏___尹人于齊白
2676	旅𦘏乍父乙毁	用乍父乙寶彝
2678	函皇父毁一	圅皇父乍琱娟
2679	函皇父毁二	圅皇父乍琱娟

父

父

2680	函皇父𣪘三	凾皇父乍琱娟
2680.	凾皇父殷四	凾皇父乍琱娟
2683	白家父𣪘	隹白家父部
2685	仲枏父𣪘一	師湯父有嗣中枏父乍寶𣪘
2686	仲枏父𣪘二	師湯父有嗣中枏父乍寶𣪘
2687	敔𣪘	用乍文考父丙䵼彝
2689	白康𣪘一	用餴王父王母
2690	白康𣪘二	用餴王父王母
2705	君夫𣪘	用乍文父丁䵼彝
2711.	乍冊般𣪘	用乍父丁寶尊彝
2721	萬𣪘	王命萬眔弔緐父歸吳姬飴器
2725	師毛父𣪘	師毛父即立
2725.	禁星𣪘	禁星父乍匌中姞寶𣪘
2730	𢼂𣪘	乍朕文考光父乙
2731	小臣宅𣪘	令宅吏白懋父
2732	曾仲大父蛕𣪘	曾中大父蛕廼用吉攸𢦚鎝金
2734	适𣪘	用乍文考父乙尊彝
2735	厚𣪘	戎獻金于子牙父百車
2760	小臣謎𣪘一	白懋父㠯殷八𠂤征東尸（夷）
2760	小臣謎𣪘一	白懋父承王令易𠂤達征自五齵貝
2761	小臣謎𣪘二	白懋父㠯殷八𠂤征東尸（夷）
2761	小臣謎𣪘二	白懋父承王令易𠂤達征自五齵貝
2763	弔向父禹𣪘	弔向父禹曰
2768	楚𣪘	中倗父內
2775.	害𣪘一	宰屖父右害立
2775.	害𣪘二	宰屖父右害立
2786	縣妃𣪘	白屖父休于縣妃曰
2786	縣妃𣪘	縣改每揚白屖父休
2787	望𣪘	宰倗父右望入門
2787	望𣪘	用乍朕皇且白廿tx父寶𣪘
2787	望𣪘	宰倗父右望
2787	望𣪘	用乍朕皇且白甲父寶𣪘
2789	同𣪘一	王命周左右吳大父嗣昜林吳牧
2789	同𣪘一	世孫孫子子左右吳大父
2790	同𣪘二	王命周左右吳大父嗣昜林吳牧
2790	同𣪘二	世孫孫子子左右吳大父
2814	鳥冊夨令𣪘一	公尹白丁父兄（貺）于戍
2814.	夨令𣪘二	公尹白丁父兄（貺）于戍
2815	師𣪘𣪘	白龢父若曰
2828	宜侯夨𣪘	乍虞公父丁尊彝
2830	三年師兌𣪘	余既令女疋師龢父
2831	元年師兌𣪘一	疋師龢父
2832	元年師兌𣪘二	疋師龢父
2838	師𠭰𣪘一	師龢父□
2839	師𠭰𣪘二	師龢父□
2842	卯𣪘	昔乃且亦既令乃父死（司）葊人
2843	沈子它𣪘	克又井學懿父廼□子
2853.	尹𣪘	□□乍父□尊彝
2855	班𣪘一	以乃𠂤右从毛父
2855	班𣪘一	以乃𠂤右从毛父

2855	班𣪘一	趞令曰：以乃族从父征
2855	班𣪘一	㑣城、衛父身
2855.	班𣪘二	以乃自右从毛父
2855.	班𣪘二	以乃自右从毛父
2855.	班𣪘二	以乃族從父征
2855.	班𣪘二	㑣城衛父身
2857	牧𣪘	王才周、才師游父宮
2861.	亞其父辛匿	[亞其戈]父辛
2871	仲其父乍旅匳一	中其父乍旅匳
2872	仲其父乍旅匳二	中其父乍旅匳
2875	衛子弔旡父旅匿	衛子弔旡父乍旅匿
2889	魯士浮父飤匿一	魯士浮父乍飤匿、永寶用
2890	魯士浮父飤匿三	魯士浮父乍飤匿、永寶用
2891	魯士浮父飤匿四	魯士浮父乍飤匿、永寶用
2892	魯士浮父飤匿二	魯士浮父乍飤匿、永寶用
2898	白旅魚父旅匿	白旅魚父乍旅匿
2901	白□父匡	白□父乍寶匿
2904	善夫吉父旅匿	善夫吉父乍旅匿
2906	白䲨父匿	白䲨父乍□匿
2920.	白多父匿	白多父乍戌姬多母寍𠭯器
2922	魯白俞父匿一	魯白俞父乍姬仁匿
2923	魯白俞父匿二	魯白俞父乍姬仁匿
2924	魯白俞父匿三	魯白俞父乍姬仁匿
2939	季良父乍宗娟媵匿一	季良父乍宗娟媵匿
2940	季良父乍宗娟媵匿二	季良父乍宗娟媵匿
2941	季良父乍宗娟媵匿三	季良父乍宗娟媵匿
2947	季宮父乍媵匿	季宮父乍中姊婚姬媵匿
2953	白其父麐旅祜	唯白其父麐乍遊祜
2964.	弔邦父匿	弔邦父乍𠀠(匿)
2968	奠白大嗣工召弔山父旅匿一	奠白大嗣工召弔山父乍旅匿
2969	奠白大嗣工召弔山父旅匿二	奠白大嗣工召弔山父乍旅匿
2970	考弔𥙊父尊匿一	考弔𥙊父自乍尊匿
2971	考弔𥙊父尊匿二	考弔𥙊父自乍尊匿
2972	弔家父乍仲姬匿	弔家父乍中姬匡
2984	伯公父盤	白大師小子白公父乍盤
2984	伯公父盤	白大師小子白公父乍盤
2989	白筍父旅盨	白筍父乍旅盨
2001	弔倉父寶盨	弔倉父乍寶盨
2991.	弔倉父寶盨二	弔倉父乍寶盨
2992	白夸父盨	白夸父乍寶盨
3005	弔𧩙父旅盨𣪘一	弔𧩙父乍旅盨(𨱔)𣪘
3005.	弔𧩙父旅盨𣪘二	弔𧩙父乍旅盨𣪘
3006	白多父旅盨一	白多父乍旅盨(須)
3007	白多父旅盨二	白多父乍旅盨(須)
3008	白多父旅盨三	白多父乍旅盨(須)
3009	白多父旅盨四	白多父乍旅盨(須)
3012	仲義父旅盨一	中義父乍旅盨
3013	仲義父旅盨二	中義父乍旅盨
3019	弔賓父盨	弔賓父乍寶盨
3022	白車父旅盨(器)一	白車父乍旅盨

父

3023	白車父旅盨(器)二	白車父乍旅盨
3025	白公父旅盨(蓋)	白公父乍旅盨
3031	奠義羌父旅盨一	奠義羌父乍旅盨
3032	奠義羌父旅盨二	奠義羌父乍旅盨
3038	鬲弔興父旅盨	鬲弔興父乍旅盨(須)
3039	白多父盨	白多父乍成姬多母寶盨器
3040	白庶父盨設(蓋)	白庶父乍盨設
3043	遣弔吉父旅須一	遣弔吉父乍虢王姞旅盨(須)
3044	遣弔吉父旅須二	遣弔吉父乍虢王姞旅盨(須)
3045	遣弔吉父旅須三	遣弔吉父乍虢王姞旅盨(須)
3046	筍白大父寶盨	筍白大父乍嬴改鑄寶盨
3051	兮白吉父旅盨(蓋)	兮白吉父乍旅尊盨
3057	仲自父鎮(盨)	中自父乍季恭□寶尊盨
3058	曼龏父盨一	曼龏父乍寶盨用享孝宗室
3059	曼龏父盨三	曼龏父乍寶盨
3060	曼龏父盨二	曼龏父乍寶盨
3062	乘父設(盨)	乘父士杉其肇乍其皇考白明父寶設
3064	員白子妊父征盨一	員白子妊父乍其征盨
3064	員白子妊父征盨一	割釁壽無疆、慶其以臧員白子妊父乍其征盨
3065	員白子妊父征盨二	員白子妊父乍其征盨
3065	員白子妊父征盨二	割釁壽無疆、慶其以臧員白子妊父乍其征盨
3066	員白子妊父征盨三	員白子妊父乍其征盨
3066	員白子妊父征盨三	割釁壽無疆、慶其以臧員白子妊父乍其征盨
3067	員白子妊父征盨四	員白子妊父乍其征盨
3067	員白子妊父征盨四	割釁壽無疆、慶其以臧員白子妊父乍其征盨
3068	白寬父盨一	白寬父乍寶盨
3069	白寬父盨二	白寬父乍寶盨
3077	弔專父乍奠季盨一	弔專父乍奠季寶鐘六、金尊盨四、鼎十
3078	弔專父乍奠季盨二	弔專父乍奠季寶鐘六、金尊盨四、鼎十
3079	弔專父乍奠季盨三	弔專父乍奠季寶鐘六、金尊盨四、鼎十
3080	弔專父乍奠季盨四	弔專父乍奠季寶鐘六、金尊盨四、鼎十
3085	駒父旅盨(蓋)	南中邦父命駒父即南者侯逹高父見南淮夷
3085	駒父旅盨(蓋)	駒父其萬年永用多休
3090	塱盨(器)	乃父市、赤舄、駒車、桒較、朱虢、圅靳
3090	塱盨(器)	弔邦父、弔姞萬年子子孫孫永寶用
3092.	嬰父辛爵二	[嬰]父辛
3103	車雞父丁豆	[車雞]父丁
3110.	弔賓父豆?	弔賓父乍寶盨
3110.	孟_旁豆	孟uC旁乍父旅克豆
3112	揶陵君王子申豆一	以會父侃
3113	揶陵君王子申豆二	以會父侃
3115	曾仲斿父甫	曾中斿父自乍寶簠
3115.	曾仲斿父甫二	曾中斿父自乍寶甫(莆)
3121.	大宰歸父鑪	齊大宰歸父vf為忌盧盤
3127	仲枏父匕	中枏父乍匕永寶用
3382	父□爵	父□
3400	亞屰爵	[亞屰]父丁
3426	父甲爵一	父甲
3427	父甲爵二	父甲
3428	父甲爵三	父甲

3429	父甲爵四	父甲
3430	父甲爵五	父甲
3431	父乙爵一	父乙
3432	父乙爵二	父乙
3433	父乙爵三	父乙
3434	父乙爵四	父乙
3435	父乙爵五	父乙
3436	父乙爵六	父乙
3437	父乙爵七	父乙
3438	父乙爵八	父乙
3439	父乙爵九	父乙
3440	父丙爵	父丙
3441	父丁爵一	父丁
3442	父丁爵二	父丁
3443	父丁爵三	父丁
3444	父丁爵四	父丁
3445	父丁爵五	父丁
3446	父丁爵六	父丁
3447	父丁爵七	父丁
3448	父丁爵八	父丁
3449	父丁爵九	父丁
3450	父丁爵十	父丁
3451	父丁爵十一	父丁
3452	父丁爵十二	父丁
3453	父丁爵十三	父丁
3454	父丁爵十四	父丁
3455	父丁爵十五	父丁
3456	父戊爵一	父戊
3457	父戊爵二	父戊
3458	父戊爵	父戊
3459	父己爵一	父己
3460	父己爵二	父己
3461	父己爵三	父己
3462	父己爵四	父己
3463	父己爵五	父己
3464	父己爵六	父己
3465	父己爵七	父己
3466	父己爵八	父己
3467	父己爵九	父己
3468	父己爵十	父己
3469	父己爵十一	父己
3470	父辛爵一	父辛
3471	父辛爵二	父辛
3472	父辛爵三	父辛
3473	父辛爵四	父辛
3474	父辛爵五	父辛
3475	父辛爵六	父辛
3476	父辛爵七	父辛
3477	父辛爵八	父辛
3478	父辛爵九	父辛

父

3479	父辛爵十	父辛
3480	父辛爵十一	父辛
3481	父壬爵一	父壬
3482	父壬爵二	父壬
3483	父壬爵三	父壬
3484	父壬爵四	父壬
3485	父壬爵五	父壬
3486	父癸爵一	父癸
3487	父癸爵二	父癸
3488	父癸爵三	父癸
3489	父癸爵四	父癸
3490	父癸爵五	父癸
3491	父癸爵六	父癸
3492	父癸爵七	父癸
3493	父癸爵八	父癸
3494	父癸爵九	癸父
3495	父癸爵十	父癸
3624	㞢父爵一	[㞢]父
3625	㞢父爵二	[㞢]父
3687	＿父□爵	[＿]父
3687.	＿父爵	[毗]父
3761	田父甲爵	[田]父甲
3762	毗父甲爵	[毗]父甲
3763	車父甲爵	[車]父甲
3764	串父甲爵	[串]父甲
3765	狄父乙爵	[狄]父乙
3766	令父乙爵	[令]父乙
3767	先父乙爵	[先]父乙
3768	歺父乙爵一	[歺]父乙
3769	歺父乙爵二	[歺]父乙
3769.	歺父乙爵三	父乙[歺]
3770	戈父乙爵一	[戈]父乙
3771	戈父乙爵二	[戈]父乙
3772	戈父乙爵三	[戈]父乙
3773	戈父乙爵四	[戈]父乙
3774	亞父乙爵一	[亞]父乙
3775	亞父乙爵二	[亞]父乙
3776	亞父乙爵三	[亞]父乙
3777	突父乙爵	[突]父乙
3778	中父乙爵	[中]父乙
3779	酉父乙爵	[酉]父乙
3780	探父乙爵	[探]父乙
3781	弜父乙爵	[弜]父乙
3782	鼎父乙爵	[鼎]父乙
3783	段父乙爵一	[段]父乙
3784	段父乙爵二	[段]父乙
3785	嫠父乙爵	[嫠]父乙
3786	冉父乙爵	[冉]父乙
3787	耒父乙爵	[耒]父乙
3788	乍父乙爵	乍父乙

3789	乍父乙爵	乍父乙
3790	庚父乙爵	[庚]父乙
3791	__父乙爵	[__]父乙
3792	□父乙爵	□父乙
3793	父乙□爵	父乙□
3794	舟乙父爵	[舟]乙父
3794.	句毌父乙爵	[句毌]父乙
3794.	戱父乙爵	[戱]父乙
3794.	魚父乙爵	[魚]父乙
3795	鼎父乙爵	[鼎]父丙
3796	魚父乙爵	[魚]父乙
3797	魚父丙爵	[魚]父丙
3798	重父丙爵	[重]父丙
3799	辭父丙爵	[辭]父丙
3800	子父丁爵	[子]父丁
3801	子八父丁爵	[子八]父丁
3802	欠父丁爵	[欠]父丁
3803	ㄗ父丁爵	[ㄗ]父丁
3804	魚父丁爵一	[魚]父丁
3805	魚父丁爵二	[魚]父丁
3806	豢父丁爵	父丁[豢]
3807	笓父丁爵	[笓]父丁
3808	笓父丁爵	[笓]父丁
3809	菨父丁爵	[菨]父丁
3810	屠豕形父丁爵	[尸豕]父丁
3811	般父丁爵	[般]父丁
3812	禾父丁爵	[禾]父丁
3813	癸父丁爵一	[戣]父丁
3814	癸父丁爵二	[戣]父丁
3815	皿父丁爵	[皿]父丁
3816	矤父丁爵	[矤]父丁
3817	舟父丁爵一	[舟]父丁
3818	舟父丁爵二	[舟]父丁
3819	舟父丁爵三	[舟]父丁
3820	舟父丁爵四	[舟]父丁
3821	舟父丁爵五	[舟]父丁
3822	父丁舟爵六	父丁[舟]
3823	__父丁爵	[射__]父丁
3824	__父丁爵	[fy]父丁
3825	__父丁爵	[e7]父丁
3826	亯父丁爵	[亯]父丁
3827	車父丁爵	[車]父丁
3828	曲父丁爵	[曲]父丁
3829	安父丁爵	[安]父丁
3830	旅父丁爵	[旅]父丁
3831	木父丁爵一	[木]父丁
3832	木父丁爵二	[木]父丁
3833	__父丁爵	[dq]父丁
3834	__父丁爵	[__]父丁
3835	嫯父丁爵	[嫯]父丁

父

3836	𠂇父丁爵一	[𠂇]父丁
3837	𠂇父丁爵二	[𠂇]父丁
3838	𠂇父丁爵三	[𠂇]父丁
3839	鍪父丁爵一	[鍪]父丁
3840	鍪父丁爵二	[鍪]父丁
3841	__父丁爵	[__]父丁
3842	__父丁爵	[df]父丁
3843	__父丁爵	[bb]父丁
3843.	亯奴父丁爵	[亯奴]父丁
3843.	父辛𣏟爵	父辛[𣏟]
3844	子父戊爵一	[子]父戊
3845	子父戊爵二	[子]父戊
3846	舟父戊爵	[舟]父戊
3847	__父戊爵	[__]父戊
3848	舌父戊爵	[舌]父戊
3849	𪊍父戊爵	[𪊍]父戊
3850	__父戊爵	[ct]父戊
3851	徙父戊爵	[徙]父戊
3852	__父戊爵	[fn]父戊
3853	㢈父戊爵	[㢈]父戊
3854	才父戊爵	[才]父戊
3855	賁父戊爵	[賁]父戊
3856	舟戊父爵	[舟]父戊
3857	__父己爵	[ab]父己
3858	夙父己爵	[夙]父己
3859	__父己爵	[bd]父己
3860	止父己爵	[止]父己
3861	𪊍父己爵一	[𪊍]父己
3862	𪊍父己爵二	父己[𪊍]
3863	㚸父己爵	[㚸]父己
3864	斿父己爵	[斿]父己
3865	㞕豕彤父己爵	[㞕豕]父己
3866	𠆦父己爵一	[𠆦]父己
3867	𠆦父己爵二	[𠆦]父己
3867.	父己𠆦爵	父己[𠆦]
3868	爻父己爵	[爻]父己
3869	萬父己爵	[萬]父己
3870	舟父己爵	[舟]父己
3871	覃父己爵	[覃]父己
3872	__父己爵	[__]父己
3873	若父己爵	[若]父己
3874	亞若父己爵	[亞若]父己
3875	戈父己爵一	[戈]父己
3876	戈父己爵二	[戈]父己
3877	戈父己爵三	[戈]父己
3878	舌父己爵	[舌]父己
3879	田父己爵	[田]父己
3880	凵父己爵	[凵]父己
3881	丁父己爵	[丁]父己
3882	幺父己爵	[幺]父己

3883	卒父己爵	[卒]父己
3884	__父己爵	[皿鬲]父己
3885	心父己爵	[心]父己
3886	父己爵	[婺]父己
3887	般父己爵	[般]父己
3888	子父己爵	[子]父己
3889	__父己爵	[f4]父己
3890	O父庚爵	[圓]父庚
3891	子父庚爵	[子]父庚
3892	婺父庚爵	[婺]父庚
3893	奾父庚爵一	[奾]父庚
3894	奾父庚爵二	[奾]父庚
3895	__父庚爵	[__]庚父
3896	亞父辛爵	[亞]父辛
3897	子父辛爵一	[子]父辛
3898	子父辛爵二	[子]父辛
3899	子父辛爵三	[子]父辛
3900	团父辛爵	[团]父辛
3901	木父辛爵	[木]父辛
3902	嬰父辛爵一	[嬰]父辛
3903	中父辛爵	[中]父辛
3904	奾父辛爵	[奾]父辛
3905	卬父辛爵	[卬]父辛
3906	卬辛父爵	[卬]父辛
3906.	父辛卬爵	父辛[卬]
3907	𠬝父辛爵	[𠬝]父辛
3908	史父辛爵	[史]父辛
3909	興父辛爵	[興]父辛
3910	舟父辛爵	[舟]父辛
3911	舟父辛爵二	[舟]父辛
3912	酉父辛爵	[酉]父辛
3913	酉父辛爵	[酉]父辛
3914	鼎父辛爵一	[鼎]父辛
3915	鼎父辛爵二	[鼎]父辛
3916	畀父辛爵	[畀]父辛
3917	賣父辛爵一	[賣]父辛
3918	賣父辛爵二	[賣]父辛
3919	賣父辛爵三	[賣]父辛
3920	弔父辛爵	[弔]父辛
3921	戲乍父癸爵	戲乍父癸
3922	__父辛爵	[__]父辛
3923	丫父辛爵	[丫]父辛
3924	__父辛爵	[ft]父辛
3925	__父辛爵	[d8]父辛
3926	黽父辛爵	[黽]父辛
3927	__父辛爵	[__]父辛
3928	婺父辛爵	[婺]父辛
3929	婺父辛爵	[婺]父辛
3930	東父辛爵	[東]父辛
3931	乍父辛爵	乍父辛

父

父

3932	臤父辛爵	[臤]父辛
3933	父辛爵	[壴]父辛
3933.	興父辛爵	[興]父辛
3933.	戈父辛爵	[戈]父辛
3934	糸父壬爵	[糸]父壬
3935	天父癸爵一	[天]父癸
3936	天父癸爵二	[天]父癸
3937	厈父癸爵	[厈]父癸
3938	子父癸爵	[子]父癸
3939	𠂤父癸爵	[𠂤]父癸
3940	__父癸爵	[aa]父癸
3941	隹父癸爵	[鳥]父癸
3942	鳥父癸爵	[鳥]父癸
3943	䧹父癸爵	[䧹]父癸
3944	集父癸爵	[集]父癸
3945	隻父癸爵	[隻]父癸
3946	探父癸爵	[探]父癸
3947	戈父癸爵一	[戈]父癸
3948	戈父癸爵二	[戈]父癸
3949	矢父癸爵一	[矢]父癸
3950	矢父癸爵二	[矢]父癸
3951	缶父癸爵	[缶]父癸
3952	幺父癸爵	[幺]父癸
3953	叙父癸爵	[叙]父癸
3953.	叙父己爵	[叙]父己
3954	__父癸爵	[dp]父癸
3955	舟父癸爵一	[舟]父癸
3956	舟父癸爵二	[舟]父癸
3957	舟父癸爵	[舟]父癸
3958	父癸舟爵	父癸[舟]
3959	舟父癸爵	[舟]父癸
3960	卒父癸爵一	[卒]父癸
3961	卒父癸爵二	[卒]父癸
3962	㛸父癸爵一	[㛸]父癸
3963	㛸父癸爵二	[㛸]父癸
3964	弼父癸爵	[弼]父癸
3965	㛸父癸爵	[㛸]父癸
3966	㛸父癸爵	[㛸]父癸
3966.	㛸父癸爵一	[㛸]父癸
3967	__父癸爵一	[呆]父癸
3967.	__父癸爵二	[呆]父癸
3968	戚父癸爵	[戚]父癸
3969	__父癸爵	[cl]父癸
3970	__父癸爵	[主]父癸
3971	__父癸爵	[●丫]父癸
3972	父癸一爵	父癸[一]
3973	歹父癸爵	[歹]父癸
3974	亘父癸爵	[亘]父癸
3974.	㛸父癸爵	[㛸]父癸
3974.	學父癸爵	[學]父癸

3974.	亯父癸爵	[亯]父癸
3977.	乍父丙爵	乍父丙
4002	魚父乙爵一	[魚]父乙
4003	戈父丁爵	[戈]父丁
4003.	戈父己爵四	[戈]父己
4004	屰父戊爵	[屰]父戊
4005	屰父辛爵	[屰]父辛
4006	永父辛爵	父辛[永]
4007	𢀛父辛爵	[𢀛]父辛
4008	__父癸爵	[卯]父癸
4009	__父癸爵	[bf]父癸
4020	父乙𠦪爵	父乙[𠦪]
4021	爻父丁爵	[爻]父丁
4022	子父乙爵	[子]父乙
4024	黽父丁爵	[黽]父丁
4025	㫃父丁爵	[㫃]父丁
4025.	旅父丁爵	[旅]父丁
4025.	口父丁爵	[口]父丁
4026	臤父乙爵	臤父乙
4027	夭父辛爵	[夭]父辛
4038	__庚父爵	__庚父
4044.	__𠎦戈父乙爵	[d9𠎦]父乙
4045	亞戈父乙爵	[亞戈]父乙
4046	𡚾父丁爵	父丁[𡚾]
4047	父乙爵	[亞__]父乙
4048	亞豕父戊爵	[亞豕]父甲
4050	亞覃父丁爵	[亞覃]父丁
4051	亞卩父辛爵一	[亞卩]父辛
4052	亞卩父辛爵二	[亞卩]父辛
4053	亞__父辛爵	[亞b1]父辛
4054	父癸亞血爵	父癸[亞血]
4055	亞址父己爵	[亞址]父己
4056	亞__父壬爵	父壬[亞鹿]
4063	__乍父乙爵	m3乍父乙
4064	子刀父乙爵	[子刀]父乙
4065	亞䰞皿矛父乙爵	[亞䰞皿矛]父乙
4066	𠕋攴父乙爵	[𠕋攴]父乙
4067	秉毌父乙爵	[秉毌]父乙
4068	㥯乍父乙爵	㥯乍父乙
4069	鹵圝𠬝彡父丁爵	[鹵犬]父乙
4070	卿乍父乙爵	卿乍父乙
4071	馬乍父乙爵	馬乍父乙
4072	乍父乙彝爵	乍父乙彝
4073	__乍父乙爵	__乍父乙
4074	㢊冊父丁爵	[㢊冊]父丁
4075	__亘父丁爵	父丁[em亘]
4076	朿冊父丁爵	[朿冊]父丁
4077	弓𦎫父丁爵	父丁[彊]
4078	父丁困冊爵	父丁[困冊]
4079	亞䫉父丁爵	[亞䫉]父丁

父

4080	__矢父戊爵一	[__矢]父戊
4081	__矢父戊爵二	[__矢]父戊
4082	加乍父戊爵一	加乍父戊
4083	加乍父戊爵二	加乍父戊
4084	亭冊父己爵	[冊]丁[亭][守冊]父己
4085	毌偁父己爵	父己[毌偁]
4086	弓衛父庚爵	父庚[弓衛]
4087	䣄牵乍父辛爵	[䣄牵]乍父辛
4088	____父辛爵	[__f3]父辛
4089	大辛父辛爵	[大亥]父辛
4089.	亞天父辛爵	父辛[亞天]
4090	父癸__宁爵	父癸[bk宁]
4091	天黽父癸爵	[天黽]父戊
4092	天棘父癸爵	[天曹]父癸
4093	屰目父癸爵三	[屰目]父癸
4094	屰目父癸爵一	[屰目]父癸
4095	屰目父癸爵二	[屰目]父癸
4096	白乍父癸爵	白乍父癸
4097	庚壴父癸爵	[庚壴]父癸
4098	____父癸爵	[e5]父癸
4099	獸父癸爵	父癸[獸]
4100	鳥畫父癸爵	父癸[畫鳥]
4101	口父癸爵	[䞈戈]父癸
4102	毌偁父癸爵	[毌偁]父癸
4106	子工父丁爵	子工父丁
4106.	己妖父丁爵	己妖父丁
4109	禾子父癸爵	[禾子]父癸
4116	壬冊父丁爵	[壬冊]父丁
4117	亞向__父戊爵	[亞向bG]父戊
4118	子刀父壬爵	[子刀]父壬
4119	般父癸爵	[般]父癸
4124	天豕父丁爵	父丁[豢]
4125	亞醜父丙爵	[亞醜]父丙
4126	瘼乍父丁爵一	瘼乍父丁
4127	瘼乍父丁爵二	瘼乍父丁
4128	盧爵	盧乍父辛
4130	吴亞父乙爵一	[吴亞]父乙
4131	吴亞父乙爵二	[吴亞]父乙
4132	丙且丁父乙爵	[丙]且丁父乙
4133	臣辰𠂔父乙爵一	父乙臣辰[𠂔]
4134	臣辰𠂔父乙爵二	父乙臣辰[𠂔]
4135	臣辰𠂔父乙爵三	父乙臣辰[𠂔]
4136	臣辰𠂔父乙爵四	父乙臣辰[𠂔]
4137	臣乍父乙寶爵一	臣乍父乙寶
4138	臣乍父乙寶爵二	臣乍父乙寶
4139	羊馬__父丁爵	[羊馬de]父丁
4140	膚父丙䣄爵	父丙[膚䣄]
4141	戠乍父丁寶爵	戠乍父丁寶
4142	父戊舟乍彝爵一	父戊舟乍尊
4143	父戊舟乍彝爵二	父戊舟乍尊

4145	□父乍父辛爵	□父乍父辛
4145.	子東壬父辛爵	[子東]壬父辛
4146	□父癸尊彝爵一	□父癸尊彝
4147	□父癸尊彝爵二	□父癸尊彝
4148	__乍父癸爵	[ff]乍父癸
4149	__䎒父癸爵一	[bf䎒]父癸
4150	__䎒父癸爵二	[bf䎒]父癸
4151	戲爵	戲乍父癸觚
4152	子木工父癸爵	[木子工]父癸
4152.	庚寅父癸爵	庚寅父癸[鳥]
4155	白限乍寶彝爵	白限父乍寶彝
4159	__父乍寶彝爵	vn父乍寶彝
4162	車乍父寶彝爵	車乍父寶彝
4165	冈宁父戊爵	冈宁[cz]父戊
4166	亞__父己卜爵	亞__己父卜
4173	歐乍父戊爵	歐乍父戊寶彝
4174	歐乍父戊爵二	歐乍父戊寶彝
4175	能乍父庚爵	能乍父庚尊彝
4175.	冊҈冊乍父辛爵	乍父辛[䎒҈]
4176	友致父癸爵一	友養父癸妣止母
4177	友致父癸爵二	友養父癸妣止母
4178	__豐乍父辛爵一	豐乍父辛寶[䎒҈]
4179	豐乍父辛爵二	豐乍父辛寶[䎒҈]
4180	豐乍父辛爵三	豐乍父辛寶[䎒҈]
4182	父乙庚辰為爵	庚辰象乍彝、父乙
4183	貝隹易爵一	貝隹易、[天黽]父乙
4184	貝隹易爵二	貝隹易、[天黽]父乙
4185	執�乍父庚爵	執遅父庚寶彝
4186	攸乍上父爵	攸乍上父寶尊彝
4188	又乍㝬父爵	又乍㝬父寶尊彝
4189	瘨乍父丁爵	瘨乍父丁乍尊彝
4190	牆乍父乙爵一	牆乍父乙寶尊彝
4191	牆乍父乙爵二	牆乍父乙寶尊彝
4191.	父丁爵	乍父丁寶尊彝[天ab]
4191.	亞戣乀父癸爵	亞戣□□[丫]父癸
4194	冊壺/乍父丁爵	乍父丁尊彝[䎒壺(衛)]
4195	莫乍父辛爵	莫大乍父辛寶尊彝
4197.	相爵	相乍父丁彝
4198	望乍父甲爵	公易望貝、用乍父甲寶彝
4199	䣄乍白父辛爵	䣄乍召白父辛寶尊彝
4203	御正良爵	用乍父辛尊彝[__]
4204	盂爵	用乍父寶尊彝
4207	父甲角	父甲
4208	父丁角	父丁
4216	陸父甲角	[陸]父甲
4217	𡚸父乙角	[𡚸]父乙
4218	𡚸父乙角	[𡚸]父乙
4219	子父乙角	[子]父乙
4220	大父戊角	[大]父戊
4221	𡚸父戊角	[𡚸]父戊

父

4222	奘父辛角	[奘]父辛
4223	亞弜父丁角一	[亞弜]父丁
4224	亞弜父丁角二	[亞弜]父丁
4225	亞旇父丁角	父丁[亞旇]
4227	父己冊角	父己[冊]
4229	天黽父乙角一	[天黽]父乙
4230	天黽父乙角二	[天黽]父乙
4231	陸冊父乙角	[陸冊]父乙
4233	噩父丁角	[噩]父丁
4234	亞共＿父丁角	[亞共＿]父丁
4234.	亞古父己角	[亞古]父己
4234.	亞古父癸角	[亞古]父癸
4235	肘史父乙爻角	[肘史]父乙[爻]
4239	天黿垔乍父癸角	用乍父癸尊彝[天黽]
4240	亞未乍父辛角	用乍父辛彝[亞矦]
4241	箙亞＿乍父癸角	用乍父癸彝[蟬]
4242	腐冊宰梡乍父丁角	用乍父丁尊彝
4277	父己斝	己父
4283	父癸斝	父癸
4284	父庚斝	父庚
4297	冉父斝	[冉]父
4309	天豕父甲斝	[豩]父甲
4310	田父甲斝	[田]父甲
4311	冉父乙斝	[冉]父乙
4312	山父乙斝	[山]父乙
4313	畾父乙斝	[畾]父乙
4314	保父己斝	[保]父己
4314.	封父庚斝	[封]父庚
4315	聿父戊斝	[聿]父戊
4316	周奴父癸斝	[周奴]父癸
4317	冎父□斝	[冎]父□
4318	酉父辛斝	[酉]父辛
4319	奘父癸斝	[奘]父癸
4324	犖父辛斝	[犖]父辛
4324.	乍父辛斝	乍父辛
4325	亞獏父丁斝	[亞獏]父丁
4326	天黽父乙斝	[天黽]父乙
4327	亞弜父丁斝	[亞弜]父丁
4328	封父庚斝	[封]父庚
4329	荷戈形父癸斝	何乍父癸
4333	毌乍父戊斝	毌乍父戊
4334.	孔＿父癸斝	孔＿父癸[六]
4335	秝闢乍父丁斝	[秝]闢乍父丁
4336	宁狽乍父丁斝	[宁狽]乍父丁彝
4340.	虎白斝	犬白乍父寶尊彝
4341	冊幸折乍父乙斝	折乍父乙寶尊彝[冊幸]
4344	嘉仲父斝	嘉中父罍其吉金
4366	光父乙盉	[光]父乙
4367	子父乙盉一	[子]父乙
4368	子父乙盉二	[子]父乙

4368.	子父乙盉三	[子]父乙
4369	子父乙盉四	[子]父乙
4370	㝬父乙盉	[㝬]父乙
4371	句毌父乙盉	[句毌]父乙
4372	畀乙父乙盉	乙父[畀]
4373	𠨘父乙盉	[𠨘]父乙
4374	嬰父丁盉	[嬰]父丁
4375	父乙飤盉	父乙飤
4376	父乙__盉	父乙[eb]
4376.	父乙__盉	父乙[am]、[七六七六七六]
4377	舟父丁盉	[舟]父丁
4378	婷父丁盉	[婷]父丁
4378.	亘父丁盉	亘父丁
4379	父丁子盉	父丁[子]
4379	父丁子盉	丁父[子]
4379.	㚔父丁盉	[㚔]父丁
4380	亞醜父丁方盉	[亞醜]父丁
4381	戚父己盉	[戚]父己
4382	__父戊盉	[Gh]父戊
4382.	酉父戊盉	[酉]父戊
4383	亞古父己盉	[亞古]父己
4384	鋬父己盉	[鋬]父己
4385	亞孳父辛盉	[亞孳]父辛
4386	鋬父辛盉	[鋬]父癸
4387	鋬父癸盉	[鋬]父癸
4388	戈父戊盉	[戈]父戊
4389	史父癸盉	[史]父癸
4393	句父癸盉	[句]父癸
4397	天黽父戊盉	[天黽]父戊
4398	箙參父乙盉	[箙參]父乙
4403	亞鳥宁从父丁盉	[亞鳥宁dc]父丁
4404	子___父甲盉	[子cndt]父甲
4405	宁未父乙冊盉	父乙[宁未冊]
4406	父癸臣辰夛盉	父癸[臣辰夛]
4406.	臣辰夛父乙爵五	父乙臣辰[夛]
4407	㷗子乍父戊盉一	㷗子乍父戊
4408	㷗子乍父戊盉二	㷗子乍父戊
4410	鬲父盉	鬲父乍寶彝
4414	卿乍父乙盉	卿乍父乙尊彝
4415	戈__乍父丁盉	[戈]pc乍父丁彝
4416	戍中乍父丁盉	中乍彝父丁[戍]
4416	戍中乍父丁盉	中乍父丁彝
4419	仲自父乍旅盉	中自父乍旅盉
4421	徙遽__乍父己盉	徙遽op乍父己
4426	𠷎父盉	𠷎父乍丝母寶盉
4427	楸冊洑乍父乙盉一	洑乍父乙尊彝[楸冊]
4428	楸冊洑乍父乙盉二	洑乍父乙尊彝[楸冊]
4430	白百父乍孟姬朕鋬	白百父乍孟姬朕鋬
4432	白害乍召白父辛盉	白害乍召白父辛寶尊彝
4438	亞曩侯吴盉	乍父乙寶尊彝

父

4439	白衛父盉	白衛父乍嬴鬶彝
4440	白章父盉	白章父乍寶盉
4442	季良父盉	季良父乍kh姒(始)寶盉
4443	王仲皇父盉	王中皇父乍ou娟般盉
4445	長陵盉	銅要銅錄乍𡦹緒父盉樂__一升
4447	臣辰冊冊㚔乍冊父癸盉	用乍父癸寶尊彝
4449	裘衛盉	裘衛乃彘告于白邑父
4449	裘衛盉	白邑父、榮白、定白、琼白
4515	父甲尊	父甲
4516	父丙尊	父丙
4518	父乙尊	父乙
4518.	父乙尊二	父乙
4519	父戊尊	父戊
4520	父己尊一	父己
4521	父己尊二	父己
4522	父己尊三	父己
4522.	父己尊四	父己
4523	父辛尊	父辛
4524	父辛尊	父辛
4524.	父癸尊	父癸
4565	舟父丁尊	[舟]父丁
4566	李乙父尊	[李]乙父
4566.	戈父乙尊	[戈]父乙
4568	舟父乙尊	[舟]父乙
4569	崮父乙尊	[崮]父乙
4570	䢅父乙尊	[䢅]父乙
4571	__父乙尊	[fs]父乙
4572	山父丁尊	[山]父丁
4573	__父乙尊	[e8]父乙
4574	雞形父乙尊	[雞]父乙
4575	東父乙尊	[東]乙父
4576	壴父丁尊	[壴]父丁
4577	衛父丁尊	[衛]父丁
4578	父乙𩰫尊	父乙[𩰫]
4579	𩰫父乙尊	[𩰫]父乙
4580	𠭰父丁尊	[𠭰]父丁
4581	母父丁尊一	[母]父丁
4582	母父丁尊二	[母]父丁
4583	尹父丁尊	[尹]父丁
4584	𩰫父丁尊一	[𩰫]父丁
4585	䢅父丁尊一	[䢅]父丁
4586	䢅父丁尊二	[䢅]父丁
4587	父丁會尊	父丁[會]
4589	天父戊尊一	[天]父戊
4590	𠆳父戊尊	[𠆳]父戊
4591	山父戊尊	[山]父戊
4592	__父己尊	[岢岢]父己
4593	㝔父己尊	[㝔]父己
4594	__父己尊	[am]父己
4595	亯父己尊	[亯]父己

4596	衛父己尊	[衛]父己
4597	般父己尊	[般]父己
4598	鼎父己尊	[鼎]父己
4599	遽父己象形尊	[遽]父己
4600	乍父己尊	乍父己
4601	虜父辛尊	[虜]父辛
4602	__父庚尊	父庚[魫]
4603	卬父辛尊	[卬]父辛
4604	舟父壬尊	[舟]父壬
4605	山父壬尊	[山]父壬
4606	史父壬尊	[史]父壬
4607	__父癸尊	[__]父癸
4608	㸚父癸尊	[㸚]父癸
4609	奞父癸尊	[奞]父癸
4610	特戈父癸尊	[ad]父癸
4611	鳥父癸尊	[鳥]父癸
4612	酉父癸尊	[酉]父癸
4613	父癸魚尊	父癸[魚]
4614	豕父癸尊	[豕]父癸
4615	卬父癸尊	[卬]父癸
4616	探父癸尊	[探]父癸
4617	舟父癸尊	[舟]父癸
4618	羴父癸尊	[羴]父癸
4619	史父癸尊	[史]父癸
4620	執爵形父癸尊	[爵]父癸
4643	亞離父乙尊	[亞離]父乙
4644	亞父辛__尊	亞父辛[d7]
4645	亞㸚父辛尊	[亞㸚]父辛
4646	亞醜父丁尊	[亞醜]父丁
4647	亞天父癸尊	[亞天]父癸
4648	天豕父丁尊	[豢]父丁
4651	乍父乙子尊	乍父乙[子]
4652	乍父乙旅尊	乍父乙旅
4653	岦__父乙尊一	[岦cd]父乙
4654	岦__父乙尊二	[岦cd]父乙
4655	天黽父乙尊	[天黽]父乙
4656	𤔲鼎父乙尊	[𤔲鼎]父乙
4657	亞獏父丁尊一	[亞獏]父丁
4658	㸚文父丁尊一	[㸚]文父丁
4659	__父己尊	[刀子刀]父己
4660	又羧父己尊	[又養]父己
4661	__牵父辛尊	[b8牵]父辛
4662	天黽父辛尊	[天黽]父辛
4663	__父庚冊尊	[er]父庚[冊]
4664	𨽍乍父辛尊	[𨽍]乍父辛
4665	亞犨父辛尊	[亞犨]父辛
4666	天黽父癸尊	[天黽]父癸
4667	父癸告品尊	父癸[告品]
4668	弓牵父癸尊	[弓牵]父癸
4669	荷戈形父癸尊一	[__]父癸[寑]

父

父

4670	荷戈形父癸尊二	[＿]父癸[㝪]
4671	天黿父□尊	[天黿]父□
4692	䨺父癸尊	[䨺]父癸
4693	車父辛尊	夫車父辛
4698	衛箙父辛尊	[衛箙]父辛
4700	競乍父乙旅尊	競乍父乙旅
4701	魚乍父庚尊	魚乍父庚彝
4702	牢乍父辛尊	牢乍父辛旅
4703	永乍旅父丁尊	永乍旅父丁
4704	＿父辛主雞尊	[az]父辛[主雞]
4705	乍父辛尊	乍父辛寶尊
4706	受父辛尊	受父辛且乙
4707	亞fk子父辛尊	[亞fk子徙父辛]
4718	戈□乍父丙尊	戈乍父丙彝
4722	冊□宁父辛方尊	[冊□宁]父辛
4725	乍父乙尊	[聝]父乙
4725	乍父乙尊	乍父乙寶彝
4726	商乍父丁吾尊	商乍父丁吾尊
4728	畓乍父丁旅尊	畓乍父丁旅彝
4729	乍父丁尊	乍父丁寶彝[㝔]
4730	乍父丁尊	乍父丁寶彝尊
4731	乍父戊尊	乍父戊寶尊彝
4732	乍父辛尊	＿乍父辛寶尊彝
4733	乍父己尊	乍父己寶彝[c8]
4734	小臣夕辰父辛尊	小臣[夕]辰父辛
4735	＿乍父辛尊	＿乍父辛尊彝
4736	朕乍父癸尊	朕乍父癸尊彝
4737	□乍父辛尊	□乍父辛寶尊彝
4749	員父尊	員父乍寶尊彝
4757	陵乍父乙旅尊	陵乍父乙旅彝
4763	辟東乍父乙尊	辟東乍父乙尊彝
4764	＿白乍父乙尊	qc白乍父乙寶尊
4765	對乍父乙尊	對乍父乙[亞夫]寶尊彝
4766	乍父丁尊	乍父丁[䮍]寶尊彝
4767	乍父丁尊	乍父丁寶尊彝[䮍]
4768	戈車乍父己尊	戈車乍父丁寶尊彝
4769	逆乍父丁尊	逆乍父丁寶尊彝
4770	□子乍父丁尊	□子乍父丁尊彝
4771	乍父丁尊	乍父丁寶尊彝[aw]
4772	䢅秝乍乍父丁尊	[䢅]秝乍父丁尊彝
4773	魚乍父己尊	魚乍父乙寶尊彝
4774	鼄乍文父日丁尊	鼄乍文父日丁[䢅]
4775	史見尊	史見乍父甲尊彝
4776	此尊	此乍父辛寶尊彝
4777	㪤乍父辛尊	㪤乍父辛寶尊彝
4778	賁乍父辛尊	賁乍父辛寶尊彝
4787	烏矢乍辛尊	烏矢乍父辛寶彝
4788	亞䤊酉乍父乙尊	[亞䤊]酉乍父乙尊彝
4792	史伏乍父乙旅尊	史伏乍父乙寶旅彝
4793	隹乍父己尊	隹乍父己寶彝[戚箙]

4795	觑乍父戊尊	觑乍父戊寶尊彝[䶄]
4796	歐乍父庚尊	歐乍父庚寶尊彝[弓]
4797	□□乍父庚尊	□□乍父庚寶尊彝
4798	厥子乍父辛尊	氒子乍父辛寶尊彝
4799	＿乍父癸尊	貍乍父癸寶尊彝[單]
4800	宿父乍父癸尊	宿父乍父癸寶尊彝
4801	單異乍父癸尊	單異乍父癸寶尊彝
4802	＿尊	＿乍父乙寶尊彝[㚇]
4804	衛乍季衛父尊	衛乍季衛父寶尊彝
4812	冊物乍父乙尊	冊物乍父乙寶尊彝[妶]
4813	周＿旁乍父丁尊	[周uG]旁乍父丁宗寶彝
4814	偣乍父癸尊	偣乍父癸寶尊彝用旅
4816	亞＿傳乍父戊尊	傳乍父戊寶尊彝[亞Jc]
4822.	〓〓尊	〓〓乍父辛彝尊[亞〓]
4823	懷季遽父尊	懷季遽父乍豐姬寶尊彝
4825	奔者君乍父乙尊	奔者君乍父乙寶尊彝[cu]
4828	＿㚇乍父丁尊一	王占攸田㚇乍父丁尊[qw]
4829	＿㚇乍父丁尊二	王占攸田㚇乍父丁尊[qw]
4829	＿㚇乍父丁尊二	王占攸田㚇乍父丁尊[qw]
4830	犀肇其乍父己尊	犀肇乍父己寶尊彝[䨻＿]
4836	＿䍜乍父乙尊	䍜戠吏□用乍父乙旅尊彝[冊ap]
4837	鬲乍父甲尊	鬲易貝于王、用乍父甲寶尊彝
4838	執乍父□尊	易聿礼用乍父□尊彝
4841	守宮乍父辛雞形尊	乍父辛尊
4842	啟乍文父辛尊	用乍文父辛尊彝[㢸]
4843	舟員父壬尊	員乍父壬寶尊彝
4844	□乍父癸尊	□□父癸寶尊彝
4847	小子夫尊	用乍父己尊彝[㢸]
4848	舟㞢㢸乍父乙尊	用乍父乙寶尊彝[舟㞢]
4849	鄁啟方尊	鎉(鄁)啟乍父庚尊彝
4853	復尊	用乍父乙寶尊彝[㢸]
4855	弔爽父乍䕭白尊	弔爽父乍文考䕭白尊彝
4856	季受尊	用乍考＿父尊彝
4861	噉士卿尊	用乍父戊尊彝
4862	㢸能匋尊	能匋用乍文父日乙寶尊彝[㢸]
4863	𩰫乍父乙尊	用乍父乙寶尊彝
4864	乍冊㝨尊	用乍父乙寶尊彝
4871	䵼牽豐尊	用乍父辛寶尊彝
4872	古白尊	曰古白子曰p7v2氒父彝
4873	臣辰冊㞢冊乍父癸尊	用乍父寶尊彝
4875	㸒折尊	用乍父乙尊
4876	保尊	用乍文父癸宗寶尊彝
4878	召尊	白懋父易召白馬每黃猶(髮)微
4878	召尊	用u8不杯・召多用追炎不杯白懋父友
4879	彔㦸尊	白雝父蔑彔曆
4884	䟒尊	䟒从師雝父戍于古自之年
4884	䟒尊	䟒蔑曆、中競父易金
4884	䟒尊	䟒拜稽首、敢對揚競父休
4884	䟒尊	用乍父乙寶尊彝
4893	夨令尊	用乍父丁寶尊彝、敢追明公賞于父丁[鳥冊]

父

4905	__父乙觥	[ab]父乙
4910	父戊竟觥	父戊[竟]
4911	㚔文父丁觥	[㚔]文父丁
4912	亞父辛__觥	[亞]父辛[d7]
4913	__乍父丁觥	h7乍父丁寶彝
4915	舟父辛觥	[舟]父辛寶尊彝
4917	旃觥	乍父乙寶尊彝[旃]
4918	卒𤞞乍父辛觥	[𤞞]乍父辛寶尊彝[卒]
4921	子𥂴乍父乙觥	乍文父乙彝
4923	守宮乍父辛觥	守宮乍父辛尊彝其永寶
4925	𠬝仲子引觥	中子㬪引乍文父丁尊彝[鑊]
4926	吳𢦏𠬝觥(蓋)	用乍父戊寶尊彝
4928	折觥	用乍父乙尊
4952	𩣡父丁方彝	[𩣡]父丁
4953	吳父乙方彝	[吳]父乙
4960	仲追父乍宗彝	中追父乍宗彝
4962	竹室父戊方彝一	[竹室]父戊[告永]
4963	竹室父戊方彝二	[竹室]父戊[告永]
4965	卒𤞞乍父辛方彝一	卒𤞞乍父辛寶尊彝
4966	卒𤞞乍父辛方彝二(器)	卒𤞞乍父辛寶尊彝
4968	𡰥方彝一	𡰥敀乍父庚尊彝
4969	𡰥方彝二	𡰥敀乍父庚尊彝
4971	__乍父癸方彝(蓋)	用乍父癸寶彝
4972	過从父彝	過从父乍__白尊彝
4974	__方彝	用乍高文考父癸寶尊彝
4976	折方彝	用乍父乙尊
4981	𦥑冊令方彝	用乍父丁寶尊彝
4981	𦥑冊令方彝	敢追明公賞于父丁
4981	𦥑冊令方彝	用光父丁[𦥑冊]
5057	父乙卣	父乙
5073	父癸卣	父癸
5114	鳥父甲卣	[鳥]父甲
5117	田父甲卣	[田]父甲
5118	𠨍父甲卣	[𠨍]父甲
5119	天父乙卣	[天]父乙
5120	𠬪父乙卣	[𠬪]父乙
5121	冊父己卣	[冊]父乙
5122	__父乙卣	[__]父乙
5123	戣父乙卣	[戣]父乙
5124	__父乙卣	[fd]父乙
5125	旅父乙卣	[旅]父乙
5126	㢸父乙卣	[㢸]父乙
5127	㚔父乙卣	[㚔]父乙
5128	魚父乙卣一	[魚]父乙
5129	魚父乙卣二	[魚]父乙
5130	𦥑父乙卣	[𦥑]父乙
5131	亞𦊔父乙卣	[亞𦊔父乙]
5132	句冊父乙卣一	[句冊]父乙
5133	句冊父乙卣二	[句冊]父乙
5134	𥑾父乙卣	[𥑾]父乙

5135	鍪父丁卣	[鍪]父丁
5136	析父丙卣	[析]父丙
5137	史父丁卣	[史]父丁
5138	𠬝父丁卣一	[𠬝]父丁
5139	𠬝父丁卣二	[𠬝]父丁
5140	𨽾中中父丁卣	[𨽾中中]父丁
5141	䜌父丁卣	[䜌]父丁
5144	嬰父己卣	[嬰]父己
5145	__父己卣	[b8]父己
5146	受父己卣	[受]父己
5147	遽父己卣	遽父己
5148	__父己卣	[dp]父己
5149	酉父己卣一	[酉]父己
5150	酉父己卣二	[酉]父己
5151	戈父己卣	[戈]父己
5152	𠈌父己卣	[𠈌]父己
5153	𠦪父己卣	[𠦪]父己
5154	𠬝父己卣	[𠬝]父己
5155	弓父庚卣	[弓]父庚
5156	子父庚卣	[子]父庚
5157	子刀子父庚卣	[子刀子]父庚
5158	帚隻父庚卣	[帚隻]、父庚、父辛[酉]
5159	𠬝父庚卣	[𠬝]父庚
5160	弔父辛卣	[弔]父辛
5161	旅父辛卣	[旅]父辛
5162	𡨦父辛卣	[𡨦]父辛
5163	𠈌父辛卣一	[𠈌]父辛
5164	𠈌父辛卣二(蓋)	[𠈌]父辛
5165	𠦪父辛卣一	[𠦪]父辛
5166	𠦪父辛卣二	[𠦪]父辛
5167	𧶠父辛卣	[𧶠]父辛
5168	天父辛卣	[天]父辛
5169	刀父辛卣	[刀]父辛
5170	父辛黽卣	父辛[黽]
5171	𠬝父辛卣(蓋)	[𠬝]父辛
5172	爵父癸卣(蓋)	[爵]父癸
5173	令父癸卣	[令]父癸
5174	史父癸卣	[史]父癸
5175	取父癸卣	[取]父癸
5176	𠬝父癸卣	[𠬝]父癸
5201	養父甲卣	[養]父甲
5203	養父乙卣	[養]父乙
5204	倴父乙卣	[倴]父乙
5205	魚父癸卣	[魚]父癸
5206	𢉖父乙卣	[𢉖]父乙
5209	爻父丁卣	[爻]父丁
5210	萬父己卣	[萬]父己
5211	埶父辛卣	[埶]父辛
5213	天父乙卣(器)	[天]父乙
5215	舟父甲卣	[舟]父甲

父

5216	串㿝父丁卣(蓋)	[串㿝]父丁
5218.	亞䨓父甲卣	[亞䨓]父甲
5219	亞艅父乙卣	[亞俞]父乙
5220	亞䤈父辛卣	[亞䤈]父辛
5221	田告父乙卣	[田告]父乙
5223	亞得父癸卣	[亞得]父乙
5225	箙戚父乙卣	[箙戚]父乙
5226	牧父丙卣	[牧]父丙
5227	天黿父乙卣一	[天黽]父乙
5228	天黿父乙卣二	[天黽]父乙
5229	天黿父乙卣三	[天黽]父乙
5230	陸冊父乙卣	[陸冊]父乙
5231	父乙衛冊卣	[衛冊奴]父乙
5232	舟㞢父丁卣	[舟㞢]父丁
5233	執父丁卣	[執]父丁
5234	立关父丁卣一	[立关]父丁
5235	立关父丁卣二	[立关]父丁
5236	獄父丁卣	[獄v5]父丁
5237	遣乍父丁卣	[遣]乍父丁
5238	舟亥父丁卣	[舟亥]父丁
5239	安夏父丁卣	[安夏]父丁[䣐]
5240	又養父己卣	[又羊攵]父己
5241	天黿父戊卣	[天黽]父戊
5242	家戈父庚卣	[家戈]父庚
5243	令__父辛卣	[cv令]父辛
5244	孛舟父辛卣	[孛舟]父辛
5245	刀网父癸卣	[剛]父癸
5246	尭父癸__卣	[尭]父癸[fz]
5247	天黿父癸卣	[天黽]父癸
5248	白壴父乍卣	白壴父乍
5277	__六六六父戊卣	[句冊六六六]父戊
5278	天黿父辛卣	[天黽]父辛
5279	乍父癸㸚卣	乍父癸[㸚]
5281	且丁父己卣	且丁父己
5282	舟㞢父丁卣	[舟㞢]父丁
5289	會且己父辛卣	且己父辛[會]
5290	父乙臣辰㸚卣一	父乙臣辰[㸚]
5291	父乙臣辰㸚卣二	父乙臣辰[㸚]
5292	㜏乍父乙卣	[㜏]乍父乙彝
5293	競乍父乙旅卣	競乍父乙旅
5294	关乍父己彝卣	乍父己彝[关]
5295	亞__父己卣	[亞bx]魚父己
5296	鳥乍旅父丁卣(蓋)	[鳥]乍旅父丁
5297	㜏父己母癸卣(蓋)	[㜏]父己母癸
5298	䦆陸父庚卣	[䦆陸]父庚
5299	㜏奴父辛卣	[㜏奴]父辛彝
5300	守宮乍父辛卣	守宮乍父辛
5302	㕚木父辛冊卣	[㕚木父辛冊]
5303	㜏父癸母关卣	[㜏]父癸母[关]
5304	戈父癸卣	[戈]父癸

5317	大舟乍父乙卣	[大舟]乍父乙彝
5318	亞共且乙父己卣	[亞共且乙父己]
5319	__父乙母告田卣	[亞殸]父乙、[鳥]父乙母[告田]
5320	亞宮父乙卣	[亞宮寧__父乙]
5321	㝁乍父乙卣	乍父乙寶彝[㝁]
5322	戠乍父戊旅卣	[戠]乍父戊旅彝
5323	考乍父辛卣	考乍父辛尊彝
5325	__乍父辛卣	__乍父辛彝
5326	乍父癸卣	乍父癸尊彝[集]
5327	壴乍父丁卣	壴乍父辛寶彝
5342	衛父卣	衛父乍寶尊彝
5343	__魮父乍旅卣	魮父乍旅彝[eb]
5354	仲自父乍旅彝卣	中自父乍旅彝
5356	乍父庚卣	乍父庚尊彝[cf]
5357	乍父丁寶旅彝卣	乍父丁寶旅彝
5359	夆莫父卣	夆莫父乍寶彝
5360	亞古乍父己卣	[亞古]乍父己彝
5365	亞虞宮啓竹父丁卣	[亞虞宮啓竹]父丁
5366	齊乍父乙尊彝卣	齊乍父乙尊彝
5372	箙且丁父癸卣	[箙cm己]且丁父癸
5373	史見乍父甲卣	史見乍父甲尊彝
5374	羊乍父乙卣	羊乍父乙寶尊彝
5375	天乍父乙卣	乍父乙寶尊彝[天]
5376	亞束無憂乍父丁卣	[亞束]無憂乍父丁彝
5377	車乍父丁卣	車乍父丁寶尊彝
5378	叀乍父戊旅卣二	叀乍父戊寶尊彝
5379	叀乍父戊旅卣一	叀乍父戊寶旅彝
5380	狽人乍父戊卣	[狽]兀乍父戊尊彝
5380	狽人乍父戊卣	[狽]兀乍父戊尊彝
5381	𧴪人乍父己卣	[𧴪]人乍父己尊彝
5381	𧴪人乍父己卣	[𧴪]人乍父己尊
5382	__乍父己卣	[dm]乍寶父彝己
5383	哭父己卣	[哭]父己乍寶尊彝
5384	爵乍父辛卣	爵乍父辛寶尊彝
5385	𩱦乍父辛卣	𩱦乍父辛寶尊彝
5386	____乍父辛卣	[uutt]乍父辛尊彝
5387	亞__夾乍父辛卣	夾乍父辛尊彝[亞b3]
5388	亞俞富乍父辛卣	富乍父辛尊彝[亞俞]
5389	矢白隻乍父癸卣	矢白隻乍父癸彝
5392	散白乍__父卣一	散白乍ot父尊彝
5392	散白乍__父卣一	散白乍ot父尊彝
5393	散白乍__父卣二	散白乍ot父尊彝
5394	史戍乍父壬卣	史戍乍父壬尊彝
5396	季卣	季乍父辛寶尊彝
5397	弔夫冊卣	弔夫父冊乍寶彝
5399	子__乍父丁卣	子__用乍父丁彝
5400	__𦯔乍匕癸卣	𦯔乍父癸尊彝[fn]
5401	__乍父丁卣	[ep]乍父丁寶尊彝
5403	__解乍父乙卣	解乍父乙尊彝[__]
5404	小臣乍父乙卣	小臣乍父乙寶彝

父

5405	__夨乍父辛卣	__夨乍父辛寶彝
5406	衛卣	衛乍季衛父寶尊彝
5407	乍父甲卣	乍父甲寶尊彝[單]
5408	亯丞乍文父丁卣	亯丞乍文父丁尊彝[■]
5410	枚家乍父戊卣	枚家乍父戊寶尊彝
5411	戣覭乍父戊卣	覭乍父戊寶尊彝[戣]
5414	鈇乍父戊卣	鈇乍父戊尊彝[戈]
5421	亞__對乍父乙卣	對乍父乙寶尊彝[亞b2]
5423	亞__中__乍父丁卣	va乍父丁尊彝[亞bt中]
5424	束乍父辛卣	公賞束、用乍父辛于彝
5427	偣乍父癸卣	偣乍父癸寶尊彝、用旅
5433	䰡亞束竄㪤乍父癸卣	[亞束]竄㪤乍父癸寶尊彝[䰡]
5434	亞集𢍰乍文考父丁卣	父癸
5434	亞集𢍰乍文考父丁卣	亞集乍文老父丁寶尊彝
5439	小臣豐乍父乙卣	用乍父乙彝
5440	__白日__乍父丙卣	ha白日m4乍父丙寶尊彝
5441	懷季遽父卣一	懷季遽父乍豐姬寶尊彝
5442	懷季遽父卣二	懷季遽父乍豐姬寶尊彝
5444	守宮卣	守宮乍父辛尊彝
5447	王占卣	乍父丁尊[qw]
5448	天黽𩛥乍父癸卣	子易𩛥用乍父癸尊彝[天黽]
5450	天黽盄乍父辛卣	用乍父辛尊彝[天黽]
5452	豚乍父庚卣	豚乍父庚宗彝
5460	𨟻御乍父己卣	用乍父己尊彝
5460	𨟻御乍父己卣	用乍父己尊彝
5462	㝮白乍父乙卣一	用乍父乙寶尊彝
5463	㝮白乍父乙卣二	用乍父乙寶尊彝
5464	刀耳乍父乙卣	用乍父乙寶尊彝[刀]
5469	白ns卣	白ns父日
5469	白ns卣	對揚父休
5470	__盂乍父丁卣	用乍父丁寶尊彝[fk]
5471	䰡小子省乍父己卣	用乍父己寶彝[䰡]
5471	䰡小子省乍父己卣	用乍父己寶彝[䰡]
5473	同乍父戊卣	用乍父戊寶尊彝
5474	𨛫卣	用乍父乙寶尊彝
5474	𨛫卣	用乍父乙寶尊彝
5477	單光壴乍父癸簞卣	文考日癸乃__子壴乍父癸旅宗尊彝
5477	單光壴乍父癸簞卣	其日父癸夙夕鄉爾百婚遣[單光]
5480	冊𡘇冊豐卣	用乍父辛寶尊彝[冊𡘇]
5480	冊𡘇冊豐卣	用乍父辛寶尊彝[冊𡘇]
5490	戉𥡴卣	𥡴從師雝父戍于古𠂤
5490	戉𥡴卣	對揚師雝父休
5490	戉𥡴卣	𥡴從師雝父戍于古𠂤
5490	戉𥡴卣	對揚師雝父休
5491	亞獏二祀卲其卣	[亞獏父丁]
5491	亞獏二祀卲其卣	[亞獏父丁]
5492	亞獏四祀卲其卣	[亞獏父丁]
5492	亞獏四祀卲其卣	[亞獏父丁]
5495	保卣	用乍文父癸宗寶尊彝
5495	保卣	用乍文父癸宗寶尊彝

5496	召卣	白懋父賜召白馬
5496	召卣	用追于炎、不替白懋父友
5498	彔戜卣	白雝父蔑彔曆
5499	彔戜卣二	白雝父蔑彔曆
5501	臣辰冊冊𠂤卣一	用乍父癸寶尊彝[臣辰冊𠂤]
5502	臣辰冊冊𠂤卣二	用乍父癸寶尊彝[臣辰冊𠂤]
5503	競卣	隹白屖父以成𠂤即東
5503	競卣	白屖父皇競各于官
5503	競卣	用乍父乙寶尊彝
5506	小臣傳卣	令師田父殷成周年
5506	小臣傳卣	師田父令小臣傳非余傳□朕考kz
5506	小臣傳卣	師田父令□□余官
5506	小臣傳卣	白𢉅父賓小臣傳□□白休
5508	弔趞父卣一	弔趞父曰
5509	㚸卣	高對乍父丙寶尊彝
5510	乍冊嗌卣	乍冊嗌乍父辛尊
5510	乍冊嗌卣	用乍大禦于氒且考父母多申
5540	田父甲罍	[田]父甲
5542	父乙𢼸罍	父乙[𢼸]
5543	𢼸父丁罍	[𢼸]父丁
5544	糧父己方罍	[糧]父己
5545	𩣡父丁罍	[𩣡]父丁
5549	毌㑀父乙方罍	[毌㑀]父乙
5551	荷戈父癸罍	[尧]父癸__
5556	亞高敄父丁罍	[亞高養]父丁
5559	亞光父丁習竹罍	父丁[習(孤)竹亞光]
5560	舟乍父丁方罍	[舟]乍父丁妻盟
5562	皿父己罍	[皿]乍父己尊彝
5563	再乍日父丁罍	[再]乍日父丁尊彝
5564	單陵乍父日乙方罍	陵乍父日乙寶罍(罍)[dz]
5565	乍父乙罍	乍父乙寶中尊罍(罍)[ba]
5573	㝬__己且丁方罍	[亞㝬]且丁cm己父癸
5577	__㚔乍父丁罍	王占攸田𢦏乍父丁尊[qw]
5593	羞父瓿	[羞]父
5596	句毌父戊瓿	[句毌]父戊
5624	嬰父女壺	[嬰父女]56256252弔姜壺壺弔姜□□□□
5626	𩏽父□壺	[𩏽]父□
5630	子父乙壺	[子]父乙
5631	重父乙壺	[重]父乙
5632	㛸父乙壺	[㛸]父乙
5633	魚父癸壺	[魚]父癸
5634	弔父丁壺	[弔]父丁
5635	酉父己壺	[酉]父己
5636	㐅父辛壺	[㐅]父辛
5643	辰乍父己壺	辰乍父己
5655	____父丁壺	[eqcr]父丁
5656	周𠬝句父癸壺	[周𠬝句]父癸
5660	𦋺竹父丁壺	[𦋺竹]父丁
5661	㛸季父乙壺	季𠚤父乙[㛸]
5662	亞梙柩父乙壺	[亞梙柩]父乙

父

5679	白𣶃父旅壺	白𣶃父乍旅壺
5683	孟載父鬱壺	孟載父乍鬱壺
5684	枚__狄父乙壺	狄父乙彝[枚冊]
5685	嬰匕乍父己壺	[嬰]匕乍父己尊彝
5691	甚父乍父壬壺	甚父乍父壬寶壺
5696	㢘冊冊叔乍父辛壺	叔乍父辛彝[㢘冊]
5698	鬼乍父丙壺	鬼乍父丙寶壺[ei]
5699	冊奪乍父丁壺	奪乍父丁寶尊彝[冊]
5709	白魚父旅壺	白魚父乍旅壺永寶用
5710	賓車父壺一	賓車父乍寶壺永用享(器蓋)
5711	賓車父壺二	賓車父乍寶壺永用享(器蓋)
5712	白山父方壺	白山父乍尊壺
5713	孟上父尊壺	孟上父乍尊壺
5714	同白邦父壺	同白邦父乍弔姜萬人壺
5715	白多父行壺	___白多父非壺
5718	曾仲斿父壺	曾中斿父用吉金
5718	曾仲斿父壺	曾中斿父用吉金
5722	白庶父醴壺	白庶父乍尊壺
5736	□自父壺	□自父乍□壺
5739	鄭楙弔賓父醴壺	鄭楙弔賓父乍醴壺
5740	嗣寇良父壺	嗣寇良父乍為衛姬壺
5744	仲南父壺一	中南父乍尊壺
5745	仲南父壺二	中南父乍尊壺
5751	白公父乍弔姬醴壺	白公父乍弔姬醴壺
5755	散氏車父壺一	氏車父乍ro姜□尊壺
5762	吕行壺	唯三月、白懋父北征
5774	楙車父壺	楙車父乍皇母ro姜寶壺
5774	楙車父壺	白車父其萬年子子孫孫永寶
5777	孫弔師父行具	邛立宰孫弔師父乍行具
5785	史懋壺	用乍父丁寶壺
5786	旻季良父壺	旻季良父乍kh姒(始)尊壺
5791	十三年瘐壺一	屖父右瘐
5792	十三年瘐壺一	屖父右瘐
5793	幾父壺一	同中宄西宮易幾父Gw朱六
5793	幾父壺一	幾父拜韻首
5793	幾父壺一	幾父用追孝
5794	幾父壺二	同中宄西宮易幾父Gw朱六
5794	幾父壺二	幾父拜韻首
5794	幾父壺二	幾父用追孝
5805	中山王譽方壺	使其老筞(策)賞中父
5811	曾白文𦉜	唯曾白父自乍厥pe𦉜
5812	仲義父𦉜一	中義父乍旅𦉜
5813	仲義父𦉜二	中義父乍旅𦉜
5814	白夏父𦉜一	白夏父乍畢姬尊𩰫
5815	白夏父𦉜二	白夏父乍畢姬尊𩰫
6011	父乙觚	父乙
6015	父己觚一	己父
6016	父己觚二	父己
6026	父史觚	父[史]
6067	矧父□觚	[矧]父

6127	得父乙觚	[得]父乙
6128	鳥父乙觚	[鳥]父乙
6129	羧父乙觚	[養]父乙
6130	__父乙觚	[ak]父乙
6131	__父乙觚	[dp]父乙
6132	𩡧父乙觚一	[𩡧]父乙
6133	𩡧父乙觚二	[𩡧]父乙
6134	舟父乙觚	[舟]父乙
6135	子父丙觚	[子]父丙
6136	鳥父丁觚	[鳥]父丁
6137	山父丁觚一	[山]父丁
6138	山父丁觚二	[山]父丁
6139	木父丁觚	[木]父丁
6140	𩡧父丁觚一	[𩡧]父丁
6141	父丁魚觚	父丁[魚]
6142	知父丁觚	[知]父丁
6143	啚父丁觚	[啚]父丁
6144	文父丁觚	[文]父丁
6145	巴父丁觚	[巴]父丁
6146	臽父戊觚	[臽]父戊
6147	𩡧父戊觚	[𩡧]父戊
6148	舟父己觚	[舟]父己
6149	娶父己觚	[娶]父己
6150	𠦪父己觚	[𠦪]父己
6151	舌父己觚	[舌]父己
6152	戈父己觚	[戈]父己
6153	嫠父己觚	[嫠]父己
6154	丯父己觚	[丯]父己
6155	__父己觚	[共]父己
6156	𩡧父庚觚	[𩡧]父庚
6157	__父庚觚	[am]父庚
6158	__父辛觚	__父辛
6159	旅父辛觚	[旅]父辛
6160	宎父辛觚	[宎]父辛
6161	弔父辛觚	[弔]父辛
6162	口父辛觚	[口]父辛
6163	攸父辛觚	[攸]辛父
6164	梳父辛觚	[梳]父辛
6165	犬未父辛觚	[犬未]父辛
6166	__父癸觚	[d6]父癸
6167	戈父癸觚	[戈]父癸
6168	㬎父癸觚	[㬎]父癸
6169	□父癸觚	□父癸
6170	父癸㚔箙㚔觚	父癸[㚔箙㚔]
6171	庚子父觚	[庚子]父
6197	句毌父乙觚	[句毌]父乙
6198	知父戊觚	[知]父戊
6199	㡑父戊觚	[㡑]父戊
6200	竝父辛觚	父辛[竝]
6201	斐父辛觚	父辛[斐]

父

6202	隻父癸觚	[隻]父癸
6206	爻父丁觚	[爻]父丁
6207	旅父乙觚	[旅]父乙
6208	舟父丁觚	[舟]父丁
6209	史父丙觚	[史]父丙
6210	乍父乙觚	乍父乙
6211	且丁父乙觚	且丁父乙
6217	冊关父甲觚	[冊关]父甲
6218	冊正父乙觚	[冊正]父乙
6219	天黿父乙觚一	[天黽]父乙
6220	天黿父乙觚二	[天黽]父乙
6223	冊大父己觚	[冊大]父己
6224	父乙天豕觚	父乙[豢]
6225	省乍父丁觚	[省]乍父丁
6226	奘乍父丁觚	[奘]乍父丁
6227	干父丁觚	[干建]父丁
6228	亞薦父丁觚	[亞薦]父丁
6229	亞畝父丁觚	[亞畝]父丁
6230	力冊父丁觚	[力冊]父丁
6231	亞醜父丁觚	[亞醜]父丁
6232	戊未父己觚	[棫]父己
6233	婺＿父丁觚	[婺＿]父丁
6234	亞斿父己觚	[亞斿]父己
6235	天黿父辛觚	[天黽]父辛
6236	奘子父辛觚	[奘子]父辛
6237	＿尧父癸觚一	父癸[尧fz]
6238	＿尧父癸觚二	父癸[尧fz]
6239	天黿父癸觚	[天黽]父癸
6240	亞貰父己觚	[亞貰]父己
6253	冊膚冊父乙觚	[膚鬥]父乙
6254	膚冊父庚正觚	[膚冊]父庚[正]
6256	京戈冊父乙觚	[京戈冊]父乙
6257	亞父乙光其觚	[亞父乙光其]
6264	卿乍父乙觚	[鄉]乍父乙寶尊彝
6265	亞吳乍父辛尊觚	乍父辛尊[亞吳]
6266	史見乍父甲觚	史見乍父甲彝
6267	王子耶乍父丁觚	王子耶乍父丁彝
6268	亞乍父乙觚一	亞乍父乙尊寶彝
6269	亞乍父乙觚二	亞乍父乙寶尊彝
6270	氋敽乍父戊觚一	[氋]敽乍父戊尊彝
6271	氋敽乍父戊觚二	[氋]敽乍父戊尊彝
6274	戈亥召乍父辛觚	戈亥召乍父辛彝
6277	貝隹乍父乙觚	貝鳥易用乍父乙尊彝[天黽]
6281	天口逐攸宁觚	天口逐攸宁用乍父辛寶尊彝
6282	召乍父戊觚	召乍乎文考父戊寶尊彝
6347	父乙觶二	父乙
6348	父丁觶一	父丁
6349	父丁觶二	父丁
6350	父丁觶三	父丁
6351	父丁觶四	父丁

6352	父丁觶五	父丁
6353	父丁觶六	父丁
6354	父丁觶七	父丁
6355	父戊觶一	父戊
6356	父戊觶二	父戊
6357	父戊觶三	父戊
6358	父己觶一	父己
6359	父己觶二	父己
6360	父己觶三	父己
6361	父庚觶	父庚
6362	父辛觶一	父辛
6363	父辛觶二	父辛
6364	父辛觶三	父辛
6365	父辛觶四	父辛
6366	父癸觶一	父癸
6367	父癸觶二	父癸
6419	冄父甲觶一	[冄]父甲
6420	冄父甲觶二	[冄]父甲
6421	_父甲觶一	[GG]父甲
6422	_父甲觶二	[GG]父甲
6423	般父甲觶	[般]父甲
6424	萬父甲觶	[萬]父甲
6425	犾父乙觶	[犾]父乙
6426	天父乙觶	[天]父乙
6427	奿父乙觶	[奿]父乙
6428	戈父乙觶	[戈]父乙
6429	會父乙觶	[會]父乙
6430	_父乙觶	[fy]父乙
6431	戈父乙觶	[戈]父乙
6432	養父乙觶	[養]父乙
6433	受父乙觶	[受]父乙
6434	_父乙觶	[fs]父乙
6435	�父乙觶	[�]父乙
6436	守豙父乙觶	[守豙]父乙
6437	_父乙觶	[es]父乙
6438	卒父乙觶	[卒]父乙
6439	父乙遽觶	父乙遽
6440	父乙飲觶	父乙飤
6441	父乙歺觶	父乙[歺]
6442	父乙寶觶	父乙寶
6443	巽父乙觶一	[巽]父乙
6444	巽父乙觶二	[巽]父乙
6445	巽父乙觶三	[巽]父乙
6446	辰父乙觶	[辰]父乙
6447	萬父乙觶	[萬]父乙
6448	子父丙觶	[子]父丙
6449	重父丙觶	[重]父丙
6450	戈父丙觶一	[戈]父丙
6451	戈父丙觶二	[戈]父丙
6452	般父丙觶	[般]父丙

父

6453	乍父丙觶	乍父丙
6454	子父丁觶	[子]父丁
6455	邩父丙觶	[邩]父丙
6456	餔父丁觶	[餔]父丁
6457	__父丁觶	[cy]父丁
6458	卒父丁觶	[卒]父丁
6459	亯父丁觶	[亯]父丁
6460	舌父丁觶	[舌父丁]
6461	山父丁觶	[山]父丁
6462	__父戊觶	[fn]父戊
6463	史父丁觶	[史]父丁
6464	__父己觶	[d8]父己
6465	舟父己觶	[舟]父己
6466	耒父己觶	[耒]父己
6467	字父己觶	[字]父己
6468	知父己觶	[知]父己
6469	黽父己觶	[黽]父己
6470	執執父己觶	[執執]父己
6471	__父己觶	[en]父己
6472	鳥父己觶	[鳥]父己
6473	父己驧觶	父己[驧]
6474	榭父辛觶	[榭]父辛
6475	亯父己觶	[亯]父己
6476	舀父己觶	父己[舀]
6477	執戈父庚觶	[㚔]父庚
6478	子父庚觶	[子]父庚
6479	乍父庚觶	乍父庚
6480	子父辛觶	[子]父辛
6481	立父辛觶	[立]父辛
6482	竟父辛觶	[竟]父辛
6483	邩父辛觶	[邩]父辛
6484	畀父辛觶	[畀]父辛
6485	周奴父辛觶	[周奴]父辛
6486	子父辛觶	[子]父辛
6487	붻父辛觶	[붻]父辛
6488	__父辛觶	[虍徙]父辛
6489	賁父辛觶	[賁]父辛
6490	붻父辛觶	[붻]父辛
6491	餔父辛觶	[餔]父辛
6492	鋻父辛觶一	[鋻]父辛
6493	舟父辛觶	[舟]父辛
6494	邩父辛觶	[邩]父辛
6495	父辛邩觶	父辛[邩]
6496	羊父辛觶	[羊]父辛
6497	吴父辛觶	[吴]父辛
6498	豩父辛觶	[豩]父辛
6499	__父壬觶	[fb]父壬
6500	㚔父癸觶一	[㚔]父癸
6501	㚔父癸觶二	[㚔]父癸
6502	知父癸觶一	[知]父癸

6503	㪅父癸觶二	[㪅]父癸
6504	重父癸觶	[重]父癸
6505	爰父癸觶	[爰]父癸
6506	弓父癸觶	[弓]父癸
6507	戈父癸觶	[戈]父癸
6508	史父癸觶	[史]父癸
6509	敄父癸觶	[敄]父癸
6510	矢父癸觶	[矢]父癸
6511	舟父癸觶	[舟]父癸
6512	__父癸觶	[fp]父癸
6513	㚸父癸觶一	[㚸]父癸
6514	㚸父癸觶二	[㚸]父癸
6515	亞父癸觶	[亞]父癸
6516	魚父癸觶	[魚]父癸
6517	臤父癸觶	[臤]父癸
6518	㪅父癸觶一	[㪅]父癸
6518.	般父癸觶	[般]父癸
6524	𠭯父庚觶	[𠭯]父Ge
6534	𠭯父癸觶	[𠭯]父癸
6535	爻父丁觶	[爻]父丁
6536	衛父己觶	[衛]父己
6537	__父己觶	[Gc]父己
6538	蝅父己觶	[蝅]父己
6539	𠂇父丁觶	[𠂇]父丁
6541	𤜶父癸觶	[𤜶]父癸
6549	亞㠱父甲觶	[亞㠱]父甲
6550	子廟父乙觶	[子廟]父乙
6551	冂__乍父乙觶	[冂ii]乍父乙
6552	天黿父乙觶一	[天黽]父乙
6553	天黿父乙觶二	[天黽]父乙
6554	畐天父乙觶	[畐天]父乙
6555	㞢舟父乙觶	[㞢舟]父乙
6556	亞其聿父乙觶	[亞其聿]父乙
6557	亞吳父乙觶	[亞吳]父乙
6558	亞大父乙觶一	[亞大]父乙
6559	亞大父乙觶二	[亞大]父乙
6560	亞旛父乙觶	[亞旛]父乙
6561	告田父丁觶	[告田]父丁
6562	川又父乙觶	[川又]父乙
6563	㗊竹父丁觶一	[㗊竹]父丁
6564	㗊竹父丁觶二	[㗊竹]父丁
6565	舟㞢父丙觶	[舟㞢]父丙
6566	舟父丁觶	[舟] 舟父丁
6567	典弜父丁觶	[典弜]父丁
6568	亞父丁觶	[亞耒]父丁
6569	亞趙父丁觶	[亞趙]父丁
6570	子__父己觶	[子Gf]父己
6571	亞__父己觶	[亞ec]父己
6572	舟乍父己觶	[舟]乍父己
6573	亞若父己觶	[亞若]父己

父

6574	逆__父辛觶	[逆f2]父辛
6575	____父辛觶	[chf0]父辛
6576	六乍父辛觶	[六]乍父辛
6577	亞俞父辛觶	[亞俞]父辛
6578	_乍父癸觶	[fz]乍父癸
6587	逢父甲觶	[逢]父甲
6588	亞孳父辛觶	[亞孳]父辛
6589	膚冊父乙觶	膚乍父乙[冊]
6590	告宁父戊觶	[告宁]父戊
6591	牧正父己觶	[牧㱃]父己
6593	亞吳觥父乙觶	[亞吳觥]父乙
6594	高乍父乙觶	高乍父乙彝
6595	雞步登父丁觶	[雞步登車]父丁
6596	聅子乍父丁觶	[聅子]乍父丁
6597	㷊父丁乍丙觶	㷊父丁乍丙
6604	尚乍父乙觶	尚乍父乙彝[鳥]
6605	亞聿豕父乙觶	[亞箕聿豕]父乙
6606	____乍禦父辛觶	[usut]乍禦父辛
6607	丰乍父乙觶	tJ乍父乙尊彝
6608	舟敄乍父癸觶	敄乍父癸彝[舟]
6610	乍父丙觶	乍父丙尊彝
6613	田豕冊冊父丁觶	[cc]父丁
6614	句乍父丁觶	[句]乍父丁尊彝
6615	父己庚禾觶	克乍庚禾父己
6620	亞示乍父己觶	[亞示]乍父己尊彝
6624	亞__遽仲乍父丁觶	遽中乍父丁寶[亞bv]
6626	犬山刀子乍父戊觶	子乍父戊[犬山刀]
6627	鼓𡩜乍父辛觶	[鼓𡩜]乍父辛寶尊彝
6628	鳥冊何般貝宁父乙觶	[何般貝宁]用乍父乙寶尊彝[鳥]
6630	郐王__義之耑	郐王t2父之耑
6635	中觶	用乍父乙寶尊彝
6663	白公父金勺一	白公父乍金爵
6675	父辛盤	父辛
6684	嬰父乙盤	[嬰]父乙
6685	父戊𠭯盤	父戊[𠭯]
6686	__父己盤	[fo]父己
6688	𡘲父己盤	[𡘲]父己
6690	天黿父乙盤	[天黽]父乙
6693	䚡乍父戊盤	[䚡]乍父戊
6697	冊冊豆父丁盤	[豆冊]父丁
6699	㚸父盤	㚸父乍寶尊彝
6706	畲父乍丝女盤	畲父乍丝女寶盤
6708	白𩛥父乍用器盤	白𩛥父自乍用器
6710	白百父乍孟姬盤	白百父乍孟姬朕盤
6713	亞㠱侯乍父丁盤	乍父丁寶旅彝[亞㠱侯]
6715	㠱白庭父盤	㠱白庭父朕姜無須盤
6716	京隮仲__盤	[京]隮中wb乍父辛寶尊彝
6717	魯白厚父乍仲姬俞盤一	魯白厚父乍孟姬俞賸盤
6718	魯白厚父乍仲姬俞盤二	魯白厚父乍中姬俞賸盤
6736	魯白愈父盤一	魯白俞(愈)父乍鼄姬仁朕顈般

父

6737	魯白愈父盤二	魯白俞(愈)父乍鼄姬仁朕顯般
6738	魯白愈父盤三	魯白俞(愈)父乍鼄姬仁朕顯般
6739	中友父盤	中友父乍般(盤)
6740	白駟父盤	白駟父乍姬淪朕盤
6742	弔五父盤	弔五父乍寶盤
6745	白考父盤	白考父乍寶盤
6747	師奐父盤	師奐父乍季姬般(盤)
6749	弔高父盤	弔高父乍中妀般
6750	白侯父盤	白侯父賸弔嬀㝨母槃(盤)
6753	仲叡父盤	中叡父乍rC姬尊般(盤)
6766	黃韋艅父盤	黃韋俞父自乍飤器
6768	齊大宰歸父盤一	齊大宰歸父vf為忌顯盤
6769	齊大宰歸父盤二	齊大宰歸父vf為忌顯盤
6775	__仲乍父丁盤	弔皇父易中貝
6775	__仲乍父丁盤	用乍父丁寶尊彝
6783	函皇父盤	函皇父乍琱娟般盉、尊器
6786	__弔多父盤	pL弔多父乍朕皇考季氏寶般
6786	__弔多父盤	其吏__多父釁壽丂
6786	__弔多父盤	曰厡又父一母
6786	__弔多父盤	多父其孝子
6790	虢季子白盤	王曰：白父
6791	兮甲盤	兮白吏父乍般
6793	矢人盤	鮮、且、敞、 武父、西宮襄
6793	矢人盤	豐父、堆人有嗣刑丂
6793	矢人盤	宰1n父
6793	矢人盤	散父、教東父
6793	矢人盤	武父誓、曰
6793	矢人盤	西宮襄、武父則誓
6796	뫶父乙匜	[뫶]父乙
6797	父丁尊匜	父丁尊
6798	探父癸匜	[探]父癸
6799	戈父辛匜	[戈]父辛
6801	天黽父乙匜	[天黽]父乙
6802	天黽父癸匜	[天黽]父癸
6811	乍父乙匜	乍父乙寶尊彝[舟]
6816	白庶父乍屑匜	白庶父乍屑永寶用
6818	弔侯父匜	弔侯父乍姜口寶它
6820	冊㫚匜	㫚乍父乙寶尊彝[冊好]
6824	曾子白匜	隹曾子白及父自乍尊匜
6826	㠱白庭父匜	㠱白庭父朕姜無顯它
6827	甫人父乍旅匜一	甫人父乍旅匜、萬人(年)用
6828	甫人父乍旅匜二	甫人父乍旅匜、萬人(年)用
6830	召樂父匜	召樂父乍娓妃寶它、永寶用
6839	函皇父乍周娟匜	函皇父乍周妘它
6841	魯白愈父匜	魯白愉父乍鼄(邾)姬仁朕顯它
6843	白吉父乍京姬匜	白吉父乍京姬它
6844	中友父匜	中友父乍匜
6845	弔__父乍師姬匜	弔__父乍睘白姬寶它
6846	白正父旅它	白正父乍旅它
6850	弔高父匜一	弔高父乍中妀它

父

6851	弔高父匜二	弔高父乍中婗它
6855	貯子匜	賈子己父乍寶匜
6867	弔男父乍為霍姬匜	弔男父乍為霍姬賸旅它
6869	浮公之孫公父宅匜	浮公之孫公父宅鑄其行它
6870	䢅公孫䁂父匜	䢅公孫䁂父自乍盥匜
6877	儹乍旅盂	白揚父迺或贅
6877	儹乍旅盂	白揚父迺或吏牧牛誓曰
6887	𨛭陵君王子申鐈	以會父兄
6900	乍父丁盂	＿乍父丁＿盂
6902	白公父旅盂	白公父乍旅盂
6904	善夫吉父盂	善夫吉父乍盂
6910	師永盂	眔師俗父田
6910	師永盂	井白、滎白、尹氏、師俗父遣中
6910	師永盂	公迺命鄭𤔲徒𠜱父
6910	師永盂	邑人奎父、畢人師同
6959	亞萬父己鐃	[亞萬]父已
6993	弔旅魚父鐘	朕皇考弔旅魚父
7001	嘉賓鐘	用樂嘉賓父兄
7003	舍武編鐘	用樂嘉賓父兄
7037	遲父鐘	遲父乍姬齊姜龢𬭚鐘
7037	遲父鐘	侯父眔齊萬年眉壽
7046	□□自乍鐘二	至王父䀈(兄)
7049	井人鐘三	宗室、𩛥妄乍龢父大𬭚鐘
7050	井人鐘四	𩛥妄乍龢父大𬭚鐘
7051	子璋鐘一	用樂父兄者諸士
7052	子璋鐘二	用樂父兄者諸士
7053	子璋鐘三	用樂父兄者諸士
7054	子璋鐘四	用樂父兄者諸士
7055	子璋鐘五	用樂父兄者諸士
7056	子璋鐘六	用樂父兄者諸士
7057	子璋鐘八	用樂父兄者諸士
7088	士父鐘一	用廣啟士父身
7088	士父鐘一	父其眔萬年
7089	士父鐘二	用廣啟士父身
7089	士父鐘二	父其眔萬年
7090	士父鐘三	用廣啟士父身
7090	士父鐘三	父其眔萬年
7091	士父鐘四	用廣啟士父身
7091	士父鐘四	父其眔萬年
7116	南宮乎鐘	必父之家
7117	郘𪒠兒鐘一	而＿之字父
7117	郘𪒠兒鐘一	樂我父兄
7119	郘𪒠兒鐘三	之字父
7119	郘𪒠兒鐘三	樂我父兄
7120	郘𪒠兒鐘四	追孝樂我父兄
7121	郘王子旃鐘	兼以父兄庶士
7124	沇兒鐘	及我父兄庶士
7175	王孫遺者鐘	用樂嘉賓父兄
7217	姑馮句鑃	及我父兄
7575	且日乙戈	大父日癸

7575	且日乙戈	大父日癸
7575	且日乙戈	中父日癸
7575	且日乙戈	父日癸
7575	且日乙戈	父日辛
7575	且日乙戈	父日乙
7981.	父癸器	父癸[獸]
7994	家父辛	家父辛
7996	陶範二	央乍父乙寶尊彝
M098	令盤	令乍父丁[鳥]
M151	北子宋盤	北子宋乍文父乙寶尊彝
M171	小臣靜卣	用乍父口寶尊彝
M345	魯司徒中齊匜	魯司徒中齊肈乍皇考白走父寶匜
M545	配兒勾鑃	目樂我者父
M582	陳公孫㝬父瓶	陳公孫㝬父乍旅瓶
M695	曾伯宮父鬲	隹曾伯宮父穆迺用吉金
M798	廿八年平安君鼎	六益料釿之冢(器一)卅三年單父上官宰喜所受
M799	卅二年平安君鼎	卅三年單父上官宰喜所受平安君石它(器二)
補3	欠父丁尊	[欠]父丁
補3	豕父丁尊	[豕]父丁

小計：共 2612 筆

0454 1660燮字重見

2598	燮乍宮仲念器	王令燮uk市旂
2986	曾白霥旅匿一	印燮緐陽
2987	曾白霥旅匿二	印燮緐陽
6925	晉邦盦	__燮萬邦
7212	秦公鎛	柔燮百邦

小計：共 5 筆

0455

3058	曼龏父盨一	曼龏父乍寶盨用喜孝宗室
3059	曼龏父盨三	曼龏父乍寶盨
3060	曼龏父盨二	曼龏父乍寶盨
5732	鄧孟乍監曼壺	鄧孟乍監曼尊壺

小計：共 4 筆

0456

0279	尹丞鼎	尹丞
0655	弔尹乍旅方鼎	弔尹乍旅
0829	尹小弔乍鑾鼎	尹小弔乍鑾鼎
0851	尹弔乍__姞鼎	尹弔乍sy姞賸鼎
0907	小臣氏樊尹鼎	小臣氏樊尹乍寶用
1011	彥乍父丁鼎	丁卯、尹商彥貝三朋

父燮曼尹

尹

1208	乙亥乍父丁方鼎	王饗酉彡、尹pa邐
1228	歔歞方鼎	對揚尹休
1255	作冊大鼎一	大揚皇天尹大保宦
1256	作冊大鼎二	大揚皇天尹大保宦
1257	作冊大鼎三	大揚皇天尹大保宦
1258	作冊大鼎四	大揚皇天尹大保宦
1271	史獸鼎	尹令史獸立工于成周
1271	史獸鼎	史獸獻工于尹
1271	史獸鼎	尹賞史獸kb
1271	史獸鼎	對揚皇尹不顯休
1284	尹姞鼎	穆公乍尹姞宗室于py林
1284	尹姞鼎	各于尹姞宗室py林
1284	尹姞鼎	君蔑尹姞曆
1300	南宮柳鼎	王乎乍冊尹冊令柳嗣六白牧、陽、大□
1304	王子午鼎	命尹子庚殹民之所亟
1311	師晨鼎	王乎乍冊尹冊令師晨足師俗嗣邑人
1319	頌鼎一	尹氏受王令書
1320	頌鼎二	尹氏受王令書
1321	頌鼎三	尹氏受王令書
1327	克鼎	畯（允）尹四方
1327	克鼎	王呼尹氏冊令善夫克
1332	毛公鼎	大史寮于父即尹
1533	尹姞寶鬲一	穆公乍尹姞宗室于繇林
1533	尹姞寶鬲一	各于尹姞宗室繇林
1533	尹姞寶鬲一	君蔑尹姞曆
1534	尹姞寶鬲二	穆公乍尹姞宗室于繇林
1534	尹姞寶鬲二	各于尹姞宗室繇林
1534	尹姞寶鬲二	君蔑尹姞曆
1642	尹白乍且辛甗	尹白乍且辛寶尊彝
1768	尹毁	[尹]
2033	尹乍寶隮毁	尹乍寶尊
2669	＿妊小毁	白艿父吏＿＿尹人于齊白
2672	伯艿父毁	(蓋)白艿父吏＿＿尹人于齊白
2699	公臣毁一	敢揚天尹不顯休
2700	公臣毁二	敢揚天尹不顯休
2701	公臣毁三	敢揚天尹不顯休
2702	公臣毁四	敢揚天尹不顯休
2727	蔡姞乍尹弔毁	蔡姞乍皇兄尹弔尊𩰫彝
2727	蔡姞乍尹弔毁	尹弔用妥多福于皇考德尹惠姬
2762	免毁	王受乍冊尹者（書）
2765	揚毁	內史尹冊
2768	楚毁	內史尹氏冊命楚
2769	師揩毁	王守內史尹氏冊命師揩
2771	弭弔師汖毁一	王乎尹氏冊命師汖
2772	弭弔師汖毁二	王乎尹氏冊命師汖
2776	走毁	王乎乍冊尹冊令□
2784	申毁	王命尹冊命申更乃且考
2793	元年師旋毁一	王乎乍冊尹冊命師旋曰
2794	元年師旋毁二	王乎乍冊尹冊命師旋曰
2795	元年師旋毁三	王乎乍冊尹冊命師旋曰

2797	輔師嫠毁	王乎乍冊尹冊令嫠曰
2800	伊毁	王乎命尹封冊命伊
2814	鳥冊夨令毁一	公尹白丁父兄(貺)于戍
2814.	夨令毁二	公尹白丁父兄(貺)于戍
2817	師穎毁	用乍朕文考尹白尊毁
2830	三年師兌毁	王乎内史尹冊令師兌
2831	元年師兌毁一	王乎内史尹冊令師兌
2832	元年師兌毁二	王乎内史尹冊令師兌
2837	敔毁一	吏尹氏受嫠敔圭鬲
2838	師嫠毁一	王乎尹氏冊令師嫠
2838	師嫠毁一	王乎尹氏冊令師嫠
2839	師嫠毁二	王乎尹氏冊令師嫠
2839	師嫠毁二	王乎尹氏冊令師嫠
2844	頌毁一	尹氏受王令書
2845	頌毁二	尹氏受王令書
2845	頌毁二	尹氏受王令書
2846	頌毁三	尹氏受王令書
2847	頌毁四	尹氏受王令書
2848	頌毁五	尹氏受王令書
2849	頌毁六	尹氏受王令書
2850	頌毁七	尹氏受王令書
2851	頌毁八	尹氏受王令書
2853.	尹毁	口尹易臣
2853.	尹毁	唯對揚尹休
2857	牧毁	母敢不尹
2899	尹氏弔緐旅匡	吴王御士尹氏弔緐乍旅匡
2930	尹氏賈良旅匠(匡)	尹氏賈良乍旅匡
3086	善夫克旅盨	王令尹氏友、史趛典善夫克田人
3086	善夫克旅盨	隹用獻于師尹、倗友、婚(聞)遘
3094.	又子敦	右屁尹
3094.	又子敦	右屁尹
3094.	又子敦	右屁尹
3094.	又子敦	右屁尹
3122	__君之孫盧(若旨留盤)	n8君之孫郐命尹者旨留
4203	御正良爵	尹大保賞御正良貝
4432.	鬲盉	用乍王尹__盉
4547.	尹辛尊	尹辛
4583	尹父丁尊	[尹]父丁
4874	萬諆尊	用喜口尹__歆
4890	盠方尊	王冊令尹
4893	夨令尊	王令周公子明保尹三事四方
4893	夨令尊	眔者尹
4893	夨令尊	乍冊令、敢揚明公尹氒宦
4978	吴方彝	用乍青尹寶尊彝
4979	盠方彝一	王冊令尹
4980	盠方彝二	王冊令尹
4981	鳥冊令方彝	王令周公子明保尹三事四方
4981	鳥冊令方彝	眔卿事寮、眔者尹
4981	鳥冊令方彝	乍冊令、敢揚明公尹氒宦
5461	寓乍幽尹卣	用乍幽尹寶尊彝

	5509	麸卣	簾尹易臣
	5509	麸卣	隹麸昜尹休
	5509	麸卣	尹其亙萬年受氒永魯
尹	5566	楚高罍一	征寵右征𦤶尹楚高
	5567	楚高罍二	右孫尹
	5694	魯侯乍尹弔姬壺	魯侯乍尹弔姬壺
	5701	右征尹壺	右征尹、右征尹、西宮
	5791	十三年𤼈壺一	王乎乍冊尹冊易𤼈畫斳
	5792	十三年𤼈壺一	王乎乍冊尹冊易𤼈畫斳
	5798	曶壺	王乎尹氏冊令曶曰
	5799	頌壺一	尹氏受王令書
	5800	頌壺二	尹氏受王令書
	6640	尹勺	尹
	6701	宗仲乍尹姞盤	宗中乍尹姞般（盤）
	6722	彭生盤	彭生乍氒文考辛寶尊彝［冊光白尹］
	6754.	徐令尹者旨𣄰爐盤	n8君之孫郐令尹者旨𣄰睪其吉金
	6770	𨞰白盤	𨞰白媵（賸）嬴尹母
	6786	＿弔多父盤	吏利于辟王卿事師尹倗友
	6787	走馬休盤	王乎乍冊尹冊易休玄衣黹屯
	6792	史墻盤	豕尹啇彊
	6810	宗仲乍尹姞匜	宗中乍尹姞匜
	6859	白者君匜一	隹番hJ白者尹自乍寶它
	6910	師永盂	井白、榮白、尹氏、師俗父遣中
	6969	天尹乍元弄鐘	天尹乍元弄
	7158	𤼈鐘一	克明氒心足尹
	7158	𤼈鐘一	秉明德、䢅夙夕、左尹氏
	7160	𤼈鐘三	克明氒心足尹
	7160	𤼈鐘三	秉明德、䢅夙夕、左尹氏
	7161	𤼈鐘四	克明氒心足尹
	7161	𤼈鐘四	秉明德、䢅夙夕、左尹氏
	7162	𤼈鐘五	克明氒心足尹
	7162	𤼈鐘五	秉明德、䢅夙夕、左尹氏
	7218	郐𩫖尹征城	郐𩫖尹者故＿自乍征城
	7404	白之□執戈	尹執白之戈
	7498	郾王詈戈	右攻𦤶（尹）□、攻眔
	7536	郾王詈戈一	右攻尹桐其攻豊
	7568	四年奠令戈	武庫工帀弗＿冶尹＿造
	7569	五年奠令戈	右庫工帀＿高冶尹＿ 造
	7570	六年奠令戈	六年奠命＿幽司寇向＿左庫工帀倉慶冶尹成韝
	7571	八年奠令戈	八年奠命＿幽司寇史墜右庫工帀易高冶尹＿冂
	7652	五年鄭令韓□矛	左庫工帀陽函冶尹侃
	7653	十年邦司寇富無矛	上庫工帀戎間冶尹
	7661	三年建躬君矛	邦左庫工帀□□冶尹月執齊
	7662	八年建躬君矛	邦左庫工帀杌□冶尹□執齊
	7663	卅二年奠令槍□矛	坣庫工帀皮冶尹造
	7664	元年奠命槍□矛	坣庫工帀皮□冶尹貞造
	7665	三年奠令槍□矛	坣庫工帀皮□冶尹貞造
	7666	七年奠令□幽矛	左庫工帀□□冶尹貞造
	7667	卅四年奠令槍□矛	坣庫工帀皮□□冶尹造
	7668	二年奠令槍□矛	坣庫工帀鈹□□冶尹學造□

7674	大攻萏劍	大攻尹
7684	□命劍	子申□省尹命
7726	八年相邦建躬君劍一	冶尹明執齊
7727	八年相邦建躬君劍二	冶尹明執齊
7728	八年相邦建躬君劍三	冶尹__執齊
7729	守相杜波劍	冶巡執齊大攻尹公孫桴
7730	十五年守相杜波劍一	冶巡執齊大攻尹公孫桴_
7739	卅三年鄭令□□劍	坣庫工帀皮冶尹啟造
7742	十三年劍	攻尹韓耑
7814	泰右□弩機	泰右__攻尹五大夫__攻逴
7815	__昜公殘弩機	__昜公攻尹
7816	左攻萏弩牙一	左攻尹
7817	左攻萏弩牙二	左攻尹
7818	右攻萏弩牙一	右攻尹
7819	右攻萏弩牙二	右攻尹
7820	左周弩牙	左周尹
7832	左鍾萏銅器	左鍾尹
7867.	龍__	以命攻（工）尹穆丙（丙）
7867.	龍__	集尹陳夏、少集尹龔眖、少攻（工）差（佐）孝癸
7899	鄂君啟車節	大攻尹脽台王命命集尹悤（悼）nf
7899	鄂君啟車節	裁（緘）尹逆、裁令肌
7900	鄂君啟舟節	大攻尹脽台王命命集尹悤nf
7900	鄂君啟舟節	裁尹逆、裁令肌
M693	曾大工尹戈	曾大工尹
		小計：共　180 筆

0456

0642	公朱右自鼎	萏韓韓貞、來
2843	沈子它毀	烏虖佳考嬶又念自先王先公
5566	楚高罍一	征竊右征萏尹楚高
7498	郾王詈戈	右攻萏（尹）□、攻眔
7563	卅一年鄭令戈	卅一年鄭命椁司寇肖它坣庫工帀冶萏啟
		小計：共　5 筆

0457

1298	師旂鼎	義播、叡！氒不從氒右
1322	九年裘衛鼎	叡、氒住顏林
1328	盂鼎	叡
2389	叡珡妊乍寶毀	叡珡妊乍寶毀
2647	魯士商叡毀	魯士商叡肇乍朕皇考弔猒父尊毀
2647	魯士商叡毀	叡其萬年覺壽
2648	仲叡父毀一	中叡父乍朕皇考遲白
2649	仲叡父毀二	中叡父乍朕皇考遲白
2650	仲叡父毀三	中叡父乍朕皇考遲白
2675	大保毀	王伐彔子耶（聽）、叡氒反
2677	居__叡鑄____	居__叡曰

尹
萏
叡

叡 叡

2677.	居__叡毀二	居__叡曰
2760	小臣謎毀一	叡！東尸（夷）大反
2761	小臣謎毀二	叡！東尸（夷）大反
2786	縣妃毀	叡、乃任縣白室
2843	沈子它毀	叡吾考克淵克
3090	塱盨（器）	妥奪叡行道
3981	叡戊__爵一	[叡]戊__
3982	叡戊__爵二	[叡]戊__
4795	叡乍父戊尊	叡乍父戊寶尊彝[戠]
4879	彔戜尊	叡、淮夷敢伐內國
5455	叡乍丁師卣	子易叡栗玗一
5455	叡乍丁師卣	叡栗用乍丁師彝
5498	彔戜卣	叡、淮尸敢伐內國
5499	彔戜卣二	叡、淮尸敢伐內國
5696	膚冊冊叡乍父辛壺	叡乍父辛彝[膚冊]
6270	戠叡乍父戊觚一	[戠]叡乍父戊尊彝
6271	戠叡乍父戊觚二	[戠]叡乍父戊尊彝
6753	仲叡父盤	中叡父乍rG姬尊般（盤）
6793	矢人盤	陟雩叡shl濮以西
6861	異甫人匜	異甫人余余王__叡孫丝乍寶匜
6877	儼乍旅盉	曰：牧牛、叡、乃可湛
7108	膚弔之仲子平編鐘一	中平善弜叡考鑄其游鐘
7109	膚弔之仲子平編鐘二	中平善弜叡考鑄其游鐘
7110	膚弔之仲子平編鐘三	中平善弜叡考鑄其游鐘
7111	膚弔之仲子平編鐘四	中平善弜叡考鑄其游鐘
7121	邾王子旃鐘	中翰叡易
7124	沇兒鐘	中翰叡揚
7175	王孫遺者鐘	中翰叡易
M545	配兒勾鑃	余其戕于戎攻叡武
M612	無子鐘	中翰叡揚
M697	曾朵叡戈	曾中之孫朵叡用戈
		小計：共 42 筆

叡 0458

2373	始休毀	用乍隣寶彝
2797	輔師叡毀	榮白入、右輔師叡
2797	輔師叡毀	王乎乍冊尹冊令叡曰
2797	輔師叡毀	叡拜韻首敢對揚王休令
2797	輔師叡毀	叡其萬年子子孫孫永寶用吏
2838	師叡毀一	宰琱生内、右師叡
2838	師叡毀一	王乎尹氏冊令師叡
2838	師叡毀一	王曰：師叡
2838	師叡毀一	師叡拜手韻首
2838	師叡毀一	叡其萬年子子孫永寶用（盄）
2838	師叡毀一	宰琱生内、右師叡
2838	師叡毀一	王乎尹氏冊令師叡
2838	師叡毀一	王若曰：師叡
2838	師叡毀一	師叡拜手韻首

2838	師𤼽𣪕一	𤼽其萬年子子子孫孫永寶用(器)
2839	師𤼽𣪕二	宰琱生内、右師𤼽
2839	師𤼽𣪕二	王乎尹氏冊令師𤼽
2839	師𤼽𣪕二	王曰：師𤼽
2839	師𤼽𣪕二	師𤼽拜手䭫首
2839	師𤼽𣪕二	𤼽其萬年子子孫永寶用(蓋)
2839	師𤼽𣪕二	宰琱生内、右師𤼽
2839	師𤼽𣪕二	王乎尹氏冊令師𤼽
2839	師𤼽𣪕二	王若曰：師𤼽
2839	師𤼽𣪕二	師𤼽拜手䭫首
2839	師𤼽𣪕二	𤼽其萬年子子子孫孫永寶用(器)
5472	乍旒且丁卣	歸福于我多高処山易𤼽
5472	乍旒且丁卣	歸福于我多高処山易𤼽

小計：共　27 筆

及	0459	或作彶

1093	奠登白鼎	奠登白彶弔媾乍寶鼎
1330	曶鼎	廼卑□吕㫚(曶)酉彶(及)羊
1332	毛公鼎	司余小子弗彶
2595	奠虢仲𣪕一	子子孫孫彶永用
2596	奠虢仲𣪕二	子子孫孫彶永用
2597	奠虢仲𣪕三	子子孫孫彶永用
2778	格白𣪕一	匽妊彶佖氒從格白安彶甸
2778	格白𣪕一	匽妊彶佖氒從格白安彶甸
2779	格白𣪕三	匽妊彶佖氒從格白安彶甸
2780	格白𣪕四	匽妊彶佖氒從格白安彶甸
2781	格白𣪕五	匽妊彶佖氒從格白安彶甸
2782	格白𣪕六	匽妊彶佖氒從格白安彶甸
2852	不嬰𣪕一	女彶(及)戎大𦎧戟(搏)
2853	不嬰𣪕二	女彶(及)戎大𦎧戟(搏)
2856	師訇𣪕	鄉女彶屯卹周邦
3087	鬲从盨	u5(其)邑彶眔句商兒眔讎𢦏
1204	淮白鼎	__其及氒妻子孫于之__𩞁猷内
1243	仲__父鼎	周白__及仲__父伐南淮夷
1331	中山王譻鼎	及參(三)世亡不若(赦)
1332	毛公鼎	王曰：父厝、巳曰及𢆶卿事寮
2374	白庶父𣪕	彶(及)姞氏永寶用
2837	敔𣪕一	南淮尸遷及
2853	不嬰𣪕二	女及戎大𦎧
3032.	奠登弔旅盨	奠登弔及子子孫孫永寶用
3050	甓弔乍旅盨	甓弔其萬年永及中姬寶用
4876	保尊	乙卯、王令保及殷東或(國)五侯
5495	保卣	乙卯、王令保及殷東或五侯
5495	保卣	乙卯、王令保及殷東或五侯
5805	中山王譻方壺	以施及子孫
5984.	及弓觚	[及弓]
6634	郐王義楚祭耑	及我文考
6729	奠登弔旅盤	及子子孫孫永寶用

及 秉

6786	__弔多父盤	用及孝婦嫼氏百子千孫
6824	曾子白匜	隹曾子白及父自乍尊匜
7027	邾公釛鐘	用樂我嘉賓、及我正卿
7082	齊鮑氏鐘	及我倗友
7121	邻王子旃鐘	及我者□生
7124	沇兒鐘	及我父兄庶士
7174	秦公鐘	公及王姬曰：余小子
7175	王孫遺者鐘	及我倗友
7177	秦公及王姬編鐘一	公及王姬曰：余小子
7185	叔夷編鐘四	尸雍典其先舊及其高祖
J81	王孫真鐘	（拓本未見）
7209	秦公及王姬鎛	公及王姬曰：余小子
7210	秦公及王姬鎛二	公及王姬曰：余小子
7211	秦公及王姬鎛三	公及王姬曰：余小子
7214	叔夷鎛	尸雍典其先舊及其高祖
7217	姑馮勾鑃	及我父兄
7568	四年鄭令戈	四年鄭命韓及司寇長朱
7740	四年春平相邦劍	四年春平相邦都及
M612	鄦子鐘	用樂嘉賓大夫及我倗友

小計：共 51 筆

秉 0460

J231	秉毌鼎	[秉毌]
1013	滔__秉方鼎	滔td秉乍寶鼎
1315	善鼎	秉德共屯
1330	曶鼎	女其舍𢿨矢五秉
2154	𩁹毌父乙𣪕	[秉𩁹毌]父乙
2658	白𢦔𣪕	秉德恭屯
2763	弔向父禹𣪕	共明德、秉威義
2833	秦公𣪕	穆穆帥秉明德
2855	班𣪕一	秉緐、蜀、巢令
2855.	班𣪕二	秉緐蜀巢
4067	秉毌父乙爵	[秉毌]父乙
5179	秉毌丁卣	[秉毌]丁
5826	國差𦉜	攻師何鑄西郭寶𦉜四秉
5856	秉觚	[秉]
6522	秉毌戊觶	[秉毌戊]
6925	晉邦盦	秉德嬿嬿
7047	井人鐘	妄不敢弗帥用文且皇考穆穆秉德
7048	井人鐘二	妄不敢弗帥用文且皇考穆穆秉德
7069	者沕鐘一	q7亦虔秉不經悳
7070	者沕鐘二	女亦虔秉不經悳台克刺__光之于聿
7071	者沕鐘三	女亦虔秉不經悳
7072	者沕鐘四	女亦虔秉不經德
7073	者沕鐘五	女亦虔秉不經悳
7122	梁其鐘一	沕其肇帥井皇且考秉明德
7123	梁其鐘二	沕其肇帥井皇且考秉明德
7150	虢叔旅鐘一	穆穆秉元明德

7151	虢叔旅鐘二	穆穆秉元明德
7152	虢叔旅鐘三	穆穆秉元明德
7153	虢叔旅鐘四	穆穆秉元明德
7154	虢叔旅鐘五	穆穆秉元明德
7158	瘋鐘一	秉明德、■夙夕、左尹氏
7160	瘋鐘三	秉明德、■夙夕、左尹氏
7161	瘋鐘四	秉明德、■夙夕、左尹氏
7162	瘋鐘五	秉明德、■夙夕、左尹氏
7212	秦公鎛	穆穆帥秉明德
7315	秉戈	[秉]
7429	楚公冢秉戈	楚公冢秉戈
7527	__久白戈	乎______秉𢦏

小計：共 38 筆

0461

1192	亞□伐__乍父乙鼎	于省隹反
1233	__鼎	王令h0捷東反尸
1234	旅鼎	隹公大保來伐反尸年
1251	中先鼎一	隹王令南宮伐反虎方之年
1252	中先鼎二	隹王令南宮伐反虎方之年
1317	善夫山鼎	反入堇章
1319	頌鼎一	反、入堇章
1320	頌鼎二	反、入堇章
1321	頌鼎三	反、入堇章
1322	九年裘衛鼎	朏帛、金一反
2451	過白毁	過白從王伐反荊、孚金
2675	大保毁	王伐彔子耶(聽)、㪤乎反
2760	小臣謎毁一	㪤東尸 (夷) 大反
2761	小臣謎毁二	㪤東尸 (夷) 大反
2826	師寰毁一	反工吏
2826	師寰毁一	反乎工吏
2827	師寰毁二	反乎工吏
2844	頌毁一	反、入堇章
2845	頌毁二	反、入堇章
2845	頌毁二	反、入堇章
2846	頌毁三	反、入堇章
2847	頌毁四	反、入堇章
2848	頌毁五	反、入堇章
2849	頌毁六	反、入堇章
2850	頌毁七	反、入堇章
2851	頌毁八	反、入堇章
5799	頌壺一	反入堇章
5800	頌壺二	反入堇章
5803	胤嗣好畓壺	反臣丌(其)宗
5805	中山王嚳方壺	賈曰：為人臣而返(反)臣其宗
7018	楚王酓章鐘二	其永時用宮□羽反、宮反
7107	曾侯乙甬鐘	割洗之宮反
7107	曾侯乙甬鐘	其反為匱鐘

7107	曾侯乙甬鐘	呂其反宣鐘之羽角無鐸之徵曾
7534	口__戈	口__命司馬伐右庫工帀高反冶口
7744	工𪭲太子劍	王𪭲大子姑發__反
M709	曾侯乙編鐘下二・二	其反才晉為槃鐘
M712	曾侯乙編鐘下二・五	其坂（反）為宣鐘
M717	曾侯乙編鐘中一・一	曾侯乙乍寺（時），羽反，宮反，羽反，宮反，
M718	曾侯乙編鐘中一・二	曾侯乙乍寺（時），角反，徵反，角反，徵反，
M719	曾侯乙編鐘中一・三	坪皇之巽反
M719	曾侯乙編鐘中一・三	獸鐘之壴反
M719	曾侯乙編鐘中一・三	濁新鐘之巽反
M719	曾侯乙編鐘中一・三	穆鐘之冬反
M720	曾侯乙編鐘中一・四	曾侯乙乍時（時），少羽，宮反，
M720	曾侯乙編鐘中一・四	坪皇之冬反
M721	曾侯乙編鐘中一・五	曾侯乙乍寺（時），下角，徵反，
M728	曾侯乙編鐘中二・一	曾侯乙乍寺（時），羽、宮反，
M728	曾侯乙編鐘中二・一	割肄之羽反
M729	曾侯乙編鐘中二・二	曾侯乙乍時，角反，徵反，割肄之駃，
M729	曾侯乙編鐘中二・二	穆鐘之喜反
M729	曾侯乙編鐘中二・二	割肄之冬反
M730	曾侯乙編鐘中二・三	曾侯乙乍時，少商，羽曾，坪皇之巽反，
M730	曾侯乙編鐘中二・三	獸鐘之喜反
M730	曾侯乙編鐘中二・三	濁新鐘之巽反
M730	曾侯乙編鐘中二・三	穆鐘之冬反
M731	曾侯乙編鐘中二・四	曾侯乙乍時，少羽，宮反，
M731	曾侯乙編鐘中二・四	坪皇之冬反
M732	曾侯乙編鐘中二・五	曾侯乙乍時，下角，徵反，
M738	曾侯乙編鐘中二・十一	其反才晉為槃鐘
M742	曾侯乙編鐘中三・三	割肄之徵反
M743	曾侯乙編鐘中三・四	穆音之冬反
M744	曾侯乙編鐘中三・五	割肄之宮反
M744	曾侯乙編鐘中三・五	其反為匽鐘
M747	曾侯乙編鐘中三・八	其反為匽鐘

小計：共　65 筆

叚　0462

6332	叚觶	[叚]
7176	㝬鐘	南或叚子敢陷虐我土
7176	㝬鐘	叚子迺遣閒來逆邵王

小計：共　3 筆

叔　0463

0735	叔乍寶尊鼎一	叔乍寶尊彝
0736	叔乍寶尊鼎二	叔乍寶尊彝
1273	師湯父鼎	乍朕文考毛叔䵼彝
1317	善夫山鼎	用乍朕皇考叔碩父尊鼎
1325	五祀衛鼎	厲叔子夙

1327	克鼎	易女叔市參冋、苇悤
1506	杜白乍弔嬇鬲	杜白乍叔嬇尊鬲
1667	陳公子弔邍父甗	敶公子子弔（叔）原父乍旅獻（甗）
2769	師精毀	易女玄衣黹屯、叔市
2838	師嫠毀一	釐叔市巩（恐）告于王
2839	師嫠毀二	釐叔市巩（恐）告于王
4436	堯盉	用楚保眔叔堯
4886	趞尊	井叔入右趞
4978	吳方彝	嗣旃眔叔金
5481	叔卣一	王姜史叔事于大保
5481	叔卣一	賞叔鬱鬯、白金、hx牛
5481	叔卣一	叔對大保休
5482	叔卣二	王姜史叔事于大保
5482	叔卣二	賞叔鬱鬯、白金、hx牛
5482	叔卣二	叔對大保休
7026	粃叔鐘	粃叔止白囗羼𠂤吉金用乍其龢鐘
7761	郘大叔斧一	郘大叔以新金為貣車之斧十
7762	郘大叔斧二	郘大叔____貣車之斧
7763	郘大叔斧三	郘大叔____貣車之斧
		小計：共　24 筆

叔
取

0464

0805	取它人善鼎	取它人之善貞（鼎）
1301	大鼎一	王召走馬雁令取k3騆卅二匹易大
1302	大鼎二	王召走馬雁令取k3騆卅二匹易大
1303	大鼎三	王召走馬雁令取k3騆卅二匹易大
1318	晉姜鼎	取𠂤吉金
1322	九年裘衛鼎	矩取眚車較桼、靣虎冟、𧝓𢃼、畫轉
1332	毛公鼎	取iq卅寽
2743	𧤛毀	訊訟罰取遺五寽
2768	楚毀	取遺五寽
2770	𢦏毀	楚徒馬、取遺五寽、用吏
2778	格白毀一	格白取良馬乘于倗生
2778	格白毀一	格白取良馬乘于倗生
2779	格白毀二	格白取良馬乘于倗生
2780	格白毀三	格白取良馬乘于倗生
2781	格白毀四	格白取良馬乘于倗生
2782	格白毀五	格白取良馬乘于倗生
2782.	格白毀六	格白取良馬乘于倗生
2783	趞毀	取遺五寽
2810	揚毀一	取遺五寽
2811	揚毀二	取遺五寽
2840	番生毀	取遺廿寽
2842	卯毀	不淑取我家窒用喪
2857	牧毀	取囗寽
3085	駒父旅盨（蓋）	𠂤取𠂤服
4449	裘衛盉	矩白庶人取瑾章于裘衛
4449	裘衛盉	矩或取赤虎兩

4884	䀇尊	取(當釋䀇)从師𧻚父戍于古𠂤之年，䀇蔑曆
5175	取父癸卣	[取]父癸
5803	𣪘嗣好蚉壺	以取鮮䕨(槁)
6752	取膚子商盤	取膚s6商鑄般
6853	取膚_商匜	取膚s6商鑄匜
M898	魏公𤭛	魏公鈃、三斗二升取

小計：共　32 筆

叚 0465

1309	寰鼎	敢對揚天子不顯叚休令
1318	晉姜鼎	余不叚妄寧
1324	禹鼎	肆武公亦弗叚望朕聖且考幽大弔、懿弔
1668	中甗	日叚、日mo
2219	弔叚父𣪘	弔叚父乍𤔲𣪘
2826	師寰𣪘一	今敢博乎眾叚
2826	師寰𣪘一	今余弗叚組
2826	師寰𣪘一	今敢博乎眾叚
2826	師寰𣪘一	今余弗叚組
2827	師寰𣪘二	今敢博乎眾叚
2827	師寰𣪘二	今余弗叚組
2986	曾白霥旅匿一	曾白霥叚不黃耇萬年
2987	曾白霥旅匿二	曾白霥叚不黃耇萬年
4890	盠方尊	盠曰：天子不叚不其
4979	盠方彝一	盠曰：天子不叚不其
4980	盠方彝二	盠曰：天子不叚不其
5783	曾白陭壺	為德無叚
6789	寰盤	敢對揚天子不顯叚休令
7043	克鐘四	用匄屯叚永令
7044	克鐘五	用匄屯叚永令
7204	克鎛	用匄屯叚永令
7476	周王叚戈	周王叚之元用戈

小計：共　22 筆

友𠭯 0466

0787	考乍友父鼎	考乍友父尊鼎
1119	曆方鼎	曆肇對元德考友隹井乍寶尊彝
1120	㴱白鼎	唯㴱白友口林乍鼎
1144	_𤞷鼎	朝夕鄉乎多倗友
1159	辛鼎一	用𠭯乎𠝡多友
1159	辛鼎一	𠝡多友釐辛
1160	辛鼎二	用𠭯乎𠝡多友
1160	辛鼎二	𠝡多友釐辛
1167	_父鼎一	隹女率我友以事
1168	_父鼎二	隹女率我友以事
1210	𩂈_鼎	乍冊友史易𧴤貝
1215	麥鼎	用鄉多者(諸)友

1217	毛公旅方鼎	我用𩟄厚眔我友
1217	毛公旅方鼎	飤其用畓（友）
1227	衛鼎	眔多倗友
1277	七年趞曹鼎	用鄉倗友
1278	十五年趞曹鼎	用卿倗友
1281	史頌鼎一	灩友里君、百生
1282	史頌鼎二	灩友里君、百生
1285	或方鼎一	王𠛱姜事內史友員易或玄衣、朱褻裣
1286	大夫始鼎	大夫始易友□䣓
1286	大夫始鼎	始易友日考日攸
1298	師旂鼎	雷事氒友引以告于白懋父
1299	噩侯鼎一	馭方友王
1301	大鼎一	大目氒友守
1301	大鼎一	王乎善夫騕召大目氒友入攼
1302	大鼎二	大目氒友守
1302	大鼎二	王乎善夫騕召大目氒友入攼
1303	大鼎三	大目氒友守
1303	大鼎三	王乎善夫騕召大目氒友入攼
1305	師奎父鼎	用嗣乃父官友
1311	師晨鼎	隹小臣善夫、守□、官犬、眔奠人、善夫、官守友
1325	五祀衛鼎	內史友寺芻
1326	多友鼎	武公命多友逹公車羞追于京自
1326	多友鼎	多友西追
1326	多友鼎	多友右折首執訊
1326	多友鼎	多友或又折首執訊
1326	多友鼎	多友乃獻孚、聝、訊于公
1326	多友鼎	迺命向父招多友
1326	多友鼎	公親曰多友曰
1326	多友鼎	多友敢對揚公休
1326	多友鼎	用倗用友
1332	毛公鼎	善效乃友正
1498	䶮友父鬲	䶮友父朕其子𡠀婞（曹）寶鬲
1644	大史友乍召公甗	大史友乍召公寶尊彝
2023	畓乍旅彝𣪕	畓乍旅彝
2379	中友父𣪕一	中友父乍寶𣪕
2380	中友父𣪕二	中友父乍寶𣪕
2381	友父𣪕一	友父乍寶𣪕
2382	友父𣪕二	友父乍寶𣪕
2410	遣小子𩛥𣪕	遣小子𩛥目其友乍𩟄男王姬𩰫彝
2608	官差父𣪕	官差父乍義友寶𣪕
2644	命𣪕	命其永以多友𣪕飤
2674	弔䜌𣪕	用侃喜百生倗友眔子婦（子孫）永寶用
2689	白康𣪕一	用鄉倗友
2690	白康𣪕二	用鄉倗友
2704	穆公𣪕	穆公友□
2705	君夫𣪕	儥求乃友
2722	𡨦弔乍豐姞旅𣪕	于𡨦弔倗友
2723	畓𣪕	王蔑友曆、易牛三
2723	畓𣪕	友既拜䭫首
2723	畓𣪕	友對揚王休

友 咨

2723	咨𣪘	友眔㝬子子孫永寶
2752	史頌𣪘一	ⅱ穌灋友里君百生
2753	史頌𣪘二	ⅱ穌灋友里君百生
2754	史頌𣪘三	ⅱ穌灋友里君百生
2755	史頌𣪘四	ⅱ穌灋友里君百生
2756	史頌𣪘五	ⅱ穌灋友里君百生
2757	史頌𣪘六	ⅱ穌灋友里君百生
2758	史頌𣪘七	ⅱ穌灋友里君百生
2759	史頌𣪘八	ⅱ穌灋友里君百生
2759	史頌𣪘九	ⅱ穌灋友里君百生
2841	苪白𣪘	好倗友雩百者婚遘
2856	師訇𣪘	率以乃友干吾王身
2983	弭仲簠	者友歓飤具飽
3055	虢仲旅盨	兹盨友十又二
3070	杜白盨一	其用喜孝于皇申且考、于好倗友
3071	杜白盨二	其用喜孝于皇申且考、于好倗友
3072	杜白盨三	其用喜孝于皇申且考、于好倗友
3073	杜白盨四	其用喜孝于皇申且考、于好倗友
3074	杜白盨五	其用喜孝于皇申且考、于好倗友
3086	善夫克旅盨	王令尹氏友、史趛典善夫克田人
3086	善夫克旅盨	隹用獻于師尹、倗友、婚(聞)遘
3087	鬲从盨	令小臣成友逆＿口內史無𢼸
3087	鬲从盨	复友鬲比其田
3087	鬲从盨	凡復友復友鬲比田十又三邑
3090	㬎盨(器)	善效乃友內辟
4176	友𢼸父癸爵一	友養父癸妣止母
4177	友𢼸父癸爵二	友養父癸妣止母
4874	萬諆尊	用＿侃多友
4874	萬諆尊	用乍念于多友
4878	召尊	用u8不杯・召多用追炎不杯白懋父友
4892	麥尊	妥多友、享奔走令
4893	夨令尊	奭左右于乃寮以乃友事
4977	師遽方彝	師遽蔑曆友
4981	鳥冊令方彝	奭左右于乃寮、以乃友事
5496	召卣	用追于炎、不䜌白懋父友
5497	農卣	事㝬友妻農
5644	友乍尊壺	友乍尊壺
5736	口白父壺	其用友眔𠂤倗友歓
6739	中友父盤	中友父乍般(盤)
6786	＿弔多父盤	吏利于辟王卿事師尹倗友
6792	史墙盤	隹辟孝友
6844	中友父匜	中友父乍匜
6976	倗鐘	倗友㑹其萬年臣天
7001	嘉賓鐘	大夫朋友
7003	舍武編鐘	大夫朋友
7082	齊鮑氏鐘	及我倗友
7175	王孫遺者鐘	及我倗友
M612	郉子鐘	用樂嘉賓大夫及我倗友

小計：共 112 筆

叙	0467		
	2836	䢅𣪘	凡百又卅又五叙
			小計：共　1 筆
綦	0468		
	1260	我方鼎	征礿綦二女、咸
	1261	我方鼎二	征礿綦二女、咸
			小計：共　2 筆
豙	0468+		
	2833	秦公𣪘	乍豙宗彝
			小計：共　1 筆
罬	0468+		
	0074	罬鼎	[罬（ 网 ）]
			小計：共　1 筆
ナ	0469	0728左字參看	
	1276	＿季鼎	曰、用又（ ナ左 ）右俗父嗣寇
	1315	善鼎	王曰：善、昔先王既令女ナ（ 左 ）足䨲侯
	1315	善鼎	令女ナ（ 左 ）足䨲侯、監䖒師戍
	1329	小字盂鼎	三ナ（ 左 ）三右多君入服酉
	2789	同𣪘一	王命周ナ（ 左 ）右吳大父嗣易林吳牧
	2789	同𣪘一	世孫孫子子ナ（ 左 ）右吳大父
	2790	同𣪘二	王命周ナ（ 左 ）右吳大父嗣易林吳牧
	2790	同𣪘二	世孫孫子子ナ（ 左 ）右吳大父
	2793	元年師旋𣪘一	備于大ナ
	2793	元年師旋𣪘一	官司豐還ナ又師氏
	2794	元年師旋𣪘二	備于大ナ
	2794	元年師旋𣪘二	官司豐還ナ又師氏
	2795	元年師旋𣪘三	備于大ナ
	2795	元年師旋𣪘三	官司豐還ナ又師氏
	2829	師虎𣪘	嗣ナ右戲緐荆（ 荊 ）
	2829	師虎𣪘	嗣ナ右戲緐荆（ 荊 ）
	2830	三年師兌𣪘	嗣ナ右走馬
	2831	元年師兌𣪘一	司ナ（ 左 ）右走馬、五邑走馬
	2832	元年師兌𣪘二	司ナ（ 左 ）右走馬、五邑走馬
	2856	師訇𣪘	亦則於女乃聖且考克ナ（ 左 ）右先王
	2977	□孫弔ナ𩰫匜	□孫弔ナ（ 左 ）𢍰其吉金
	3088	師克旅𥂴一（ 蓋 ）	𤔲嗣ナ（ 左 ）右虎臣
	3089	師克旅𥂴二	𤔲嗣ナ（ 左 ）右虎臣
	3558	子ナ爵	子[ナ]
	4352	ナ盉	[ナ]
	4926	吳𢦚馭𩰫（ 蓋 ）	[吳]𢦚馭弔史遣馬、弗ナ（ 左 ）
	5541	戶𡟞罍	[ナ𡟞]

6792	史墻盤	ナ(左)右綬會剛鯀
6793	矢人盤	自根木道ナ(左)至于井邑封
6793	矢人盤	乎ナ(左)執要
6947	亞旛鐃	[亞旛ナ]
7006	戰狄鐘	先王其嚴才帝ナ(左)右
		小計：共 32 筆

卑 0470

1318	晉姜鼎	卑貫通引征緐湯圞
1323	師訊鼎	訊敢𠦪王卑天子萬年whwi
1330	曶鼎	詆則卑我賞馬
1330	曶鼎	效□則卑復乎絲束
1330	曶鼎	曶(曶)母卑成于詆
1330	曶鼎	迺卑□日曶(曶)酉彶羊
1330	曶鼎	曰、弋尚卑處乎邑、田乎田
1330	曶鼎	詆則卑復令曰：若
1331	中山王譻鼎	克順克卑
2762	免毀	卑冊令免曰
2836	㦰毀	卑克乎啻
2836	㦰毀	卑乃子㦰萬年
2986	曾白霥旅匿一	具既卑方
2987	曾白霥旅匿二	具既卑方
3090	𤔲𪊲(器)	卑復虐逐乎君乎師
5497	農卣	母卑農弋
5826	國差𦉢	卑旨卑瀞
6782	者尚余卑盤	者尚余卑□永既쮉其吉金
6792	史墻盤	武王則令周公舍國于周卑處
6793	矢人盤	矢卑、鮮、且、Jm
6793	矢人盤	迺卑西宮襄
6925	晉邦𥂴	諗其不日卑J0
6990.	秦王鐘	秦王卑命、竟sd王之定救秦戎
7082	齊鞄氏鐘	卑鳴攸好
7112	者減鐘一	卑龢卑孚
7112	者減鐘一	卑女＿＿＿
7113	者減鐘二	卑龢卑孚
7113	者減鐘二	卑女＿＿＿
7187	叔夷編鐘六	卑若鐘鼓
7188	叔夷編鐘七	卑百斯男而埶斯字
7194	叔夷編鐘十三	卑若鐘鼓
7214	叔夷鎛	卑若鐘鼓
7214	叔夷鎛	卑百斯男而埶斯字
		小計：共 33 筆

史 0471 0472事字參看

0053	史鼎一	[史]
0054	史鼎二	[史]

0055	史鼎三	[史]
0056	史鼎四	[史]
0057	史鼎五	[史]
0058	史鼎六	[史]
0059	史鼎七	[史]
0289	史兂鼎	史兂
0406	史父庚鼎一	[史]父庚
0407	史父庚鼎二	[史]父庚
0595	亞肘史母子鼎	[亞肘史]母子
0733	史客鼎	史客乍旅鼎
0746	父己亞啇史鼎	父己[亞啇史]
0786	史盄父鼎	史盄父乍寶鼎
0792	史昔其乍鼸鼎	史昔其乍旅鼎
0821	史逹方鼎一	史逹乍寶方鼎
0822	史逹方鼎二	史逹乍寶方鼎
0828	𨰻史鼎	𨰻史乍考尊鼎
0948	辪侯戚乍父乙鼎	辪侯戚乍父乙鼎彝[史]
1007	史喜鼎	史喜乍朕文考翟祭
1036	史宜父鼎	史宜父乍尊鼎
1190	內史鼎	內史令ia事
1190	內史鼎	內史恭朕天君
1210	寧__鼎	乍冊友史易圅貝
1239	__鼎一	濂公令nt眔史旅曰
1240	__鼎二	濂公令nt眔史旅曰
1264	䜌鼎	史保𢆶家
1271	史獸鼎	尹令史獸立工于成周
1271	史獸鼎	史獸獻工于尹
1271	史獸鼎	尹賞史獸kb
1278	十五年趞曹鼎	史趞曹易弓矢、虎盧、口冑、毌、殳
1279	中方鼎	王曰：中、玆褱人入史
1281	史頌鼎一	令史頌i1穌
1282	史頌鼎二	令史頌i1穌
1285	䧹方鼎一	王𠟭姜事內史友員易䧹玄衣、朱襮裣
1290	利鼎	王乎乍命內史冊令利曰
1298	師旂鼎	引以告中史書
1305	師奎父鼎	王乎內史駒冊命師奎父
1306	無叀鼎	王乎史翏冊令無叀曰：官嗣Lk王iJ側虎臣
1309	寰鼎	史𢓊受王令書
1309	寰鼎	王呼史淢冊
1310	鬲攸從鼎	王令眚史南目即虢旅
1312	此鼎一	王乎史翏冊令此曰
1313	此鼎二	王呼史翏冊令此曰
1314	此鼎三	王呼史翏冊令此曰
1317	善夫山鼎	王乎史桒冊令山
1319	頌鼎一	王呼史虢生冊令頌
1320	頌鼎二	王呼史虢生冊令頌
1321	頌鼎三	王呼史虢生冊令頌
1325	五祀衛鼎	內史友寺芻
1327	克鼎	易女史小臣
1332	毛公鼎	大史寮于父即尹

史

1337	史鬲	[史]
1345	史秦鬲	史秦
1623	寡史觙甗	寡史觙乍旅彝
1644	大史友乍召公甗	大史友乍召公寶尊彝
1668	中甗	史兒至、以王令曰
1668	中甗	余令女史小大邦
1702	史毁五	[史]
1703	史毁四	[史]
1704	史毁一	[史]
1705	史毁二	[史]
1706	史毁三	[史]
1966	史母癸毁	[史]母癸
2282	史某貺乍且辛毁	史某貺(兄)乍且辛寶彝
2300	史述乍父乙毁	史述乍父乙寶毁飤
2330	史趞毁	史趞乍寶毁其萬年用
2411	史寏毁	史寏乍寶毁
2421	公史㢑乍父乙毁	公史㢑吏又宗
2524	仲幾父毁	中幾父、史幾史于諸侯諸監
2586	史䛐毁一	迺易史䛐貝十朋
2587	史䛐毁二	迺易史䛐貝十朋
2661	競毁一	白屖父蔑御史競曆、賞金
2662	競毁二	白屖父蔑御史競曆、賞金
2725	師毛父毁	井白右、大史冊命
2752	史頌毁一	令史頌
2753	史頌毁二	令史頌
2754	史頌毁三	令史頌
2755	史頌毁四	令史頌
2756	史頌毁五	令史頌
2757	史頌毁六	令史頌
2758	史頌毁七	令史頌
2759	史頌毁八	令史頌
2759	史頌毁九	令史頌
2765	救毁	內史尹冊
2768	楚毁	內史尹氏冊命楚
2769	師䅻毁	王乎內史尹氏冊命師䅻
2775	裘衛毁	王乎內史易衛載市、朱黃、䜌
2778	格白毁一	𠦪書史戠武立盟成壁
2778	格白毁一	𠦪書史戠武立盟成壁
2779	格白毁二	𠦪書史戠武立盟成壁
2780	格白毁三	𠦪書史戠武立盟成壁
2781	格白毁四	𠦪書史戠武立盟成壁
2782	格白毁五	𠦪書史戠武立盟成壁
2782.	格白毁六	𠦪書史戠武立盟成壁
2783	趩毁	內史即命
2785	王臣毁	乎內史先冊命王臣
2787	望毁	王乎史年冊令望
2787	望毁	王呼史年冊令望
2791	豆閉毁	王乎內史冊命豆閉
2791.	史密毁	王令師俗、史密曰：東征
2791.	史密毁	史宓(密)右

2792	師俞毁	王乎乍冊内史冊令師俞
2796	諫毁	王乎内史q4冊命諫曰
2796	諫毁	王乎内史先冊命諫曰
2798	師瘨毁一	王乎内史吳冊令師瘨曰
2799	師瘨毁二	王乎内史吳冊令師瘨曰
2800	伊毁	緣旂攸勒、用史
2803	師酉毁一	王乎史䄛冊命師酉
2804	師酉毁二	王乎史䄛冊命師酉
2804	師酉毁二	王乎史䄛冊命師酉
2805	師酉毁三	王乎史䄛冊命師酉
2806	師酉毁四	王乎史䄛冊命師酉
2806.	師酉毁五	王乎史䄛冊命師酉
2807	鄀毁一	王乎内史冊命鄀
2808	鄀毁二	王乎内史冊命鄀
2809	鄀毁三	王乎内史冊命鄀
2810	揚毁一	王乎内史史q4冊令揚
2811	揚毁二	王乎内史史q4冊令揚
2814	鳥冊夨令毁一	用尊史于皇宗
2814.	夨令毁二	用尊史于皇宗
2817	師頖毁	王乎内史遺冊令師頖
2818	此毁一	王呼史翏冊令此曰
2819	此毁二	王呼史翏冊令此曰
2820	此毁三	王呼史翏冊令此曰
2821	此毁四	王呼史翏冊令此曰
2822	此毁五	王呼史翏冊令此曰
2823	此毁六	王呼史翏冊令此曰
2824	此毁七	王呼史翏冊令此曰
2825	此毁八	王呼史翏冊令此曰
2829	師虎毁	王乎内史吳曰冊令虎
2830	三年師兌毁	王乎内史尹冊令師兌
2831	元年師兌毁一	王乎内史尹冊令師兌
2832	元年師兌毁二	王乎内史尹冊令師兌
2840	番生毁	王令𤔲𤔲（司）公族卿吏、大史寮
2844	頌毁一	王乎史虢生冊令頌
2845	頌毁二	王乎史虢生冊令頌
2845	頌毁二	王乎史虢生冊令頌
2846	頌毁三	王乎史虢生冊令頌
2847	頌毁四	王乎史虢生冊令頌
2848	頌毁五	王乎史虢生冊令頌
2849	頌毁六	王乎史虢生冊令頌
2850	頌毁七	王乎史虢生冊令頌
2851	頌毁八	王乎史虢生冊令頌
2854	蔡毁	王乎史尤冊令蔡
2857	牧毁	王乎内史吳冊令牧
2863	史頌匿	史頌乍匿永寶
2900	史免簠	史免乍旅匿
2954	史免旅匿	史免乍旅匿
2999	史𩰫旅盨一	史𩰫乍旅盨（盨）
3000	史𩰫旅盨二	史𩰫乍旅盨
3083	瘨毁（盨）一	王乎史年冊

史

史

3084	瘐毁(盨)二	王乎史年冊
3086	善夫克旅盨	王令尹氏友、史趛典善夫克田人
3087	鬲从盨	令小臣成友逆__□內史無䣄
3087	鬲从盨	大史旚曰
3197	史爵一	[史]
3198	史爵二	[史]
3717	史癸爵	史癸
3908	史父辛爵	[史]父辛
4164	史𦥑作寶彝爵	史𦥑(習)作寶彝
4235	肘史父乙亥角	[肘史]父乙[亥]
4237	史達角	史達作寶尊彝
4389	史父癸盉	[史]父癸
4431	史孔盉	史孔作和(盉)
4447	臣辰冊冊夕作冊父癸盉	王令士上眔史寅殷于成周
4453	史尊一	[史]
4454	史尊二	[史]
4455	史尊三	[史]
4456	史尊四	[史]
4457	史尊五	[史]
4458	史尊六	[史]
4459	史尊七	[史]
4460	史尊八	[史]
4461	史尊九	[史]
4461.	史尊十	[史]
4606	史父壬尊	[史]父壬
4619	史父癸尊	[史]父癸
4710	作彭史從尊	作彭史从尊
4712	大史尊	大史作尊彝
4775	史見尊	史見作父甲尊彝
4792	史伏作父乙旅尊	史伏作父乙寶旅彝
4880	免尊	令史懋易免載市冋黃
4886	趩尊	王乎內史冊令趩更氒且考服
4926	吳䟗馭觥(蓋)	[吳]䟗馭弔史遣馬、弗左
4929	史方彝	[史]
4978	吳方彝	王乎史戊冊令吳
4992	史卣一	[史]
4993	史卣二	[史]
4994	史卣三	[史]
5137	史父丁卣	[史]父丁
5174	史父癸卣	[史]父癸
5373	史見作父甲卣	史見作父甲尊彝
5394	史戊作父壬卣	史戊作父壬尊彝
5457	小臣系作且乙卣一	[亥][肘史]
5458	小臣系作且乙卣二	[亥][肘史]
5464	刀耳作父乙卣	寧史易耳
5465	員卣	員從史旟(旅)伐會
5481	叔卣一	王姜史叔事于大保
5482	叔卣二	王姜史叔事于大保
5500	免卣	令史懋易免載市冋黃
5501	臣辰冊冊夕卣一	王令士上眔史黃殷于成周

5502	臣辰冊冊𠂤卣二	王令士上眔史黃殷于成周
5507	乍冊䰧卣	隹公大史見服于宗周年
5507	乍冊䰧卣	公大史成見服于辟王
5507	乍冊䰧卣	王遣公大史
5507	乍冊䰧卣	公大史在豐
5522	史方罍	[史]
5746	史僕壺一	史僕乍尊壺
5747	史僕壺二	史僕乍尊壺
5785	史懋壺	親令史懋路筮、咸
5799	頌壺一	王乎史虢生冊令頌
5800	頌壺二	王乎史虢生冊令頌
5803	胤嗣好蚉壺	十三葉、左史車
5810	喪鈃	䍙史賞自乍鈃
5857	史觚一	[史]
5858	史觚二	[史]
5859	史觚三	[史]
5860	史觚四	[史]
5861	史觚五	[史]
5862	史觚六	[史]
5863	史觚七	[史]
5864	史觚八	[史]
6026	父史觚	父[史]
6209	史父丙觚	[史]父丙
6266	史見乍父甲觚	史見乍父甲彝
6407	史農觶	[史農]
6410	史且乙觶	[史]且乙
6463	史父丁觶	[史]父丁
6508	史父癸觶	[史]父癸
6629	齊史疑乍且辛觶	齊史疑乍且辛寶彝
6643	史勺	[史]
6733	史頌盤	史頌乍般(盤)
6778	免盤	令乍冊內史易免鹵百s1
6789	寰盤	史帶受王令書
6789	寰盤	王乎史qr冊易寰玄衣黹屯
6792	史墻盤	敚史剌且迺來見武王
6792	史墻盤	史牆夙夜不豕
6793	矢人盤	史正中農
6836	史頌匜	史頌乍匜
6874	鄭大內史弔上匜	奠大內史弔上乍弔媍賸匜
6910	師永盂	周人嗣工眉、敔史、師氏
7135	逆鐘	弔氏令史__召逆
7163	㾓鐘六	敚史剌
7255	史戈	[史]
7546	王三年奠令韓熙戈	王三年奠命韓熙右庫工師吏史□治□
7571	八年奠令戈	八年奠命__鹵司寇史墜右庫工帀易高冶尹__□
7874	蔡太史鉌	蔡大史黍乍其鉌
7913	朋史車鑾	倗史
7943	史農器	史
M423.	趞鼎	史留受王令書
M423.	趞鼎	王乎內史19冊易趞幺衣黹屯

小計：共 252 筆

史事	事	0472	0471史字參看	
		0988	白矩鼎	用言王出內事人
		1043	卅年鼎	卅年、康____事_冶巡鑄
		1091	小臣趞鼎	小臣趞即事于西、休
		1124	玐乍父庚鼎一	己亥、揚見事于彭
		1125	玐乍父庚鼎二	己亥、揚見事于彭
		1129	寒姒好鼎	□事小子_乍寒姒（始）好尊鼎
		1137	匽侯旨鼎一	匽侯旨初見事于宗周
		1139	寓鼎	戊寅、王蔑寓曆事鹰大人
		1167	_父鼎一	隹女率我友以事
		1168	_父鼎二	隹女率我友以事
		1170	信安君鼎	眂（視）事司馬欸、冶王石
		1170	信安君鼎	眂（視）事欸、冶瘤
		1174	昜乍旅鼎	唯十月事于曾
		1190	內史鼎	內史令1a事
		1215	麥鼎	用從井侯征事
		1216	貿鼎	弔氏事貿安曩白賓貿馬車乘
		1248	庚贏鼎	王格□宮衣事
		1281	史頌鼎一	休又成事
		1282	史頌鼎二	休又成事
		1285	彧方鼎一	王𠛬姜事內史友員易彧玄衣、朱褻裣
		1290	利鼎	易女赤θ市、䜌旂、用事
		1298	師旂鼎	雷事氒友引以告于白懋父
		1308	白晨鼎	用夙夜事
		1310	鬲攸從鼎	迺事攸衛牧誓曰
		1315	善鼎	易女乃且旂、用事
		1316	彧方鼎	王用肇事乃子彧率虎臣禦淮戎
		1316	彧方鼎	唯氒事乃子彧萬年辟事天子
		1319	頌鼎一	易女玄衣黹屯、赤市朱黃、䜌旂攸勒、用事
		1320	頌鼎二	易女玄衣黹屯、赤市朱黃、䜌旂攸勒、用事
		1321	頌鼎三	易女玄衣黹屯、赤市朱黃、䜌旂攸勒、用事
		1325	五祀衛鼎	事厲誓
		1327	克鼎	敬夙夜用事
		1328	盂鼎	在雩御事
		1329	小字盂鼎	□三事□□入服酉
		1330	曶鼎	□若曰：曶（曶）、令女更乃且考𤔲卜事
		1330	曶鼎	易女赤θ□、用事
		1331	中山王嚳鼎	旋（事）{小子}（少）女（如）長
		1331	中山王嚳鼎	旋（事）愚女（如）智
		1332	毛公鼎	王曰：父厝、雩之庶出入事
		1332	毛公鼎	王曰：父厝、巳曰及茲卿事寮
		1332	毛公鼎	雩參有𤔲、小子、師氏、虎臣雩朕褻事
		1533	尹姞賓鬲一	休天君弗望穆公聖粦明𤼈吏（事）先王
		1534	尹姞賓鬲二	休天君弗望穆公聖粦明𤼈吏（事）先王
		1666	遹乍旅甗	遹事于鈇侯
		2337	邵乍寶毁	邵乍寶毁用鄉王逆洀事

2655	小臣靜毁	小臣靜即吏（事）
2743	䶂毁	用事
2746	追毁一	追虔夙夕卹氒死事
2747	追毁二	追虔夙夕卹氒死事
2748	追毁三	追虔夙夕卹氒死事
2749	追毁四	追虔夙夕卹氒死事
2750	追毁五	追虔夙夕卹氒死事
2751	追毁六	追虔夙夕卹氒死事
2783	趞毁	易女赤市、幽亢、䜌旂、用事
2784	申毁	䜌旂用事
2785	王臣毁	戈畫咸、厚必、彤沙、用事
2793	元年師旋毁一	敬夙夕用吏（事）
2794	元年師旋毁二	敬夙夕用吏（事）
2795	元年師旋毁三	敬夙夕用吏（事）
2797	輔師嫠毁	䜌旂五日、用事
2811	揚毁二	眔司工事
2817	師穎毁	易女赤市朱黃、䜌旂攸勒、用事
2826	師寰毁一	夙夜卹氒穡旋（事）
2826	師寰毁一	夙夜卹氒穡旋（事）
2827	師寰毁二	夙夜卹氒穡旋（事）
2852	不嬰毁一	用從乃事
2853	不嬰毁二	用從乃事
4839	史喪尊	事喪乍丁公寶彝
4877	小子生尊	王令生辨事公宗
4877	小子生尊	用鄉出內事人
4890	盠方尊	更朕先寶事
4893	矢令尊	王令周公子明保尹三事四方
4893	矢令尊	受卿事寮
4893	矢令尊	公令徣同卿事寮
4893	矢令尊	徣令、舍三事令
4893	矢令尊	眔卿事寮
4893	矢令尊	奭左右于乃寮以乃友事
4979	盠方彝一	更朕先寶事
4980	盠方彝二	更朕先寶事
4981	矗冊令方彝	王令周公子明保尹三事四方
4981	矗冊令方彝	受卿事寮
4981	矗冊令方彝	公令徣同卿事寮
4981	矗冊令方彝	舍三事令
4981	矗冊令方彝	眔卿事寮、眔君尹
4981	矗冊令方彝	奭左右于乃寮、以乃友事
5449	倗乍氒考卣	用萬年事
5481	叔卣一	王姜史叔事于大保
5482	叔卣二	王姜史叔事于大保
5489	戌箙啟卣	用夙夜事［戚箙］
5493	召乍＿宮旅卣	召啟進事
5493	召乍＿宮旅卣	奔走事皇辟君
5493	召乍＿宮旅卣	休王自穀穀事
5497	農卣	事氒友妻農
5497	農卣	迺稟氒奴、氒小子小大事
5508	弔趞父卣一	余考不克御事

事

5508	弔趞父卣一	女其用鄉乃辟軝侯逆造出內事人
5654	事从乍壺	事从乍壺
5772	陳璋方壺	隹王五年奠陳旻再立事歲
5773	陳喜壺	陳喜再立事歲pf月己酉
5779	安邑下官鍾	府嗇夫__冶事左__止大斛斗一益少半益
5780	公孫窹壺	公孫窹立事歲飯ho月
5798	曶壺	攸勒、鑾旂、用事
5799	頌壺一	鑾旂、攸勒、用事
5800	頌壺二	鑾旂、攸勒、用事
5801	洹子孟姜壺一	余不其事
5801	洹子孟姜壺一	用御天子之事
5801	洹子孟姜壺一	用御爾事
5802	洹子孟姜壺二	余不其事
5802	洹子孟姜壺二	用御天子之事
5802	洹子孟姜壺二	用御爾事
5826	國差罎	國差立事歲
6785	守宮盤	周師光守宮事
6786	__弔多父盤	吏利于辟王卿事師尹倗友
6877	儹乍旅盨	自今余敢vv乃小大事
6909	遡盨	天君事遡事o8
7046	□□自乍鐘二	敬事天王
7062	柞鐘	嗣五邑佃人事
7063	柞鐘二	嗣五邑佃人事
7064	柞鐘三	嗣五邑佃人事
7065	柞鐘四	嗣五邑佃人事
7067	柞鐘六	嗣五邑佃人事
7122	梁其鐘一	天子肩事
7123	梁其鐘二	天子肩事
7136	郘鐘一	余頡岡事君
7137	郘鐘二	余頡岡事君
7138	郘鐘三	余頡岡事君
7139	郘鐘四	余頡岡事君
7140	郘鐘五	余頡岡事君
7141	郘鐘六	余頡岡事君
7142	郘鐘七	余頡岡事君
7143	郘鐘八	余頡岡事君
7144	郘鐘九	余頡岡事君
7145	郘鐘十	余頡岡事君
7146	郘鐘十一	余頡岡事君
7147	郘鐘十二	余頡岡事君
7148	郘鐘十三	余頡岡事君
7149	郘鐘十四	余頡岡事君
7164	瘐鐘七	今瘐夙夕虔苟(敬)卹氒死事
7174	秦公鐘	以虩事䜌方
7177	秦公及王姬編鐘一	以虩事䜌方
7182	叔夷編鐘一	夙夜宦執而政事
7182	叔夷編鐘一	虔卹氒死事
7184	叔夷編鐘三	女康能乃又事
7186	叔夷編鐘五	堇勞其政事
7187	叔夷編鐘六	龢䜌而又事

7193	叔夷編鐘十二	堇勞其政事
7209	秦公及王姬鎛	以虩事蠻方
7210	秦公及王姬鎛二	以虩事蠻方
7211	秦公及王姬鎛三	以虩事蠻方
7212	秦公鎛	于秦執事
7214	叔夷鎛	夙夜宦執而政事
7214	叔夷鎛	虔卹氒死事
7214	叔夷鎛	女康能乃又事
7214	叔夷鎛	為大事
7214	叔夷鎛	堇勞其政事
7214	叔夷鎛	龢𤔲而又事
7425	事孫戈	事孫＿丘戈
7496	是氏事歲戈	是立事歲＿右工戈
7564	五年相邦呂不韋戈	詔事、詔事、屬邦
7565	八年相邦呂不韋戈	詔事圖丞＿工寅
7731	王立事劍一	王立事歲
7732	王立事劍二	王立事歲
7733	王立事劍三	王立事歲
7870	陳純釜	陳猷立事歲
7871	子禾子釜一	□□立事歲
7871	子禾子釜一	關人□□其事
7871	子禾子釜一	于其事區夫
7884	五年司馬𣝣	五年司馬成公＿□事命代□
7886	新郪虎符	燔𨛭豕事
7975	中山王𡀚兆域圖	有事者官□之
M171	小臣靜卣	小臣靜即事
M191	緐卣	衣事亡眈
M349	己侯壺	事小臣用汲
M423.	趞鼎	䜌旂、攸勒、用事
		小計：共　174 筆

0473　參0476聿字條

0474　1577肆字參看

1217	毛公旅方鼎	肄母又弗競
1324	禹鼎	肄（肆）武公亦弗叚望朕聖且考幽大弔、懿弔
1324	禹鼎	肄（肆）禹亦弗敢𢘅
1324	禹鼎	肄（肆）自師㣈𢓊匌匩
1324	禹鼎	肄（肆）武公迺遣禹率公戎車百乘
1324	禹鼎	肄（肆）禹又成
1327	克鼎	肄（肆）克龏保氒辟龏王
1327	克鼎	肄（肆）克□于皇天
1328	盂鼎	率肄（肆）于酉（酒）
1332	毛公鼎	肄（肆）皇天亡斁
1668	中甗	肄（肆）厠又羞余□□□
2676	旅肄乍父乙𣪘	戊辰、弜師易肄𦤎、ql䍙貝
2710	肄自乍寶器一	肄對揚王休
2711	肄自乍寶器二	肄對揚王休

事　聿　肄

2760	小臣謎毀一	小臣謎蔑曆、眔易貝
2761	小臣謎毀二	小臣謎蔑曆、眔易貝
2774	臣諫毀	今肄服乍朕皇文考寶尊
2786	縣妃毀	肄敢s0于彝日
2834	㝬毀	肄(肆)余目餧士獻民
2856	師訇毀	肄(肆)皇帝亡昊
4891	何尊	肄玟王受茲大令
7049	井人鐘三	宗室、肄妄乍龢父大𪔂鐘
7050	井人鐘四	肄妄乍龢父大𪔂鐘

小計:共 23 筆

肅 0475

1324	禹鼎	于匡朕肅慕
2324	孟𢘅父毀	孟肅父乍寶毀其永用
4887	蔡侯𩍙尊	齊嘉整𪗊(肅)
6788	蔡侯𩍙盤	齊嘉整𪗊(肅)
J0081	王孫𩒨鐘	(拓本未見)
7175	王孫遺者鐘	肅哲聖武
7182	叔夷編鐘一	肅成朕師旟之政德
7188	叔夷編鐘七	肅肅義政
7189	叔夷編鐘八	肅肅義政
7213	𬯀鎛	肅肅義政
7214	叔夷鎛	肅成朕師旟之政德
7214	叔夷鎛	肅肅義政

小計:共 12 筆

聿 0476

J232	聿臾鼎	聿臾
0950	羊甚諆臧鼎	甚諆臧聿乍父丁尊彝[羊]
1026	奄塈鼎	奄塈聿乍寶尊鼎
1970	聿父戊毀	[聿]父戊
2063	乍旅毀	乍旅毀[聿]
2659	郾侯旆毀	樂民聿諸
3194	聿爵一	[聿]
3195	聿爵二	[聿]
3196	聿爵三	[聿]
4209	亞聿角	[亞聿]
4263	聿斝	[聿]
4315	聿父戊斝	[聿]父戊
4583	尹父丁尊	[尹(聿)]父丁
4838	執作父口尊	易聿礼用乍父口尊彝
4933	聿方彝	[聿]
5185	庚婦聿卣	婦庚[聿][e4]
5547	聿貝甲罍	[聿貝]甲
6309	聿觶	[聿]
6556	亞其聿父乙觶	[亞其聿]父乙

6605	亞𦘔豕父乙觶	[亞箕𦘔豕]父乙
7004	楚王頷鐘	其𦘔其言
7070	者沪鐘二	女亦虔秉不經悳台克刺＿光之于𦘔
7075	者沪鐘七	用受刺＿光之于𦘔
7078	者沪鐘十	光之于𦘔
7080	者沪鐘十二	光之于𦘔
7136	郘鐘一	郘＿曰：余八𦘔
7137	郘鐘二	大鐘八𦘔
7138	郘鐘三	大鐘八𦘔
7139	郘鐘四	大鐘八𦘔
7140	郘鐘五	大鐘八𦘔
7141	郘鐘六	大鐘八𦘔
7142	郘鐘七	大鐘八𦘔
7143	郘鐘八	大鐘八𦘔
7144	郘鐘九	大鐘八𦘔
7145	郘鐘十	大鐘八𦘔
7146	郘鐘十一	大鐘八𦘔
7147	郘鐘十二	大鐘八𦘔
7148	郘鐘十三	大鐘八𦘔
7149	郘鐘十四	大鐘八𦘔
7246	𦘔戈	[𦘔]

小計：共 40 筆

𦘔
書

0477

1298	師旂鼎	引以告中史書
1309	寰鼎	史黹受王令書
1319	頌鼎一	尹氏受王令書
1320	頌鼎二	尹氏受王令書
1321	頌鼎三	尹氏受王令書
2762	免毁	王受乍冊尹者(書)
2778	格白毁一	㕟書史戠武立盟成壁
2778	格白毁一	㕟書史戠武立盟成壁
2779	格白毁二	㕟書史戠武立盟成壁
2780	格白毁三	㕟書史戠武立盟成壁
2781	格白毁四	㕟書史戠武立盟成壁
2782	格白毁五	㕟書史戠武立盟成壁
2782.	格白毁六	㕟書史戠武立盟成壁
2844	頌毁一	尹氏受王令書
2845	頌毁二	尹氏受王令書
2845	頌毁二	尹氏受王令書
2846	頌毁三	尹氏受王令書
2847	頌毁四	尹氏受王令書
2848	頌毁五	尹氏受王令書
2849	頌毁六	尹氏受王令書
2850	頌毁七	尹氏受王令書
2851	頌毁八	尹氏受王令書
5799	頌壺一	尹氏受王令書
5800	頌壺二	尹氏受王令書

5825	鯀書缶	余畜孫書巳睪其吉金
5825	鯀書缶	鯀書之子孫
6789	寰盤	史帶受王令書
7823	距末二	廿年尚上長斗乘四其我__攻書
7976	之利殘片	__書新□□__女長于部旨
M423.	趞鼎	史留受王令書

小計：共 30 筆

叜 0478

1307	師望鼎	不敢不豕不叜
1814	子叜毀一	[子叜]
1815	子叜毀二	[子叜]
2513	再乍季日乙叜毀一	用乍季日乙叜
2514	再乍季日乙叜毀二	用乍季日乙叜
2856	師訇毀	首德不克叜
4100	鳥叜父癸爵	父癸[叜鳥]

小計：共 7 筆

肆 0479

7107	曾侯乙甬鐘	割肆之羽
7107	曾侯乙甬鐘	割肆之才楚號為呂鐘
M705	曾侯乙編鐘下一・一	割肆之濟宮
M705	曾侯乙編鐘下一・一	濁割肆之下角
M706	曾侯乙編鐘下一・二	割肆之羽曾
M707	曾侯乙編鐘下一・三	割肆之徵角
M707	曾侯乙編鐘下一・三	割肆之徵曾
M708	曾侯乙編鐘下二・一	割肆翾鎛
M708	曾侯乙編鐘下二・一	割肆之徵角
M709	曾侯乙編鐘下二・二	割肆之商角
M709	曾侯乙編鐘下二・二	割肆之商曾
M710	曾侯乙編鐘下二・三	割肆之中鎛
M710	曾侯乙編鐘下二・三	割肆之宮曾
M711	曾侯乙編鐘下二・四	割肆之羽曾
M712	曾侯乙編鐘下二・五	割肆之宮
M712	曾侯乙編鐘下二・五	割肆之才楚號為呂鐘
M712	曾侯乙編鐘下二・五	割肆之徵曾
M713	曾侯乙編鐘下二・七	割肆之羽
M713	曾侯乙編鐘下二・七	割肆之羽角
M714	曾侯乙編鐘下二・八	割肆之徵
M714	曾侯乙編鐘下二・八	割肆之徵角
M715	曾侯乙編鐘下二・九	割肆之鑐
M715	曾侯乙編鐘下二・九	濁割肆之羽
M715	曾侯乙編鐘下二・九	割肆之宮曾
M716	曾侯乙編鐘下二・十	割肆之濟商
M716	曾侯乙編鐘下二・十	割肆之羽曾
M719	曾侯乙編鐘中一・三	割肆之少商

M720	曾侯乙編鐘中一・四	割肄之壴
M720	曾侯乙編鐘中一・四	割肄之巽
M721	曾侯乙編鐘中一・五	割肄之下角
M721	曾侯乙編鐘中一・五	割肄之冬
M722	曾侯乙編鐘中一・六	割肄之商
M723	曾侯乙編鐘中一・七	割肄之宮
M724	曾侯乙編鐘中一・八	割肄之羽
M724	曾侯乙編鐘中一・八	濁割肄之商
M725	曾侯乙編鐘中一・九	割肄之徵
M725	曾侯乙編鐘中一・九	割肄之徵角
M725	曾侯乙編鐘中一・九	濁割肄之宮
M726	曾侯乙編鐘中一・十	割肄之角
M726	曾侯乙編鐘中一・十	割肄之宮曾
M726	曾侯乙編鐘中一・十	濁割肄之羽
M727	曾侯乙編鐘中一・十一	割肄之散商
M727	曾侯乙編鐘中一・十一	割肄之羽曾
M728	曾侯乙編鐘中二・一	割肄之羽反
M728	曾侯乙編鐘中二・一	割肄之巽
M729	曾侯乙編鐘中二・二	曾侯乙乍時，角反，徵反，割肄之駃，
M729	曾侯乙編鐘中二・二	割肄之冬反
M730	曾侯乙編鐘中二・三	割肄之少商
M731	曾侯乙編鐘中二・四	割肄之喜
M731	曾侯乙編鐘中二・四	割肄之巽
M732	曾侯乙編鐘中二・五	割肄之下角
M732	曾侯乙編鐘中二・五	割肄之冬
M733	曾侯乙編鐘中二・六	割肄之商
M734	曾侯乙編鐘中二・七	割肄之宮
M735	曾侯乙編鐘中二・八	割肄之羽
M735	曾侯乙編鐘中二・八	濁割肄之商
M736	曾侯乙編鐘中二・九	割肄之徵
M736	曾侯乙編鐘中二・九	割肄之徵角
M736	曾侯乙編鐘中二・九	濁割肄之冬
M737	曾侯乙編鐘中二・十	割肄之角
M737	曾侯乙編鐘中二・十	割肄之宮曾
M737	曾侯乙編鐘中二・十	濁割肄之羽
M739	曾侯乙編鐘中二・十二	割肄之散商
M739	曾侯乙編鐘中二・十二	割肄之羽曾
M740	曾侯乙編鐘中三・一	割肄之少羽
M740	曾侯乙編鐘中三・一	割肄之少宮
M740	曾侯乙編鐘中三・一	割肄之才楚為呂鐘
M742	曾侯乙編鐘中三・三	割肄之角
M742	曾侯乙編鐘中三・三	割肄之徵反
M743	曾侯乙編鐘中三・四	割肄之少商
M743	曾侯乙編鐘中三・四	割肄之龤
M744	曾侯乙編鐘中三・五	割肄之羽
M744	曾侯乙編鐘中三・五	割肄之宮反
M744	曾侯乙編鐘中三・五	割肄之才楚號為呂鐘
M745	曾侯乙編鐘中三・六	割肄之宮角
M745	曾侯乙編鐘中三・六	割肄之冬
M746	曾侯乙編鐘中三・七	割肄之商

肆畫

M746	曾侯乙編鐘中三・七	割肄之羽曾
M747	曾侯乙編鐘中三・八	割肄之宮
M747	曾侯乙編鐘中三・八	割肄之才楚號為呂鐘
M747	曾侯乙編鐘中三・八	割肄之徵曾
M748	曾侯乙編鐘中三・九	割肄之羽
M748	曾侯乙編鐘中三・九	割肄之羽角
M749	曾侯乙編鐘中三・十	割肄之徵
M749	曾侯乙編鐘中三・十	割肄之徵角

小計：共　84 筆

畫 0480

1308	白晨鼎	畫hd、幬軷、虎幃
1329	小字盂鼎	征王令賞盂□□□□□弓一、矢百、畫絨一、
1332	毛公鼎	畫縛畫轄、金甬、錯衡、金踵、金豙、勅晨、
1814	子畫毀一	[子畫]
1815	子畫毀二	[子畫]
2731	小臣宅毀	白易小臣宅畫干戈九
2744	五年師旋毀一	盾生皇畫內、戈琱詘
2745	五年師旋毀二	盾生皇畫內、戈琱詘
2785	王臣毀	戈畫詘、厚必、彤沙、用事
2816	彔白狨毀	虎冟朱裏、金甬、畫聞（輹）
2816	彔白狨毀	金厄畫轉、馬四匹、鋚勒
2830	三年師兌毀	畫轉
2830	三年師兌毀	畫轄
2834	㝬毀	余亡康畫夜
2840	番生毀	畫轉畫轄、金童金豙
2857	牧毀	易女鬯一卣、金車、桒較、畫輹
3088	師克旅盨一（蓋）	虎冟、熏裏、畫轉、畫輹、金甬、朱旂
3089	師克旅盨二	虎冟、熏裏、畫轉、畫輹、金甬、朱旂
3090	墾盨（器）	畫轉、金甬
4100	鼻畫父癸爵	父癸[畫鼻]
4978	吳方彝	桒較、畫轉、金甬
5791	十三年瘨壺一	王乎乍冊尹冊易瘨畫靳
5792	十三年瘨壺一	王乎乍冊尹冊易瘨畫靳
7393	□大長畫戈	□大長畫
7996.	上官登	富子之上官隻之畫sp□鉄十

小計：共　25 筆